Владимир

ВОЙНОВИЧ

ПУТЕМ ВЗАИМНОЙ ПЕРЕПИСКИ

Москва
2016

УДК 821.161.1-31
ББК 84(2Рос=Рус)6-44
В61

Оформление серии *Андрея Саукова*

Фотография автора на переплете *Валерия Плотникова*

Иллюстрация на переплете *Филиппа Барбышева*

Войнович, Владимир Николаевич.

В61 Путем взаимной переписки / Владимир Войнович. — Москва : Издательство «Э», 2016. — 448 с. — (Классическая проза Владимира Войновича).

ISBN 978-5-699-84535-4

Это сохранилось и по сей день: солдаты срочной службы получают от девушек, ищущих женихов, письма счастья. Именно так познакомились Людмила Сырова и Иван Алтынник, герои повести Войновича «Путем взаимной переписки». Оказавшись в служебной командировке, Иван решился встретиться с Людмилой, сойдя с поезда в городке Кирзавод. Невинная забава обернулась драмой жизни.

«Мою повесть «Путем взаимной переписки» многие мои друзья посчитали лучшей вещью, да я и сам оценил ее примерно так же...» — писал о своей повести В. Войнович. Некоторые исследователи называют ее самым страшным сочинением на брачную тематику.

В сборник В. Войновича вошли также известные повести «Шапка», «Мы здесь живем», «Два товарища».

УДК 821.161.1-31
ББК 84(2Рос=Рус)6-44

ISBN 978-5-699-84535-4

Шапка

Когда Ефима Степановича Рахлина спрашивали, о чем будет его следующая книга, он скромно потуплял глаза, застенчиво улыбался и отвечал:

— Я всегда пишу о хороших людях.

И всем своим видом давал понять, что пишет о хороших людях потому, что сам хороший и в жизни замечает только хорошее, а плохого совсем не видит.

Хорошими его героями были представители так называемых мужественных профессий: геологи, гляциологи, спелеологи, вулканологи, полярники и альпинисты, которые борются со стихией, то есть силой, не имеющей никакой идеологической направленности. Это давало Ефиму возможность описывать борьбу почти без участия в ней парткомов, райкомов, обкомов (чем он очень гордился) и тем не менее проталкивать свои книги по мере написания, примерно по штуке в год, без особых столкновений с цензурой или редакторами. Потом многие книги перекраивались в пьесы и киносценарии, по ним делались теле- и радиопостановки, что самым положительным образом отражалось на благосостоянии автора. Его трехкомнатная квартира была забита импортом: румынский гарнитур, арабская кровать, чехословацкое пианино, японский телевизор «Сони» и финский холодильник «Розенлев». Квартиру, кроме того, украшала коллекция диковинных предметов, привезенных хозяином из многих экспедиций. Предметы были развешаны по стенам, расстелены на полу, расставлены на подоконниках, на книжных полках, на специальных подставках: оленьи рога, моржовый клык, чучело пингвина, шкура белого медведя, панцирь гигантской черепахи, скелеты глубоководных рыб, высушенные морские ежи и звезды, нанайские тапочки, бурятские или монгольские глиняные фигурки и еще всякая всячина. Показывая мне коллекцию, Ефим почтительно комментировал: «Это мне подарили нефтяники. Это мне подарили картографы. Это — спелеологи».

В печати сочинения Рахлина оценивались обычно очень благожелательно. Правда, писали о них в основном не критики, а те же самые спелеолухи (так всех мужественных людей независимо от их реальных профессий именовал друг Ефима Костя Баранов). Отзывы эти (я подозреваю, что Ефим сам их и сочинял) были похожи один на другой и назывались «Нужная книга», «Полезное чтение», «Это надо знать всем» или как-нибудь в этом духе. Они содержали обычно утверждения, что автор хорошо знаком с трудом и бытом изображаемых героев и достоверно описывает романтику их опасной и нелегкой работы.

Во всех его рассказах (раньше Ефим писал рассказы), повестях (потом стал писать повести) и романах (теперь он пишет только романы) действуют люди как на подбор хорошие, прекрасные, один лучше другого.

Ефим меня уверял, что описываемые им персонажи и в жизни такие. Будучи скептиком, я в этом глубоко сомневался. Я знал, что люди везде одинаковы, что и на дрейфующей льдине среди советского коллектива есть и партийные карьеристы, и стукачи, и хоть один кадровый работник госбезопасности тоже имеется. Потому что в условиях изоляции и долговременного отрыва от родины у некоторых людей даже очень большого мужества может появиться желание выразить какую-нибудь идейно незрелую мысль или рассказать сомнительный в политическом отношении анекдот. Не говоря уж о том, что эта самая льдина может придрейфовать куда угодно и нет никакой гарантии, что ни у кого из хороших людей не хватит мужества остаться на чужом берегу.

Когда я высказывал Ефиму это свое циничное мнение, он даже позволял себе сердиться и горячо уверял меня, что я ошибаюсь, в суровых условиях действуют другие законы и мужественных людей судить по обычным меркам нельзя. «В каком смысле нельзя? — спрашивал я. — В том смысле, что не найдется среди них ни одного, который сбежит? Не найдется ни одного, который погонится за сбежавшим? А если найдутся и тот, и тот, — кто из них хороший, а кто плохой?»

В конце концов Ефим просто замолкал и поджимал губы, показывая, что спорить со мной бесполезно, для того чтобы понимать высокие устремления, надо самому обладать ими.

Во всех его романах непременно случалось какое-нибудь центральное драматическое происшествие: пожар, буран, землетрясение, наводнение со всякими к тому же медицинскими последствиями вроде ожогов, обморожений, откачки утопленников, после чего хорошие люди бегут, летят, плывут, ползут на помощь и охотно делятся своей кровью, кожей, лишними почками и костным мозгом или проявляют свое мужество каким-то иным, опасным для здоровья способом.

Сам Ефим был мужественным, но не храбрым. Он мог тонуть в полынье, валиться с какой-нибудь памирской скалы, гореть при тушении пожара на нефтяной скважине, но при этом всегда боялся тринадцатых чисел, черных кошек, вирусов, змей, собак и начальников. Начальниками он считал всех, от кого зависело дать ему что-то или отказать, поэтому в число начальников входили редакторы журналов, секретари Союза писателей, милиционеры, вахтеры, билетные кассиры, продавцы и домоуправы.

Обращаясь к начальникам с большой или маленькой просьбой, он при этом делал такое жалкое лицо, что отказать ему мог только совершеннейший истукан.

Он всегда просил, вернее, выпрашивал все, начиная от действительно важных вещей, например переиздания книги, до самых ничтожных вроде подписки на журнал «Наука и жизнь». А уж как он хлопотал о том, чтобы «Литературка» отметила его пятидесятилетие юбилейной заметкой с фотографией, как боролся за то, чтобы ему дали хоть какой-нибудь орден, — об этом можно написать целый рассказ или даже повесть. Я писать ни того ни другого не буду, скажу только, что битву свою Ефим выиграл лишь отчасти: заметка появилась без фотографии и без всяких оценочных эпитетов, а вместо ордена ему в порядке общей очереди была вручена Почетная грамота ВЦСПС.

Впрочем, замечу к слову, кое-какие металлические знаки отличия у Ефима все же имелись. В конце войны, прибавив себе в документах пару лет, Ефим (он уже тогда был мужественным) попал в армию, но до фронта не добрался, был ранен во время бомбежки эшелона. Это его неудачное участие в войне было отмечено медалью «За победу над Германией». Двадцать или тридцать лет спустя ему за то же самое дали юбилейную медаль, в семидесятом году он получил медаль в честь столетия Ленина, а в семьдесят первом — медаль «За освоение нефтегазовых месторождений Западной Сибири». Эту награду Ефиму выдал нефтегазовый министр в обмен на экземпляр романа «Скважина», посвященного, между прочим, не западносибирским, а бакинским нефтяникам. Упомянутые медали украшали ефимовскую анкету и в биографических данных позволяли ему со скромным достоинством отмечать: «Имею правительственные награды». А иной раз он писал не «правительственные», а «боевые», так звучало эффектней.

Меня Ефим посещал обычно по четвергам, когда ему как ветерану войны в магазине напротив моего дома выдавали польскую курицу, пачку гречки, рыбные палочки, банку растворимого кофе и слипшийся, засахаренный мармелад «Лимонные дольки». Все это он носил в большом портфеле, в котором помещались и другие закупленные по дороге продукты, а также пара экземпляров только что вышедшего романа для подарков случайно встреченным нужным хорошим людям. Там же, конечно, была и новая рукопись, с которой он спешил ознакомить своих друзей, в число которых включал и меня. Я до сих пор хорошо помню толстую желтую папку с коричневыми завязками и надписью «Дело».

Поставив портфель на стул, Ефим осторожно вытаскивал папку и вручал мне, одновременно как бы и смущаясь, и оказывая честь, которой он не каждого удостаивал (не каждый, правда, спешил удостоиться).

— Знаешь, — говорил он, отводя при этом глаза, — мне очень важно знать твое мнение.

Иногда я пытался как-нибудь отбрыкаться:

— Ну зачем тебе мое мнение? Ты же знаешь, что от критики я отошел, потому что всерьез заниматься критикой не дают, а не всерьез ею заниматься не стоит. Я работаю в институте, получаю зарплату. А о текущей литературе писать не собираюсь. Ни о твоих книгах, ни о других.

Он в таких случаях пугался, смущался и пытался меня уверить, что ни на какую печатную критику и не надеется, ему достаточно только моего высокоавторитетного устного мнения.

И, конечно, я всегда давал слабину.

Однажды, впрочем, я сильно на Ефима рассердился и сказал не ему, а своей жене:

— Вот придет, и я ему скажу, что я его книгу не читал и читать не буду. Я не хочу читать про хороших людей. Я хочу читать про всяких негодяев, неудачников и проходимцев. Про Чичикова, Акакия Акакиевича, про Раскольникова, который убивает старух, про человека в футляре или про Остапа Бендера. А мой любимый герой — дезертир, торгующий крадеными собаками.

— Подожди, не горячись, — попыталась меня утихомирить жена. — Посмотри хотя бы первые страницы, может быть, в них все-таки что-то есть.

— И смотреть не желаю! В них ничего нет и быть не может. Глупо ожидать от вороны, что она вдруг запоет соловьем.

— Но ты хоть полистай.

— И листать нечего! — Я швырнул рукопись, и она разлетелась по всей комнате.

Жена вышла, а я, поостыв, стал собирать листки, заглядывая в них и возмущаясь каждой строкой. В конце концов я пролистал всю рукопись, прочел несколько страниц в начале, заглянул в середину и в конец.

Роман назывался «Перелом». Один из участников геологической экспедиции сломал ногу (и вначале даже мужественно пытался это скрыть), а врача поблизости нет, он находится в поселке за сто пятьдесят километров, и имеющийся у экспедиции вездеход, на беду, сломался. И вот хорошие люди несут своего мужественного товарища на руках в дождь и снег, через топи и хляби, переживая неимоверные трудности. Больной хотя и мужественный, но немного отсталый. По-хорошему отсталый. Он просит друзей оставить его на месте, потому что они уже нашли конец нужной жилы, которая очень нужна государству. А раз нужна государству, то и для него она дороже собственной жизни. (Хорошие люди тем особенно и хороши, что своей жизнью особо не дорожат.) Герой просит его оставить и получает, разумеется, выговор от хороших своих товарищей за оскорбление. За высказанное им предположение, что они могут покинуть его в беде. И хотя у них кончились все припасы — и еда, и курево — и ударили морозы, они все-таки донесли товарища до места, не бросили, не пристрелили, не съели.

Все было ясно. На листке бумаги я набросал некоторые заметки и ждал Ефима, чтобы сказать ему правду.

В четверг, как всегда, он явился нагруженный своим раздутым портфелем, из которого и мне досталась банка болгарской кабачковой икры.

Мы поговорили о том о сем, о последней передаче «Голоса Америки», о наших домашних, о его сыне Тишке, который учился в аспирантуре, о дочке Наташе, жившей в Израиле, обсудили одну очень смелую статью в «Литературной газете» и оценили шансы консерваторов и лейбористов на предстоящих выборах в Англии. Почему-то отношения консерваторов и лейбористов Ефима всегда волновали, он регулярно и заинтересованно пересказывал мне, что Нил Киннок сказал Маргарет Тэтчер и что Тэтчер ответила Кинноку.

Наконец я понял, что уклоняться дальше некуда, и сказал, что рукопись я прочел.

— А, очень хорошо! — Он засуетился, немедленно извлек из портфеля средних размеров блокнот с Юрием Долгоруким на обложке, а из кармана ручку «Паркер» (подарили океанологи) и выжидательно уставился на меня.

Я посмотрел на него и покашлял. Начинать прямо с разгрома было неловко. Я решил подсластить пилюлю и сказать для разгона что-нибудь позитивное.

— Мне понравилось... — начал я, и Ефим, подведя под блокнот колено, застрочил что-то быстро, прилежно, не пропуская деталей. — Но мне кажется...

Паркеровское перо отдалилось от блокнота, на лице Ефимовом появилось выражение скуки, глаза смотрели на меня, но уши не слышали. Это была не осознанная тактика, а феномен такого сознания, обладатели которого видят, слышат и помнят только то, что приятно.

— Ты меня не слушаешь, — заметил я, желая хотя бы частично пробиться со своей критикой.

— Нет-нет, почему же! — Слегка смутясь, он приблизил перо к бумаге, но записывать не спешил.

— Понимаешь, — сказал я, — мне кажется, что, сломав ногу, человек, даже если он очень мужественный и очень хороший, во всяком случае, в первый момент, думает о ноге, а не о том, что государству нужна какая-то руда.

— Кобальтовая руда, — уточнил Ефим, — она государству нужна позарез.

— А, ну да, это я понимаю. Кобальтовая руда, она, конечно, нужна. Но она там лежала миллионы лет и несколько дней, наверное, может еще полежать, каши не просит. А нога в это время болит...

Ефим поморщился. Ему было жаль меня, чуждого высоких порывов, но спорить, он понимал, бесполезно. Если уж в человеке чего-то нет, так нет. Поэтому он ограничил нашу дискуссию пределами, доступными моему пониманию, и спросил, что я думаю об общем построении романа, о том, как это написано.

Написано это было, как всегда, из рук вон плохо, но я увидел в глазах его такое отчаянное желание услышать хорошее, что сердце мое дрогнуло.

— Ну, написано это... — Я немного помялся. — ...Ну, ничего. — Посмотрел на него и поправился: — Написано довольно хорошо.

Он просиял:

— Да, мне кажется, что стилистически...

За такой стиль, конечно, надо убивать, но, глядя на Ефима, я промямлил, что по части стиля у него все в порядке, хотя есть некоторые шероховатости...

Тут он полез в карман, то ли за платком, то ли за валидолом, и я понял, что даже некоторых шероховатостей достаточно для небольшого сердечного приступа.

— Маленькие шероховатости, — поспешил я поправиться. — Совсем небольшие. А впрочем, может быть, это мое субъективное мнение. Ты знаешь, меня и раньше всегда ругали за субъективизм. А объективно это вообще хорошо, здорово.

— А как тебе понравилось, когда Егоров лежит и смотрит на Большую Медведицу?

Егоровым, кажется, звали главного героя. А вот где он лежит и на что смотрит, этого я припомнить не мог и вынужденно похвалил Егорова и Большую Медведицу.

— А сцена в кабинете начальника главка? — посмотрел на меня Ефим, поощряя к нарастающему восторгу.

О боже! Какого еще главка! Я был уверен, что там все действие происходит только на лоне недружелюбной природы.

— Да-да-да, — сказал я, — в главке это вообще, это да. И название очень удачное, — добавил я, чтобы подальше уйти от деталей.

— Да, — загорелся Ефим. — Название мне удалось. Понимаешь, речь же идет не просто о переломе конечности. Это было бы слишком плоско и примитивно. Одновременно происходит перелом в отношении к человеку, перелом в душе, перелом в сознании... Там, ты помнишь, они понесли его к больнице и видят за замерзшим окном расплывшийся силуэт...

Разумеется, и этого я не помнил, но о силуэте отозвался самым одобрительным образом и, чтоб избежать дальнейших подробностей, вскочил и, пряча глаза, поздравил Ефима с удачей.

Моя жена вылетела на кухню, и я слышал, как она там давилась от смеха, а он, пользуясь ее отсутствием, кинулся ко мне с рукопожатием.

— Я рад, что тебе понравилось, — сказал он взволнованно.

Покинув меня, он, как и следовало ожидать, тут же разнес по всей Москве весть о моем восторженном отзыве, сообщил о нем, кроме прочих, Баранову, который немедленно позвонил мне и, шепелявя больше обычного, стал допытываться, действительно ли мне понравился этот роман.

— А в чем дело? — спросил я настороженно.

— А в том дело, — сердито сказал Баранов, — что своими беспринципными похвалами вы только укрепляете Ефима в ложном мнении, будто он в самом деле писатель.

Этот Баранов, будучи ближайшим другом Рахлина, никогда его не щадил, считал своим долгом говорить ему самую горькую правду, иногда даже настолько горькую, что я удивлялся, как Ефим ее терпит.

Ефим жил на шестом этаже писательского дома у метро «Аэропорт» — исключительно удобное место. Внизу поликлиника, напротив (одна минута ходьбы) — производственный комбинат Литературного фонда, налево (две минуты) — метро, направо (три минуты) — продовольственный магазин «Комсомолец». А еще чуть дальше, в пределах, как американцы говорят, прогулочной дистанции, — кинотеатр «Баку», Ленинградский рынок и 12-е отделение милиции.

Квартира была просторная, а стала еще просторнее после того, как семья Ефима сократилась ровно на четверть. Это случилось после того, как дочь Наташа уехала на историческую родину, а точнее сказать, в Тель-Авив. Уехала, между прочим, с большим скандалом.

Чтобы понять причину скандала, надо знать, что жена у Ефима была русская — Кукушкина Зина, родом из Таганрога. Кукуша (так ее ласково звал Ефим) была полная, дебелая, похотливая и глупая дама с большими амбициями. Она курила длинные иностранные сигареты, которые доставала по блату, гуляла, как говорится, «налево», пила водку, пела похабные частушки и вообще материлась, как сапожник. Она работала на телевидении старшим редактором отдела патриотического воспитания и выпускала программу «Никто не забыт, ничто не забыто». Кроме того, была секретарем партбюро, депутатом райсовета и членом общества «Знание», а под лифчиком носила крест, верила в мумие, телепатию, экстрасенсов и наложение рук, словом, была вполне современной представительницей интеллектуальной элиты. Она сохранила девичью фамилию, чтобы не портить себе карьеры, и по той же причине сделала Кукушкиными и записала русскими своих детей. Ее стратегия долго себя оправдывала. Она сама делала карьеру и литературным успехам мужа способствовала чем могла.

Ей уже было сильно за сорок, а у нее все еще были любовники, чаще военные, а из них самый важный — дважды Герой Советского Союза, генерал армии Побратимов. Они познакомились в ту давнюю пору, когда, еще будучи заместителем министра обороны, он увидел Кукушу по телевизору. Она так привлекла генерала, что он взялся курировать передачу «Никто не забыт, ничто не забыто». Мне рассказывали, что во времена, когда Ефим отправлялся с мужественными людьми в дальние командировки или, по выражению Баранова, искать приключений на свою ж... Побратимов присылал, бывало, за Кукушей длинную черную машину с адъютантом — маленького роста брюхатым полковником по имени Иван Федосеевич. Случалось это обычно днем, в самое что ни на есть рабочее время. Иван Федосеевич, в форме, с полным набором орденских планок, являлся в редакцию, по-штатски здоровался со всеми Кукушиными сослуживцами, широко улыбался всеми своими золотыми коронками и важно сообщал:

— Зинаида Ивановна, вас ждут в Генеральном штабе с материалом.

Кукуша складывала в папку какие-то бумаги и удалялась, а кто и что судачил там за спиной, ее не очень-то волновало.

А когда генерал сам навещал Кукушу, то сначала перед домом появлялся милиционер-регулировщик, потом на двух «Волгах» прибывали и рассредоточивались вокруг дома какие-то люди, похожие на слесарей. В таких случаях, несмотря даже на капризы погоды, на лавке перед подъездом устраивалась парочка влюбленных. Они или пили из одной бутылки вино, или обнимались, причем он (так изображал мне дело Баранов) оттягивал ее кофточку и бормотал что-то в пазуху, где, вероятно, прятался микрофон. Затем появлялось такси, которое, высадив гражданина в темных очках и надвинутой на очки серой шляпе, немедленно укатывало.

Наблюдательные соседи заметили, что шофером такси был все тот же переодетый Иван Федосеевич, ну а кем был пассажир, об этом стоит ли говорить?

Из всех Кукушиных любовников генерал Побратимов был самым щедрым и благодарным. Хотя в последнее время он мало чем мог быть полезным. Не угодив высшему начальству, он был смещен за «бонапартизм» и с прилепленными в утешение маршальскими звездами услан командовать отдаленным военным округом. Но и уезжая, он своих друзей не забывал: Тишке Кукушкину помог освободиться от армии, а Ивана Федосеевича устроил военным комиссаром Москвы и способствовал присвоению ему генеральского звания.

Кукушкина Наташа в свое время работала переводчицей в Интуристе и тоже готовилась в аспирантуру, пока не встретила молодого научного сотрудника НИИ мясо-молочной промышленности Семена Циммермана, которому родила сына, названного по настоянию отца Ариэлем в честь (подумать только!) министра обороны Израиля. Кукуша боролась против этого имени как могла, обещала, что никогда внука с таким именем не признает, потом все-таки признала, но называла его Артемом. Коварный Циммерман, однако, подготовил Кукуше еще более страшный удар. Явившись однажды домой, Наташа сообщила, что она и Сеня (Циммерман) решили переселиться на историческую родину и ей нужна справка от родителей об отсутствии у них материальных претензий. Это известие повергло Кукушу в ужас. Она умоляла Наташу опомниться, бросить этого проклятого Циммермана, подумать о своем ребенке. Она попрекала ее своими материнскими заботами, скормленными ей в детстве манной кашей и рыбьим жиром, напоминала о советской власти, давшей Наташе образование, о комсомоле, воспитавшем ее, пугала капитализмом, арабами и пустынным ветром хамсином, плакала, пила валерьянку, становилась перед дочерью на колени и грозила ей самыми страшными проклятиями. Справку она, конечно, не дала и запретила это делать Ефиму. Больше того, она написала в Интурист, в НИИ мясо-молочной промышленности, в ОВИР и в собственную парторганизацию заявления с просьбой спасти ее дочь, по незрелости попавшую в сионистские сети. Но сионисты проникли, видимо, и в ОВИР, потому что в конце концов Наташе разрешили уехать без справки.

Ни на прощальный вечер, ни в аэропорт Кукуша не явилась, а Ефим простился с дочерью втайне от жены и теперь скрывал, что, преодолевая постоянный страх, время от времени получает из Израиля письма, посылаемые ему до востребования на Центральный почтамт.

Наташа и ее муж устроились очень хорошо. Сеня (он теперь назывался Шимоном) определился на какой-то военный завод и получал приличное жалованье, а она работала в библиотеке. Одно только было разочарование, что Ариэль, считавшийся в СССР евреем и бывший им на три четверти, в Израиле оказался русским, поскольку был рожден от русской матери (да и сама мать, всю жизнь скрывавшая свое еврейство, теперь тоже считалась гойкой по той же причине).

Вопреки ожиданиям, отъезд дочери на положении Ефима и Кукуши никак не сказался. Издательство «Молодая гвардия» по-прежнему регулярно издавало его романы о хороших людях, Кукуша продолжала работать над передачей «Никто не забыт...», руководила парткомом и носила крест, а Тишка успешно заканчивал аспирантуру.

Жизнь шла своим чередом.

Утром Ефим просыпается от легкого стука. Это упала газета «Известия», просунутая лифтершей в дверную щель. Щель эта делалась для почтового ящика, который должен был висеть изнутри. Но ящика нет. Ефим хотел заказать этот ящик еще до рождения Тишки, да все откладывал, а теперь и не нужно. Отличный естественный будильник для чутко спящего человека.

Ефим встает и, обернув свое щуплое мохнатое тело зеленым махровым халатом, шлепает в коридор, подбирает газету и с газетой — в уборную. Затем, ополоснувши лицо, на кухню — готовить завтрак для Тишки. Пока жарится яичница, варится кофе, ставятся на стол хлеб, масло, в комнате Тишки при помощи таймера включается магнитофон «Панасоник», подарок родителей. Звуки рок-музыки звучат сперва приглушенно. Затем резкое усиление звука: Тишка, идя в уборную, дверь свою оставил открытой. Звук стихает: Тишка опять закрылся, делает зарядку с гантелями. Музыка опять гремит на всю квартиру: Тишка пошел в душ, все двери открыты. Наконец музыка неожиданно глохнет, и Тишка появляется на кухне умытый, причесанный, аккуратно одетый: джинсы «Ранглер», синяя полуспортивная финская курточка, белая рубашка, темно-красный галстук.

— Здорово, папан!

— Доброе утро!

Тишка садится завтракать. Ефим с удовольствием смотрит на сына: высокий, светловолосый, глаза серые, Кукушины. С сыном Ефиму повезло. Учится отлично, не пьет, не курит, занимается спортом (теннис и карате). Всегда занят: аспирант, член студенческого научного общества, член институтского бюро комсомола, председатель совета народной дружины.

Ест яичницу, прихлебывает кофе, без интереса скользит глазами по газете. Прием в Кремле. В Туркмении идет посевная. Честь и совесть партийного руководителя. Напряженность в Персидском заливе. Спорт, спорт, спорт...

— Ты сегодня поздно придешь? — спрашивает отец.

— Поздно. У нас сегодня вечером эстрадный концерт, а потом дежурство в дружине.

— Значит, к ужину тебя не ждать?

— Нет.

Вот и весь разговор. Тишка уходит, а Ефим опять варит кофе и жарит яичницу, теперь уже себе и Кукуше. А как только Кукуша ушла, посуду помыл — и к столу, чтобы написать за день свои четыре страницы, такая у него в среднем дневная норма.

Сейчас он только что приступил к работе над новым романом. Вернее, даже не приступил, а вложил в машинку чистый лист финской бумаги (ее недавно выдавали в Литфонде), написал вверху «Ефим Рахлин», написал посередине название «Операция» и задумался над первой фразой, которая ему всегда давалась с большим трудом. Хотя сюжет был обдуман полностью.

Сюжет (опять медицинский) развивался где-то посреди Тихого океана на исследовательском судне «Галактика».

У одного из членов экипажа приступ аппендицита. Больной нуждается в немедленной операции, а делать ее некому, кроме судового врача. Но все дело в том, что именно он-то и заболел. Конечно, узнав о случившемся, хорошие люди во Владивостоке и в Москве обмениваются радиограммами, связываются с капитанами судов, те, естественно, тут же меняют курс и идут на помощь, но им, как во всех романах Рахлина, противостоят силы природы: шторм, туман, дождь и обледенение. Короче говоря, больной доктор принимает единственно возможное решение. Взяв ассистентом штурмана, который держит зеркало, доктор сам делает себе операцию. Но хорошие люди в это время тоже не сидят сложа руки. Как раз к концу операции к борту «Галактики» подходит флагман китобойной флотилии «Слава». Врач флагмана, рискуя жизнью, добирается до «Галактики», поднимается со своим чемоданчиком по веревочной лестнице, однако операция уже позади.

«Ну что ж, коллега, — осмотрев шов, говорит прибывший, — операция проведена по всем правилам нашего древнего искусства, и мне остается вас только поздравить».

«Тсс!» — приложив палец к обескровленным губам, шепчет прооперированный и включает стоящий на тумбочке рядом транзисторный приемник «Романтика».

Дело в том, что у него как раз сегодня день рождения и радиостанция «Океан» по просьбе его жены передает любимый романс доктора «Я встретил вас, и все былое...».

Написав название романа «Операция», Ефим задумался и попытался себе представить, как будет выглядеть это слово, если его изобразить по вертикали. Дело в том, что названия всех его романов последнего времени всегда состояли из одного слова. И не случайно. Ефим давно заметил, что популяризации литературных произведений весьма способствует включение их названий в кроссворды. Составители кроссвордов являются добровольными рекламными агентами, которых иные авторы недооценили, называя свои сочинения многословно вроде «Война и мир», «Горе от ума» или «Преступление и наказание». В других случаях авторы оказались дальновиднее, пустив в оборот название «Полтава», «Обломов», «Недоросль» или «Ревизор».

Ефим втайне гордился тем, что сам, без посторонней подсказки открыл такой нехитрый способ пропаганды своих сочинений. И время от времени пожинал плоды, находя в кроссвордах, печатавшихся в «Вечерке», «Московской правде», а то и в «Огоньке», заветный вопрос: «Роман Е. Рахлина». И тут же, подсчитав количество букв, радостно вписывал: «Лавина». Или «Скважина». Или (было у него и такое название) «Противовес». Слово из восьми букв «Операция» тоже для этой цели весьма годилось. А кроме того, подходило и для своеобразной шарады, которая только что пришла ему в голову. У него даже дух захватило, и он сначала записал шараду на отдельном листе бумаги, а потом позвонил Кукуше на работу:

— У тебя пара минут найдется?

— А что? — спросила она.

— Слушай, я придумал шараду. Первые пять букв — крупное музыкальное произведение, вторые пять букв — переносная радиостанция, а все вместе будущий роман Рахлина из восьми букв.

— Лысик, не морочь мне голову, у меня через пять минут запись.

— Ну хорошо, хорошо, — заторопился он. — Я тебе не мешаю. Я тебе только скажу, первая часть — опера...

— Лысик, — завопила Кукуша, — иди ты в жопу со своей оперой. — К указанному адресу Кукуша добавила несколько заковыристых выражений.

Она всегда так высказывалась, и Ефиму это нравилось, хотя сам он подобных слов избегал.

Он положил трубку и посмотрел на часы. Было четверть десятого, и Баранов, если вчера не перепил, может, уже проснулся. Он позвонил Баранову.

К телефону долго не подходили. Он намерился положить трубку, но тут в ней щелкнуло.

— Але! — услышал он недовольный голос.

— Привет, — сказал Ефим. — Я тебя не разбудил?

— Конечно, разбудил, — сказал Баранов.

— Ну, тогда извини, я тебе просто хотел загадать шараду.

— Шараду?

— Очень интересную. Первая половина слова из пяти букв — крупное музыкальное произведение, вторая половина из пяти букв — переносная радиостанция, а все вместе — хирургическое вмешательство из восьми букв.

— Слушай, старик, я вчера в Доме литераторов слегка перебрал, но ты ведь не пил. Ты арифметику давно проходил? Пять и пять сколько будет?

Улыбаясь в трубку, Ефим стал объяснять, что его шарада усложненная и состоит из двух частей, как бы налезающих друг на друга.

— Понимаешь, первая часть — опера, вторая часть — рация, последний слог первого слова является первым слогом второго слова, а все вместе — мой новый роман.

— Ты опять пишешь новый роман? — удивился Баранов.

— Пишу, — самодовольно признался Ефим.

— Молодец! — похвалил Баранов, громко зевая. — Работаешь без простоев. Пишешь быстрее, чем я читаю.

— Кстати, — напомнил Ефим, — ты «Лавину» прочитал?

— «Лавину»? — переспросил Баранов. — Что еще за «Лавина»?

— Мой роман. Который я тебе подарил на прошлой неделе.

— А, ну да, — сказал Баранов. — Помню. А зачем ты спрашиваешь?

— Ну, просто мне интересно знать твое мнение.

— Ты же знаешь, мнение мое крайне отрицательное.

— А ты прочел?

— Конечно, нет.

— Как же ты можешь судить?

— Старик, если мне дают кусок тухлого мяса, мне достаточно его укусить, но необязательно дожевывать до конца.

Разговор в таком духе они вели не первый раз, и сейчас, как всегда, Ефим обиделся и стал кричать на Баранова, что он хам, ничего не понимает в литературе и не знает, сколько у него, Ефима, читателей и сколько ему приходит писем. Кстати, только вчера пришло письмо от одной женщины, которая написала, что они «Лавину» читали всей семьей, а она даже плакала.

— Вот слушай, что она пишет. — Ефим придвинул к себе письмо, которое лежало перед ним на виду: — «Ваша книга своим гуманистическим пафосом и романтическим настроением выгодно отличается от того потока, может быть, и правдоподобного, но скучного описания жизни, с бескрылыми персонажами, их приземленными мечтами и мелкими заботами. Она знакомит нас с настоящими героями, с которых хочется брать пример. Спасибо вам, дорогой товарищ Рахлин, за то, что вы такой, какой вы есть».

— О боже! — застонал в трубку Баранов. — Надо же, сколько еще дураков-то на свете! И кто же она такая? Пенсионерка небось. Член КПСС с какого года?

Баранов попал в самую точку. Читательница действительно подписалась Н. Круглова, персональная пенсионерка, член КПСС с 1927 года. Но Ефим этого Баранову не сказал.

— Ну ладно, — сказал он, — с тобой говорить бесполезно. Не поймешь. — И бросил трубку.

Настроение испортилось. Писать уже не хотелось. Столь легко сложившийся замысел «Операции» больше не радовал. Хотя последний эпизод, где прооперированный доктор слушает любимый романс, по-прежнему казался удачным.

— Дурак, — сказал Ефим, воображая перед собою Баранова. — Нахал! Чья б корова мычала. Я написал одиннадцать книг, а ты сколько?

На этот вопрос ответить было нетрудно, потому что за всю жизнь Баранов написал всего одну повесть, был за нее принят в Союз писателей, трижды ее переиздавал, но ничего больше родить не мог и зарабатывал на жизнь внутренними рецензиями в Воениздате и короткометражными сценариями на Студии научно-популярных фильмов (в просторечии «Научной»).

Впрочем, Ефим злился не только на Баранова, но и на себя самого. Он сам не понимал, почему позволял Баранову так с собой обращаться, почему терпел от него все обиды и оскорбления. Но факт, что позволял, факт, что терпел. Иногда Ефим вступал в долгие споры о ценности своего творчества, и тогда Баранов предлагал ему или посмотреть в зеркало, или сравнить свои писания с книгами Чехова.

Насчет зеркала Баранов был, ничего не скажешь, прав. Иногда Ефим и в самом деле подходил к стоявшему в коридоре большому трюмо, пристально вглядывался в свое отражение и видел перед собой жалкое, лопоухое, сморщенное лицо с мелкими чертами и голым теменем, по которому рассыпалась одна растущая посередине и закручивающаяся мелким бесом прядь. И видел большие, выпученные еврейские глаза, в которых не было ничего, кроме бессмысленной какой-то печали.

Но что касается Чехова, Ефим читал его часто и внимательно. И ничего не мог понять. Читая Чехова, он — нет, он, конечно, никому и никогда бы в этом не признался, — но, читая Чехова, он каждый раз приходил к мысли, что ничего особенного в чеховских писаниях нет и он, Рахлин, пишет не хуже, а может быть, даже немного лучше.

Ефим нервно ходил по комнате. Злясь на Баранова и на себя самого, он размахивал руками, бормотал что-то бессвязное, корчил рожи, а иногда даже по-старомодному, как лейб-гвардии офицер (неизвестно, откуда в нем проснулся этот не соответствующий его происхождению атавизм), вытягивался в струнку, щелкал пятками (никак не каблуками, потому что был в мягких шлепанцах), делал резкий кивок головой, сквозь зубы произносил: «Нет уж, увольте!» — и несколько раз даже плюнул в лицо воображаемого оппонента, то есть Баранова.

Умом Ефим сознавал, что в его дружбе с Барановым нет никакого смысла. Он был согласен с Кукушей, которая не понимала, что его связывает с Барановым. «Он меня любит», — отвечал ей Ефим, хотя сам в это не верил. Верил не верил, но что-то такое между ним и Барановым было. Если не любовь, то привязанность. Да такая привязанность, что оба, обмениваясь взаимными оскорблениями и попреками, одного дня не могли обойтись друг без друга, а может быть, и без самих этих попреков и оскорблений.

Не понимая этого до конца, Ефим решил прекратить с Барановым всякие отношения. Он решил это совершенно твердо (так же твердо, как решал это тысячу раз) и почувствовал (в тысячу первый раз) облегчение и успокоенность. В конце концов, он не один, у него есть любимая жена, есть любимый сын, есть блудная дочь, тоже, впрочем, любимая. Да, она уехала, но их отношения сохранились, она пишет, он пишет, и они все еще близки. И кроме того, у него есть неистощимый источник муки и радости — его работа. Вот он сейчас опять сядет за машинку, ему надо только придумать первую фразу, а там дальше дело пойдет само по себе. Пусть про него говорят, что он не очень хороший писатель. А где критерии, кто хороший, а кто не хороший? Нет критериев. Во всяком случае, самому Ефиму нравилось, как он пишет, и он хорошо знал, что, если бы его не печатали и не платили денег, он все равно писал бы для себя самого. Но его печатают довольно внушительными тиражами и платят такие деньги, каких он не имел никогда. В свое время, будучи рядовым сотрудником журнала «Геология и минералогия», он за зарплату, во много раз меньшую, вынужден был ежедневно ходить на работу, выслушивать нарекания начальства, когда опаздывал (что, правда, случалось редко), и отпрашиваться в поликлинику или в магазин.

Сейчас он сочинит первую фразу, а там все пойдет своим чередом. Появятся описания природы, появятся люди, они вступят между собой в какие-то взаимоотношения, и начнется тот тайный, необъяснимый и не каждому подвластный процесс, который называется творчеством.

Пересилив себя, Ефим сел за машинку, и само собой написалось так:

«Штормило. Капитан Коломийцев стоял на мостике и тоскливо озирал взбесившееся («именно взбесившееся», — подумал Ефим) пространство. Огромные волны громоздились одна за другой и бросались под могучую грудь корабля с самоотверженностью отчаянных камикадзе...» Сравнение волн с камикадзе понравилось Ефиму, но он вдруг засомневался, как правильно пишется это слово — «ками-» или «комикадзе». Он придвинул к себе телефон и механически стал набирать номер Баранова, но тут же вспомнил о своем бесповоротном решении.

Не успел опустить трубку, как его собственный телефон зазвонил. Ефим всегда утверждал, что по характеру звонка можно догадаться, кто звонит. Начальственный звонок обычно резок и обрывист, просительский — переливчат и вкрадчив. Сейчас звонок был расхлябанный, наглый.

— Ну что тебе еще? — спросил Ефим, схватив трубку.

— Слушай, слушай, — зашепелявил Баранов, — я тебе совсем забыл сказать, что писателям шапки дают.

— Понятно, — сказал Ефим и бросил трубку. Но бросил не для того, чтобы нагрубить Баранову, а по другой причине.

Надо сказать, что Ефим и Баранов, живя на порядочном расстоянии друг от друга, чаще всего общались по телефону. По телефону обсуждали все волнующие их проблемы и события, которых бывало всегда в изобилии. Сплетни о тех или иных своих коллегах, об очередном заседании в секции прозы, о том, кто где проворовался, к кому от кого ушла жена и о многих политических событиях. Они критиковали колхозную систему, цензуру, книгу первого секретаря Союза писателей, обсуждали все события на Ближнем Востоке, побег на Запад очередного кагэбэшника, заявление новой диссидентской группы, передавали друг другу новости, услышанные по Би-би-си. А для того чтобы их никто не подслушал или, подслушав, не понял, они разработали (отчасти стихийно) сложнейшую систему иносказаний и намеков, что-то вроде особого кода, в соответствии с которым все имена, названия и основные направления их размышлений были искажены до неузнаваемости. Сами же они понимали друг друга с полуслова. И если, например, Ефим сообщал Баранову, что, по словам бабуси, в Лондоне наметился большой урожай грибов, то Баранов, заменив в уме «грибы» «шампиньонами», а шампиньоны — шпионами, понимая, что под «бабусей» имеется в виду Би-би-си, делал вывод, что, по сообщению этой радиостанции, из Лондона высылается большая группа советских шпионов. Разумеется, такой высылке оба радовались, как радовались в жизни всем другим неудачам и неприятностям государства, того самого, ради которого книжные герои Ефима охотно рисковали и жертвовали отдельными частями своего тела и всем телом целиком. А когда, например, Баранов позвонил Ефиму и сказал, что может угостить свежей телятиной, тот немедленно выскочил из дому, схватил такси и поперся к Баранову к черту на кулички в Беляево-Богородское вовсе не в расчете на отбивную или ростбиф, а приехав, получил на очень короткое время то, ради чего и ехал, — книгу Солженицына «Бодался теленок с дубом».

Итак, Баранов позвонил и сказал, что писателям дают шапки. Ефим сказал: «Понятно» — и бросил трубку, чтобы не привлекать внимания тех, кто подслушивает. И стал думать, что мог Баранов иметь в виду под словом «писатели» и под словом «шапки».

Естественно, ему пришло в голову, что речь идет о группе экономистов, которые недавно написали открытое письмо о необходимости более смелого расширения частного сектора. Это письмо попало на Запад, его передавали Би-би-си, «Голос Америки», «Немецкая волна», «Свобода» и канадское радио. Теперь, вероятно, этим «писателям» дали «по шапке». Ефиму хотелось узнать подробности, и он взглянул на часы. Было еще слишком рано. Все радиостанции, которые он слушал, вещали только по вечерам, а работавшую круглосуточно «Свободу» в его районе не было слышно.

До вечера ждать было слишком долго, и он, забыв о своем прежнем решении, позвонил Баранову.

— Я насчет этих шапок, — сказал он взволнованно. — Их уже выдали или только собираются?

— Их не выдают, а шьют, — объяснил Баранов.

— Что ты говоришь! — вскричал Ефим, поняв, что «писателям» «шьют дело», то есть собираются посадить.

— А что тебя удивляет? — не понял Баранов. — Ты разве не слышал, что на последнем собрании Лукин говорил, что о писателях будут заботиться еще больше, чем раньше. Что в Сочи строят новый Дом творчества, в поликлинике ввели курс лечебной гимнастики, а в Литфонде принимают заказы на шапки. Я вчера там, кстати, был и заказал себе ушаночку из серого кролика.

— Так ты мне говоришь про обыкновенные зимние шапки? — осторожно уточнил Ефим.

— Если хочешь, то можешь сшить себе летнюю.

Ефим ни с того ни с сего разозлился.

— Что ты мне звонишь, голову с утра морочишь! — закричал он визгливо. — Ты знаешь, что утром у меня золотое время, что я утром работаю!

Он бросил трубку, но через минуту поднял ее снова.

— Извини, я погорячился, — сказал он Баранову.

— Бывает, — сказал тот великодушно. — Кстати, в поликлинике работает новый психиатр. Кандидат медицинских наук Беркович.

Ефим пропустил подковырку мимо ушей и спросил, что именно Баранову известно о шапках. Тот охотно объяснил, что по решению правления Литфонда писателям будут шить шапки соответственно рангу. Выдающимся писателям — пыжиковые, известным — ондатровые, видным — из сурка...

— Ты понимаешь, — сказал Баранов, — что выдающиеся писатели — это секретари Союза писателей СССР, известные — секретари Союза писателей РСФСР, видные — это Московская писательская организация. К видным могут быть причислены некоторые не секретари, а просто писатели.

— Вроде нас с тобой, — подсказал Ефим и улыбнулся в трубку.

— Ну что ты, — охладил его тут же Баранов. — Ну какие ж мы с тобой писатели! Мы с тобой члены Союза писателей. А писатели — это совсем другие люди. Им, может быть, дадут что-нибудь вроде лисы или куницы, я в мехах, правда, не разбираюсь. А нам с тобой кролик как раз по чину.

Ефим сознавал, что именно таким образом выглядела иерархия в Союзе писателей, но Баранов все же зарывался, сравнивая Ефима с собой, о чем ему следовало напомнить. Ефим, однако, сдержался и ничего не сказал, потому что Баранов был, в общем-то, прав. Написав одиннадцать книг, Ефим хорошо знал, что, даже если он напишет сто одиннадцать, начальство все равно будет ставить его на самое последнее место, ему все равно будут давать худшие комнаты в Домах творчества, никогда не подпишут на журнал «Америка», никогда не напечатают фотографию к юбилею, ну и шапку дадут, конечно, самую захудалую. В таком положении были и свои (другим, может быть, незаметные, но Ефиму очевидные) преимущества: ему никто не завидовал, никто не зарился на его место, а он втихомолку продолжал тискать романы о хороших людях.

Поэтому и сейчас он не стал спорить с Барановым и сказал, пусть, мол, за шапки борются те, кому нечего делать, а у него есть своя шапка, волчья, ему в прошлом году подарили оленеводы.

Положив трубку, он вынес телефонный аппарат в другую комнату и накрыл его подушкой, чтоб не мешал. Вернулся к машинке и, впав в некий раж, стал быстро-быстро стучать по клавишам, не соображая, что пишет. А писал он вот что: «В Литфонде писателям дают шапки. Может быть, это даже хорошие шапки, но мне они не нужны. Потому что у меня есть своя шапка. У меня есть очень хорошая шапка. У меня есть волчья шапка. Она теплая, она мягкая, и никакая другая шапка мне не нужна. Пусть другие борются за шапки.

Пусть за шапки борются те, кому делать нечего. А мне есть что делать, и шапка у меня тоже есть. У меня есть совсем новая волчья шапка. Она мягкая, она теплая, она хорошая. А ваша шапка мне не нужна, можете оставить ее себе, можете ее скушать, можете ею подавиться, если не сможете ее прожевать».

На этом месте он сам себя остановил, перечитал написанное и удивился. С ним и раньше бывало, что он писал, находясь как бы не в себе, но обычно это все-таки имело какое-то отношение к разрабатываемому сюжету. А тут получилась какая-то чепуха. Выкривив обе губы в выражении, означающем крайнюю озадаченность, Ефим покачал головой и сунул лист под кипу лежавших справа от машинки старых черновиков. Именно этот текст даст впоследствии повод критику Сорокину сказать, что талант Рахлина не был оценен по достоинству. Но надо сказать, что и сам Ефим свое сочинение тоже не оценил. Поэтому, вставив новый лист, он опять принялся сочинять что-то про капитана Коломийцева, который стоял на штормовом ветру и придерживал рукой шапку, чтоб не слетела.

Он заметил, что опять написал слово «шапка» неосознанно. Разозлился на себя, шапку вычеркнул и вписал фуражку с выцветшим «крабом».

«Капитан Коломийцев стоял на штормовом ветру и придерживал рукой форменную фуражку с выцветшим «крабом».

Это было значительно лучше. Но одного капитана Ефиму было мало, надо было сразу же вводить в действие главного героя, который проходил как раз (зачем проходил, Ефим еще не придумал) мимо капитана Коломийцева.

«— Доктор! — окликнул его капитан.

— К вашим услугам, сэр! — весело откликнулся доктор и по привычке старого интеллигента приподнял шапку».

«Тьфу!» — сплюнул Ефим и в досаде хлопнул себя по колену. Да что ему дались эти шапки!

Он вынул и этот лист и собирался заправить следующий, когда раздался телефонный звонок.

— Слушай, — сказал Баранов, — я твою «Лавину» прочел, это гениально.

Такого Баранов еще никогда не говорил, Ефим просто опешил и не знал, что сказать. Впрочем, он тут же заподозрил, что в оценке содержится какой-то подвох, и переспросил Баранова, что он имеет в виду.

— Я имею в виду твой роман «Лавина», — повторил Баранов.

— Но ведь ты же двадцать минут назад сказал, что ты роман не читал.

— Двадцать минут назад я его не читал, а теперь прочел.

— Баранов, — застонал Ефим, — оставь меня в покое. Ты же знаешь, что я по утрам работаю. («В отличие от некоторых», — хотел добавить он, но не добавил.)

— Ну, смотри, как хочешь, — сказал Баранов. — Я хотел тебе высказать свое мнение... Дело в том, что роман талантливый...

Все-таки произнесенный эпитет звучал так заманчиво, что, даже предчувствуя каверзу, Ефим трубку не положил.

— Роман гениальный, но сильно затянут, — гнул свою линию Баранов.

— Почему же это затянут? — насторожился Ефим.

— Ну вот давай разберем. Возьмем самое начало: «День был жаркий. Савелий Моргунов сидел за столом и смотрел, как жирная муха бьется в стекло». Потрясающе!

— Ну да, это у меня неплохо получилось, — застеснявшись, признал Ефим.

— Не неплохо, — стоял на своем Баранов, — а потрясающе! Великолепно! Но слишком мрачно.

— Мрачно?

— Очень мрачно!

Эта оценка была приятна Ефиму, потому что в глубине души он всегда хотел написать что-нибудь мрачное, а может быть, даже непроходимое.

— Ужас как мрачно, — повторил Баранов. — Но на этом надо и кончать. И так все понятно. Лето в разгаре, солнце в зените, жара невыносимая, а окна закрыты. Савелий сидит, муха бьется в стекло, пробиться не может. Савелию жарко. Он изнывает. Он смотрит на муху и думает, что он вот так же, как эта муха, бессмысленно бьется в стекло. И ничего не выходит. А к тому же жара. Он сидит, потеет, а муха бьется в стекло. Кстати, он кто, этот Савелий?

— Прораб, — осторожно сказал Ефим.

— Так я и думал. Тем более все ясно. Жара стоит, муха бьется, прораб потеет. Материалов не хватает, рабочие перепились, начальство кроет матом, план горит, премии не будет. Прораб потеет, настроение мрачное, муха бьется в стекло. Он понимает, что жизнь не удалась, работа не клеится, начальство хамит, жена скандалит, сын колется, дочь проститутка.

— Что ты за глупости говоришь! — завизжал Ефим тонким от оскорбления голосом. — Кто колется? Кто проститутка? У меня нет никаких проституток.

— Да что ты расшумелся, — сказал Баранов. — Какая разница, кто у тебя есть, кого нет. Я так додумал, довообразил. Ты должен читателю доверять, оставить ему простор для фантазии. Зачем же ты пишешь шестьсот страниц, когда все ясно с первой строки?

— Ничего тебе не ясно! — закричал Ефим еще более тонко. — У меня вообще не бывает никаких наркоманов и никаких проституток. Я пишу только о хороших людях, а о плохих не пишу, они меня не интересуют. А прораб у меня вообще старый холостяк.

— А-а, педераст! — обрадовался Баранов. — Тогда другое дело. Тогда все приобретает другое значение. Он сидит, он потеет, муха бьется в стекло...

Ефим не выдержал, бросил трубку.

Он хотел опять вынести аппарат, но тот зазвонил у него в руках.

— Лысик, — зажурчала трубка Кукушиным голосом, — совсем забыла сказать, чтобы ты до обеда никуда не уходил. Из прачечной должны привезти белье.

— Хорошо, — сказал Ефим и стал ждать сигналов отбоя.

Его краткий ответ Кукушу удивил.

— Квитанция на столике перед зеркалом, — сказала она, чтобы услышать опять его голос и понять, что с ним.

— Хорошо.

— Лысик, — встревожилась Кукуша, — ты чем-то расстроен?

— Нет.

— Лысик, не свисти, — сказала Кукуша. — Я же слышу по твоему голосу, что ты не в себе. Что случилось?

Ефим всегда разговаривал с женой исключительно вежливо и даже заискивающе, но тут, возбужденный Барановым, разозлился.

— Ну что ты ко мне привязалась? — закричал он плачущим голосом. — Я тебе говорю — ничего не случилось. Все хорошо, все прекрасно. Савелий летает, муха потеет, в Литфонде шапки дают.

— Что? — удивилась Кукуша. — Лысик, ты, случаем, не чокнулся?

— Возможно. — Ефим так же быстро пришел в себя, как и вспылил: — Извини, это меня Баранов довел.

— Я так и думала. И что ж он тебе такого сказал?

— Да ничего, ничего, даже рассказывать неохота. Говорит, в Литфонде писателям будут шить шапки.

Кукуша заинтересовалась, и Ефим, уже успокоившись и улыбаясь, повторил то, что услышал от Баранова, — о распределении шапок по чинам: выдающимся — пыжиковые, известным — ондатровые, видным — из сурка...

— А мне, — сказал он, — из кролика.

— Почему это тебе из кролика? — строго спросила Кукуша.

Он опять, повторяя Баранова, сказал почему.

— Это глупости, — сказала Кукуша. — Баранову можно вообще ничего не давать, потому что он бездельник и алкаш. А ты — писатель работающий. Ты в командировки ездишь, тебе приходится встречаться с важными людьми, ты не можешь ходить в шапке из кролика.

— Да что ты разволновалась! Я и не хожу в кролике, ты знаешь, у меня есть хорошая шапка. Волчья.

Кукуша замолчала. Она всегда так делала, когда выражала недовольство.

— Ну, Кукушенька, ты чего? — залебезил Ефим. — Ну, если хочешь, я схожу, запишусь. Но они же мне не дадут. Ты же знаешь, я не секретарь Союза писателей, не член партии и с пятым пунктом у меня не все в порядке.

— Ну, если ты сам так ощущаешь, что ты неполноценный, то и ходить нечего. Ты хуже всех, и тебе ничего не нужно. У тебя есть своя шапка. Какое им дело, что у тебя есть! У тебя, между прочим, еще семья есть и взрослый сын. У него шапка вытерлась, он ее уже два года носит. Да что с тобой говорить! Ты же у нас вежливый, ты добрый, тебе ничего не нужно, ты всем улыбаешься, всем кланяешься, у тебя все хорошие, и ты тоже хороший, и ты хуже всех.

Послышались частые гудки — Кукуша прервала разговор.

— Сумасшедшая баба, — кладя трубку, сам себе улыбнулся Ефим. — Надо же, хороший — и хуже всех. Женская логика.

Несмотря на то что Кукуша на него накричала, ему было приятно все, что было ею о нем сказано. Приятно сознавать, что ты такой добрый, хороший, бескорыстный и скромный. Но при этом он стал думать, что, может быть, она права. Он хороший, но не слишком ли? Он ведет себя скромно, а почему? Он опять вспомнил свой писательский стаж, количество написанных книг и отзыв пенсионерки Кругловой.

Он вынул из машинки лист с незаконченным описанием капитана Коломийцева и со вздохом (видать, сегодня он уже свою норму не выполнит) быстро сочинил заявление, в котором, прежде чем изложить суть, перечислил восемнадцать лет, одиннадцать книг, правительственные награды, к чему прибавил, что часто приходится ездить в дальние командировки, включая районы Крайнего Севера (то есть шапка должна быть теплая), а также встречаться с людьми мужественных профессий и местными руководителями (то есть шапка должна быть достойной столичного писателя). На всякий случай упомянул он о своей неутомимой общественной деятельности — член совета по приключенческой литературе.

Заявление получилось на целую страницу и заканчивалось просьбой «принять заказ на пошив головного убора из...», тут он задумался, название меха для выдающихся и известных писателей назвать не посмел, сурком ограничивать возможности начальства не захотел и потому написал неопределенно: «...из хорошего меха».

Перед тем как Ефим отправился в кабинет Литфонда, его посетил сказочник Соломон Евсеевич Фишкин, живший двумя этажами ниже. Он поднялся в пижаме и шлепанцах попросить сигарету, поделиться сюжетом сказки и новыми сведениями о страданиях Васьки Трешкина, поэта и защитника русской природы от химии и евреев. Васька был человек высокий, худой, дерганый и очень мрачного вида. Мрак проистекал оттого, что Васька себя считал (да так оно и было) со всех сторон стесненным представителями неприятной ему национальности. Над ним жил Рахлин, под ним Фишкин, слева литературовед Аксельрод, справа профессор Блок. Напрягая усталый мозг, Васька много раз считал, думал и не мог понять, как же это получается, что евреев в Советском Союзе (так говорил ему его друг Черпаков) по отношению ко всему населению не то шесть, не то семь десятых процента, а здесь, в писательском доме, он, русский, один обложен сразу четырьмя евреями, если считать только тех, кто вплотную к нему расположен. Получалось, что в этом кооперативном доме и, очевидно, во всем Союзе писателей евреев никак не меньше, чем восемьдесят процентов. Эта статистика волновала Трешкина и повергала его в уныние. Считая себя обязанным уберечь Россию от всеобщей, как он выражался устно, евреизации, а письменно — сионизации, Васька бил в набат, писал письма в ЦК КПСС, в Президиум Верховного Совета СССР, в Союз писателей, в Академию наук и в газеты. Время от времени он получал уклончивые ответы, иногда его куда-то вызывали, беседовали, выражали сочувствие, но при этом обращали внимание на принятые в нашей стране принципы братского интернационализма и терпимого отношения даже к зловредным нациям. Терпимость, однако, по мнению Васьки, давно уже перешла все границы. Евреи (они же сионисты) с помощью сочувствующих им жидомасонов давно уже (так говорил Черпаков) захватили ключевые позиции во всем мире и в нашей стране, выбирают евреев президентами и премьер-министрами, а руководителям иного национального происхождения подсовывают в жены евреек. Ежедневно и ежечасно они оплетают весь мир паутиной всеобщего заговора. Признаки этого заговора Васька находил повсюду. Вечерами, глядя в небо, он видел, как звезды перемещаются в пространстве, складываются в сионистские кабалистические фигуры и перемигиваются друг с другом. Он видел тайные сионистские символы в конструкциях зданий, расположении улиц и природных явлениях. Листая газеты или журналы, он находил в них как бы случайно поставленные шестиконечные звездочки, а глядя «на просвет», различал тайные водяные знаки или словесное вредительство. С одной, например, стороны напечатано «Праздник русской песни», а с другой — заголовок международной статьи «Никогда не допустим» (вместе получается: «Праздник русской песни никогда не допустим»). Сообщая об этом по инстанциям, Васька понимал, на какой опасный путь он вступил, и чувствовал, что сионисты, пытаясь от него избавиться, травят его не имеющими запаха газами и невидимыми лучами, отчего жена его заболела раком, а сам он страдает от головных болей и преждевременной импотенции. Пытаясь уберечься, он всегда принюхивался к пище, воду кипятил, а в кальсоны вкладывал свинцовую фольгу, чтобы защитить свой половой механизм от радиации. Недавно он сообщил в ЦК КПСС, в КГБ и в Союз писателей о загадочном исчезновении своей кошки, которая была или украдена, или отравлена сионистами. Ответа он не получил.

Дверь в квартиру Рахлиных была приоткрыта, и, войдя в нее, Фишкин застал Ефима перед зеркалом в дубленке и держащим над головой в правой руке джинсовую кепку, а в левой — волчью шапку.

— Ефим, — удивился сосед, — что с вами? Может быть, вам кажется, что у вас две головы?

Недоумение сказочника было, однако, тут же рассеяно; Ефим, сообщив о своих намерениях, сказал Фишкину, что не знает, как быть. В кепке он выглядит несолидно, и ему могут отказать как несолидному, а если придет в шапке, ему могут отказать как уже имеющему шапку.

— Люди совсем посходили с ума, — покачал головой Соломон Евсеевич. — Мне уже двадцать человек звонили про эти шапки. Все волнуются и атакуют Литфонд. Кстати, вот вам мой совет — идите совсем без шапки. В вашей дубленке вы выглядите солидно. В таком виде никто не может подумать, что у вас нет шапки, и никто не посмеет сказать, что вам не нужна шапка. Впрочем, — сказал он, подумав, — вам все равно не дадут ничего, кроме какой-нибудь дряни.

— Ну почему же не дадут? — раздраженно спросил Ефим. — Вам дадут, а мне не дадут.

— Ну что вы, Ефим, они поступят гораздо более справедливо: они и вам не дадут, и мне не дадут. И знаете почему? Потому что мы оба для них гадкие утята. Между прочим, на эту тему я придумал новую сказку. Хотите послушать?

Ефим, конечно, не хотел (кто ж хочет слушать чужие сказки?), но отказывать старику было неудобно.

— Давайте, только быстро, а то я не успею.

— Я уверен, что вам понравится, — пообещал Фишкин. — Сказка так и называется — «Возвращение гадкого утенка». Здорово, а?

— Не очень, — сказал Ефим. — Хорошее название всегда состоит из одного слова.

— Допустим, — легко согласился Фишкин. — Назовем ее просто «Возвращение». Вот слушайте. Гадкий Утенок, затравленный своими собратьями, ушел от них, жил на маленьком и пустынном озере и там вырос в Настоящего Прекрасного Лебедя. Обнаружив это, он обрадовался и захотел вернуться к своим, показать им, что он не то чтобы лучше всех, но, по крайней мере, не так уж плох. Он даже готов великодушно простить им прошлые обиды. Но они встречают его еще враждебней, чем раньше. Дело в том, что, пока его не было, они сами себя стали называть лебедями. Причем у них есть своя иерархия, а в ней место Прекрасного Лебедя занимает Селезень, который думает, что он большой, хотя на самом деле он просто жирный. А еще есть два Гордых Лебедя, четыре Славных и шестнадцать Стремительных. «А кто же остальные?» — спрашивает их пришедший. Ему отвечают, что остальные — это просто лебеди.

— Это вы про Союз писателей? — перебил Ефим.

— Да при чем тут ваш вонючий союз? — возмутился Фишкин, как будто он сам в этом союзе не состоял. — Это вообще про людей. Слушайте дальше. Услышав такой ответ, Прекрасный Лебедь говорит: «Хорошо. Я ни на что особенное не претендую. Я хочу быть таким, как все. Пусть я буду тоже просто лебедем». Тут все утки переполошились, некоторые стали смеяться, а другие разгневались. Надо же, говорят, какое нахальство, мы в лебеди всю жизнь пробивались, а он хочет это звание получить просто так. А другие стали говорить, что он просто тронутый, у него мания величия. Ну а потом все же подумали, пожалели (все-таки свой брат, лапчатый) и решили предоставить ему место Гадкого Утенка...

— С испытательным сроком! — радостно подсказал Ефим.

— Точно, — улыбнулся Фишкин.

— И он согласился?

— А этого я еще не додумал, — сказал Фишкин. — Пожалуй, все же не согласился. Обиделся, вернулся на свое озеро, плавает там, смотрит на свое отражение и говорит сам себе, но не очень уверенно: «Нет, все-таки мне кажется, что я больше похож на лебедя, чем они».

— А утки что о нем говорят?

— В том-то и дело, что они о нем не говорят ничего. Они хотят о нем забыть и делают вид, что его вообще нет. Потому что, если помнить, что он существует, им надо называть себя не лебедями, а как-то иначе.

Рассказав затем о пропавшей трешкинской кошке, Фишкин стрельнул две сигареты (одну про запас) и прошлепал к себе вниз, а в скором времени на лестнице появился Ефим в дубленке и красном шарфе, с непокрытой головой. Слегка перекашиваясь под тяжестью туго набитого портфеля, он нажал кнопку. Ожидая лифт, он думал о только что услышанной сказке и сам воображал себя непонятым Прекрасным Лебедем.

Лифт со стуком и скрежетом подошел. Проехав два этажа, Ефим вспомнил, что забыл квитанцию на белье.

Он расстроился, потому что был суеверен и верил, что, если что-то забыл, пути не будет. Остановил лифт и вернулся. Взял квитанцию и, прежде чем опять выйти, посмотрел в зеркало — так требовала примета. В зеркале он увидел не Прекрасного Лебедя, а Немолодого Грустного Человека Еврейской Наружности и к тому же беззубого — оказывается, он забыл еще и вставные челюсти. Пока он насаживал челюсти и долго перед зеркалом щелкал ими, лифт угнали, он решил не дожидаться, пошел пешком.

Когда он проходил мимо квартиры Трешкина, дверь, обитая коричневым дерматином, приотворилась, и поэт выставил в проем пол-лица с горящим подозрительным глазом. «Куда это он, интересно, идет и почему без шапки?» — думал Трешкин. Увидев соседа, Ефим не хотел с ним здороваться, понимая, что тот ни за что не ответит. Но, подчиняясь врожденной воспитанности, сказал «здрасте» и дернул рукой, чтобы дотронуться, как обычно, до шапки, но коснулся голого лба, сжался, сконфузился и улыбнулся поэту. Тот, понятно, ни на улыбку, ни на приветствие никак не ответил, втянул лицо внутрь и со стуком захлопнул дверь.

Он удалился к себе в кабинет и в специальной тетради с клеенчатой обложкой сделал следующую запись:

«Сегодня в 11.45 вниз по лестнице пешком (несмотря на исправность лифта!!!) проследовал сионист Рахлин с большим портфелем, без шапки».

Обычно лифтерша сидела со своим вязаньем внизу у казенного телефона, но сейчас ее на месте не оказалось.

Ефим встретил ее во дворе, она бегала очень взволнованная.

— Надо ж, какое нахальство! — кричала она на весь двор, обращаясь неизвестно к кому. — Бесстыжие! Милиции на вас нету!

— Варвара Григорьевна, что случилось? — поинтересовался Ефим.

— Да как же что случилось? Зла не хватает, честное слово! Вонищу развели! Пьянь рваная. Идут от магазина к метро, и каждый норовит завернуть под арку. Я ему говорю: «Гражданин, чтой-то вы такое делаете и куды ж вы ссыте? Здесь же вам все ж таки не туалет. Здесь такие люди живут, писатели, а вы поливаете. Вон же ж он, туалет, через дорогу...» И милиция, главное, на это дело ноль внимания. Я участковому сколько раз говорила: неудобно, все ж таки здесь писатели живут, не то что мы с вами, говорю, а он... Ой, батюшки, Ефим Семеныч, да чтой-то с вами? — перебила она сама себя. — Чтой-то вы в такой мороз да без шапочки? Головку-то застудите, а головка-то ваша не то что у нас, нам-то нашими головами хоть гвозди заколачивай, а ваша-то головенка для дела нужна, а вы ее так вот прямо непокрытую носите.

— А ничего, Варвара Григорьевна, надо ж и закаляться, — бодро ответил Ефим и, отдав лифтерше квитанцию, пошел дальше. Мороз на самом деле был небольшой, но задувал ветер, и лысина с непривычки мерзла.

Выйдя из подворотни, Ефим сразу попал в круговорот беспорядочного движения людей и машин, уминавших серый, перемешанный с солью снег. Около всех киосков, расположенных против дома и у метро, топтались и дышали паром терпеливые темные очереди: в одном — за пломбиром в пачках по сорок восемь копеек, в другом — за венгерским горошком в стеклянных банках, в третьем — за болгарскими сигаретами «Трезор». Четвертая очередь образовала кривую линию на остановке маршрутного микроавтобуса, связывавшего метро «Аэропорт» с Ленинградским рынком.

В холле производственного комбината было шумнее обычного. Несколько человек толкались у столика усатой брюнетки Серафимы Борисовны, принимавшей заказ на копирку и гэдээровские ленты для пишущих машинок. Поэт-песенник Самарин демонстрировал своей молодой и полной жене новый костюм. Широко расставив ноги, он стоял посреди холла в пиджаке, утыканном иголками, и огромная лисья шапка копной выгоревшего сена неуверенно держалась на голове. Между ног его туда-сюда озабоченно ползал здоровый и краснолицый закройщик Саня Зарубин с клеенчатым сантиметром на шее. Со всех сторон слышны были негромкие разговоры, заглушаемые время от времени доносящимся из подвала ужасным визгом. Это механик по швейным машинкам Аркаша Глотов, овладев смежной профессией, обтачивал фарфоровые зубные протезы, которые делал, конечно, «налево».

Будучи полностью обеспечен и копиркой, и лентами для машинок, и даже финской бумагой, Ефим тем не менее протолкался к Серафиме Борисовне и вручил ей извлеченную из портфеля плитку шоколада «Гвардейский». От нее же он узнал, что заказы на шапки оформляет лично директор Андрей Андреевич Щупов, человек новый, строгий и очень принципиальный. Определение «строгий и принципиальный» означало, что не берет взяток или берет не со всех, в отличие от старого директора, который на том и погорел, что брал без разбору. Погорел, впрочем, не так уж и сильно — его перевели директором подмосковного Дома творчества, где он тоже жил не только на зарплату. Очередь к директору начиналась здесь, в холле, и уходила в коридор к черной директорской двери.

— Кто последний за пыжиком? — шутя спросил Ефим.

Последним был юморист Ерофеев, мрачный пожилой человек со шрамом на левой щеке.

— За пыжиком, милейший, в очереди не стоят, — назидательно объяснил он Ефиму. — Пыжика приносят на дом, говорят «спасибо» и кланяются. Стоят за мехом попроще.

Ефим обратил внимание, что составлявшие очередь писатели тоже о своих головных уборах подумали. Некоторые были, как он, без ничего, другие в кепках и шляпах, а Ерофеев мял в руке милицейскую шапку со следом от звездочки. Ратиновое пальто на Ерофееве было расстегнуто и открывало длинный темный пиджак с двумя рядами орденов и медалей. «Вот дурак-то!» — подумал про себя Ефим, ему следовало не писать о своих наградах, а нацепить их. Хоть и невысокого достоинства, а впечатление производят.

Он стал за юмористом и, не теряя времени даром, достал из портфеля экземпляр «Лавины», развернул на колене и на титульном листе размашисто начертал:

«Андрею Андреевичу Щупову в знак глубокого уважения. Е. Рахлин».

— Какое сегодня число? — спросил он у Ерофеева и, проставляя дату, услышал:

— Фима!

Оглянулся и увидел сидевшего за журнальным столиком у окна своего бывшего однокашника по Литинституту прозаика Анатолия Мыльникова в тяжелой нараспашку шубе. Лицо у него было красное, как из бани, виски блестели от пота, седоватая прядь волос закрутилась и слиплась на лбу.

— А я тебя не заметил, — сказал Ефим виновато. — Ты тоже за шапкой?

— Нет, — поморщился Мыльников. — У меня своя, вот. — Он показал на шапку, которую держал на коленях. — Это барсук. Мне тут один алкаш обещал импортные краны для ванной, вот я и жду. Садись, пока место есть.

— А я думал, ты за шапкой, — сказал Ефим, присаживаясь, и почему-то вздохнул. — У меня, честно говоря, тоже есть шапка. Волчья. Мне ее подарили оленеводы. Но если дают, почему же не взять?

— А, ты эти шапки, которые здесь шьют, имеешь в виду! Так эту я давно уже, месяца два тому назад, получил и отдал племяннику. Он как увидел ондатру, так чуть с ума не сошел.

— Тебе дали ондатровую шапку? — удивился Ефим.

— Да, — рассеянно подтвердил Мыльников, — ондатровую. А что?

— А ничего, — скромно сказал Ефим. — Баранову, например, дали из кролика. Ну, ты же у нас, — Ефим льстиво улыбнулся, — живой классик.

Карьера Мыльникова по непонятным Ефиму причинам сложилась более успешно, чем его собственная, хотя Мыльников писал не только о хороших людях, писал не так много и печать его больше ругала, чем хвалила. Но обруганные книги Мыльникова привлекли внимание, были переведены на несколько языков, и начальству приходилось с этим считаться. Мыльникова, несмотря на ругань, продолжали печатать и даже выпускали за границу в составе разных делегаций и отдельно. Наблюдая за карьерой Мыльникова, Ефим видел, что для большого успеха гораздо выгоднее время от времени вызывать недовольство начальства, но при этом уметь балансировать, и что одни только хвалебные отзывы критиков на самом деле ничего не значат: тебя одновременно и хвалят, и презирают.

На свои заграничные гонорары Мыльников купил себе экспортную «Волгу» (другие писатели, в лучшем случае, ездили на «Жигулях»), видеомагнитофон, а дома угощал гостей виски и джином.

Сейчас он рассказывал Ефиму о своей недавней поездке в Лондон, где прочел пару лекций, давал интервью, видел последний порношедевр и даже выступал по Би-би-си. По его словам, он имел в Лондоне бурный успех.

— В «Таймс» обо мне писали, что я современный Чехов, — говорил Мыльников вполголоса. — В «Гардиан» была очень положительная рецензия...

Он начал было пересказывать эту рецензию, но тут подошла Ефимова очередь, и его позвали к директору.

Войдя в директорский кабинет, Ефим увидел за тяжелым столом под плакатом с портретами членов Политбюро угрюмого человека с деревянным лицом, не имеющим выражения.

— Здравствуйте, Андрей Андреевич! — бодро поздоровался Ефим и тряхнул головой. Он попытался изобразить легкую, открытую и естественную приветливость, но под тяжелым взглядом директора съежился, ощущая, как лицо само по себе сморщивается в угодливую, несчастную и ничтожную вроде улыбку.

Директор ничего не ответил.

Перегибаясь под тяжестью портфеля на одну сторону и чувствуя во всем теле жалкую суетливость, Ефим продвинулся к столу, на ходу нелепо улыбаясь и кланяясь.

— Рахлин Ефим Семенович, — назвал он себя и посмотрел на директора, надеясь, что тот тоже представится. Но Андрей Андреевич продолжал смотреть на Ефима недружелюбно и прямо, не ответил, не встал, не подал руки, не предложил даже сесть.

Обычно руководители мелких обслуживающих организаций были с писателями вежливей.

Не дождавшись приглашения, Ефим сам придвинул стул, сел, поставил портфель на колени и, почти овладев собой, умильно посмотрел на Андрея Андреевича:

— Значит, вы теперь у нас будете директором?

— Не буду, а есть, — поправил Андрей Андреевич, и это были первые слова, которые от него услышал Ефим.

— Ну да, да, да, — закивал Ефим торопливо. — Конечно, не будете, а есть, это я неправильно выразился. Вы к нам, вероятно, из торговой сети пришли?

Андрей Андреевич посмотрел на Ефима внимательно, помолчал, разглядывая, а потом сказал просто:

— Нет, я из органов.

На этот ответ внутренние органы Ефима отреагировали рефлекторным похолоданием и некоторым опусканием в низ живота. Нет, он не испугался (бояться не было причины), но неестественно дернулся и сначала опустил, а затем поднял голову. Он устремил свой взгляд на директора, давая ему понять, что ему нечего, совершенно нечего скрывать от органов, он перед ними как стеклышко чист. Но, встретившись с тяжелым взглядом директора, смутился, потупился, взгляда не выдержал. И тем самым выдал себя с головой. Кто совершенно чист, тому незачем прятать глаза.

— Из органов! — повторил он, пытаясь взбодрить самого себя. — Очень приятно! — Всей своей фигурой и лицом он изображал почтение к прежней деятельности директора, но глаза его предательски бегали. — Значит, вас прислали сюда на укрепление?

— Да, — разжал губы Андрей Андреевич, — на укрепление. А вам что угодно?

Смущаясь, робея, уже и не пытаясь поднять глаза, Ефим торопливо стал объяснять, что он слышал, что в Литфонде можно сшить шапку, причем ему нужна хорошая шапка, потому что он часто бывает в экспедициях весьма важного государственного и научного назначения, где он изучает жизнь наших мужественных современников.

Андрей Андреевич выслушал Ефима и спросил, член ли он Союза писателей. Ефим объяснил, что уже восемнадцать лет член, что билет ему в свое время вручил лично Константин Федин, что он, Рахлин, ветеран войны, имеет правительственные награды, написал одиннадцать книг и активно участвует в комиссии по приключенческой литературе. И выложил на стол заявление.

Директор проскользил глазами по тексту, открыл ящик стола и долго в него смотрел, шевеля губами. Затем ящик с грохотом был задвинут, а на заявлении Ефима красным карандашом изображена наискосок длинная резолюция. Ефим схватил заявление, вскочил на ноги, похлопал по карманам, достал очки, нацепил их и прочитал: «Принять заказ на головной убор из меха «Кот домашний средней пушистости».

— Кот домашний, — повторил Ефим неуверенно. — Это что такое «кот домашний»?

— Вы что, никогда кошек не видели? — Наконец директор, кажется, удивился.

— Нет, почему же, — возразил Ефим. — Кошек я, в общем, видел, у моего соседа кошка недавно пропала. Но чтобы из кошек шили шапки, этого я, признаться, не знал. А, извините за некомпетентность, кошка считается лучше кролика или хуже?

— Я думаю, хуже, — предположил директор лениво. — Кроликов разводить надо, а кошки сами растут.

Он замолчал и устремил взгляд в пространство, ожидая, когда посетитель выйдет.

Посетитель, однако, не уходил. Он стоял потрясенный. Он пришел бороться за шапку лучше кролика, а ему предлагают хуже кролика. Теперь ему надо бороться даже за кролика, хотя даже кролик его никак устроить не может.

— Но позвольте... — начал Ефим, сильно волнуясь. — Я, собственно, не совсем понимаю. Если кошка хуже, чем кролик, то почему же мне из кошки? Я все-таки ветеран. Имею боевые награды. Восемнадцать лет в Союзе писателей. Написал одиннадцать книг.

— Очень хорошо, что написали, — сказал директор и замолчал.

— Но вот вчера у вас был Константин Баранов. Он тоже член Союза писателей, но написал только одну книгу, а я одиннадцать. Но вы даже ему подписали из кролика. Почему же Баранову из кролика, а мне из кота?

— Я не знаю, кто такой Баранов и что я ему подписал. У меня есть три списка писателей, а вас ни в одном из них нет. А для идущих вне списка у меня остались только кошки. Ничего больше предложить не могу.

Ефим пытался бороться. Пытался убедить директора, что в списках его фамилия отсутствует по недоразумению, продолжал напирать на стаж, на количество изданных книг, на свое боевое прошлое, но Андрей Андреевич сложил руки на груди и просто ждал, когда посетитель выговорится и уйдет.

Видя его непрошибаемость, Ефим сделал еще более жалкое лицо, отказался взять заявление и, бормоча ничего не значащие слова, что будет жаловаться, пошел было к дверям, но, взявшись за ручку, кое-что вспомнил и сообразил, что допустил большую оплошность, которую надо немедля исправить.

Он повернулся и пошел назад, к директорскому столу, на ходу меняя выражение с жалкого на доброе и даже великодушное, но печать жалкости все же никуда не сошла и держалась на лице Ефима, когда он вынимал из портфеля и клал на стол перед директором экземпляр «Лавины» в ледериновом переплете.

— Совсем забыл, — сказал он, улыбаясь и кивая головой, словно кланяясь. — Это вам.

— Что это? — Андрей Андреевич, слегка отстранившись, смотрел на книгу отчужденно и с недоумением, как будто на никогда не виданный прежде предмет.

— Это вам, — еще активней заулыбался Ефим, пододвигая книгу к директору. — Это моя книга.

— Это не надо, — сказал директор и осторожно отодвинул книгу двумя руками, как предмет тяжелый, а может быть, даже и взрывоопасный. — У меня есть свои книги.

— Нет, вы меня не так поняли, — стал объяснять Ефим, словно ребенку. — Дело в том, что это не какая-то книга, это моя книга, это я ее написал.

— Я понимаю, но не надо, — сказал директор.

— Но как же, как же, — разволновался Ефим. — Это знак искреннего уважения и расположения. Тем более я вам все равно подписал, так что этот экземпляр в любом случае уже как бы испорчен.

— Мне, — продолжал упираться директор, — не нужны чужие вещи, ни хорошие, ни испорченные.

— Но это же вовсе даже не вещь! — закричал уже почти что истерически Рахлин. — Это книга, это духовная ценность. И тем более если с автографом автора. От этого никто не отказывается. Я даже министру одному подарил...

— Меня не интересует, что вы кому дарили, — повысил голос директор. Он встал и, перегнувшись через стол, сунул книгу в раскрытый портфель Ефима. — Заберите это и не мешайте работать.

Униженный, оскорбленный, оплеванный Ефим вышел из кабинета.

— Ну как дела? — спросила его Серафима Борисовна.

— Очень хорошо, — жалко улыбаясь, ответил Ефим и вышел на улицу.

Похолодало. Сыпал редкий сухой снег. Ефим шел походкой старого, больного человека, перегибаясь под тяжестью портфеля, набитого его собственными никому не нужными книгами о хороших людях.

— Фима! Фима! — услышал он сзади взволнованный голос и обернулся.

В расстегнутой шубе, с шапкой в руках за ним тяжело бежал Мыльников. По лицу его было видно, что он несет важное известие. У Ефима мелькнула глупая, совершенно дикая и нереалистичная мысль, что, может быть, это директор комбината просил догнать, остановить, вернуть...

Что и говорить, предположение было абсурдно. Директор промкомбината, будь он трижды из органов, не мог послать всемирно известного Мыльникова гоняться за малоизвестным писателем Рахлиным, но Ефим остановился и застыл в предвкушении чуда.

— Слушай, — переводя дыхание, махал своей барсучьей шапкой Мыльников, — совсем забыл. Еще в этой... ну как ее... в «Йоркшир пост» была обо мне статья почти что на всю страницу. С портретом... Там было написано, что я современный Кафка.

Вечером у Ефима были гости: два полярника с женами, а потом и Тишка привел свою новую подругу, которая представилась Дашей. Дашин отец работал где-то за границей в представительстве Аэрофлота, что по Дашиным нарядам было очень заметно.

Общение поначалу не клеилось. Полярники вели себя скромно, их смущало писательское звание хозяина. Девица была здесь первый раз и тоже держалась скованно, время от времени бросая быстрый и цепкий взгляд то на Ефима, то на Кукушу (возможно, примеривалась). Впрочем, молодые сидели недолго. После ужина протомились еще с полчаса и церемонно откланялись. Тишка вызвал отца в коридор, стрельнул пятерку на такси и ушел провожать Дашу, она жила в районе Речного вокзала.

После их ухода полярники, к тому времени уже слегка подвыпив, постепенно расковались и, хохоча и перебивая друг друга, стали рассказывать смешные случаи из их практики. Все истории были похожи одна на другую: один полярник провалился под лед и вместо «спасите» кричал почему-то «полундра», другой ночью украл на кухне банку консервированных кабачков, а потом мучился от поноса. Но самая любимая их байка была о начальнике экспедиции, который вышел утром «до ветру» и, сидя за сугробом, почувствовал, что кто-то лизнул его сзади. Случай этот, если действительно был, превратился в легенду, согласно которой начальник, думая, что это завхоз, спросил: «Это ты, Прохоров?» Оглянулся, увидел белого медведя и кинулся бежать, потеряв по дороге штаны. Общение мужественных людей обычно к рассказыванию подобных побасенок и сводилось. Ефим знал все эти истории назубок и сам, желая быть среди мужественных приятелей своим человеком, смеялся обычно громче всех, но сейчас ничто его не смешило, обида, нанесенная в Литфонде, не выходила из головы, и он только из вежливости подхихикивал, как ему самому казалось, фальшиво.

Но после нескольких рюмок армянского коньяка общее настроение передалось и ему, он сел за пианино и аккомпанировал Кукуше, которая спела для гостей несколько матерных частушек. Гости сначала смутились, но потом оказалось, что одна из пар умеет на два голоса исполнять вологодские припевки такой похабности, до какой Кукушиным частушкам было далековато. Короче говоря, вечер прошел хорошо. Гости ушли в первом часу и еще что-то долго кричали с улицы, а Ефим, стоя на заснеженном балконе, тоже кричал и махал руками. Потом он отправил Кукушу спать (ей утром опять на работу), а сам перетаскал на кухню и там долго мыл посуду, ожидая возвращения Тишки и обдумывая дальнейшие сюжетные ходы «Операции». Ни о шапке, ни об Андрее Андреевиче он ни разу не вспомнил.

Тишка пришел после двух и, отказавшись от чаю, ушел к себе. Без четверти три Ефим залез под одеяло к Кукуше, сладко спавшей лицом к стене. Ефим привалился к ее спине, и у него возникло желание. Несмотря на возраст и гипертонию, Ефим был еще сильный мужчина и терзал Кукушу чаще, чем ей хотелось. Он не решился будить жену слишком грубо и начал ее оглаживать, постепенно продвигаясь от верхних эрогенных зон к нижним, следуя схеме, изученной им по распространяемой в самиздате ксерокопии американского руководства для супружеских пар. (Эту ксерокопию Ефим нашел однажды в нижнем ящике Тишкиного стола, проштудировал со словарем и в закодированном виде переписал себе в блокнот основные принципы.)

Дойдя до источника своего вожделения и употребив строго по инструкции палец, он достиг того, что Кукуша, еще не проснувшись, задышала прерывисто, а когда она со вздохом перевернулась на спину, он тут же овладел положением и принялся за работу, равномерно потряхивая лысой своей головой.

Прожив с Кукушей около трех десятков лет, он все еще любил ее физически. Прежняя страсть прошла, но не бесследно, а заменилась неизменно возникающим и медленно растущим чувством тягучего наслаждения, когда наступает общее обалдение и ощущение, что ты куда-то плывешь. Сейчас Ефиму тоже казалось, что он плывет, что он капитан Коломийцев; широко расставив ноги, стоит он на мостике, старый морской волк с седыми висками и пристальным взглядом серых прищуренных глаз. А вокруг бурное море и пенные буруны, низко летящие рваные облака сбились в кучу, превратились в белых лебедей, замедлили движение, плавно заскользили над головой, и он к ним поднялся и заскользил вместе с ними.

— Так что тебе сказали насчет шапки? — вдруг спросила Кукуша, спросила громко, резко, не к месту, враз разрушив обретенное им ощущение, словно подстрелила его на лету.

— Что? — спросил он, и хотя не прекратил своего дела, но сбился с ритма, затрепыхался, как птица с перебитым крылом.

— Я тебя спрашиваю, — строго повторила Кукуша, — что тебе сказали в комбинате?

Конечно, так разговаривали они не впервые. Именно в такой позиции Кукуше чаще всего приходило на ум обсудить разные бытовые проблемы вроде перестановки мебели, покупки нового холодильника и приобретения абонемента в плавательный бассейн. И всегда это Ефиму не очень-то нравилось, но сейчас резануло особенно, а в затылке появилась неприятная ломота.

— Мне сказали, что о Мыльникове писала лондонская «Таймс», а я ничего, кроме кота пушистого, не заслужил.

— Пушистого кого?

— Кота. Так у них называется домашняя кошка. Они даже Баранову дали кролика, а мне кошку.

Он пытался продолжить начатое, но что-то не ладилось.

— А ты что сделал?

— Я расстроился и ушел, — сказал Ефим.

— И это все?

— И это все.

— Молодец! — Кукуша неожиданно выскользнула из-под него и повернулась к стене.

Она не первый раз таким образом проявляла недовольство, и всегда в подобных случаях он воспринимал это как унижение и оскорбление его мужского достоинства, но при этом не скандалил, а канючил, чтобы она выражала свои настроения как-то иначе и позволила ему доехать до завершения.

На этот раз он канючить не стал, сам отвернулся, но заснуть уже не мог, переживая обиду. Несколько раз он вставал, уходил на кухню, курил, прикладывал к затылку холодную грелку, возвращался, опять ложился спиной к Кукуше.

Утром он накормил Тишку завтраком, сам выпил кофе и ушел к себе в кабинет. Он слышал, как Кукуша встала, ходила по квартире, как, привлекая его внимание, громко хлопала дверьми и что-то роняла. Все же не выдержала и заглянула к нему уже в шубе.

— В конце концов, дело не в шапке, а в том, что ты вахлак и никогда не можешь за себя постоять. До чего ты низко пал в глазах своего начальства, если даже кролика тебе не дают.

Ефим молча смотрел в окно, за которым видны были только грязное небо, заиндевелые верхушки деревьев и крыша кооперативного дома киношников; там человек, привязанный веревкой к трубе, возился с телевизионной антенной.

— Я бы на твоем месте позвонила Каретникову.

С этим наставлением Кукуша ушла, оставив Ефима в смешанных чувствах. Он сначала решил ее совет игнорировать. Но потом мысли его стали развиваться в нужном направлении. Он стал думать, что, может быть, в самом деле живет неправильно, занимает примиренческую позицию, проявляет излишнюю уступчивость и пассивность. И конечно, дело не в шапке, а в том, что он, Рахлин, тихий, робкий, вежливый человек. Рахлина можно ставить всегда на самое последнее, на самое ничтожное место, Рахлин стерпит, Рахлин смолчит.

— Вот вам Рахлин смолчит! — вдруг вскрикнул он и перед чучелом пингвина изобразил весьма неприличный жест. — Нет, — продолжал он самому себе бормотать, — я этого так не оставлю, я позвоню, я пойду к Каретникову, ему ничего не стоит, ему стоит только снять трубку, и вы лично, Андрей Андреевич, несмотря на то, что вы работали в органах... А интересно, кстати, за что вас оттуда поперли?.. Вы лично, и не кота пушистого, и не кролика, а вот ондатру принесете мне лично в зубах. Да, в зубах! — злорадно прокричал он прямо в морду пингвиньего чучела.

Пожалуй, возможности своего покровителя Ефим не переоценивал. Василий Степанович Каретников был выдающийся советский писатель, государственный и общественный деятель. Герой Социалистического Труда, депутат Верховного Совета СССР, член ЦК КПСС, лауреат Ленинской премии, лауреат Государственной премии, лауреат премии имени Горького, член Международного комитета борьбы за мир, вице-президент Общества афро-азиатской дружбы, член совета ветеранов, секретарь Союза писателей СССР и главный редактор толстого журнала, в котором Ефим иногда печатался. Время от времени, откликаясь на просьбы Ефима, Каретников и в самом деле кому-то звонил или писал письма на своем депутатском бланке, и надо сказать, что отказа на его звонки или письма, как правило, не бывало.

Однако дома Каретникова не оказалось, жена его Лариса Евгеньевна сказала, что тот отправился в поездку по странам Африки, а потом прямо из Африки поедет в Париж на заседание какой-то комиссии ЮНЕСКО. Так что вернется недели через три. Ждать так долго не было смысла, потому что за это время все заказы уже будут приняты и даже всех кроликов уже раскроят.

Но, настроив себя определенным образом, Ефим уже не мог думать ни о чем, кроме как о шапке. И решил сходить к Лукину.

Московское отделение Союза писателей вместе с Центральным Домом литераторов занимали два соединенных вместе здания и имели два выхода — один с улицы Воровского, а другой, главный, с улицы Герцена — с большими двойными дверьми из резного дуба и с толстыми стеклами. Здесь располагались и кабинеты писательских начальников, и залы для публичных выступлений, концертов и киносеансов, ресторан, бильярдная, парикмахерская и еще всякие мелкие заведения для разнообразного обслуживания писателей. Ефим прошел через главный вход и в просторном вестибюле был встречен двумя вечными служительницами Розалией Моисеевной и Екатериной Ивановной.

Здесь он часто бывал, вестибюльным дамам время от времени, а к женскому дню всегда, дарил духи, шоколад и свои романы, поэтому обе приветствовали его очень радушно:

— Здравствуйте, Ефим Семенович!

— Здравствуйте, Ефим Семенович! Давненько вы у нас не были.

— Да, давненько, давненько, — снимая с Ефима дубленку, отозвался гардеробщик Владимир Ильич.

Принимая от гардеробщика номерок, Ефим увидел сидевших в дальнем углу за шахматным столиком двух дружков — своего нижнего соседа Василия Трешкина и одного из секретарей Союза писателей Виктора Черпакова. Они в шахматы не играли, они о чем-то между собой толковали, тихо и напряженно. Они тоже заметили Ефима и в ответ на его кивок сами кивнули недружелюбно.

Ефим положил номерок в боковой карман пиджака, подхватил портфель и направился к лестнице, ведущей на второй этаж.

— Вот, — сказал Трешкин, проводив Ефима долгим тяжелым взглядом. — У меня кот пропал, а ему шапку дают из кота. Как же это понять?

— Если мы будем ушами хлопать, они и из нас шапок наделают, — сказал Черпаков.

Это было продолжение темы, которую они начали еще в ресторане, а теперь продолжили здесь, в уголке.

Черпаков не только не рассеял опасений Трешкина насчет евреизации, но утверждал, что тот не преувеличивает, а преуменьшает степень повсеместного засилия евреев. По его словам, евреи уже распространились везде, захватили в свои руки командные посты не только в Америке и других западных странах, но фактически заправляют в Генеральном штабе, в КГБ и даже в Политбюро.

— Ну, насчет Политбюро ты уж слишком, — усомнился Трешкин. — Там сионистов нет.

— Сионистов нет, а масоны есть. А масоны управляются сионистами.

— Какое же от них спасение? — в ужасе спросил Трешкин.

— Никакого, — ответил Черпаков. — Только что разве травить их по одному.

— По одному всех разве перетравишь! — вздохнул Трешкин.

— Всех не перетравишь, но хотя б некоторых.

— Фимка, скажи честно, неужели ты своей Кукуше ни разу не изменял?

Они сидели в узком коридоре перед обитой темно-зеленым дерматином дверью Лукина. Ефим пришел по своему делу, а поэтесса Наталья Кныш надеялась получить характеристику для поездки в Португалию. Кныш была дамочка пухлая, сексапильная, говорила прокуренным голосом:

— Ты знаешь, что сказал Чехов о Короленко? Он сказал, что Короленко слишком хороший человек, чтобы быть хорошим писателем. Он сказал, что Короленко писал бы намного лучше, если б хоть раз изменил жене.

Ефим вежливо улыбался, но кокетничать был не настроен. Он думал, с какой стороны лучше подойти к Лукину, на что напирать, как добиться положительного разрешения дела.

Петр Николаевич Лукин был (и это значилось на вывеске — серебряные буквы на черном фоне) секретарем Московского отделения Союза писателей по организационным вопросам и относился к той породе людей, которая у нас уже вывелась. Где-то она еще существует и у нас тоже когда-нибудь возродится (я в этом, к сожалению, не сомневаюсь), но пока что, слава богу, практически вымерла.

В Союз писателей Петр Николаевич, как Андрей Андреевич Щупов, как многие другие, был передвинут из органов, где прошел путь от рядового надзирателя до генерала. Органы были его семьей, его домом, его школой, религией и идеологией. Всю свою жизнь и все здоровье он отдал органам. Он служил в органах, сажал от их имени, сам был ими посажен и ими же реабилитирован. После чего опять служил им верой и правдой, за что получил орден Дружбы народов, нагрудный знак «Почетный чекист» и звание Заслуженный работник культуры, которое остряки, конечно, сократили и превратили в неприличную аббревиатуру ЗАСРАК.

И хотя сейчас он служил как будто по другому ведомству, он знал, что вся его жизнь, каждая клетка его тела, каждая частичка его души принадлежит только органам и еще, пожалуй, партии, впрочем, эти два понятия для него всегда сливались в одно.

Память у него была своеобразной, вернее, в голове его умещались две памяти: одна, полицейская, для текущих дел, а другая, генеральная, для охвата больших периодов и осмысления общего течения жизни. В молодости Петр Николаевич был романтиком, отчасти им и остался, его генеральная память была романтической. В ней сохранилась только смутная общая картина беспрерывного и жертвенного служения, а такие детали, как, например, то, что он сам лично, ради торжества высоких идеалов выбивал кому-то зубы и даже что ему самому выбивали зубы с той же целью, ушли на задворки сознания и растворились в помутневших красках общего фона. Дело было не в том, кому чего выбивал, а в том, что при всех поворотах судьбы он никогда, ни разу, ни на минуту не усомнился в партии и органах, не усомнился в правоте «нашего общего дела». Теперь, по ночам страдая от мучившей его бессонницы, он вспоминал свою жизнь, все страдания и унижения, падения и возвышения и со слезами умиления думал о том, что он никогда, никогда...

Партия оценила его преданность, органы тоже о нем пеклись, они устроили его на работу к писателям, и он, трудясь здесь в сложной, несходной с прежним опытом обстановке, рассматривал свою миссию как засылку во вражеский тыл.

Роста он был высокого, худощавый, подслеповатый, с лошадиным лицом и улыбкой, делавшей его похожим на французского актера Фернанделя. Улыбка не сходила с лица, потому что органы, вставляя ему казенные зубы, сделали их чуть длиннее, чем они должны были быть. Волосы у него были светлые с рыжиной, поредевшие, но до лысины не дошло, тронутые (но лишь слегка) сединой.

Отстраненный от оперативной работы, он нашел свое призвание здесь. Оно состояло в составлении казенных бумаг и оформлении их наиболее желательным образом. По существу, в этих бумагах он никогда не писал неправду, но правду искажал до неузнаваемости. Он мог легко истолковать любое высказывание, или действие, или движение души как попытку подорвать основы нашего строя и изобразить это так, что уже можно зачитывать приговор. А в другом случае мог те же самые факты использовать для представления к ордену или записи в жилищный кооператив. Писатели его ценили за то, что он, умея составлять бумаги, сам не лез в писатели, а мог бы, потому что в своем жанре равных себе не знал и вообще был почти что гений.

Сидя перед глухой дверью, Ефим и подумать не мог, что там, внутри, уже идет некая работа, связанная с его появлением. Из железного сейфа вынута толстая папка на букву Р. А из нее извлечена тоненькая папочка с шифром 14/6. А в этой папочке всего несколько листков, и что ни листок, то — золото. Конечно, Петр Николаевич мог затребовать досье любого писателя в отделе творческих кадров, но ему это было не нужно. У него были свои записи, короткие, деловитые, основанные на доступных данных, донесениях собственных осведомителей и на личных наблюдениях тоже.

Всегда, прежде чем принять человека, Петр Николаевич заглядывал в свои записи и сейчас сделал то же. И вот что прочел:

«Рахлин Ефим Семенович (Шмулевич) 23.7.27, ж. Кукушкина Зин. Иван. (д. пр. Кукуша), с. Тимофей — аспрнт. д. Наталья — Изр. др. №2/13, е. у. в., 5 мед. 11 кн. 2 с. 1 п. мел. пуб. ЛТЦНП. пум. женеув. порнанеул. скрмн. скртн. бзврд. Инт. шхмт. пол (пас) СВР (бдв). мстенук. бнвпрст».

Если расшифровать указанные сокращения, то они означали:

ж. — жена,

д. пр. — домашнее прозвище,

с. — сын,

аспрнт. — аспирант,

д. — дочь,

Изр. — Израиль,

др. — друг,

№2/14 — под этим номером числился у него в картотеке Баранов,

е. — еврей,

у. в. — участник войны,

5 мед. 11 кн. 2 с. 1 п. — 5 медалей, 11 книг, 2 сценария, 1 пьеса,

мел. пуб. — мелкие публикации,

ЛТЦНП — литературное творчество ценности не представляет,

пум. — пьет умеренно,

женеув. — женщинами не увлекается,

порнанеул. — в порочных наклонностях не уличен,

скрмн. — скромен,

скртн. — скрытен,

бзврд. — безвреден,

Инт. шхмт. пол (пас) — интересуется шахматами, политикой (пассивно),

СВР (бдв) — слушает враждебное радио (без дальнейших выводов),

мстенук. — может сотрудничать с тенденцией к уклонению,

бнвпрст. — благонадежен в пределах страны (то есть за пределы страны выпускать не следует).

Если же оценить эти данные в соответствии со специфической шкалой человеческих достоинств, принятой у Лукина, то получится примерно вот что:

ж. — фактор положительный, в кризисной ситуации можно действовать через ж.,

д. пр. — говорит о склонности к добропорядочности и стабильной семейной жизни,

с. и д. — хорошо, предохраняет от необдуманных поступков,

аспрн. — то же,

Изр. — почва для потенциальной неблагонадежности,

др. — возможный (в данном случае ненадежный) осведомитель,

е. — смотри Изр.,

у. в. — неплохо,

11 кн. 2 с. 1 п. мел. пуб. — говорят о благополучии и отсутствии причин для неожиданных действий,

ЛТЦНП — в сочетании с предыдущим пунктом факт положительный, не дает повода для излишних амбиций,

пум., женеув., порнанеул. — сочетание негативное, в случае чего не за что ухватиться,

скрмн. — хорошо, скртн. — тоже неплохо, если при этом бзврд.,

Инт. шхмт. пол (пас) — пускай,

СВР (бдв) — хорошо, при необходимости можно использовать вместо порочных наклонностей,

мстенук. — без крайней нужды вербовать не стоит,

бнвпрст. — говорит само за себя.

Для того чтобы встретить посетителя должным образом, Лукину необходимо было знать, для чего тот пришел, и он почти всегда это знал. Сейчас тоже знал.

У него было сообщение директора производственного комбината, и сосед Рахлина, сказочник Фишкин, тоже сообщил Лукину кое-что.

К достоинствам Петра Николаевича надо прибавить то, что он был большим знатоком человеческих слабостей и талантливым лицедеем. Прежде чем пригласить Ефима, он снял с вешалки свое дорогое пальто с пыжиковым воротником и пыжиковую шапку и унес в примыкавшую к его кабинету кладовку. А оттуда вынес и повесил на вешалку плащ с ватинной подкладкой и синий берет с хвостиком.

После этого он выглянул в коридор и, увидев Ефима, изобразил неподдельное удивление и даже радость.

— А, Ефим Семенович! — закричал он как бы возбужденно. — Вы ко мне? Да что же вы тут сидите? Вы бы сразу постучались. Ну, заходите, заходите. Стоп, стоп, только не через порог.

Затащив Ефима в кабинет, он его сердечно обнял и даже похлопал по спине и огорошил вопросами, из которых можно было понять, что он ни о чем, кроме как о Ефиме, не думает:

— Ну как здоровье? Как дела? Как Кукуша? Надеюсь, у Тишки в аспирантуре все в порядке? У меня, между прочим, внук тоже аспирант. В Институте кинематографии.

Замечательный парень. Спортсмен, альпинист, комсомольский вожак. Вот говорят, нет в наше время молодежи, преданной идеалам. А я смотрю на Петьку — его, кстати, так в честь меня назвали — и вижу, хорошая у нас молодежь, стоящая. Ну, бывают, конечно, и отклонения. — Генерал снял и протер платочком очки. — А как, к слову сказать, Наташка? Я понимаю, вопрос деликатный, но я не официально, не с агентурной — ха-ха — точки зрения, а как тоже отец и даже как дед... Надеюсь, она как-то устроилась, не бедствует там с семьей, все в порядке?

Он, конечно, знал, что Ефим каждый вторник приходит на Главный почтамт и, натянув шапку на глаза и отворачиваясь (непонятно, на что при этом рассчитывая), протягивает в окошечко свой паспорт с фотографией, на которой его лицо с выпученными еврейскими глазами ничем не прикрыто. Но Ефим, не зная, что Петр Николаевич знает, неуверенно сообщил, что ему, собственно говоря, о дочери мало чего известно, он связи с ней не поддерживает.

— Ну и напрасно, — сказал Петр Николаевич. — Сейчас не прежние времена, когда, понимаешь, наличие родственников за границей могло привести к неприятностям. У меня, кстати, когда случилась вся история, оказалась тетка в Аргентине... Да я о существовании ее даже не помнил. А мне записали: скрыл. Но теперь к подобным вещам отношение принципиально переменилось. Теперь каждый понимает, что наши дети, как бы они себя ни вели, есть наши дети, мы все равно о них беспокоимся, устраиваем их в институты, в аспирантуры, достаем им ботинки, джинсы, перчатки, шапки... Да, извини, — перешел он незаметно на «ты», — ты ведь не просто так ко мне пришел. Наверное, какое-то дело.

Ефим замялся, заволновался. Ему показалось вдруг странным, что Петр Николаевич сам упомянул слово «шапки». Помявшись, он все же сказал, что именно о шапке и пойдет речь.

— О шапке? — удивленно поднял свои выцветшие брови Петр Николаевич.

— О шапке, — смущаясь, подтвердил Рахлин и тут же стал сбивчиво и путано объяснять, что он ходил в производственный комбинат, а человек, который там сидит... конечно, Ефим очень его уважает, возможно, он был ценный сотрудник органов, но все-таки работа с людьми творческого труда, как известно, требует некоторой особой деликатности и чуткого отношения, а он...

— Он отказал? — сурово нахмурился Петр Николаевич и схватился за телефонную трубку.

— Подождите, — остановил его Ефим и, еще больше волнуясь, стал объяснять, что тот не то чтобы совсем отказал, но проявил бездушие и непонимание и ему, автору одиннадцати книг, предложил кошку, когда даже Баранов, написавший за всю жизнь одну книгу, и тот получил кролика.

Пока он это говорил, Петр Николаевич стал поглядывать на часы и нажал тайную кнопку, в результате чего явилась секретарша и напомнила, что ему пора ехать на заседание в Моссовет.

Разговор принимал дурацкое направление. Петр Николаевич сказал, что сам он ни в каких шапках не разбирается, и устремил долгий взгляд куда-то мимо Ефима в сторону двери. Невольно скосив глаза в том же направлении, Ефим увидел висевший на вешалке плащ и синий потертый берет с коротким хвостиком посередине. Ему стало немного неловко, что он хлопочет о шапке, в то время когда такой хороший человек и генерал ходит в берете. А тот, не давая опомниться, тут же рассказал эпизод из своего боевого прошлого. Как, выбившись однажды из окружения, Лукин со своим отрядом блуждал по заснеженным Сальским степям, и все с ним были в рваном летнем обмундировании, в сбитой обуви и в хлопчатобумажных пилотках. И хотя Ефиму и самому в жизни приходилось попадать в разные переплеты, он, конечно, не мог не вспомнить, что в настоящее время он по заснеженным степям не блуждает и ночует не под промерзшим стогом, а в теплой кооперативной квартире, и, хотя он сюда явился без шапки, она у него все-таки есть.

И он уже готов был сдаться, но в это время в кабинет с лисьей шапкой в руке заглянул поэт-песенник Самарин, исполняющий обязанности партийного секретаря.

Холодно кивнув Рахлину, он спросил Лукина, пойдет ли тот обедать.

— Нет, — сказал генерал, взглянув на часы. — Меня ждут в Моссовете.

— Ну пока, — сказал Самарин и, выходя, взмахнул шапкой, отчего бумаги на столе Петра Николаевича шевельнулись.

И вид этой шапки поднял боевой дух Ефима, потому что Самарин хотя и парторг, но поэт никудышный, и если уж судить по талантам или значению в литературе, то на лисью шапку никак не тянет.

Осмелев, Ефим напомнил Лукину, что на войне он тоже побывал, а кроме того, ему приходилось участвовать в различных героических экспедициях, а сейчас время мирное, люди должны свои возросшие запросы полностью и по справедливости удовлетворять. А какая может быть справедливость, если тому, кто отирается около начальства, дают превосходную шапку, а тому, кто ведет себя скромно и самоотверженно трудится над созданием книг о людях героических профессий, не дают ничего, кроме кошки?

— А где же, — сказал Ефим, — где же наше хваленое равенство? У нас же все газеты пишут о равенстве.

— Ну, знаете! — Лукин возмущенно вскочил и всплеснул руками. — Ну, Ефим, ну это вы уж слишком. Из-за какой-то, понимаете, шапки, из-за какой-то паршивой кошки вон на какие обобщения замахнулись! При чем тут равенство, при чем тут высшие идеалы? Неужели мы должны бросаться нашими идеалами ради какой-то шапки? Я не знаю, Ефим... Вы моложе меня, вы другое поколение. Но люди моего поколения... И я лично... Вы знаете, на мою долю многое выпало. Но я никогда, никогда не усомнился в главном. Понимаете, никогда, ни на минуту не усомнился.

Лукин весь побледнел, задрожал, трясущимися руками полез в боковой карман, вынул бумажник, достал из него маленькую пожелтевшую фотографию.

— Вот! — сказал он и бросил на стол перед Ефимом свой последний козырь.

— Что это? — Ефим взял карточку и увидел на ней изображение девочки лет восьми с большим белым бантом на голове.

— Это моя дочь! — взволнованно прошептал генерал. — Она была такая, когда меня взяли. Причем, между прочим, — он пожал плечами и улыбнулся смущенно, — я ушел совершенно без шапки. А когда через шесть лет я вернулся, она... я имею в виду, конечно, не шапку, а дочку... она была уже большая. И даже замужем...

Он стер со щеки слезу, махнул рукой и со словами: «Извините, мне пора» — бережно положил карточку в бумажник, бумажник в карман и стал одеваться. Натянул на себя плащ, напялил на голову берет с хвостиком.

Ефим снова смутился. Сам себе он казался мерзким рвачом и сутягой. У него было даже такое чувство, что это из-за его меркантильных устремлений Петра Николаевича в свое время оторвали от маленькой дочки и увели без шапки в промозглую тьму.

Сгорбившись и пробормотав какие-то неопределенные извинения, Ефим прошаркал к выходу.

Только внизу он сообразил, что провел здесь довольно много времени — в Центральном Доме литераторов начиналась вечерняя жизнь. Открылись бильярдная и ресторан, в большом зале наверху телевизионная бригада расставляла аппаратуру для репортажа о встрече писателей с космонавтами, в нижнем малом зале собирались члены клуба рассказчиков, в знаменитой «восьмой» комнате разбиралось персональное дело прозаика Никитина, напечатавшего в заграничном издательстве повесть «Из жизни червей», в виде червей клеветнически изображавшую советский народ. Сам Никитин утверждал, что под червями он имел в виду именно червей, и действительно имел в виду червей, но ему никто, конечно, не верил.

Непрерывно хлопали стеклянные двери. Розалия Моисеевна и Екатерина Ивановна расплывались в льстивых улыбках перед входящими начальниками, вежливо приветствовали знакомых, а у незнакомых требовали предъявления членских и пригласительных билетов.

Возле гардероба, натягивая дубленку, Ефим встретил вошедшего с мороза Баранова, тот был в темном пальто и в коричневой кроличьей шапке.

— Старик, — обрадовался другу Баранов, — смотри, я шапочку уже получил. А кроме того, сотнягу отхватил за внутренние рецензии, пошли в ресторан, угощаю.

— Нет настроения, — сказал Ефим, поднимая с полу портфель. — И повода тоже. Гонорара сегодня я не получал, а шапку мне дают из кота средней пушистости.

— Из чего? — не понял Баранов.

— Из обыкновенной домашней кошки, — объяснил Ефим. — Ты написал одну книгу — тебе дают кролика, а я написал одиннадцать — и мне кошку.

Этот разговор слушал одевавшийся перед зеркалом Василий Трешкин, но ничего нового не узнал.

— Фимка, — сказал Баранов, — а что ты дуешься на меня? Я распределением шапок не занимаюсь. По мне, пусть тебе дадут хоть из соболя, мне не жалко.

Ефим не ответил. Открыв рот, он смотрел на пробегавшего к выходу Лукина, на его пыжиковый воротник, на богатую шапку.

Ефим сперва растерялся, потом выскочил за Лукиным, желая его остановить, но не успел, персональная «Волга» с сидящим в ней генералом, плюнув вонючим дымом, отчалила от тротуара. Ефим проводил ее отчаянным взглядом, переложил портфель из левой руки в правую и поплелся в сторону площади Восстания. Он шаркал по-стариковски подошвами своих гэдээровских сапог, оскорбленно всхлипывал и бормотал себе под нос:

«Врешь! Все врешь! Сальские степи, дочь — все вранье! Ушел — ей было восемь, пришел через шесть лет — она замужем. Дурь! — прокричал он в пространство. — Сплошная дурь!»

Занятый своими переживаниями, Ефим не видел, что следом за ним идет, не упуская его из виду, поэт Василий Трешкин, решивший изучить и понять загадочное поведение сионистов.

На Садовом кольце все светофоры были переключены на мигающий режим, движением руководили два милиционера в темных полушубках и шапках с опущенными ушами. Они почему-то нервничали, держали на тротуаре скопившихся пешеходов, свистели в свистки и размахивали палками. Не понимая, в чем дело, Ефим пробился вперед, но дальше не пускали, и он остановился прямо под светофором. Светофор равномерно мигал, и лысина Ефима равномерно озарялась желтым ядовитым сиянием.

Толпа у светофора сбилась совсем небольшая, но и в ней Трешкин упустил Ефима. Ему даже показалось (и он бы не удивился), что сионист просто растворился в воздухе. Трешкин занервничал, врубился в толпу, тут же увидел Ефима и обомлел. Он увидел, что сионист Рахлин, стоя у края тротуара, бормочет какие-то заклинания, а его лысина озаряется изнутри и испускает в мировое пространство желтые пульсирующие световые сигналы.

— ...аждане, житесь ехода! — закричали вдруг потусторонние голоса. — Граждане, воздержитесь от перехода! — прозвучали они яснее.

Милиционер, стоявший недалеко от Ефима, отскочил в сторону, вытянулся неуклюже, поднес руку к виску. Налетели и понеслись мимо черные силуэты, воющие сирены, фыркающие моторы, шуршащие шины и летящий тревожный свет милицейских мигалок.

Ничего вокруг себя не видел Василий Трешкин. Он смотрел только на голову сиониста Рахлина и видел, как она светилась сначала желтым светом, потом вспыхнула синим и красным, и одновременно раздались страшные голоса.

Тут бы, конечно, самое время сиониста зацапать и передать в руки закона, но кому передашь, если проезжавшие правительственные лимузины передавали те же сигналы? Трешкин вдруг испугался, схватился за голову и закрыл глаза. А когда открыл их, обнаружил, что сидит на обледенелом тротуаре, прислонившись спиною к шершавой стене, вокруг негусто толпится народ, а склонившийся милиционер вежливо спрашивает:

— Папаша, а папаша! Вы, папаша, извиняюсь, пьяный или больной?

Стоя под светофором, Ефим слышал, что кому-то в толпе стало нехорошо, достигли его уха голоса, обсуждающие, вызвать ли «Скорую помощь» или перевозку из вытрезвителя. В другое время Ефим посмотрел бы, что там случилось, очень он был любопытен до уличных происшествий. Но на этот раз не посмотрел, погруженный в собственные страдания, и побрел дальше, как только освободилась дорога. У метро «Краснопресненская» людской поток подхватил Ефима, втянул в подземелье и, сильно помятого, вынес наружу на станции «Аэропорт».

Тем временем Трешкин двигался к тому же конечному пункту совершенно иным путем. Оставленный милиционерами, он не пошел в сторону Пресни, а направился к Маяковской.

Вечер был холодный, небо чистое, но от городских огней оно казалось блеклым и желтым. Все же какие-то звезды пробивались сквозь желтизну, перемещались в пространстве, перемигивались, намекали на что-то непонятное Трешкину. Катили машины, торопились прохожие, а сколько среди них евреев и сколько жидомасонов, никому не известно. Так он шел, сосредоточенно думая, и вдруг на углу Малой Бронной и Садовой-Кудринской его осенила гениальная мысль. «А что, — подумал Трешкин, — если они так и так уже все захватили, то, может, лучше сразу, пока не поздно, самому к ним податься?»

Дома Ефим поставил в угол портфель, сменил сапоги на тапочки и прошел в гостиную. Кукуша и Тишка ужинали перед телевизором и смотрели фигурное катание.

Ефим сел на диван и тоже стал смотреть, но ничего не видел, не слышал.

— Лысик, — спросила Кукуша, — ты ужинать будешь?

Он ничего не ответил.

— Лысик! — повысила голос Кукуша.

Он не слышал.

— Лысик! — закричала она уже нервно. — Я тебя спрашиваю: тебе пельмени с маслом или со сметаной?

— Одиннадцать, — ответил Ефим.

— Что одиннадцать? — не поняла Кукуша.

— Я восемнадцать лет в Союзе писателей и написал одиннадцать книг, — сообщил Ефим. И, подумав, добавил: — А Баранов написал только одну.

Мать с сыном переглянулись.

— Лысик, — встревожилась Кукуша. — Ты, часом, не трекнулся?

— Нет, — сказал Ефим, — я этого дела так не оставлю. Сдохну, а шапку свою получу.

Он вдруг вскочил, выскочил в коридор, вернулся со своей волчьей шапкой.

— Тишка, тебе, кажется, нравится моя шапка?

— Нравится. — Тишка проглотил последний пельмень и стал вытирать губы бумажной салфеткой.

— Ну так вот, — щедро сказал Ефим, — я тебе ее дарю. — Он напялил шапку Тишке на голову. — Смотри, тебе идет.

— А ты будешь носить мою? — спросил Тишка. Он снял шапку, посмотрел на нее и положил на стул рядом с собой.

— Твою? — переспросил Ефим. — Свою ты можешь выбросить, она уже выносилась.

— А ты в чем будешь?

— А я себе получу, — сказал Ефим. — Сдохну, а своего добьюсь.

— Лысик, поешь. — Кукуша поставила на стол тарелку пельменей. — Садись сюда, кушай. И забудь ты про эту шапку. Это я во всем виновата. Я тебя подбила. Но ты забудь это. Бог с ней, с этой шапкой. Я тебе сама куплю такую, каких у ваших говенных писателей вообще нет ни у кого. Я тебе куплю... ну, хочешь, я тебе из серебристой лисицы куплю?

— Нет! — закричал Ефим. — Не вздумай! Я их заставлю! Вот Каретников приедет, я к нему пойду и...

Он махнул рукой и заплакал.

Ефим помешался. Я узнал это сначала по телефону от Баранова, потом от встреченного в Доме литераторов Фишкина. Пока я собирался позвонить Ефиму, ко мне утром, еще не было девяти, явилась Кукуша в блестящей от растаявших снежинок норковой шубе.

— Извини, что я без звонка, — сказала Кукуша. — Но я не хотела, чтобы кто-нибудь знал о нашей встрече.

— Ничего, — сказал я, — это неважно. Извини, что я в пижаме.

— Это как раз неважно. Кстати, очень хорошая пижама. Где достал?

— Сестра привезла из Франции.

— У тебя есть сестра во Франции? — удивилась Кукуша.

— Нет, сестра у меня в Ижевске. А во Францию ездила договариваться о чем-то с заводом Рено. Кофе будешь?

— Нет, нет, я на минутку. — И совсем другим тоном: — Мне нужна твоя помощь, ты должен спасти Ефима.

Я растерялся и спросил, в чем дело, от чего я должен его спасать.

— Трекнулся, — сказала Кукуша. — Не ест, не пьет, не спит, не бреется, зубы не чистит. Он всегда Тишке готовил яичницу, теперь мальчик уходит в институт без завтрака.

— Ну, мальчику, кажется, уже двадцать четыре года, и яичницу он мог бы...

— Дело не в яичнице, — перебила Кукуша, — а в Фимке. Он совсем на этой шапке заклинился. Он уже обошел все начальство в Литфонде, в Союзе писателей, и ему везде отказали. Теперь ходит, все время бормочет: «Я восемнадцать лет в Союзе писателей, у меня одиннадцать книг, имею боевые награды». Я ему говорю: «Лысик, да что с тобой случилось, да забудь ты про эту шапку, да задерись она в доску». А он мне отвечает, что сдохнет, а шапку получит, и все ждет своего Каретникова. Вот Каретников приедет, вот он вам покажет, вот он вас заставит, перед Каретниковым вы все еще попляшете. А этот хренов Каретников, то он в Монголии, то в Португалии, я даже не знаю, когда он бывает здесь. О господи! — Она зашмыгала носом и полезла в карманчик за платком. — Это я, я во всем виновата. Я его толкнула бороться за эту вшивую шапку, а теперь не могу остановить. Я ему говорю: ну, Лысик, ну, дорогой, ну, пожалуйста, я тебе десять таких шапок куплю. Он говорит: «Нет, я восемнадцать лет в Союзе, написал одиннадцать книг, имею боевые награды».

— Может быть, показать его психиатру?

— Может быть, — согласилась Кукуша. — Но, может, лучше и правда дождаться Каретникова. Если тот поможет... Но пока... Я к тебе для чего пришла... Сходи к Фимке, развлеки его как-нибудь, поговори по-дружески, спроси, что он пишет, когда закончит. Такой интерес на него всегда действует хорошо.

Я посетил Ефима и нашел его точно таким, каким его описала Кукуша. Он меня встретил в мятом спортивном костюме с дырой на колене, худой, всклокоченный, лицо до самых глаз заросло полуседой щетиной.

— Здравствуй, Ефим! — сказал я.

— Здравствуй.

Загородив собою дверь, он смотрел на меня, не выражая ни радости, ни огорчения.

— Ну, может быть, ты меня пустишь внутрь? — сказал я.

Он вошел следом.

— Можно сесть? — спросил я.

— Садись, — пожал он плечами.

Я сел в кресло в углу под оленьими рогами, он остановился передо мной.

— Я приехал в поликлинику, — сказал я, — и вот решил заодно тебя навестить.

Он слушал вежливо, грыз черный ноготь на мизинце, но интереса к общению со мной не проявил. Я рассказал ему массу интересных вещей. Рассказал о хулиганстве детского писателя Филенкина, который в Доме творчества выплеснул свой суп в лицо директора. Ефим вежливо улыбнулся и, покончив с мизинцем, принялся за безымянный палец. Ни расовые волнения в Южной Африке, ни перестановки в кабинете Маргарет Тэтчер его тоже не заинтересовали.

Я предложил ему перекинуться в шахматы, он согласился, но, уже расставляя фигуры, перепутал местами короля и ферзя, а партию продул в самом дебюте, хотя вообще играл гораздо сильнее меня.

Мы начали новую партию, и я спросил его, как развивается «Операция».

— Я восемнадцать лет член Союза писателей и написал одиннадцать книг, — сообщил Ефим и подставил ферзя.

Возможно, он доложил бы и о своих боевых наградах, но тут зазвонил телефон. Я переставил Ефимова ферзя на другую клетку, а своего, наоборот, подставил под удар.

— Что? — закричал вдруг Ефим. — Приехал? Когда? Хорошо, спасибо, будь здоров, вечером перезвонимся.

Он бросил трубку, повернулся ко мне, и я увидел прежнего Ефима, хотя и небритого.

— Ты слыхал, — сказал он мне весьма возбужденно, — Баранов звонил, говорит, приехал Каретников.

Не могу даже описать, что дальше было с Ефимом. Он вскакивал, бегал по комнате, размахивал руками, бормотал что-то вроде того, что кто-то у него теперь попляшет, потом вернулся к шахматам, объявил мне мат в четыре хода и, посмотрев на часы, намекнул, что мне пора к доктору.

Я ушел, радуясь, что Ефим так быстро вышел из своего состояния, хотя моей заслуги в том не было.

Дальнейшее мне приходится описывать отчасти со слов самого Ефима, отчасти полагаясь на противоречивые свидетельства других участников этой истории.

После моего ухода Ефим умылся, побрился, почистил и поставил на место зубные протезы. В перерывах между этими процедурами звонил и в конце концов дозвонился. Жена Каретникова Лариса Евгеньевна начала было говорить, что Василий Степанович нездоров и никого не принимает, но тут в трубку влез голос мнимого больного.

— Фимка! — загудел он. — Не слушай ее, хватай такси и чтоб через пять минут был здесь. Да рукопись захвати.

Каретников жил в высотном доме на площади Восстания.

Дверь Ефиму открыла Лариса Евгеньевна с жирно намазанным кремом лицом, в халате и в папильотках.

— Ну, заходи, раз пришел, — сказала она не очень приветливо. — Василий Степанович ждет. Во фраке.

Ефим прошел по длинному коридору мимо домработницы Нади, которая, стоя на шаткой стремянке, шваброй сметала обнаруженную под потолком паутину. Надя была в коротком перепоясанном ситцевом халатике.

— Здравствуйте, Наденька, — дружески поздоровался Ефим, но лицо опустил и отворотил в сторону.

Дверь в кабинет Василия Степановича распахнулась, и сам хозяин явился Ефиму в длинных футбольных трусах и в майке, прожженной на большом животе. Он втащил Ефима внутрь, закрыл и прижал плечом дверь.

— Принес? — спросил он громким шепотом.

— Принес, — сказал Ефим и вытащил из портфеля не рукопись, а чекушку.

— И это все?

— Есть и второй том, — улыбнулся Ефим и, приоткрыв портфель, показал — вторая чекушка лежала на дне.

— Вот молодец! — одобрил Василий Степанович, срывая пробку зубами. Жонглерским движением покрутил бутылку, водка запенилась и завинченной струей потекла в жадно раскрытую пасть.

Отпив таким образом примерно треть, хозяин ухнул, крякнул и спрятал бутылку на книжной полке за «Капиталом» Маркса.

— Молодец! — повторил он, отдуваясь. — Вот что значит еврейская голова! Я почему против антисемитизма? Потому что еврей в умеренном количестве полезный элемент общества. Вот, скажем, в моем журнале: я — русский, мой заместитель — русский, это правильно. Но ответственного секретаря я всегда беру еврея. У меня прошлый секретарь был еврей и теперешний тоже. И когда мне в ЦК пытались подсунуть вместо Рубинштейна Новикова, я им сказал: дудки. Если вы хотите, чтобы я продолжал делать настоящий партийный литературный журнал, вы мне моих евреев не трогайте. Я вот уже тридцать шесть лет редактор, все пережил, но даже во времена космополитизма у меня, где надо, всегда были евреи. И они всегда знали, что я их в обиду не дам. Но и от них я требую верности. Я Лейкина к себе вызвал, стакан водки ему поставил: «Ну, Немка, говорю, если ты на историческую родину поглядываешь, то от меня мотай по-хорошему не меньше чем за полгода до подачи. Надуешь, ноги вырву, спички вставлю и ходить заставлю».

Большой, грузный, Василий Степанович ходил по комнате, заложив руки за спину, выпятив живот, и говорил заплетающимся языком. Иногда в местах своей речи, казавшихся ему особенно удачными, хлопал себя по ляжкам и взвизгивал. Перескочив с одной темы на другую, спросил Ефима, не видел ли тот его статью.

— Где? — быстро спросил Ефим.

— Ты что же, милый друг, «Правду» не читаешь? — спросил Василий Степанович не без ехидства. — Видишь, как я тебя подловил. Ну-ну-ну, не бойся, не продам. Вот, — схватил он со стола газету и сунул Ефиму. — «Всегда с партией, всегда с народом». Хорош заголовок?

— Мм-м, — замялся Ефим.

— Мму! — передразнил Каретников, замычав по-коровьи. — Не мучайся и не мычи, я и так вижу, что морду воротишь. Название не фонтан, но зато просто и без прикрас. Всегда с партией, всегда с народом. Всегда с тем и с другим. А не то что там... — Не закончив своей мысли, он застонал, подбежал к двери и, схватив самого себя за уши, трижды головой, как посторонним предметом, стукнул в притолоку. — Ненавижу! — прорычал он и заскрипел зубами. — Ненавижу, ненавижу и ненавижу! — Набычился злобно на Ефима: — Ты думаешь, кого ненавижу? Знаешь, но боишься подсказать. Власть нашу любимую, советскую... нне-навижу. — И опять стукнул лбом об стену.

Размахивая руками, стал ходить вокруг Ефима и бормотать, словно бы про себя:

— Вот она, человеческая неблагодарность. Власть мне все дала, а я ее ненавижу. Без нее я бы кто был? Никто. А с ней я кто? Писатель! Писатель-депутат, писатель-лауреат, писатель-герой, выдающийся писатель Каретников! А из меня, — остановился он напротив Ефима, — такой же писатель, как из говна пуля. Писатель Васька Каретников. А Ваське быть бы по торговой части, как дедушка Тихон. Тихон Каретников, кожевенные и скобяные товары. Два собственных парохода на Волге имел. А папашку моего Степана Тихоновича за эти-то пароходы и шлепнули. А я в детдоме себе происхождение подправил на крестьянское да в газете «Молотобоец» стал пописывать под псевдонимом Бывалый. Послал Горькому свой рассказ «На переломе», а тот сдуру его в альманах. Ах, суки, загубили вы Ваську Каретникова, сделали из него писателя. Ненавижу! — И хотел еще раз стукнуться головой, но, потрогав лоб, воздержался.

— Василий Степанович! — озабоченно прошептал Ефим и пальцем показал на потолок.

— Думаешь, там микрофоны? — понял Каретников. — Ну, конечно, там они есть. А я на них положил. Потому что то, что я здесь говорю, — неважно. Все знают: Каретников алкаш, чего с него возьмешь. Важно то, что я говорю не здесь, а публично. А здесь что хочу, то говорю. Тем более что обидели, суки. Обещали протолкнуть в академики меня, а протолкнули Шушугина. Академик Шушугин. А академик вместо слова «пиджак» «спенжак» пишет, вот чтоб я с этого места не встал. А его в академики. А я обижен. И все понимают, что я обижен и поэтому могу ляпнуть лишнего. Но только дома, потому что партия от нас требует преданности, а не принципов. Когда можно, я ее ненавижу, а когда нужно, я ее солдат. Ты писатель и должен понимать разницу между словами — «можно» и «нужно». Я делаю то, что нужно, и поэтому мне кое-что можно, а ты того, что нужно, не делаешь, значит, тебе можно намного меньше, чем мне. Понял, в чем диалектика? Дай-ка еще глотну!

Василий Степанович сел в кожаное кресло и закрыл глаза. Пока Ефим доставал из-за Маркса бутылку, пока приблизился к Каретникову, тот заснул.

Ефим сел напротив, держа бутылку в руках. Время текло. Часы в деревянном футляре отбили половину двенадцатого. Ефим озирался по сторонам, разглядывая комнату. Стол и кресло старинной работы, современные книжные полки, заставленные собраниями сочинений Маркса, Энгельса, Ленина и генсека. Впрочем, генсек был на первом месте. Когда-то здесь стояли тома Сталина, потом Хрущева. Потом Хрущев исчез, а Сталин опять появился. А сейчас его опять не было, должно быть, задвинут туда, во второй ряд. А на его месте стоит четырехтомник Густава Гусака. Значит, подумал Ефим, в отношении партии к Сталину ожидаются какие-то перемены.

Наконец Каретников открыл один глаз и недоуменно навел его на Ефима. Затем открыл второй глаз.

— Сколько времени? — спросил он.

— Четверть второго, — ответил Ефим шепотом, как бы все еще боясь его разбудить.

Каретников протянул руку:

— Дай!

Отхлебнул из бутылки, но без прежней жадности, покривился и потряс головой.

— Ну, выкладывай, зачем пришел. Что хочешь: дачу, машину, путевку в Пицунду, подписку на журнал «Америка»?

— Да нет, — улыбнулся Ефим, всем своим видом показывая, что его притязания гораздо скромнее и выглядят, по существу, пустяком, из-за которого, право, даже неловко беспокоить столь крупного человека.

— Говори, говори, — поощрил Василий Степанович. Наконец Ефим собрался с духом и изложил суть своей просьбы сбивчиво и бестолково. Василий Степанович слушал его внимательно, после чего еще отхлебнул из бутылки и посмотрел на Ефима по-новому.

— Значит, — уточнил он протрезвевшим голосом, — ты дачу не просишь, машину не хочешь, в Дом творчества не собираешься, журнал «Америка» тебе не нужен, тебе нужна всего-навсего только шапка. Причем не какая-нибудь. Из кошки тебя не устроит. Нет? А из кролика тоже нет?

Ефим улыбнулся и скромно потупился.

— Ну да, — повторил Каретников благожелательно. — Всего-навсего шапку. Из кошки не годится, из кролика не идет. Может, тебе боярскую шапку? Может, соболью? Да ты что, — вдруг закричал он, вскочив и хлопнув себя по ляжкам, — ты кого за дурака держишь — себя или меня? Ты, может быть, думаешь, что ты умная еврейская голова, а я пальцем деланный и щи лаптем хлебавший? Ты думаешь, что дачу попросить — это много, а шапку — ничего. Врешь! — закричал он так громко, что Ефим невольно попятился.

— Василий Степанович, — пробормотал Ефим, испугавшись, — да что это вы... Да как же... Да я просто не понимаю.

— Врешь! — повторил Василий Степанович решительно. — Все врешь и все понимаешь. Ты не хуже меня знаешь, что тебе не шапка нужна, шапку ты у какого-нибудь барыги за сотню-другую можешь купить не хуже. Тебе не это нужно. Тебе нужно другое. Ты хочешь дуриком в другую категорию, в другой класс пролезть. Хочешь, чтобы тебе дали такую же шапку, как мне, и чтобы нас вообще уравняли. Тебя и меня, секретаря Союза писателей, члена ЦК, депутата Верховного Совета, лауреата Ленинской премии, вице-президента Всемирного Совета мира. Так? Та-ак, — с удовольствием ответил сам себе Каретников. — Именно. Умный ты, я вижу, чересчур даже умный. Ты будешь писать о хороших людях, будешь делать вид, что никакой такой советской власти и никаких райкомов-обкомов вовсе не существует, и будешь носить такую же шапку, как я? Дудки, дорогой мой. Если уж ты хочешь, чтобы нас действительно уравняли, то ты и в другом равенства не избегай. Ты, как я, пиши смело, морду не воротя: «Всегда с партией, всегда с народом». Да посиди лет десять-двадцать-тридцать с важной и кислой рожей в президиумах да произнеси сотню-другую казенных речей, вот после этого и приходи за шапкой. А то ишь чего захотел! Шапку ему дайте получше. А с какой это стати? Ты вот мне небось завидуешь, что за границу езжу и тряпки всякие привожу. Это ты только одну сторону моей жизни видишь. А того еще не видишь, что я помимо тряпок еще там за мир во всем мире, ети его налево, борюсь. Ты вот тоже в турпоездке в Париже был. Тебе там вопросы задавали? Задавали. А ты что отвечал? Ты отвечал, что политикой не интересуешься, географией тоже и где находится Афганистан, точно не знаешь. А мне так крутиться нельзя. Я не могу сказать, что политикой не интересуюсь. На вопросы должен отвечать прямо, прямо и отвечаю. Что я думаю об Афганистане? Думаю, что этих душманов надо давить. Что думаю о политзаключенных? Думаю, что политзаключенные есть в Южной Африке, в Чили и на Гаити. А у нас есть уголовники и сумасшедшие. Думаешь, мне приятно это говорить? Нет, очень даже пренеприятно. Я тоже хочу улыбаться и чтобы мне улыбались. Тоже хочу писать о хороших людях. Тоже хочу делать вид, что в политике и географии не разбираюсь. Ты думаешь, ты против советской власти не пишешь, а мы тебе за это спасибо скажем? Нет, не скажем. Нам мало того, что ты не против, нам надо за. Будешь бороться за мир, будешь, как я, писать о секретарях обкомов-райкомов, тогда все получишь. Простим тебе, что еврей, и дачу дадим, и шапку. Хоть из пыжика, хоть из ондатры. А тому, кто уклоняется и носом воротит, вот на-кося выкуси! — И поднес к носу Ефима огромную фигу. Он сделал этот грубый жест, не задумываясь. Даже не предполагая, что из него могут произойти какие-нибудь последствия. Да будь это в другой раз, их бы и не было. Но тут... Ефим потом и сам не мог понять, как это произошло. Увидев перед собой фигу и услышав «на-кося выкуси», Ефим сначала слегка отпрянул, а потом качнулся вперед и, как собака, тяпнул Каретникова за большой палец, прокусивши его до кости.

Это было так неожиданно, что Василий Степанович даже не сразу почувствовал боль. Он отдернул руку, посмотрел на Ефима, посмотрел на палец и вдруг завыл, закружился как полоумный по кабинету, тряся рукой и брызгая кровью на персидский ковер.

На вой прибежала в папильотках Лариса Евгеньевна. С тряпкой в руках появилась домработница Надя.

— Что случилось, Вася? — тонким голосом прокричала Лариса Евгеньевна, кидаясь к Каретникову.

— У-у-у-у, — выл Каретников, как паровоз, и тряс истекающей кровью конечностью.

— Фима! — Лариса Евгеньевна повернулась к Ефиму. — Я не могу понять, что случилось!

Фима, как потом говорили, казался совершенно спокоен. Он взял с полки чекушку, допил остатки, поднял с полу незастегнутый портфель и вышел.

Мне кажется, что этим укусом Ефим сам себе нанес новое и уже непоправимое психическое повреждение. Прямо от Каретникова прикатил он ко мне радостно-возбужденный.

— Знаешь, что случилось? Как? Ничего еще не слыхал?

Он мне тут же изобразил все происшедшее словами и в лицах. Как он пришел, в каком виде нашел Каретникова, как тот, держа себя за уши, стукался головой об стенку. Кстати сказать, это стуканье Ефим изобразил так смешно, что я просто валялся от хохота. Он же сдержанно улыбался и, похоже, был очень собою доволен.

— Мне что. — Стоя передо мной в распахнутой настежь дубленке, он взмахивал отяжеленными ею руками и ерничал: — Я человек простой. Мне говорят: на-кося выкуси, я выкусываю. А как же! Если меня очень просят, разве мне жалко? У меня зубы хорошие, фарфоровые, с меня Аркаша Глотов за них четыре сотни содрал. Если надо кому выкусить, пожалуйста, я не против.

Я смотрел на него с любопытством: надо же, всегда был такой запуганный, а тут размахался! Не веря в то, что человек под воздействием внешних обстоятельств может меняться столь кардинально, я думал, что это — временная бравада, которая кончится потом истерикой. Или выплыли наружу какие-то черты характера, которые прежде не проявлялись? Или проявлялись иначе? Ведь бывал же он в рискованных ситуациях со своими мужественными людьми, тонул в полынье, валился в пропасть, горел на нефтяной скважине!

— Ефим, — сказал я ему, — ты человек взрослый, я не хочу тебя пугать, но ты должен знать, что Каретников — человек очень плохой и очень злопамятный. Если ты сейчас же с ним не помиришься...

— Ни за что! — прокричал Ефим.

— Но ты понимаешь, что он тебе этого никогда не простит?

— А я никакого прощения и не жду. Мне надоели унижения, надоело быть хорошим человеком второго сорта. У меня есть другие планы.

— Другие планы?

— Ну да. — Он с сомнением осмотрел все четыре стены, задержал взгляд на люстре. — Как ты думаешь, у тебя квартира прослушивается?

Я пожал плечами:

— Откуда мне знать, прослушивается она или нет?

Он попросил меня вынести телефон в другую комнату или набрать пару цифр и заклинить диск аппарата карандашом.

Я в такие уловки, правду сказать, не верил и не думал, что подслушивалки обязательно должны быть в телефонах.

— Знаешь что, — сказал я. — Погода хорошая, почему бы нам не пройтись?

Мы спустились вниз. Ефим, зажав между ног портфель, натянул кожаные перчатки, поднял воротник, и его желтая лысина, окаймленная коричневым мехом, стала похожа на тыкву, вылезающую из хозяйственной сумки. Дворами мы прошли к Сытинскому переулку, а оттуда выбрались на Тверской бульвар. День был приятный, солнечный. Накануне выпавший снег мягкой пеной светился на кустах и клумбах. По расчищенной широкой дорожке гуляли голуби, бежали школьники, молодой папаша неспешной рысью тащил салазки с укутанным по глаза ребенком, все скамейки были заняты шахматистами, старухами и приезжими с авоськами и мешками.

Мы медленно двинулись в сторону Никитских ворот и сначала говорили о чем-то, не помню о чем, потом Ефим оглянулся и, дав пройти и отдалиться двум офицерам с портфелями, понизив голос, спросил, нет ли у меня знакомых иностранцев, через которых можно переправить на Запад рукопись.

Иностранцы у меня знакомые были, но я этих связей особо не афишировал, потому что через них сам давно уже пересылал кое-что «за бугор» и печатал под псевдонимом, которого не знал никто, кроме моей жены. Не отвечая ни «да», ни «нет», я спросил, какую именно рукопись он имеет в виду. Оказывается, ничего готового у него пока нет, но ему надо знать заранее, через кого можно передать и как. Прямо в машинописном виде или переснять на пленку.

— Лучше переснять, — сказал я. — С первого экземпляра и по одной странице на кадр. Иначе у тех, кто возьмется перепечатывать, будут трудности. А все-таки что ты хочешь передать?

— Ты знаешь, что я пишу роман «Операция»? — Он посмотрел на меня и понял. — Ну да, конечно, ты думаешь, что я пишу о хороших людях, которые никому не нужны. Но это не о хороших — это о плохих людях.

И он мне рассказал историю, которая легла в основу его замысла. В подлинном виде она от замысла несколько отличалась. Случай с доктором, делавшим самому себе операцию, действительно имел место. Только случилось это не посреди океана, а вблизи канадского берега. Больного доктора можно было доставить в одну из береговых больниц, но, во-первых, за операцию надо платить огромные деньги в иностранной валюте, а во-вторых, как раз в последнее время доктор проявлял признаки неблагонадежности — рассказывал антисоветские анекдоты, под подушкой у него нашли книгу Авторханова «Технология власти», и вообще не было никакой гарантии, что он не сбежит. Поэтому капитан Колотунцев (прототип Коломийцева) отдал приказ идти не к канадскому берегу, а к Курильским островам. По пути к этим островам доктор в отчаянии и сделал себе операцию, после которой он уже никаких романсов не слушал, поскольку умер.

— Скажи, — торопил меня с ответом Ефим, — им, на Западе, такая история должна же понравиться? Если название скучное, могу придумать что-то другое. Например, «Харакири». А? Здорово? Если нужно, можно разбавить сексом. У нас на корабле, между прочим, была одна повариха, она жила со всем экипажем.

— Повариху не надо, — сказал я, — лучше повара. На Западе любят больше про гомосексуалистов.

— Это правильно, — серьезно сказал Ефим. Он остановился, достал из портфеля большой блокнот и, держа в зубах перчатку, сделал соответствующую запись. — Между прочим, у нас там действительно был один педик, но не повар, а штурман. Причем жил он, не поверишь, с первым помощником.

— А помощник был кто?

— На кораблях первым помощником называется замполит, — объяснил он, не уловив скрытого в моем вопросе ехидства.

— Значит, их было два педика?

— Почему ты так думаешь? — вскинулся он.

— Я ничего не думаю, а слушаю. Ты сам сказал, что штурман был педиком и жил с замполитом. А замполит кто был?

— Вот черт! — ахнул Ефим и дернул портфель. — Надо же! Такая ерунда, а я до нее не додумался. Потому что я, знаешь, старался обращать внимание на другие детали. Постой-ка! — Он опять полез в портфель за блокнотом. — Вот дурак-то! Так все просто, а я не подумал.

То, что он не подумал, меня как раз нисколько не удивило. Он всегда был не в ладах с логикой, и его сочинения были полны несуразностей, которые могли пройти только у нас. О чем я Ефиму на этот раз вполне откровенно сказал. А еще сказал так:

— Ну, допустим, ты напишешь такой роман. Во-вторых, когда это еще будет...

— Я пишу быстро, ты это знаешь, — перебил он.

Мы дошли до конца бульвара и, собираясь повернуть, остановились у стенда с областными газетами. Приезжий в длинном полупальто и темных валенках с галошами, упираясь глазами в «Воронежскую правду», зубами отрывал от длинного батона большие, похожие на вату куски и заглатывал. В другой руке он держал авоську тоже с батонами.

— Допустим, даже напишешь быстро. И его там напечатают. Но еще неизвестно, будет успех или нет, а здесь ты все потеряешь. Конечно, если ты намылился в Израиль...

— Ни в коем случае! — резко возразил он. — Я за эту землю, — сказал он напыщенно, — кровь проливал. Я останусь здесь, я буду бороться, драться, кусаться, но унижать мое человеческое достоинство не позволю. До чего обнаглели, шапку — и то не дают. Ты сколько книг написал: две? три? Но ты уже ходишь в шапке, а я одиннадцать, и вот! — Он так хлопнул себя по лысине, что приезжий взглянул, повернулся всем корпусом и стал нас разглядывать с куском батона во рту. — Это я не вам, — сказал ему Ефим и сконфузился.

На обратном пути я объяснил Ефиму, что написал не две и не три книги, а шесть, что для литературоведа немало, а мою козлиную шапку мне никто не давал, я ее сам купил в позапрошлом году на кутаисском базаре.

— А у тебя, — сказал я, — шапка была получше моей, но ты ее отдал Тишке.

— И что же ты мне советуешь? Забрать шапку назад? — Ефим остановился, крутя портфель, смотрел на меня с интересом.

Я ему посоветовал, прежде чем совершать те или иные поступки, подумать о возможных последствиях.

— Спасибо, — поблагодарил он меня иронически и, отвернув рукав дубленки, посмотрел на часы. — Извини, мне пора.

Он холодно протянул мне руку в перчатке и, еще глубже втянув голову в воротник, быстро пошел в сторону Пушкинской площади.

Я вернулся домой в расстроенных чувствах и позвонил Баранову.

— Ваш друг, — сказал я, — по-моему, совсем с панталыку сбился.

— Ну да, — согласился Баранов, — у него депрессия. Я же вам говорил.

Я возразил, что у Ефима не депрессия, а, наоборот, эйфория, которая кончится плохо.

— А в чем дело?

Оказывается, он еще ничего не знал.

Понятно, нашего с Ефимом разговора на Тверском бульваре я по телефону передать не мог, но рассказал об укушенном пальце.

По-моему, Баранов был потрясен:

— Ефим укусил Каретникова? Ни за что не поверю.

Не поверив, он позвонил Ефиму, а потом перезвонил мне.

— Я с вами согласен, дело дрянь, но я Фимку поздравил.

— С чем это?

— Укус Каретникова — это самое талантливое, что он сделал в литературе.

Не успел я положить трубку, раздался новый звонок. На этот раз звонил Ефим.

— События развиваются! — прокричал он торжествующе.

Я поинтересовался, как именно они развиваются. Оказывается, до Ефима уже дошел слух, что Каретников сразу после укуса звонил некоему члену Политбюро, с которым был дружен еще с войны, и тот, выслушав, сказал будто бы так: «Не беспокойся, Василий Степанович, мы этого дела так не оставим. Мы не позволим инородцам избивать наши национальные кадры».

— Ты представляешь! — кричал Ефим. — «Мы не позволим инородцам». То есть евреям. Значит, если русский укусит Каретникова, это еще ничего, а еврею кусаться нельзя.

Я осторожно заметил Ефиму, что это, может быть, только слухи, член Политбюро вряд ли мог бы себе позволить такое высказывание, и вообще по телефону об этом трепаться не стоит.

— А мне все равно, — дерзко сказал Ефим — Я говорю, что думаю, мне скрывать нечего.

Тут уже я разозлился. Всегда он был осторожный, всегда говорил такими намеками, что и понять нельзя. А теперь ему, видите ли, скрывать нечего, а то, что, может быть, другим есть чего скрывать, это его уже не заботит.

Слух о зловещем высказывании члена Политбюро быстро рассыпался по Москве, и отношение к Ефиму людей на глазах менялось. Некоторые его знакомые перестали с ним здороваться и шарахались как от чумы, зато другие, затискивая его куда-нибудь в угол, поздравляли и хвалили за смелость. Сам Ефим тоже переменился. Я слышал, что в те дни, общаясь с разными людьми, он много говорил о ценности человеческого достоинства и замечал (иногда ни с того ни с сего), что гражданское мужество встречается гораздо реже, чем физическое, и даже приводил примеры из жизни мужественных людей, которые в экстремальных условиях могут проявлять чудеса героизма, а в обычной жизни ведут себя весьма послушно и робко.

Тем временем начал действовать до деталей отработанный, но загадочный механизм отторжения. Сначала в издательстве «Молодая гвардия» Ефиму сказали, что его книга в этом году не выйдет, потому что не хватает бумаги. Со студии «Ленфильм», куда его вызывали для обсуждения сценария, позвонили сообщить, что обсуждение временно отменяется. На радио, где должны были передавать отрывки из «Лавины», передача не состоялась, ее заменили беседой о вреде алкоголизма. А когда даже из «Геологии и минералогии» ему вернули написанную по заказу статью, Ефим понял, что дело серьезно. Однако держался по-прежнему воинственно. Больше того, он сам решил первый перейти в контратаку и однажды вечером взялся за письмо в ЦК КПСС о процветающих в Союзе писателей явлениях коррупции, кумовства и чинопочитания, которые отражаются на тиражах книг, на отзывах прессы, на распределении дач, заграничных командировок, путевок в Дома творчества и даже на качестве шапок. Письмо как-то не складывалось, получалось длинно, натужно и скучно. Тогда он решил написать фельетон с расчетом послать его в «Правду». Заложил лист бумаги, написал название фельетона — «По Сеньке и шапка».

Начал он как-то по-гоголевски: «Знаете ли вы, что значит «по Сеньке шапка»? Нет, вы не знаете, что значит «по Сеньке шапка». Вы думаете, что Сеньке дают шапку в соответствии с размером его головы? Нет, дорогой читатель, Сеньке дают шапку в соответствии с чином. Для того чтобы получить хорошую шапку, Сенька должен быть секретарем Союза писателей или, по крайней мере, членом правления. Сенькины шансы возрастают, если он крутится возле начальства и состоит в партии, Сенькины шансы уменьшаются, если он беспартийный и к тому же еврей...»

Само собой поставилось многоточие, и возникла мысль, что насчет еврейства лучше как-то потоньше, лучше, допустим: «...если он беспартийный и имеет изъян в определенном пункте анкеты...»

Тут зазвонил телефон, и по звонку было ясно — Баранов.

— Привет, старик, — сказал Баранов. — В воздухе неспокойно.

— Что? — не понял Ефим.

— Наблюдается некоторое волнение.

Ефим бросил трубку, включил радио, стал крутить ручку настройки в поисках «Немецкой волны». Нашел, но «Волна», заканчивая передачу, повторила краткое изложение новостей, в которых ничего интересного для Ефима не было. По Би-би-си шел концерт джазовой музыки, а на частоте «Голоса Америки» стоял сплошной вой глушилок. Ефим схватил приемник и стал бегать с ним по комнате, вертя его так и сяк, то прикладывая его к батарее отопления, то переворачивая вниз антенной. Он дважды стукнул приемником о колено, иногда помогало и такое. Сейчас не помогло. Но и время было не совсем удачное — без четверти девять. Ефим выключил приемник, но в девять часов включил его снова. На этот раз «Голос» звучал почти совсем чисто. Ефим выслушал сообщение о новых американских предложениях по сокращению ракет средней дальности, о напряженности в Персидском заливе, о возросшей активности афганских повстанцев, о необычайных ливнях на Филиппинах, и вдруг:

— Западные корреспонденты передают из Москвы, что, по сведениям из достоверных источников, ведущий советский писатель Ефим Рахлин совершил покушение на управляющего Союзом писателей Василия Карелкина. Причина покушения неизвестна, но наблюдатели полагают, что в нем, возможно, отразилось недовольство советских писателей отсутствием в Советском Союзе творческих свобод.

— Кукуша! — крикнул Ефим. — Кукуша! — завопил уже вовсе нетерпеливо.

— Что случилось? — вбежала перепуганная насмерть Кукуша.

— Случилось! Случилось! — Ефим был необычайно возбужден и, указывая на приемник, сообщил короткими фразами: — Они. Только что. Обо мне. Говорили.

— Что говорили? — не уловила Кукуша.

— Они сказали: «...ведущий советский писатель Ефим Рахлин». А еще назвали Каретникова, но даже фамилию его переврали. Ты представляешь, ведущий советский писатель Ефим Рахлин!

Кукуша смотрела на мужа серьезно, его радости не разделяя.

— Лысик, — сказала она тихо, но твердо, — если тебя загонят в Мордовию, запомни, я за тобой туда не поеду.

Ефим растерялся. Он никогда не готовился к тому, чтобы быть загнанным в Мордовию, и не собирался тащить туда же Кукушу. Но все же ему хотелось знать, что если вдруг когда-то такое случится...

Он еще не нашел что ответить, когда вошел Тишка с волчьей шапкой в руках.

— Папан! Если ты не остановишься, мне придется или от тебя отказаться, или просить у Наташки вызов в Израиль.

Тишка положил шапку на стул и вышел. Ефим опустился на диван и долго сидел, ладонями сжимая виски.

— Ну что ж! — тихо сказал он и улыбнулся. — Сын от меня откажется, жена за мной не поедет, она привыкла жить в столице, она привыкла путаться с маршалами... Проститутка! — вдруг завопил он и, вскочив, сжал кулаки и затопал ногами. — Вон из моего кабинета!

— Фимка! — заволновалась Кукуша. — Одумайся! Ты не смеешь так говорить!

— Вон! — кричал Ефим. — Вон отсюда! Ты не смеешь сюда входить! Здесь живут мои прекрасные герои!

Вечер получился весь всмятку.

Опомнившись, Ефим побежал в спальню, где Кукуша, лежа на животе, давилась в рыданиях. Ефим ее тормошил и просил прощения. Она отталкивала его от себя и выкрикивала что-то бессвязное. Тишка, чтобы не слышать этого, заперся в своей комнате и включил на полную громкость то ли «битлов», то ли что-то в этом духе. Кукуша рыдала. Ефим время от времени покидал ее и в своей комнате снова включал приемник. Все радиостанции говорили о писателе Рахлине, но невпопад. Помимо версии о покушении, было сказано, что он подвергался преследованиям за свою приверженность иудаизму и за то, что он друг академика Сахарова. Ефиму было лестно, хотя Сахарова он никогда и в глаза не видел.

Беспрерывно трещал телефон. Четыре раза звонил Баранов. Звонили еще какие-то доброжелатели, знакомые и незнакомые. Звонили корреспонденты американского агентства Ассошиэйтед Пресс и немецкого — АДН. Мужской голос сказал: «Вы меня не знаете, но я хочу сказать, что все честные люди мысленно с вами». Другой голос (а может, и тот же самый) весело пообещал: «Мы тебе, жидовская морда, скоро сделаем обрезание головы!»

Кукуша Ефима сперва простила, а потом прибежала и сама стояла перед ним на коленях: «Заклинаю тебя твоими детьми, покайся. Пойди к Каретникову, проси прощения, скажи, что ты был в невменяемом состоянии».

Ефим сказал: «Ни за что!» — а когда она стала настаивать, опять ее выгнал. И опять бегал просить прощения. И отвечал на звонки. И слушал радио.

Спать он остался у себя в кабинете, на диванчике. Лег одетый и укрылся шерстяным пледом. А радио поставил рядом и все крутил ручку настройки, перескакивая с волны на волну. Поймал даже недоступную обычно «Свободу». И даже чью-то передачу на английском языке, из которой он понял одну только важную для себя фразу: «Мистер Рахлын — из ноун эз э вери корейджес персон», то есть «мистер Рахлин известен как очень мужественная личность». Что ему, конечно, польстило.

Ефим долго не спал, чесался и думал о славе, которая свалилась на него ни с того ни с сего. Конечно, положение его стало рискованным, но зато теперь его знает весь мир.

Он поздно заснул и поздно проснулся. Кукуши и Тишки уже не было. Пока он жарил яичницу и варил кофе, ему несколько раз звонили по телефону. Потом принесли телеграмму с текстом: «ТАК ДЕРЖАТЬ ВСКЛ МИТЯ». ВСКЛ означало «восклицательный знак», а вот кто такой Митя, Ефим вспомнить никак не мог. Пока вспоминал и дожевывал яичницу, завалился перепуганный до смерти Фишкин.

— Фима, что вы делаете! — взывал он свистящим шепотом. — Вы понимаете, что у них в партии восемнадцать миллионов человек? Это армия в период всеобщей мобилизации. На кого вы поднимаете руку?

— Соломон Евсеевич, — возражал Ефим. — При чем тут восемнадцать миллионов? Я же не выступаю против них. Я только хочу, чтобы мне дали шапку. Нормальную шапку, но не из кота пушистого, а хотя бы из кролика, как Баранову. Тем более Баранова никто не знает, — он подумал и улыбнулся самодовольно, — а я писатель с мировым именем.

— Вы дурак с мировым именем! — закричал Фишкин. — Вы думаете, если о вас говорил «Голос Америки», это что-то значит? Это ничего не значит! Когда они за вас возьмутся, никакой голос вам не поможет. Они раздавят вас, как клопа.

— Ну вот, — криво улыбался Ефим, — то вы меня сравнивали с гадким утенком, а теперь даже с клопом.

Не успел удалиться сказочник — новый звонок. Ефим, мысленно чертыхаясь, подошел к дверям, открыл и отпрянул. Перед ним кособочился, дергал левой щекой и недобро подмигивал Вася Трешкин — небритый, нечесаный, в засаленной байковой пижаме неопределенного цвета и шлепанцах на босу ногу...

— Вы ко мне? — не поверил Ефим.

Трешкин молча кивнул.

— Проходите, — засуетился Ефим, отступая в сторону. — У меня, к сожалению, там не убрано. Вот на кухню, пожалуйста.

Трешкин прошел по коридору, косясь на развешанные по стене высушенные морские звезды — они, к его удивлению, были пятиконечные.

Ефим усадил соседа на табурет и убрал со стола сковородку.

— Хотите чаю? Кофе? Или чего покрепче? — Ефим подмигнул.

— Нет, — покачал головой Трешкин. — Ничего. Вчера слышал про вас оттуда. — Он показал на потолок. — Стало быть, там вас знают.

— Видно, знают, — сказал Ефим не без гордости.

— Надо же, — покрутил головой Трешкин и понизил голос: — У вас есть лист бумаги?

— Писчей бумаги?

— И... — сказал Трешкин и подергал рукой, изображая процесс писания.

— И? — переспросил Ефим и тут же догадался: — И ручку?

Трешкин поморщился и обеими руками показал на стены и потолок, где располагались возможные микрофоны.

Ефим побежал к себе в кабинет. Он торопился, опасаясь, как бы Трешкин не подсыпал в кофеварку отравы.

Схватил первый попавшийся под руку лист, но не из стопки совершенно чистой и нетронутой бумаги, которой он дорожил, а из лежащей на краю стола кипы бумажек, которые были либо измяты, либо содержали мелкие и ненужные записи, но были еще годны для каких-нибудь пометок, записок внутридомашнего употребления или коротких писем. По дороге на кухню Ефим увидел, что на обратной стороне листа что-то написано. Впрочем, запись была не важная.

— Вот. — Ефим положил бумагу чистой стороной перед Трешкиным и протянул ручку. Трешкин опять подозрительно посмотрел на стены и на потолок, задержал взгляд на лампочке, предполагая наличие скрытого объектива, махнул рукой, написал нечто и передвинул бумагу к Ефиму.

Ефим похлопал себя по карманам, сбегал за очками, прочел:

«ПРОШУ ПРИНЯТЬ В ЖИДОМАСОНЫ». Потряс головой, уставился на Трешкина:

— Я вас не понимаю.

Трешкин придвинул бумагу к себе и дописал:

«ОЧЕНЬ ПРОШУ!»

Приложил ладони к груди и покивал головой. Ефим втянул голову в плечи, развел руками, изображая полное непонимание.

«Не доверяет», — подумал Трешкин.

Вдалеке затренькал телефон.

— Извините. — Ефим побежал опять в кабинет. Телефон звонил тихо, вкрадчиво и зловеще.

— Здравствуйте, Ефим, это Лукин.

— Добрый день, — отозвался Ефим настороженно.

— Ефим, — в голосе Лукина звучала фальшивая бодрость, — по-моему, нам пора встретиться.

— Да? — иронически отозвался Ефим Семеныч. — И по какому же делу? Разве что-нибудь случилось?

— Ефим Семеныч, — Лукин начал, кажется, раздражаться, — вы хорошо знаете, что случилось. Случилось очень многое, о чем стоит поговорить.

Тем временем Васька Трешкин, сидя на кухне, обмозговывал, как бы убедить Рахлина, чтобы поверил. «Нет, не поверит», — печально подумал он, взял бумагу, хотел разорвать, но по привычке глянул на просвет и обомлел. Там вроде по-русски, но на еврейский манер справа налево были начертаны какие-то письмена. Возможно, ответ на его просьбу. Он перевернул бумагу и теперь уже слева направо прочел: «Первые пять букв — крупное музыкальное произведение. Вторые пять букв — переносная радиостанция. Все вместе — хирургическое вмешательство из восьми букв». Трешкин сложил пять и пять, получилось десять. А здесь написано восемь. «Еврейская математика», — подумал Трешкин с восхищением, но без надежды, что отгадает. Тем не менее он понял, что отгадать нужно. Может, только на этом условии в жидомасоны и принимают. В крайнем случае, если не отгадает, спросит Черпакова. Он сложил бумагу вчетверо, спрятал в карман пижамы и пошел к выходу.

— Поймите, Ефим, просто так я бы не стал звонить, но я считаю, что вас надо спасать. Понимаете?

— Не понимаю, — сказал Ефим, — меня спасать не надо, я не тону. Перестаньте меня считать человеком второго сорта, дайте мне приличную шапку, и никаких проблем не будет.

— Ефим, вы не понимаете. Вам сейчас не о шапке, а о том, на чем ее носят, надо подумать. И я вам в этом хочу помочь. Приходите завтра ко мне, обсудим, как дальше быть.

— Хорошо, — сдался Ефим. — Когда?

— Ну, скажем, завтра, часиков эдак в шестнадцать.

Ефим подумал (и сделал пометку в блокноте) о том, как служебное положение неизбежно отражается на языке. Не будь Лукин начальником, он наверняка сказал бы «часа в четыре», а тут «часиков эдак» да еще и в шестнадцать.

Он еще колебался, может, следует Лукина подразнить, завтра, мол, он не может. Может быть, послезавтра, может, на той неделе.

Мимо раскрытой двери на цыпочках тихо прошел Трешкин, он помахал обеими руками, давая понять, что просит не беспокоиться, он выйдет сам.

— Ладно, — сказал Ефим. — Приду.

В кабинете Лукина, кроме самого Лукина, Ефим застал секретаря парткома Самарина, членов секретариата Виктора Шубина и Виктора Черпакова, критиков Бромберга и

Соленого, Наталью Кныш и незнакомого Ефиму блондина с косым пробором, очень аккуратно зализанным.

Каретникова Ефим увидел не сразу. Тот стоял у окна в темном заграничном костюме со звездой Героя Социалистического Труда, депутатским значком и медалью лауреата. Правая рука его лежала на перекинутой через шею черной шелковой перевязи, а большой палец умело, но, пожалуй, чрезмерно забинтованный, торчал, как неуклюжий березовый сук.

Увидев столько людей, Ефим слегка растерялся. Из телефонного разговора с Лукиным он понял, что тот приглашает его встретиться с глазу на глаз, а тут вон какая толкучка. Ни на кого не глядя, Ефим направился к столу Лукина, чтобы спросить, стоит ли ему подождать здесь, пока люди разойдутся, или посидеть в коридоре. Но Лукин, видимо, опасаясь быть укушенным, замахал руками и торопливо сказал:

— Не подходите. Не надо. Там сядьте. — И указал на стул за маленьким, отдельно поставленным столиком.

Ефим сел. Все молчали. Лукин что-то быстро писал. Каретников левой рукой вынул из кармана пачку «Мальборо», потряс ее, зубами вытащил одну сигарету. Потом достал спички и с ловкостью опытного инвалида, зажав коробку локтем правой руки, добыл огонь. Закурили и Соленый с Бромбергом, а блондин достал расческу и причесался.

Вошла секретарша, положила перед Лукиным какую-то бумагу и что-то шепотом спросила, на что Лукин громко ответил: «Скажите, что сегодня никак не могу, у меня персональное дело». Ефим посмотрел на него с удивлением. О каком персональном деле идет речь? Если назначен разбор персонального дела его, Ефима, то почему Лукин ничего не сказал об этом по телефону? Ефим стал нервно озираться и заметил, что присутствующие предпочитают избегать его взгляда: Бромберг потупился, Наталья Кныш торопливо отвернулась и покраснела, Шубин был занят чисткой ногтей, и только один Черпаков смотрел на Ефима прямо, нагло и весело. Начиналось одно из милых его сердцу действ, когда много людей собираются, чтобы вместе давить одного.

Другие коллеги Черпакова, собравшиеся сейчас в кабинете Лукина, не были столь кровожадны и в иных условиях не стали бы делать того, к чему сейчас приступали, но Наталья Кныш собиралась съездить за границу, ей нужна была характеристика, которую, отказываясь от участия в общественной жизни, получить невозможно. Соленый, пойманный на многолетнем утаивании партийных взносов и спекуляции иконами, надеялся заслужить реабилитацию, Бромберг прибежал просто из страху. Много лет назад его обвинили в космополитизме, сионизме и мелкобуржуазном национализме, смысл всех его писаний был разобран и извращен до неузнаваемости. Его зловредную деятельность разбирала комиссия под председательством того же Черпакова. Все его попытки оправдаться воспринимались как проявления особой хитрости, лицемерия, двоедушия, стремление уйти от ответственности, он натерпелся такого страху, что теперь сам готов был кого угодно травить, грызть, рвать на части, только чтобы его самого никогда больше не тронули.

Секретарша вышла. Лукин еще долго смотрел в оставленную ему бумагу, потом поднял голову и, глядя на Ефима, спросил:

— Как дела, товарищ Рахлин?

Вчера был Ефим, а сегодня — товарищ Рахлин.

— Никак, — пожал плечами Ефим, начиная сознавать, что генерал заманил его в ловушку.

— Что значит «никак»? На здоровье не жалуетесь?

— Не-ет. — Ефим решил держаться благоразумно.

— У психиатра давно не были? — неожиданно спросил блондин и снова достал расческу.

— А вы кто такой? — спросил Ефим.

— Не важно, — уклонился блондин.

Без скрипа отворилась дверь, и неслышной походкой вошел некто в сером. Он каким-то ловким и неприметным движением кивнул всем сразу и никому в отдельности, проскользнул вдоль стены и сел позади Бромберга. Никто не вскочил, не всполошился, все даже вроде сделали вид, что ничего не произошло, но в то же время возникло едва заметное замешательство, перешедшее в напряженность, все словно почувствовали присутствие потусторонней силы.

Как только этот серый вошел, Каретников загасил сигарету, ткнув ее в горшок с фикусом, Соленый потушил свою о ножку стула, а Бромберг на цыпочках приблизился к столу Лукина и раздавил свой окурок в мраморной пепельнице перед самым носом генерала. Тот посмотрел на Бромберга удивленно, поморщился, отодвинул пепельницу и, обращаясь ко всем, негромко сказал:

— Товарищи, мы собрались, чтобы разобрать заявление присутствующего здесь Василия Степановича Каретникова, которое я сейчас зачитаю.

Каретников отошел от окна и скромно занял место позади человека в сером, а Лукин снял очки и, заглядывая в бумагу сбоку, стал читать. Ефим немедленно извлек из портфеля блокнот, ручку и, устроив блокнот на колене, стал торопливо конспектировать читаемое. Заявление Каретникова было написано в странном возвышенно-казенном стиле с претензией на художественность. Обращаясь к писательской общественности, заявитель сообщал, как, пользуясь его исключительной доверчивостью и постоянно оказываемым вниманием писателям младшего поколения, литератор Рахлин проник в его квартиру под предлогом ознакомления со своей новой рукописью. Рукописи он, однако, не предъявил, но просил потерпевшего употребить свое влияние для предоставления ему, Рахлину, незаслуженных льгот. Получив решительный отказ, вымогатель перешел от просьб к угрозам, а от угроз к действиям и совершил ничем не спровоцированное бандитское нападение самым безобразным и унизительным способом, в результате чего Каретников вынужден был обратиться к врачам, утратил трудоспособность и не может заниматься исполнением своих повседневных литературных, государственных и общественных обязанностей. «Адресуясь к своим товарищам и коллегам, — заканчивал свое заявление Каретников, — я прошу разобрать поведение Рахлина, вынести ему соответствующую оценку и тем самым защитить честь и достоинство одного из активных членов нашей, в целом сплоченной и дружной, писательской организации».

Заявление было выслушано в скорбном молчании.

— Василий Степанович, — почтительно спросил Лукин, — вы имеете что-нибудь добавить к вашему заявлению?

— Я не знаю, что добавлять, — пожал плечами Каретников. — Палец нарывает, и меня уже кололи антибиотиками.

— Я бы в таком случае прошел курс уколов от бешенства, — бодро пошутил Бромберг, но его не поддержали, потому что шутка, ударяя по Рахлину, одновременно задевала Каретникова и в целом получилась сомнительной.

— Да, вот так, — уточнил Каретников, смущенно улыбаясь. — Теперь я не могу писать, а завтра у меня районная партконференция, встреча с делегацией афро-азиатских писателей, потом секретариат, заседание в Комитете по Ленинским премиям, сессия Верховного Совета. Как я туда пойду? Не могу же я там заседать в таком виде. Я, конечно, не хотел писать это заявление. Жена настаивала, чтобы я прямо звонил Генеральному прокурору. Вероятно, так и следовало бы сделать, но мне, откровенно говоря, не хотелось выносить сор из избы и выставлять в дурном свете перед общественностью наш прекрасный и дорогой моему сердцу союз. Я надеюсь, что секретариат может защитить своего товарища и без вмешательства правоохранительных органов. — Василий Степанович бросил вопросительный взгляд на макушку сидевшего перед ним человека в сером и тихо сел.

— Конечно, можем, — решительно отозвался Лукин и тоже посмотрел на человека в сером. — Но, прежде чем разбираться, я должен дополнить заявление Василия Степановича тем, что эта скандальная история стала достоянием враждебной западной пропаганды. Я думаю, что некоторые из присутствующих слышали, что вчера одна зарубежная антисоветская радиостанция передавала...

— Я лично эти передачи никогда не слушаю, — сочла нужным заметить Наталья Кныш.

— Такую дрянь ни один порядочный человек не слушает, — от себя мрачно добавил Соленый.

Лукин посмотрел на Ефима:

— Товарищ Рахлин, вы тоже ничего такого не слышали?

— Простите? — Ефим оторвал от бумаги ручку и посмотрел на Лукина.

— Я вас спрашиваю, — повторил Лукин скрипучим голосом, — вы тоже ничего такого не слышали?

— Это ваш вопрос? Правильно? Сейчас, минуточку, я его запишу. — Записал: «Вы тоже ничего такого не слышали?» Поднял глаза на Лукина: — Какого такого?

Лукин, слегка теряясь, посмотрел на человека в сером, перевел взгляд на Ефима.

— Вас спрашивают... — начал Лукин.

— Минуточку. — «Вас спрашивают...» — старательно занес Ефим в блокнот и поднял голову.

— ...вас спрашивают, что вы можете сказать по поводу заявления... Да спрячьте вы свой блокнот! — вышел Лукин из себя. — Мы вас не диктанты писать пригласили.

— «...не диктанты писать пригласили...» — записывая, повторил вслух Ефим.

— Товарищи, да это же хулиганство! — закричал истерически Бромберг. — Отнимите у него этот блокнот, или пусть он его спрячет.

— Ну зачем же, зачем же отнимать? — сказал Черпаков иронически. — Надо оставить, пусть пишет. Пентагону, ЦРУ, «Голосу Америки» нужен же точный отчет.

Ефим слышал, что разговор принимает зловещее направление. Рука его начала дрожать, но он продолжал лихорадочно водить пером по бумаге. Хотя не успевал, потому что выступавшие заговорили одновременно. Кныш упрекала его в неуважении к коллективу. Шубин сказал, что был в Польше и видел следы преступных действий так называемой «Солидарности». Ефим записал это, хотя связи между собой и «Солидарностью» не уловил. Но точнее других был Соленый.

— Товарищи, — встал Соленый. — В повестке дня нашего заседания объявлено, что мы должны осудить хулиганский поступок Рахлина. Но это не хулиганский поступок. Это нечто большее. Ведь вы посмотрите. Василий Степанович Каретников является выдающимся нашим писателем. На его книгах, всегда страстных и пламенных, воспитываются миллионы советских людей в духе патриотизма и любви к своему отечеству. Своим поступком Рахлин вывел из строя руку, которая создает эти произведения. Почему он это сделал? Потому что ему не дали какую-то шапку?

— Чепуха! — отозвался Бромберг.

— Тем более что я никакими шапками не заведую, — с кроткой улыбкой заметил Каретников.

— Совершенно ясно, — закончил свою мысль Соленый, — что Рахлин действовал не сам по себе, а по прямому заданию врагов нашей литературы, врагов нашего строя.

— Правильно! — согласился Черпаков. — Это не хулиганство, а террор. Причем террор политический. За такие вещи у нас раньше расстреливали, и правильно делали.

На этом Ефим записывать прекратил. Он положил блокнот на свободный стул рядом с собой, посмотрел сначала на Черпакова, потом на Лукина, потом на Каретникова, заодно обнаружив, что человек в сером уже исчез, а на его месте сидит блондин и причесывается.

Ведя себя последние дни вызывающе, Ефим готовился к разным неприятностям, но все же не к таким обвинениям. Он вдруг испугался, задрожал и помимо своей воли стал лепетать, что товарищи его не так поняли, что он не действовал по чьему-то заданию, а совершил свой поступок, который признает безобразным, исключительно в состоянии аффекта. Потому что, будучи восемнадцать лет членом Союза писателей и написав одиннадцать книг, причем все одиннадцать о хороших советских людях, о людях мужественных профессий...

— Зачем вы нам все это рассказываете? — проскрипел голос Лукина.

— Виляет! — радостно отметил Черпаков и стал надвигаться на Ефима. — Крутит хвостом, заметает следы. Вот она, сионистская тактика!

— Молчать! — вдруг закричал Ефим и топнул ногой.

— А с чего мне молчать? — Черпаков, надвигаясь, расплывался в наглой улыбке. — Я не для того сюда пришел, чтобы молчать.

— Молчать! — повторил Ефим. Он вдруг весь сжался, задрожал, выпустил вперед руки. — Молчать! — закричал еще раз и кинулся на Черпакова.

И тут произошло невероятное. Черпаков вдруг испугался, побледнел и с криком: «Он меня укусит!» — полез под стол Лукина. Лукин растерялся и, выкрикивая: «Виктор Петрович, Виктор, ты что, с ума сошел?» — стал отталкивать Черпакова ногами. В это же время Ефим тоже нырнул под стол. В нем проснулся охотничий инстинкт, и он действительно хотел укусить Черпакова, но, когда нагнулся, с ним что-то случилось. Во рту появился сладкий привкус. Затем перед глазами возникла вспышка, какие бывают в процессе электросварки. Одна, другая, третья... Вспышки эти, следуя одна за другой, слились наконец в общее великолепное сияние, а тело стало утрачивать вес. Обратившись в белого лебедя, Ефим выплыл из-под стола и начал набирать высоту, а члены бюро все удалялись и удалялись, задирая головы и глядя на Ефима с широко раскрытыми ртами.

Ефима доставили в реанимационное отделение Боткинской больницы. В диагнозе сомневаться не приходилось — инсульт с потерей речи и частичным параличом правой руки.

— Положение серьезное, — сказал Кукуше молодой врач с рыжими прокуренными усами и сам весь пропахший табачным дымом. Видимо, ему показалось, что она не оценила сказанного, и он, подумав, добавил: — Очень серьезное.

— А что я могу для него сделать? — спросила Кукуша растерянно.

— Вы? — Врач усмехнулся. — Вы можете только стараться его не беспокоить.

— Да-да, — закивала Кукуша, — я понимаю. Ему сейчас нужен полный покой и положительные эмоции.

— Покой — да, — сказал доктор, закуривая дешевую сигарету. — А эмоции... пожалуй, ему сейчас лучше обойтись без всяких эмоций. Без плохих и без хороших.

Кукуша с врачом, однако, не согласилась, в лечебную силу положительных эмоций она верила безгранично.

Когда ее вместе с Тишкой допустили к больному, она его узнала с трудом. Он весь был опутан какими-то трубками и проводами, а голова от макушки до подбородка замотана бинтами, отчего он казался похожим на пришельца из других миров.

Жена и сын — оба в застиранных казенных халатах — сидели у постели больного, безразлично смотревшего в потолок.

— Врач сказал, что ничего страшного, — говорила Ефиму Кукуша. — Все будет хорошо. Тебе, главное, не волноваться. А у нас все в порядке. Между прочим, вчера звонили из «Молодой гвардии» и сказали, что рукопись твою заслали в набор. А еще пришло письмо от директора «Ленфильма», сценарий отдан в режиссерскую разработку. Ну, что еще? Да, белье из прачечной я получила. У Тишки тоже все хорошо. Правда, Тишка?

— Все хорошо, — подтвердил Тишка.

— А что тебе сказали про твой реферат?

— Ничего особенного, — сказал Тишка. — Сказали, что опубликуют в ученых записках.

— Скромничает, — сказала Кукуша. — Академик Трунов сказал, что реферат стоит иных пухлых докторских диссертаций. Так же он сказал, а, Тишка?

— Да, сказал, — кивнул Тишка.

— Так что у нас все хорошо, ты не волнуйся, ты лежи, выздоравливай. Как только тебе можно будет есть, я тебе принесу чего-нибудь вкусного. Хочешь бульон? А может, тебе чего-нибудь сладкого? Или, наоборот, кисленького? Хочешь, я тебе сделаю клюквенный морс? Нет? Ну а чего ты хочешь? Если не можешь говорить, ты мне как-нибудь дай понять, чего ты хочешь.

Ефим поморщился и промычал что-то нечленораздельное.

— Что? — переспросила Кукуша, наклоняясь к нему.

— Саску!

— Что? Что? — Кукуша оглянулась на Тишку, тот молча пожал плечами. — Что ты сказал? Ну, постарайся, ну, попробуй сказать более внятно.

— Фафку, — сказал Ефим.

— Ах, шапку! — догадалась Кукуша. И обрадовалась: — Ты еще хочешь шапку! Значит, у тебя есть желания! Значит, ты еще ничего. Ты выздоровеешь! Ты поправишься. А шапка будет. Обязательно будет. Нет, ты не думай, я не пойду ее покупать. Я их заставлю. Они тебе принесут. Лукин лично принесет, я тебе обещаю.

В палату вошла пожилая медсестра с набором шприцев.

— Ну все, — сказала она тихо. — Прием окончен. У нас с Ефимом Семенычем процедуры.

Я слышал, что Кукуша прямо из больницы поехала к Лукину, который принял ее с большой неохотой. Страстно попрекая генерала, она требовала от секретариата в порядке хотя бы частичного искупления вины все-таки выдать шапку ее больному мужу.

— Он находится в критическом состоянии и нуждается в положительных эмоциях, — сказала Кукуша.

Генерал сидел с каменным лицом, давая понять, что проявлений ложного гуманизма от него ждать не следует.

— Очень сожалею, но сделать ничего не могу. Мы хотели ему помочь, но он вел себя вызывающе и не хотел признать своей вины.

— Да какая вина! При чем тут вина! — закричала Кукуша. — Вы же знаете, что он умирает! Ну да, ну хотел он получить хорошую шапку, ну укусил Каретникова, но он же умирает, умирает, это же получается смертная казнь! Неужели вы считаете, что мой муж заслужил смертной казни?

На это Лукин ничего не ответил. Он смотрел мимо Кукуши, и по лицу его было видно, что ему все равно, заслуживает Ефим смертной казни или не заслуживает, умрет или не умрет.

— Слушайте! — Кукуша покинула стул и приблизилась вплотную к столу Лукина. — Петр Николаевич, скажите мне, ну что же вы за человек? Почему вы такой жестокий? Ведь вы же тоже в свое время пострадали.

Кукуше показалось, что эти слова его как-то прошибли.

— Да, — сказал он и приосанился. — Я пострадал. Но я пострадал за принципы, а не за шапку. А когда пострадал, то ни разу... — он весь затрясся, — ...запомните, ни разу не усомнился в наших идеалах. Вот! Вот! — закричал он, извлекая бумажник.

— «Вот! Вот!» — передразнила, разъярившись, Кукуша. — Девочки, бантики... А человека убить — раз плюнуть.

Ты, старый козел! — Она перегнулась через стол и схватила его за грудки. — Если ты сам лично не принесешь моему мужу шапку, я тебе... Ты даже не знаешь, что я тебе сделаю!

Генерал растерялся, схватил ее за руки, стал отдирать от себя.

— Зинаида Ивановна! Да что это вы делаете! Да как вы смеете! Я вам не позволю!..

Кукуша опомнилась, разжала пальцы и, обозвав Лукина сволочью, в слезах выскочила из кабинета.

На площади Восстания она схватила такси, плюхнулась на заднее сиденье и плакала всю дорогу. Она не знала, что делать. Доставать шапку за свои деньги и сделать вид, что ей выдали в Союзе писателей, было бессмысленно — Ефим этого трюка не примет.

Такси въехало во двор и остановилось за черной «Волгой». Кукуша расплатилась и пошла к подъезду. Дверца «Волги» открылась, высокий человек в темном пальто и в шляпе с короткими полями загородил ей дорогу:

— Зинаида Ивановна, я полковник Колесниченко.

Кукуша вздрогнула:

— Полковник КГБ?

Человек улыбнулся:

— Нет, что вы, я пехотинец. Адъютант маршала Побратимова. Он приехал и ждет вас в гостинице «Москва».

Это было не лучшее время для свиданий, но Кукуша заторопилась:

— Извините, я сейчас. Вы можете меня подождать?

— Так точно.

Она ринулась наверх, расшвыряла белье и через четверть часа вернулась обратно, полыхая смешанным запахом душа и парфюмерии.

Маршал занимал трехкомнатный «люкс», в прихожей которого на четырехрогой полированной вешалке висели две шинели и две папахи. Владельцы папах сидели в роскошной гостиной за овальным столом, уставленным закусками человек на двенадцать, и пили французский коньяк «Курвуазье» из тонких чайных стаканов. Одна бутылка 0,75 была уже опустошена, а другая почата. Было порядком накурено, сизый дым волнистыми слоями плавал в свете многоярусной хрустальной люстры.

— Зинуля!

Навстречу Кукуше поднялся один из пирующих, крупный бритоголовый человек, похожий на артиста Юла Бриннера.

Побратимов был в зеленой форменной рубашке с маршальскими погонами, но без галстука. Его парадный мундир, отягощенный орденами, висел на спинке стула возле беккеровского рояля.

Не стесняясь присутствия Колесниченко и своего собутыльника, маршал обнял Кукушу и крепко поцеловал в губы.

— Ух! — Она невольно отпрянула.

— Видать, от вас, товарищ маршал, довольно сильно разит, — приблизился к Кукуше обладатель второй папахи. Это был бывший адъютант Побратимова Иван Федосеевич, теперь генерал-майор. — Здравия желаю, Зиночка. — Он поднес Кукушину руку ко рту и щедро ее обслюнявил.

— Должно быть, и правда разит, я и не подумал, — смутился маршал. Он был пьян, но рассудка не терял. — Сейчас тебе тоже коньячку плеснем, будем вместе благоухать.

Налил по полстакана Кукуше, Ивану Федосеевичу, себе и посмотрел на все еще стоящего у входа Колесниченко.

— Товарищ маршал, мне еще надо сестру посетить, — сказал тот. — Разрешите удалиться?

— Удаляйся, — разрешил маршал.

Колесниченко исчез. Маршал поднял стакан:

— Ну, Зинуля, со встречей! А ты что такая смурная?

— Потом. — Кукуша все полстакана выдула залпом. — У меня беда, маршал. Мужика моего кондрашка хва-аатила, — сказала она и разревелась.

Ей было налито еще полстакана, потом она была опрошена, в чем дело, и выслушана со всем возможным вниманием.

— И это он, значит, в борьбе за шапку себя до такого довел? — удивился маршал.

— Это бывает, — заметил Иван Федосеевич. — У нас, я помню, один подполковник тоже ожидал полковничьей папахи, а когда не дали, пустил себе пулю в лоб.

— Ну и дурак, — сказал Побратимов.

— Ясное дело, дурак, — согласился Иван Федосеевич. — Тем более что вышла ошибка. Полковника-то ему присвоили, а в список включить забыли. Так что папаху он получил как бы посмертно, ее потом на крышке гроба несли.

— Тем более дурак, — заключил маршал. — Лучше быть живым подполковником, чем мертвым полковником.

После открытия третьей бутылки был выслушан сбивчивый Кукушин рассказ о злодейском поведении и черствости Лукина.

— А кто этот Лукин? — спросил маршал сурово.

— Это этот, что ли, генерал КГБ? — поинтересовался Иван Федосеевич.

— Ты его знаешь? — удивился маршал.

— Так точно, товарищ маршал. Если это он, то очень даже знаю. Он тут ко мне как-то приходил, просил внука освободить от призыва. Внук у него талантливый кинооператор, спортсмен, альпинист и комсомольский вожак.

— Понятно, — сказал маршал. — И ты его освободил?

— Так точно, товарищ маршал. Освободил. Но ошибку можно исправить.

— Дошлый мужик! — сказал маршал Кукуше, кивая на Ивана Федосеевича. — Надо же, какого адъютанта лишился. Вот что, Иван, ты этому сучонку пошли-ка повестку, а когда дедушка прибежит, скажи ему, что внука загоним в Афганистан, а из тебя, скажи, если ты сам лично шапку в больницу не принесешь, маршал Побратимов совьет веревку.

— Слушаюсь, товарищ маршал! Слушаюсь! — охотно отозвался Иван Федосеевич. — Прямо не скажу, а намекнуть как-нибудь постараюсь. Вы какую шапочку хотите? — повернулся он к Кукуше. — Из чижика или из пыжика?

Результатом этого разговора стала повестка в военкомат, доставленная с нарочным и под расписку одному молодому кинооператору и аспиранту по имени Петя. Явившись по повестке, Петя, к его удивлению, был принят лично военным комиссаром города Москвы генерал-майором Даниловым.

Генерал был исключительно приветлив. Он вышел из-за стола, поздоровался с Петей за руку, усадил его на диван и сам сел рядышком.

— Значит, вы кинооператор? — спросил генерал, озаряя Петю золотой улыбкой. — Прекрасная профессия. И не такая уж безопасная, как некоторым кажется. Я помню, у нас на фронте был кинооператор. Человек исключительного мужества. Он иногда, чтобы сделать хороший кадр, чуть ли не ложился под вражеские танки, выходил на пулеметы. Замечательный человек был. — Генерал вздохнул. — Погиб, к сожалению.

Продолжая свои расспросы, генерал выяснил, что молодой кинооператор, помимо профессиональных, обладает многими другими достоинствами: альпинист, каратист, активный общественник и член бюро горкома комсомола.

— Ну, вы как будто специально рождены для нас! — Генерал всплеснул руками совершенно по-штатски. — Мы хотим запечатлеть нелегкий труд наших воинов-интернационалистов, и поэтому нам нужен талантливый оператор. Мы хотим показать жизнь наших воинов в горных условиях, и поэтому ваш альпинистский опыт будет как раз кстати. И наконец, нам нужны люди идейно закаленные, преданные нашим идеалам и готовые отдать за них жизнь.

— Вы собираетесь послать меня в Афганистан? — спросил Петя упавшим голосом.

Улыбка первый раз сползла с лица генерала.

— Молодой человек, — сказал он тихо, — вы знаете, что в армии лишних вопросов не задают.

Все в жизни взаимосвязано. Если бы Кукуша не встретилась с Иваном Федосеевичем, внук Лукина не был бы вызван в военкомат. Если бы он не был вызван, то и его дедушке незачем было б ходить туда же. Если бы он туда не ходил, зачем бы Лукин звонил Андрею Андреевичу Щупову? Результатом всех этих встреч и звонков было срочное изготовление в промкомбинате Литфонда СССР по спецзаказу шапки пыжиковой пятьдесят восьмого размера.

Когда пришла моя очередь посетить Ефима, я уже знал, что шапку он получил. Что Петр Николаевич Лукин лично доставил ему эту шапку в палату, сидел у него, рассказывал ему о своем боевом прошлом. Этим благородным поступком Петр Николаевич утвердил свой авторитет среди писателей. Все-таки хотя и кагэбэшник, а человек неплохой, не то что некоторые. Нет, конечно, если ему прикажут расстрелять, он расстреляет. Но сам, по собственной инициативе, вреда не сделает, а если сможет, так сделает что-то хорошее.

Ефим лежал в небольшой двухкоечной палате с выздоравливающим стариком, который при моем появлении вышел. Голова Ефима была забинтована так, что открытыми оставались только глаза, рот и нос с вставленной в него и прикрепленной пластырем пластмассовой трубкой, другая трубка от подвешенного к потолку сосуда была примотана бинтом к запястью правой руки. Я думал, что Ефим полностью парализован, но выяснилось, что левая рука у него все-таки действует, он ею гладил пыжиковую шапку, лежавшую у него на груди.

Не зная, чем его развлечь, я ему для начала рассказал о шахматном турнире, выигранном его любимым гроссмейстером Спасским. Не видя никакого интереса к турниру, переключился на рассказ о нашем управдоме, который за проценты сдавал проституткам свою контору.

Ефим слушал вежливо, но в глазах его я увидел немой укор и смутился. Мне показалось, что взглядом он спрашивал, зачем я рассказываю ему такую мелкую чепуху, не имеющую никакого отношения к тому высокому переходу, к которому он, возможно, готовился.

Устыдившись, я все же никак не мог сойти с колеи и рассказал что-то уж совсем глупое, опять какую-то историю про Маргарет Тэтчер и Нила Киннока, причем историю, мною самим тут же и выдуманную. Наконец, почувствовав, что все мои потуги не могут вызвать в больном ничего, кроме желания от них отдохнуть, я решил, что пора и откланяться.

— Ну, — сказал я нестерпимо фальшивым тоном, — хватит, старик, придуриваться. Следующий раз встретимся дома, покурим и перекинемся в шахматишки.

Дотронувшись до его плеча, я пошел к выходу и уже взялся за ручку двери, когда услышал сзади резкое и мучительное мычание. Я встревоженно оглянулся и увидел, что Ефим манит меня пальцем здоровой левой руки.

— Умм! — промычал он и пальцем потыкал в шапку.

— Ты хочешь, чтобы я ее положил на тумбочку? — спросил я.

— Умм! — издал он все тот же звук и качнул рукой отрицательно.

И на мой недоуменный взгляд еще раз потыкал в шапку и показал мне два вяло растопыренных пальца.

— Ты хочешь сказать, что у тебя теперь две шапки?

В ответ он уже не замычал, а завыл, затряс раздраженно рукой. Видно было, что его удручает моя непонятливость, а ему очень нужно донести какую-то важную мысль.

— Умм! Умм! Умм! — исторгался из него беспомощный крик души, и два полусогнутых пальца, как две запятые, качались перед моими глазами.

— А! — сказал я, сам не веря своей догадке. — Ты имеешь в виду, что ты победил!

— Умм! — промычал он удовлетворенно и уронил руку на шапку.

Уходя, я еще раз оглянулся. Закрыв глаза и прижав к груди шапку, Ефим лежал тихий, спокойный и сам себе усмехался довольно.

В ту же ночь он умер.

Хоронили Ефима по самому последнему разряду, без заезда в ЦДЛ и без музыки. Был уже конец марта, светило тусклое солнце, и из-под прибитого к стенам морга темного снега выползали медленные ручейки. Ворота морга были распахнуты настежь, похоронный автобус запаздывал, среди толкущихся вокруг гроба я встретил Баранова, Фишкина, Мыльникова и еще не помню кого. В головах стояли Кукуша в черной шляпе и ниспадающей на глаза черной вуали и Тишка, который в заложенной за спину руке держал (я обратил внимание) не пыжиковую, а подаренную ему отцом волчью шапку. Голова Ефима была аккуратно перебинтована, но все лицо оставалось открытым и выглядело умиротворенным. Я положил к ногам покойника свой скромный букетик, обнял Кукушу и пожал руку Тишке. Здороваясь с другими, я заметил и Трешкина. Он пришел, кажется, позже меня и вел себя страннее обычного. Кособочился, дергался и озирался так, как будто собирался что-то украсть или уже украл. Приблизившись к гробу, он наклонился к покойнику, поцеловал его в забинтованный лоб, а потом долго и пытливо вглядывался в застывшие черты, словно пытался прочесть в них что-то понятное только ему.

Меня кто-то тронул за локоть, я оглянулся — Кукуша.

— Тебе не кажется, что он себя странно ведет? — прошептала она, указав глазами на Трешкина.

— Он вообще странный, — сказал я и увидел, что Трешкин быстро перекрестил Ефима, но не тремя пальцами, как обычно, а кулаком, а потом сунул кулак в гроб, куда-то под шею покойного, и тут же выдернул.

— Ты видел? — шепнула Кукуша. — Он что-то туда положил.

— Сейчас выясним.

Я подошел к гробу и оглянулся на Трешкина. Тот внимательно следил за моими движениями. На его глазах я сунул руку под шею Ефима и сразу же нашел сложенный в несколько раз лист бумаги. Я вынул бумагу и стал разворачивать.

— Стой! Стой! — подлетел Трешкин. — Это не трогай, это не твое. — И протянул руку.

— А что это? — Я убрал руку с бумажкой за спину.

— Не важно, — глядя на меня исподлобья, буркнул Трешкин. — Отдай, это мое.

— Но вы, — приблизилась Кукуша, — не имеете права лезть в чужой гроб без разрешения и класть посторонние предметы.

Она взяла у меня бумажку и развернула. Я заглянул через ее плечо и увидел слово, написанное крупными косыми буквами и с восклицательным знаком в конце:

«Операция!»

Трешкин смутился, задергался, не зная, как себя вести.

— Что это значит? — нахмурила брови Кукуша.

— Ну, это значит, он мне загадку загадал. А я разгадал, а он помер. Ну, я думаю, надо все-таки положить, может, там прочтет. Может, знак какой-то подаст. Отдайте! — попросил он страстно. — Я положу обратно. Не мешайте же!

За воротами заурчал только что прибывший автобус.

— Все равно сгорит, — вздохнула Кукуша и, вернув Трешкину записку, пошла к выходу.

Пока автобус разворачивался и сдавал задним ходом, во двор въехала и остановилась в стороне черная «Волга». Из «Волги» вылез Петр Николаевич Лукин, стягивая по дороге синий мятый берет с хвостиком посередине. Приблизившись, он посмотрел на покойника, пошептался о чем-то с Кукушей, затем стал у изголовья гроба и произнес речь, в которой перечислил все заслуги Ефима, не забыв про его фронтовое прошлое, восемнадцать лет в Союзе писателей и одиннадцать напечатанных книг. А еще сказал, что покойник был человеком мужественным и хорошим, сам был хороший и в жизни видел только хорошее. Я думал, что Лукин скажет что-нибудь про людей, которые видят только плохое, потому что сами плохие, и при этом посмотрит на меня, но он этого не сделал и закончил свою речь обещанием, что память о Ефиме Семеновиче Рахлине навсегда останется в наших сердцах.

Потом мы ехали к крематорию на двух автобусах, мне досталось место в том, где стоял гроб.

На Садовом кольце мы попали в «зеленую волну» и двигались почти что без остановок. Ефим лежал передо мной с высоко приподнятой забинтованной головой, с заостренным носом, закрытыми глазами и таким выражением, словно был сосредоточен на какой-то серьезной и важной мысли. Автобус то останавливался, то снова стремился вперед, солнечные пятна врывались внутрь и скользили по успокоенному лицу, словно отблески того, о чем он думал. И в эти отблески напряженно вглядывался сидевший напротив меня Васька Трешкин. Рядом с ним о чем-то неслышно переговаривались Баранов и Тишка, Фишкин безучастно смотрел в окно, а в мое ухо вливался шепот Мыльникова, который, не упуская подробностей, пересказывал мне статью о нем, напечатанную в газете «Нью-Йорк ревью оф букс».

1987

Мы здесь живем

Было раннее утро, и трава, облитая обильной росой, казалась черной. Слабый ветер шевелил над Ишимом тяжелые клубы тумана.

Ваня-дурачок гнал через мост колхозное стадо и пел песенку. Губы у Ивана толстые, раздвигаются с трудом, поэтому в песенке нельзя было понять ни одного слова.

Я ехал на своем самосвале и уже собирался въехать на мост, но увидел на нем теленка. Задняя нога его застряла меж двух бревен, теленок лежит на брюхе, мычит, на том его борьба за жизнь и кончается. Я остановил машину и помог потерпевшему.

— Ну что ж ты, — сказал я Ивану, — губы-то распустил? Видишь, теленок провалился! Так ему и ногу недолго сломать.

— Пускай ломает, — дурачок беспечно махнул рукой. — Прирежем... Хлопцам на стане три дня мяса не давали. А меня не дразни. Гошке скажу.

И пошел, волоча по траве свой длинный бич, который здорово щелкает в умелых руках.

Я медленно въехал на мост и забуксовал как раз на том месте, где провалился теленок. Я давил на газ, колеса крутились, еще больше раздвигая бревна, но машина не двигалась с места. Увидев это, Иван вернулся.

— Ну что? — спросил он, подходя, и хлопнул бичом.

— «Что, что», — передразнил я его. — Видишь, забуксовал.

— Ну давай тогда тебя прирежем. На шашлык.

— Брось ты эти шутки, — сказал я ему. — Ты лучше возьми мою телогрейку, вот так сложи вдвое, чтоб изнутри не запачкалась, и подложи под колесо.

Я благополучно переехал через мост и остановился. Иван подал мне мою телогрейку. Она была совсем чистая, а у него на правом боку через рукав шел грязный рубчатый след от ската.

— Ты сам, что ли, ложился под колесо? — спросил я.

— Нет, свою телогрейку подложил, а то твоя новая — жалко.

Выехав на грейдерную дорогу, ведущую на Кадыр, я в третий раз остановил машину и подошел к желтому дорожному щиту, на котором прямыми крупными буквами было написано только одно слово:

«ПОПОВКА».

Много людей ездит мимо этого щита и видит то, что на нем написано. Но разве запомнишь название каждой деревни?

А я здесь часто бывал. Знал Гошку, знал и других.

Вот об этих людях я и написал свою повесть.

1

Кусты ивняка стояли над суженным руслом Ишима. Санька и Лизка нагрузили глиной высокий самосвал Павла Спиридонова, прозванного Павло-баптист, и Павло, надвинув кожаную фуражку по самые уши, уехал. Подруги, бросив лопаты, легли отдохнуть. Лизка сняла с себя выгоревшую кофточку, и тень от листьев пятнами упала на ее загорелую спину.

— Не умеешь ты, Санька, работать, — сказала Лизка. — Лопату криво держишь, и все у тебя высыпается.

В кустах жужжали шмели и трещали кузнечики. Наискосок через небо почти невидимый самолет тянул извилистый волокнистый след. Лизка перевернулась на спину и посмотрела на небо.

— Смотри, самолет летит и дым пускает. Как все равно облако, — сказала она.

— А это облако и есть. Самолет сам его делает.

— Как это он делает? — недоверчиво спросила Лизка.

— Не знаю как, а знаю, что делает. Инверсией это называется.

— Ишь ты — инверсия, — почтительно повторила Лизка незнакомое слово. — Инверсия. А ты откуда знаешь?

— Так, знаю. Летчик один знакомый рассказывал.

— Летчик? У тебя есть знакомые летчики?

— Были.

Лизка немного помолчала, потом пошутила:

— Вот видишь, жила ты в городе, летчиков знакомых имела. А то ведь в Поповке их нету. Здесь какой ни то комбайнер, и тот уже нос дерет — не подступишься. Поживешь-поживешь да и выйдешь за Ивана-дурачка.

Санька, ничего не ответив, лежала, смотрела на небо и старалась ни о чем не думать. Ни вставать, ни тем более работать не хотелось.

— Слушала я вчера, как ты пела в клубе, — сказала Лизка. — Хорошо у тебя получается. Прямо как у артистки. «Парней так много холостых...» — начала было Лизка, но одумалась. — Это ты тоже в своем городе научилась?

— Тоже.

— Все в городе, — вздохнула Лизка. — Летчики в городе, артисты в городе. А у нас... — Лизка поднялась на локте и посмотрела на дорогу. — Ой, никак Гошка едет! — сказала она радостно.

— Гошка?

— Ага, — Лизка торопливо застегивала кофточку.

— Ну что, мне опять идти цветочки собирать? — Санька поднялась и вытянула в стороны онемевшие руки.

— Сходи, Саня, — попросила Лизка. — Последний раз сходи. Сегодня что ни то да будет. Сегодня я у него добьюсь ответа.

— Что ж делать, — сказала Санька и пошла, раздвигая кусты, к Ишиму.

Гошка затормозил у самого обрыва и стал медленно подавать машину назад.

— Ну что, работать будем? — спросил он, стоя на подножке и глядя на Лизку через кузов.

— Будем, — сказала Лизка, — немного погодя.

— Погодя некогда, Лиза, там строители ругаются.

— Поругаются на пять минут больше. Санька уморилась, пошла умыться.

Гошка был в майке. Солдатская гимнастерка, придавленная учебником литературы, лежала рядом на сиденье. Лизка, влезая в кабину, отодвинула все это в сторону и сказала:

— Ты чего это костяной подворотничок носишь? От него шея портится. Надо тряпочный носить...

— Стирать его да подшивать, — сказал Гошка. — Некогда.

— Хорошо женатому, — вздохнула Лизка сочувствующе. — Жена и подошьет, и постирает, и вон дырку на рукаве залатала бы.

— Чего там латать? Выбрасывать пора.

— Чего ж не выбросишь? — насмешливо покосилась Лизка.

— А вот до плеча разорвется — выброшу.

Замолчали. Гошке хотелось спать, глаза слипались — не до разговоров. Сегодня в шесть утра он приехал из Актабара, а в восемь прискакал на лошади бригадир Сорока, заставил ехать за глиной. Лизка взяла в руки учебник, развернула посредине, долго смотрела, не читая, и снова положила на место.

— Учишься?

— А? — Гошка с трудом разомкнул веки.

— Учишься, говорю?

— Учусь.

— И долго тебе еще учиться?

— Не знаю, Лиза. Вот экзамен сдам, а там видно будет.

— В техникум пойдешь?

— Не знаю.

— Я летошний год тоже училась, — помолчав, сказала Лизка. — На кройки и шитья. Экзамены тоже сдавала. У меня и диплом есть.

Гошка не ответил.

— Я и вышивать умею. Что гладью, что крестом... Вот Мишка-тракторист увидел мои вышивки. «Кабы я не был женат, говорит, Лизка, на тебе б женился. А то, говорит, у меня не жена, а одно название. Так только, сготовить чего или постирать, а чего ни то сшить или вышить не может. Вот, говорит, коврик на стенку или подзор на кровать — все, говорит, купленное, за все денежки плачены». Ты б себе какую жену взял, а?

— Не знаю, Лиза. Какая попадется, — устало пошутил Гошка.

— Небось тоже хочешь покрасивше да ученую, — грустно сказала Лизка. — Вон как у Васьки. Ученая, учительшей работает, а некультурная. Придет с работы: «Я, говорит, устала, ты, говорит, должен за мной ухаживать». А чего она там устала? Чай, не кирпичи таскает. А когда Васька на курсы ездил, письмо ей пришлет, а она красный карандашик в руки, ошибки отметит и назад посылает.

Гошка открыл дверцу:

— Пойдем, Лиза, пока вдвоем поработаем.

— Еще посидим, — нерешительно попросила Лизка.

— Нет, нет. Некогда. Там строители небось рвут и мечут.

Он вытащил из-за кабины лопату с короткой кривой ручкой и пошел к заднему борту. Лизка неохотно пошла следом.

— Гоша, а ты вчера на собрании был? — спросила она, становясь рядом.

— Нет, я в Актабар ездил.

Лизка оперлась на лопату и сказала, как о большом секрете:

— Председатель выступал. Пятница. Говорил: «Как построим дома, женатым по полдома дадим, а у кого двое детей, так тому, говорит, и по цельному».

— Ладно, Лиза. Это нас с тобой не касается.

«Как бы ты схотел, так касалось бы», — печально подумала Лизка и со вздохом швырнула в кузов первую лопату. Работали молча. Подошла Санька, встала рядом с Лизкой и посмотрела ей в глаза. Лизка отвернулась, и Санька все поняла.

— Ну что? — спросила она, когда Гошка уехал. — Опять ничего не вышло?

— Нет, — Лизка отшвырнула лопату. — Не вышло.

— Ну а что ты ему говорила? Опять на полдома намекала?

— Намекала, — призналась Лизка.

— Ах, Лизка, Лизка! Кто ж так делает? Разве такого парня заманишь этим?

— А чем же его замануть?

— Не знаю, — вздохнула Санька. — А если б знала, так не сказала бы.

— Это почему?

— Самой пригодилось бы, — тихо сказала Санька.

Лиза испуганно посмотрела в глаза подруге.

Санька отвернулась. Она долго смотрела в сторону Поповки, туда, где скрылась Гошкина машина, и не сразу услышала тихие всхлипывания.

— Ты что, Лизка? — кинулась она к подруге.

Лизка уткнулась мокрым лицом в траву и ничего не ответила. Санька легла рядом.

— Ну что ты, Лиза? У меня ведь тоже ничего не получается. Ты хоть ему говоришь. А я и этого не умею.

Лизка села, утерлась подолом и, все еще всхлипывая, улыбнулась широкой улыбкой:

— Помнишь, Саня, я тебе рассказывала, сколько у меня парней было? Так все это неправда. Только один парнишка был, Аркашка Марочкин, Тихоновны сын. Билеты в кино покупал. А потом на службу ушел. Так с тех пор никого и не было.

Лиза замолчала и, сорвав желтый цветок одуванчика, стала рассеянно обрывать мягкие лепестки.

— Ну и что, ты уже забыла Аркашу? — тихо спросила Санька.

— Я-то не забыла, он забыл. Как первый месяц служил, одно письмо прислал — и все. Я ему еще штук шесть посылала, а от него ни ответа, ни привета. Да чего говорить! Им, мужикам, лишь бы обмануть, а наш брат — баба — всегда страдает.

— А может, у него времени нет письма писать? Может, с ним что случилось?

— Нет, — сказала Лизка и молоком, выступившим на обрыве стебелька, стала писать на руке слово «Аркадий». —

Матери-то он пишет. Вчера иду мимо, а Тихоновна: «Зайди, говорит, на момент. Чего покажу». Фотокарточки показывала. Аркашка прислал. На танке сфотографированный, на котором ездит.

2

В этом году колхоз заложил двадцать два дома для переселенцев и молодоженов. На стенах некоторых домов уже лежали пожелтевшие от солнца стропила, для других домов еще только заложили фундамент.

На строительной площадке никто не работал. Возле четвертого справа дома стояла голубая «Волга» председателя колхоза Петра Ермолаевича Пятницы. Восемнадцать строителей (в Поповке их называли «шабашники») окружили председателя и слушали своего бригадира Потапова, высокого и худого мужика с усиками.

Гошка поставил машину возле растворного корыта и крикнул строителям, чтобы шли разгружать. Никто не отозвался. Только рыжий и рыхлый, похожий на женщину каменщик Валентин, не оборачиваясь, махнул рукой — подождешь. Гошке тоже нужен был председатель, и он вылез из кабины.

Полукруглая желтая тень от широкополой соломенной шляпы падала на лицо председателя. На парусиновом пиджаке темнел потускневший и облупившийся за долгие годы орден Красного Знамени. Этот орден эскадронному командиру Пятнице вручил в 1921 году Буденный.

Председатель колхоза Пятница, прикрывая время от времени старческие веки, слушал бригадира Потапова. Голос у Потапова был глухой и ровный.

— Наше условие, Ермолаевич, простое, — говорил он. — Сто рублей в день на рыло — или порвем договор. Нам работа везде найдется.

— Не смею задерживать, — сказал председатель.

— Ты это, Ермолаевич, брось. Мы с тобой обое старые и лысые, и притворяться нам нечего. Тебе нужны дома, нам — деньги, друг без дружки нам не обойтись.

— Попался б ты мне лет сорок назад, Потапов, — задумчиво сказал председатель, — развалил бы я тебя шашкой на две половинки.

— Не развалил бы. Я костистый. Ты лучше скажи, будем перезаключать договор или ругаться будем?

— Ладно, отстань, — сказал Пятница. — Скажи лучше своим, пусть работают, а то за такую работу я вам и по десятке не заплачу. А насчет нашего разговора подумаю.

— А когда ответ дашь?

— Завтра.

Строители не спеша разбрелись по своим местам.

Двое с лопатами через плечо пошли разгружать Гошкину машину. Петр Ермолаевич повернулся к Гошке:

— Ну, как дела, Яровой? Что это ты такой сонный ходишь?

— А чего ж мне не сонным ходить? — сказал Гошка. — Два часа всего спал.

— Тяжело, — согласился председатель. — Всем сейчас тяжело. Время такое. Зато осенью премии будем давать — тебе первому.

— Вы бы мне лучше отпуск дали.

— Зачем тебе отпуск?

— А вот, — Гошка вынул из кармана сложенную вчетверо бумажку.

В этой бумажке было написано, что выпускник десятого класса районной заочной школы Яровой Г. И. имеет право на отпуск за счет государства на время выпускных экзаменов.

Председатель перечитал бумажку два раза.

— Не могу, — сказал он, возвращая бумажку.

— Как это вы не можете? — возмутился Гошка. — Мне по закону положено.

— Какой тут, милая моя, закон, — вздохнул председатель. — Мне вот каждый день звонят из района: «Почему задерживаешь строительство? Почему опаздываешь с посевной?» А я что им скажу? Скажу, что я всех шоферов в отпуск отправил? Так, по-твоему?

— Но мне же...

— Что — тебе же? Экзамены надо сдавать? Знаю. А как на войне? Я в Отечественной, конечно, не участвовал, а вот в Гражданскую у нас знаешь как было?

— Знаю, — сказал Гошка, — вы по трое суток с коней не слезали.

— Откуда ты знаешь? — удивился председатель.

— Это вы мне десять раз рассказывали. — Гошка огорченно махнул рукой и пошел к своему «ЗИЛу».

3

Возле облитой маслом кирпичной стенки стояли машины. Из-под крайнего слева самосвала торчали ноги в легких парусиновых сапогах.

— Толька, убери ноги! Оттопчу! — крикнул Гошка, ставя машину к стене.

Из-под машины с тавотницей в руках вылез лохматый шофер в синем комбинезоне. Из бокового кармана достал измятую пачку «Беломора».

— Дай прикурить, — сказал он.

Гошка приехал в Поповку два года назад, после демобилизации. Анатолий приехал в пятьдесят четвертом году, после десятилетки: он считался среди новоселов почти старожилом. Гошка и Анатолий были друзьями, но в последнее время встречались редко.

— Пойдем, что ли? — спросил Гошка, закрывая машину.

— Пойдем.

По дороге домой Гошка рассказал Анатолию о своем разговоре с председателем.

— Какой ты дурак, — разозлился Анатолий. — На тебе скоро воду будут возить. Подумаешь, у него шоферов нет! А тебе какое дело? Тебе государство отпуск дает. А оно больше знает, нужен ты или не нужен. Ты же завалишь экзамены.

— Не завалю.

— А я тебе говорю — завалишь. С таким дураком даже разговаривать не хочется. Отойди от меня. Вот так.

Некоторое время они шли молча. Гошка долго сдерживался и наконец хмыкнул в кулак.

Анатолий тоже засмеялся.

— Когда у тебя сочинение? — спросил он, перестав смеяться.

— Через три дня.

— А шпаргалки у тебя есть?

— Нет. Я думаю без шпаргалок.

— Чудак ты, Гошка. Кто же сочинения без шпаргалок пишет? Ты когда-нибудь такого видал?

— Нет, — сказал Гошка.

— Я тоже.

— Ну а первый все-таки кто-то писал сочинения сам?

— Первый! А кто был первый человек на земле, ты знаешь? Адам! Вот, может, он первый и писал сочинения, а все, кто потом жил, сдували. И ты сдувай. Это надежней. Так все делают. А насчет устного экзамена я тебе вот что скажу. Самое главное — это уметь отличать положительного героя от отрицательного.

— А как же их отличать?

— Это очень просто. Вот ты, например, отрицательный. Ты, правда, не пьешь, не воруешь, не делаешь фальшивые деньги, но дураки — они тоже отрицательные.

— А ты положительный?

— Я положительный.

— Из чего это видно?

— А вот считай! — Анатолий стал загибать пальцы. — Комсомолец не хуже тебя. После окончания средней школы откликнулся на призыв. Добровольно поехал осваивать целинные земли. Имею Почетную грамоту и медаль за освоение. Ну что? Съел?

— Ну а еще что?

— Куда больше? Хватит.

— А вот Яковлевна говорит, что ты, когда в хату входишь, ноги не вытираешь.

— Насчет ног — это верно, — признался Анатолий, — но зато... зато я приехал сюда после десятилетки. У меня не было жизненного опыта. Я уже шесть лет на целине.

— Много, — сказал Гошка. — А Яковлевна вон шестьдесят лет живет на целине — и ни одной медали. И вообще, — Гошка, сам не замечая, перешел на серьезный тон, — вот сейчас все говорят о десятиклассниках: им семнадцать лет, у них нет опыта, у них трудности. А когда я начинал работать, мне было двенадцать лет. У меня не было ни опыта, ни десяти классов. Почему же обо мне тогда ничего не говорили?

— Наверное, такое время было, — тоже переходя на серьезный тон, сказал Анатолий. — Не до тебя было.

— И тогда было не до меня, и сейчас не до меня.

— Да, — сказал Анатолий неопределенно и махнул рукой. — Ну, мне сюда. Пока.

4

В день экзамена Гошку все-таки освободили от работы. До города по грейдеру было двадцать два километра. Гошка долго ждал попутной машины, в школу приехал за пятнадцать минут до начала. Все заочники уже собрались. Они сидели на скамейках, на крыльце, просто на траве перед школой. Одни лихорадочно листали учебники, другие сортировали шпаргалки, третьи ожидали своей участи пассивно. Сутуловатый парень с пышной прической и металлическими зубами тасовал в руках пачку фотографий-шпаргалок.

— Навались, подешевело! Полный комплект сочинений за один червонец.

Парень был местным фотографом. Сегодня его продукция пользовалась небывалым спросом. Гошка тоже решил запастись новинками фотоискусства. На всякий случай. Он вынул деньги.

— Дай.

— Все, — сказал фотограф, — пива нет, ресторан закрыт. Осталась одна пачка — самому пригодится. Я тоже сдаю.

Вышел толстый учитель в чесучовом пиджаке и неожиданно тонким голосом сказал:

— Заходите.

Все пошли. В коридоре фотограф догнал Гошку и тронул его за рукав:

— Четвертной дашь?

Раздумывать было некогда, Гошка сунул ему двадцатипятирублевку. Рассаживались долго. Взрослые люди с трудом помещались за детскими партами. Гошка сел за третью парту. Фотограф сел рядом.

— Вдруг чего, дашь мне сочинение, — сказал он.

Гошка не ответил. Ученики завороженными глазами следили за учителем, пухлые пальцы которого слишком медленно разрывали пакет. Но вот он написал на доске первую тему, и Гошка облегченно вздохнул. «Молодая гвардия». Эту книгу Гошка знал хорошо.

Всего было четыре темы. Фотограф долго думал, на какой из них остановиться, и не остановился ни на одной.

— Слышь, дай мне Тургенева, — шепнул он Гошке.

— Полсотни, — сказал Гошка.

— Я ж тебе за двадцать пять.

— Подорожали.

Фотограф помолчал, подумал, но пятьдесят рублей пожалел. Он заглянул в Гошкину тетрадь.

— За два одинаковых сочинения оба автора получат по двойке, — глядя в потолок, сказал всевидящий учитель.

Гошка отодвинулся. Фотограф почесал в затылке и — делать нечего — взялся за сочинение. Некоторое время молча скрипел пером, потом ткнул Гошку в бок:

— Слышь, как пишется «патриот» — через два «т»?

— Пять рублей, — предложил Гошка.

— Шкура, — сказал фотограф и обиженно отвернулся.

В начале июня неожиданно приехал досрочно демобилизованный Аркаша Марочкин. Уезжал простым человеком, а вернулся ефрейтором. Привез Аркаша матери подарки: полушалок чисто шерстяной, отрез на платье и еще коечего по мелочи. Было чего рассказать. Когда выключили электричество, Тихоновна засветила керосиновую лампу, и долго еще желтели два окна в доме Марочкиных.

Утром Аркаша не торопясь умылся, позавтракал и, приведя себя в порядок, вышел на крыльцо.

Лизка, которая вот уже полтора часа ковыряла мизинцем трухлявую штакетину в Аркашиной калитке, кинулась к долгожданному:

— Аркаша!

И обомлела. На Аркаше все сверкает. Сапоги, пуговицы, бляха. На груди значков штук шесть. Все большие, как ордена, и тоже сверкают.

— Аркадий Алексеевич, — поправилась Лизка и отступила на два шага в сторону.

— Здорово! — Аркадий двумя пальцами расправил гимнастерку под ремнем и, выбросив вперед левую руку, долго смотрел на циферблат часов.

— Сколько время? — почтительно спросила Лизка и сама смутилась от нелепого своего вопроса.

— Полчаса десятого, — значительно ответил Аркаша и между прочим поинтересовался: — Ну как жизнь?

— Ничего, спасибо.

— Замуж еще не вышла?

— Нет еще.

— Чего ж так?

— Куда спешить-то? — сказала Лизка, приблизилась и тревожно посмотрела в Аркашины глаза. — А ты... А ты не женился?

— У солдата в каждой деревне жена и в каждом доме теща, — сказал Аркаша и опять посмотрел на часы. Потом вынул из кармана сверкающий никелем портсигар, щелкнул крышкой, постучал по крышке мундштуком «Беломора».

— Опять в колхоз пойдешь или как? — робко спросила Лизка.

— Не знаю. Посмотрю, что председатель скажет. Найдется что подходящее — останусь. А нет, так... Меня теперь где хотишь примут. Механик-водитель. На любой завод без разговору. — И заторопился: — Ну ладно, пойду, чего тут зря разговаривать!

Лизка одним пальцем тронула наглаженный рубчик Аркашиного рукава:

— Вечером в клуб придешь?

— Не знаю. — Аркаша убрал локоть. — Чего там делать? — Но, поглядев ей в глаза, смягчился: — Может, и приду. Видно будет. — И пошел по тропке мимо соседских дворов, стройный, подтянутый.

Лизка тоже пошла было, но на крыльцо, гремя ведрами, вышла Тихоновна. Поздоровались. Тихоновна внимательно посмотрела на Лизку, спросила:

— Ждешь кого?

— Да нет... так просто стою.

— Аркашу видела?

— Видела. — Лизка пожала плечами: дескать, было б на что смотреть.

Тихоновна поставила ведра на землю.

— Ну и как?

— Да чего — как? Парень как парень. Две руки, две ноги — ничего особенного.

— Это как сказать — ничего особенного. На службе-то девки за им знаешь как бегали.

— Девки бегали? — насторожилась Лизка.

— И-их, милая, еще как бегали-то. — Тихоновна для чего-то наклонилась к самому Лизкиному уху и понизила голос: — Фотокарточек привез цельную пачку. Вот такую. И все девки. Мне уж больно одна там понравилась. Из себя такая видная, и родинка на этом месте, возле глаза. Симпатия. На фершалку учится.

— На фершалку?

— На фершалку, милая, на фершалку, — охотно подтвердила Тихоновна.

— Ну, я пойду, — неожиданно заторопилась Лизка. — До свидания вам.

— До свидания, милая. Заходи как-нибудь, — радушно предложила Тихоновна. «Когда нас дома не будет», — добавила она про себя. Ей не нравилась Лизка. Она считала, что сын ее достоин лучшей пары.

А Лизка шла, задевая пальцами штакетник, и не глядела под ноги. «Фершалка, — думала она, — подумаешь, фершалка».

5

До последнего экзамена оставалось шесть дней. Немецкий язык — предмет несерьезный, и про учительницу, которая вела его, ходили в школе добрые слухи. Говорили:

если знаешь все буквы — тройку поставит. Алфавит Гошка мог прочесть без подготовки. Поэтому он решил отдохнуть и сходить в кино.

Все знали, что в клуб привезли фильм про шпионов. Поэтому задолго до начала все скамейки были заняты. Завклубом Илья Бородавка продавал билеты прямо у входа и сразу отрывал контроль.

Гошка увидел на одном подоконнике свободное место и пошел туда.

— Гоша, — услышал он Лизкин голос и обрадовался. Подумал: «Значит, и Санька здесь».

Но Саньки не было. Лизка сидела во втором ряду, рядом с ней — Аркадий Марочкин. Он уже снял с себя военную форму и сейчас сидел в похрустывающей кожанке и хромовых сапогах. Время от времени он небрежно выбрасывал вперед согнутую в кисти левую руку и смотрел на светящийся циферблат своих часов. Лизка была в шелковой косынке, в синей жакетке, с искусственной розой на груди.

— Садись, Гоша. — Она подвинулась к своему кавалеру и двумя пальцами подтянула подол праздничного платья. — В кино пришел? — спросила она и улыбнулась уголком рта, чтоб показать металлическую «фиксу», вставленную недавно. Лизка смотрела на Гошку, счастливо улыбалась, и глаза ее говорили: «Вот не хотел ты со мной, а я не хуже нашла».

«Где ж Санька?» — подумал Гошка и хотел спросить о ней у Лизки, но почему-то не решился и сказал:

— Что это ты зуб вставила?

— Болел, — сказала Лизка, и видно было, что врет, — купила за три рубля в Актабаре.

В первом ряду, прямо перед Гошкой, сидел завскладом Николай Тюлькин со всем своим семейством: женой Полиной, трехлетней дочкой Верочкой и тещей Макогонихой. Девочка вдруг расплакалась. Полина трясла ее на руках и успокаивала:

— Зараз зайцив покажуть. Багато, багато зайцив побытых!

— А воны з рогамы? — спросила девочка, вытирая слезы.

— З рогамы, з рогамы.

Бабка Макогониха сидела рядом и не обращала на дочку и внучку никакого внимания.

Когда-то хорошая хозяйка и рукодельница, в последние годы Макогониха чувствовала себя все хуже и хуже. У нее часто кружилась голова, тряслись руки, а в ногах была такая слабость, что даже поболтать с соседками старуха выходила редко. Она жаловалась дочери на недомогание и удивлялась:

— Николы такого нэ було.

— Шо вы, мамо, удивляетэсь? Восемьдэсят годов вам тож николы нэ було.

В последнее время старуха почти ничего не помнила и не понимала. Полина давно уже отстранила ее от хозяйственных дел. Старуха отчасти потому, что не привыкла сидеть без работы, отчасти из чувства обиды и противоречия, хваталась за все, но ничем хорошим это никогда не кончалось.

Макогониха сидела рядом с дочерью и, недоверчиво поджав губы, смотрела на экран, как будто видела его впервые.

Лизка толкнула Гошку в бок и, имея в виду Макогониху, шепнула:

— Сейчас будет плакать.

И правда. Как только погас свет и на экране появились борцы, старуха завздыхала:

— Боже ж мий, таки молоди. За шо их? — И, не получив ни от кого ответа, она заплакала от жалости к борцам и плакала потом, когда после журнала люди с собаками полтора часа гонялись за молодым шпионом.

Лизка сидела, скрестив руки на груди, и смотрела равнодушно. Она видела фильм раньше и все знала наперед. Поэтому, когда в самом захватывающем месте Марочкин вскрикнул: «Вот, елки-моталки, опять ушел!», она прижалась к нему:

— Не бойсь, пымают.

— Тише ты — «пымают», — сказал кто-то в заднем ряду.

Лизка испуганно съежилась и сильнее прижалась к своему кавалеру.

Трещал аппарат. В клубе кто-то курил. Было дымно и душно. На туманном экране бродили шпионы. Гошка закрыл глаза. Его разбудила Лизка. Она протянула ему горсть семечек:

— Будешь лускать?

— Что? — спросил Гошка, открывая глаза.

— Спишь, что ли?

— Нет, — сказал Гошка и опять задремал.

После кино все расходились кучками. Возле крыльца целой толпой стояли ребята и, ослепляя выходящих электрическими фонариками, искали своих попутчиц. Анатолий, который во время сеанса сидел у дверей, вышел первый и подождал Гошку на улице. Они пошли вместе. Впереди них шли Тюлькины. Глава семьи шагал посредине, неся на руках девочку.

— Ну как картина? — спросил Анатолий. — Понравилась?

— Понравилась, — ответил Гошка, зевая. — Спать хорошо.

— Ты что, спал? Зря. А я люблю такие вещи. Вот читал книжку «Охотники за шпионами». Не читал?

— Нет.

— Про контрразведчиков. Интересно. Ты хотел бы стать контрразведчиком?

— Раньше хотел, — сказал Гошка.

— А теперь что ж?

— Не знаю. Некогда думать об этом. Своей работы хватает. — Они свернули на тропку и пошли по одному — Анатолий впереди, Гошка сзади. Слева чуть слышно журчала река, и вода, отражая неяркие звезды, неясно мерцала сквозь редкий камыш. Было совсем темно.

— Да, — сказал Анатолий, — ты Саньку не видел?

— Нет. Не видел.

— Когда картина началась, она пришла в клуб, все кого-то высматривала, а потом ушла.

6

Шесть дней, данных на подготовку к немецкому, прошли незаметно. К исходу шестого дня Гошка знал не больше, чем в первый день. Вечером, придя с работы, он сел у окна и раскрыл книгу.

За столом в ватных брюках и валенках сидел дядя Леша и набивал солью патроны для своего ружья. Иногда Гошка отрывался от учебника и смотрел, как старик сыплет в патрон щепотку серой, как весенний снег, соли и утрамбовывает ее желтым от самокруток пальцем.

Надвигались сумерки, но возле окна было еще довольно светло.

— Слышь, Гошка, — спросил хозяин, — у тебя ноги на погоду не крутит?

— Нет, — рассеянно ответил Гошка, — не крутит.

— А у меня крутит, — сказал дядя Леша и вздохнул. Ему очень хотелось поговорить с Гошкой, но Гошка, видимо, не был расположен к разговору. Дядя Леша почесал в затылке и снова принялся за свое дело.

С ведром в руках вошла Яковлевна.

— Так ты ще сыдышь! — возмутилась она, стаскивая у входа резиновые сапоги. — Я вже корову подоила, порося накормыла. Ой, Лешка, растащат у тэбэ склад, скажешь, шо я брэхала.

— Ладно тебе, — примирительно проворчал дядя Леша. — Иду.

Но пошел он не сразу. Сперва ссыпал патроны в парусиновый мешочек, потом перемотал портянки, надел тулуп и долго искал свою шапку. Наконец перекинул через плечо централку и пошел к дверям.

— Ну я пошел, — сказал он, остановившись.

Яковлевна промолчала. Гошка был занят и тоже промолчал.

— Ну я пошел, — повторил дядя Леша. И так как его никто не задерживал, он вздохнул и вышел на улицу.

Яковлевна вкрутила лампочку. Гошка пересел к столу.

В окно постучали. Гошка подумал, что это дядя Леша. Видно, забыл что-нибудь. Гошка выглянул в окно и увидел всадника. Это был бригадир первой бригады Сорока. На лошади он напоминал модель памятника Юрию Долгорукому, что украшала собой чернильный прибор председателя.

— Гошка! — Сорока откинул руку с нагайкой в сторону. — Гошка, гони до правления. Там тебя председатель ждет.

Он резко опустил руку. Лошадь испуганно шарахнулась и унесла его в сумерки.

На столбе перед конторой горела лампочка. Она освещала кусок двора и высокое крыльцо с покосившимися перилами. Возле крыльца на земле лежал старый дамский велосипед. По нему Гошка сразу определил, кто находится в конторе. Это был велосипед бригадира строителей Потапова. Велосипед был старый-старый, и, когда хозяин ехал на этой штуке, по всей Поповке был слышен скрип.

Восемнадцать строителей сидели в конторе вдоль стен. Восемнадцать папирос мерцали в полумгле. Дым, слоями развешанный в воздухе, колебался. Мутный свет лампочки едва проходил через эти слои. За широким столом, малозаметный в дыму, сидел председатель и вертел чернильницу, украшенную бронзовым Юрием Долгоруким, который напоминал бригадира Сороку.

Председатель недавно бросил курить. Он кривился и морщился, испытывая искушение, и, отставив чернильницу, отмахивался от дыма руками. Перед ним стоял Потапов и убеждал председателя в том, что лучшей бригады, чем та, что сидит в этой комнате, ему не найти во всем районе и поэтому председателю нужно согласиться платить строителям по сто рублей на брата.

— Отстань, — сказал председатель устало. — Лучше отстань, Потапов. — И постучал пересохшей чернильницей по пружинящей крышке стола.

Потапов покосился на чернильницу, но, не отступая, спросил:

— Значит, не дашь?

— Не дам, — решительно сказал Пятница.

— Не дашь?

— Не дам.

— Дай закурить, — Потапов откинул в сторону руку.

Каменщик Валентин бросился к нему и с готовностью развернул портсигар. Некурящий Потапов закашлялся с непривычки и выпустил облако дыма в лицо председателю.

— Ладно, — сказал Потапов, покурив. — Последний раз спрашиваю: дашь или нет?

— Нет, — сказал председатель.

— Ладно. Тогда порвем договор. Завтра утром чтоб был полный расчет. Пошли, хлопцы.

Строители ушли.

— Георгий, открой окно, — попросил председатель, а сам пошел открывать другое.

Свежий ветер качнул сероватые занавески. По ступенькам крыльца вразнобой стучали сапогами строители. Потом раздался режущий ухо скрип и визг. Это ехал на велосипеде Потапов.

— Сволочь, — тихо сказал председатель и повернулся к Гошке. — Знаешь, зачем я тебя вызвал?

— Не знаю, — сказал Гошка.

— Завтра в Актабар эшелон с лесом приходит. Все машины туда бросаем.

— Меня не бросайте. Не поеду.

— Почему ж это?

— У меня завтра экзамен. По немецкому.

— Ну и что? Нагрузишь там, это недолго... минут пятнадцать. Потом в школу поедешь.

Глаза у председателя были грустные и красноватые. Гошке вдруг почему-то стало его жаль, и он согласился:

— Ладно, поеду.

Утром, выезжая из гаража, он подобрал Анатолия. Машина Анатолия стояла в Актабаре на ремонте, и он ездил в город на попутных. Ехали молча. Анатолий насвистывал какую-то песенку. Гошка крутил баранку, вспоминая про себя правила спряжения глаголов.

Выехали за околицу. Высокое солнце било в глаза. Впереди показалось кладбище.

— Вот смотри, ходим тут, ездим, а потом все равно туда, — сказал Гошка.

— Боишься умирать? — спросил Анатолий.

— Боюсь.

— А чего бояться-то? Умрешь — не надо ни о чем заботиться, ни о чем думать. Немецкий учить не надо. Зачем жить хочешь?

— Не знаю, — сказал Гошка. — Наверно, из любопытства. Хочется знать, что завтра будет.

— Завтра дождь будет. Смотри, — Анатолий вытянул шею, — никак покойники.

При приближении машины с кладбища поднялся высокий и худой человек и, ведя в руках дамский велосипед, вышел на дорогу. Это был бригадир Потапов. А за ним потянулись к дороге остальные шабашники, каждый со своим инструментом, как оркестранты. Остановившись посреди дороги, Потапов поднял руку, словно приветствовал проходящие перед ним войска. Гошка остановился.

— До Тимашевки подвезешь? — спросил Потапов и поставил на ступеньку ногу в белом от пыли кирзовом сапоге.

— Уезжаете? — спросил Гошка.

— А чего ж делать? — Потапов тронул пальцем стриженые свои усы. — Председатель договор перезаключать не хочет, а нам что? Мы люди вольные, дефицитные, нас где хотишь возьмут. А оно ведь, как говорится, рыба ищет где глубже... Каждый свой интерес понимает.

— Не повезу, — сказал Гошка, выжимая сцепление.

— Как — не повезешь? — Потапов одной рукой ухватился за дверцу. — Мы же не задаром. По трояку с брата заплотим. Трижды восемнадцать — пятьдесят четыре. Заработать не хочешь, что ль?

— Погоди! — Анатолий выключил зажигание. — Давай по пятерке — повезем.

— Много больно, — замялся Потапов.

— Не хочешь, как хочешь. Поехали, Гошка.

— По четыре, — набавил рыжий и рыхлый каменщик Валентин. Он был в милицейских галифе и в белых тапочках.

— По четыре с половиной, — предложил Анатолий. — И то себе в убыток.

— Ну и дерешь, — возмутился Потапов.

— Каждый свой интерес понимает, — процитировал его Анатолий.

— Ну и жох, — сказал, сдаваясь, Потапов. — Ладно, хлопцы, поехали, а то тут машины не дождешься.

«Дефицитные люди» горохом посыпались в кузов. Открыв дверцу, Гошка сказал:

— Садитесь все вдоль бортов, а то еще повыпадаете, отвечай за вас.

Проехав с полкилометра по грейдеру, машина свернула вправо на едва заметную степную дорогу и остановилась. Анатолий вылез на подножку и сказал, не обращаясь ни к кому в отдельности:

— Сейчас заскочим в бригаду. Там подборщик с осени остался, захватить надо. Мы бегом.

— Валяйте, — махнул рукой Потапов.

Машина снова тронулась в путь. По этой дороге машины ходили обычно только два сезона в году: во время уборочной и во время посевной. В остальное время дорога была пуста. Справа и слева, колеблемая тихим ветром, пыльно-зеленая волновалась пшеница. Скоро шабашникам стало скучно, и они решили петь песни.

Когда б имел златые го-оры, —

начал Валентин, и все подхватили:

И ре-еки, полные вина...

Шабашники пели нестройно, каждый старался всех перекричать. Анатолий прислушался.

— Поют? — спросил он.

— Поют, — подтвердил Гошка.

Когда спидометр отсчитал двадцать километров, Гошка посмотрел на Анатолия:

— Пожалуй, хватит.

— Давай еще, — сказал Анатолий. — Что тебе, бензину жалко?

— Нет, хватит, — сказал Гошка.

Машина медленно взбиралась на большую гору, похожую на верховое седло. Шабашники, сидя вдоль бортов, пели. Валентин, покраснев от натуги, вытягивал шею, и его писклявый бабий голос выделялся среди всех остальных. Потапов одной рукой придерживал велосипед, который лежал посредине и подпрыгивал на ухабах. Вдруг мотор зачихал, захлопал, и машина остановилась, немного не доехав до вершины сопки. Гошка и Анатолий выскочили из кабины и открыли капот.

— Карбюратор, — сказал Гошка.

— Трамблер, — возразил Анатолий. — А ну-ка ты, — обратился он к Валентину, — у тебя силы много. Покрути ручку.

Валентин крутил до тех пор, пока не взмок от пота. Потом крутили все остальные.

— Придется толкать, — сказал Анатолий, забираясь в кузов. — Я буду командовать. Раз-два, взяли!

Шабашники облепили машину, как мухи горшок со сметаной.

— Еще — взяли!

У Валентина от напряжения вздулись на шее жилы, и конопатое лицо его омылось румянцем. Бригадир Потапов шел бочком, упираясь в кузов одной рукой, осторожно, словно боялся прилипнуть.

— Ты, начальник, не стесняйся, — сказал ему Анатолий, — здесь все свои. Вот видишь, сама идет, только толкай.

Подталкиваемая тридцатью шестью руками, машина медленно перевалила через гребень сопки и, быстро набирая скорость, покатилась под уклон.

— Стой, — устало махнул рукой Потапов. — Стой! — крикнул он, видя, что машина все удаляется.

— Стой! — заорали хором шабашники, и бабий голос Валентина снова перекрыл все остальные.

Валентин первый понял, что их обманули, и, работая локтями, побежал за машиной. Его рыжие волосы упали на лоб, придавая лицу выражение свирепости. За Валентином, широко расставив руки, бежал Потапов. За ними валили толпой все остальные.

Анатолий, стоя в кузове, поднял над головой измятую кепку:

— Привет бригаде коммунистического труда!

Впрочем, вряд ли те, к кому он обращался, могли его услышать.

У подножия сопки Гошка остановил машину и, вскочив в кузов, помог Анатолию сбросить на землю вещи шабашников. Они торопились и один ящик бросили неосторожно, из него вывалились на дорогу топор, рубанок, ножовка и прочий плотницкий инструмент.

Последним полетел с кузова велосипед бригадира. Он ударился о землю, высоко подпрыгнул и, свалившись набок, прочертил рулем полосу в дорожной пыли.

— Поехали, — скомандовал Анатолий. — А то догонят, накостыляют по шее.

Шабашники, размахивая руками, бежали с сопки, и уже совсем близко мелькали белые тапочки Валентина, когда машина тронулась и, обогнув сопку снизу, ушла по направлению к грейдеру.

— Небось рады, что мы с них денег не взяли вперед, — сказал Анатолий.

7

Несмотря на то что Гошка приехал на станцию рано, там уже была очередь на погрузку. Гошка поставил машину в хвост колонны и сел на подножку читать учебник. Просмотрев все страницы, он понял, что уже все равно ничего не успеет выучить, и ему оставалось только надеяться на учительницу, которая, по слухам, ставила тройки за одно только знание алфавита. «Как-нибудь, — думал Гошка. — Все сдал, а уж немецкий...»

Когда подошла Гошкина очередь, он поставил машину под погрузку и отдал накладную хромому заспанному мужику. Тот долго держал накладную в корявых пальцах, рассматривал ее и, возвращая Гошке, сказал:

— А почему не подписано?

— Как не подписано?

— А вот не подписано. Видишь: «Подпись руководителя учреждения» — председателя, значит. Где она?

— Что ж делать?

— За подписью надо ехать. Давай освобождай место, другие ждут.

— Слушай. Ну председатель потом приедет, подпишет.

— Потом и получишь. Освобождай место.

Он был неумолим.

Гошка плюнул, заехал в ближайший переулок и нарисовал на накладной несколько крючков и закорючек. Вышло довольно убедительно. Гошка вернулся на станцию.

— Так быстро? — удивился завскладом.

— Встретил его, ехал в райком, — сказал Гошка.

— Ну вот видишь, как хорошо получается. Открывай борт.

Хотя грузчики работали быстро, в школу Гошка все-таки опоздал. Экзамены уже кончились. Гошка встретил учительницу, когда она с маленькой сумочкой и букетом цветов выходила из класса. Это была не та учительница, о которой ходили такие добрые слухи, а другая — молодая, высокая, с пышной прической. Несмотря на свою молодость, учительница была закоренелой пессимисткой. Все ученики, по ее мнению, были неисправимыми лодырями.

— Экзамен уже окончен, — сказала она.

— А как же быть? — спросил Гошка.

Учительница равнодушно пожала плечами:

— Надо было раньше думать. Для чего-нибудь другого вы бы нашли время. А для экзаменов у вас его нет.

— Ну как же, я ведь готовился-готовился, — сказал Гошка, идя следом. — Может, примете, а?

То ли голос его звучал очень жалобно, то ли была для этого другая причина, но учительница остановилась и сказала:

— Не знаю, что с вами делать. Я уже ключи отдала уборщице.

— Я сейчас возьму, — сказал Гошка и, не дожидаясь ответа, побежал искать уборщицу.

Учительница вошла в класс, положила на стол цветы, сумочку, достала из сумочки папиросу и сунула Гошке словарь:

— Переведите отсюда досюда.

Сама закурила и села на краешек парты у окна. Гошка трудолюбиво листал словарь.

— Ну что? — спросила учительница через несколько минут.

— Сейчас.

— Хорошо.

Подождала еще минуты три.

— Кончили? Нет? Сколько же вы перевели? Четыре строчки? Можно бы и больше, если вы усердно готовились. Ну хорошо, читайте. Так. Так. Это слово пишется так: лейбен. Читаете вы, надо прямо сказать, неважно. Ну а что вы еще знаете из области немецкого языка? Основные формы модальных глаголов знаете? Не знаете? Скажите основные формы глагола «лерен».

— Лерен, лерте, гелерт.

— Правильно. Немен?

— Немен, немте, генемт, — охотно сказал Гошка и доверчиво посмотрел на учительницу.

— И это называется — вы знаете предмет, — с горечью вздохнула учительница. — Неправильно. Немен, нам, геномен. Не понимаю, зачем государство дает вам месячный отпуск.

— У меня не было отпуска.

— Ну да, вы — исключение.

Учительница взяла со стола цветы и сумочку и направилась к выходу, торжественно неся свою красивую голову с пышной прической.

— Может, я пересдам? — идя за ней, нерешительно попросил Гошка.

— Конечно, пересдадите. Осенью, — ответила учительница, не оборачиваясь.

Звездный вечер стоял над Поповкой, и луна, расколовшись, лежала в Ишиме. Гошка осветил спичкой часы и пошел домой. Он шел вдоль берега, раздвигая кусты, пушистые листья скользили по его щекам. У песчаной излучины против бани Гошка хотел свернуть к дому, но услышал девичьи голоса. Гошка раздвинул кусты и увидел Лизку, которая, сцепив руками колени, сидела на бугре. Кто-то барахтался на середине реки.

— Эй, Лизка! — услышал Гошка Санькин голос. — Давай купаться!

— Холодно! — отозвалась Лизка.

— Глупая! — плывя к берегу, крикнула Санька. — Вечером вода всегда теплее!

Она подплыла к берегу и, все еще разводя руками, стала выходить из воды.

Гошка хотел выйти к девушкам, но передумал. Санька спросит, с чем поздравить. А с чем его поздравлять? Он притаился в кустах. Санька вышла и остановилась возле Лизки.

— Боишься? — спросила она. — А мне хоть бы что. Нисколечко не холодно.

— У тебя кровь горячая, — сказала Лизка.

Санька не спеша вытиралась. Осыпанная светом луны, она видна была смутно и в то же время отчетливо. Настолько отчетливо, что Гошке казалось: он видит, как с ее ступней сбегают в песок нестойкие капли воды.

— Красивая ты, Санька, — вздохнула Лизка. — С таких, как ты, наверно, картины рисуют.

— Правда, красивая?

— Правда, — сказала Лизка.

Санька тихонько засмеялась, а потом сказала грустно:

— Красивая, да смотря для кого.

— Все об Гошке своем переживаешь, — сказала Лизка. — А чего об нем переживать? Мало разве других парней?

— Парней много, — сказала Санька, — а Гошка один.

— Все они одинаковые, — сказала Лизка. — Вот Аркаша у меня... Вчера сидим на крылечке, он вот так взял за плечи: «Поцелуй, говорит, меня». — «А я, говорю, не умею целоваться». — «Ну, говорит, я тебя поцелую. Можно?» — «Можно, говорю, только осторожно». — «А больше, спрашивает, ничего не можно?» — «Ишь ты, говорю, какой быстрый. Ты, говорю, это брось, не на ту напал». — Лизка усмехнулась. — Они ведь, мужики, все такие. Лишь бы обмануть. А ты ходи потом мать-одиночкой, это его не касается. Но меня не обманешь. Я ведь таких насквозь вижу. — Лизка засмеялась, потом сказала: — С ихним братом знаешь как надо? Сначала его замани. Делай вид, будто на все согласная. А как до чего дойдет, придерживай.

— И долго? — насмешливо спросила Санька.

— Долго, — деловито ответила Лизка, — до самого загса. И вся любовь.

— Это не любовь, — вздохнула Санька. — Это морока. Пойдем, что ли? Завтра рано вставать.

Санька натянула на себя прилипающее к телу платье и пошла впереди, неся в руках белые тапочки. Гошка подождал еще немного и вышел из кустов.

8

Как-то после обеда Иван ходил по деревне и, показывая всем большой екатерининский пятак, хвастался:

— Вот поеду в Акмолинск. Машину куплю, буду ездить, как председатель.

Оказалось, что за этот пятак Иван продал цыганам колхозную корову. Цыган догнали, корову отобрали, а пятак остался у Ивана. Только с того дня мальчишки не давали пастуху прохода. Они ловили его где-нибудь на улице, и кто-нибудь самый бойкий допрашивал: «Иван, ты зачем продал цыганам корову? Вот я возьму тебя за верхнюю губу и отведу в милицию». Иван прятал верхнюю губу за зубы. «Ничего, я тебя за нижнюю отведу». Иван пытался спрятать и нижнюю, но это ему не удалось, и он, сжав кулаки, молча бросался на своих обидчиков. Те, визжа и хохоча, разбегались врассыпную.

Но потом эту историю забыли даже мальчишки, и единственный, кто ее помнил, был Тюлькин.

В этот день Тюлькин открыл склад поздно и, сидя за деревянной перегородкой, ожидал, не придет ли кто за продуктами. Но никто не шел. Тогда Тюлькин повесил на двери склада большой висячий замок и присел на оглоблю поломанной брички, что стояла во дворе. На свежем воздухе сидеть было приятно. Тюлькин вытащил из бокового кармана четвертинку и стограммовый стаканчик, поболтал остатки, выпил, не закусывая, и бросил бутылку на кучу опилок, чтобы не разбилась. Закурил. Глядя на черную свинью, что рылась в корыте посреди двора, он думал о смысле жизни. «Вот, — думал он, — жрет свинья. А зачем жрет? Чтоб жирней быть. Разжиреет, скорей зарежут. А ведь небось тоже жить хочет». Не хотел бы Тюлькин быть свиньей. Ведь свинья только для того и живет, чтобы ее зарезали. Подрастет, откормится, потом ее под нож и за заднюю ляжку на крюк. У Тюлькина таких крюков двенадцать штук в балку вбито.

Тюлькин перевел взгляд со свиньи на дорогу и, увидев на ней Ивана, понял: коров пригнали, значит, время уже — обед. Увидев, что Иван идет к складу, догадался: тридцатое число. Пастуху, кроме трудодней, выписывали на каждый день литр молока и сто граммов сала. За салом Иван приходил в последний день каждого месяца, брал сразу три килограмма.

— Тюлькин, сало есть? — спросил он, подходя.

— На что тебе сало?

— Кушать буду.

— Куша-ать. У тебя вон губища какая — за все лето не сжуешь.

Иван, насколько это было возможно, поджал губы и, помолчав, напомнил:

— Тюлькин, давай сало.

— Ну ладно, — согласился Тюлькин. — Спляши барыню, тогда получишь.

Иван стоял не двигаясь.

— Ну чего ж ты? Давай, давай, а то останешься без сала.

Иван постоял, подумал и стал нерешительно перебирать ногами.

— Ну, ну, быстрее, — подзадоривал Тюлькин.

Иван задвигал ногами быстрее. Это была не пляска, а какие-то нелепые прыжки, лишенные смысла и ритма. Иван уже полдня гонялся в поле за коровами и особенно за телятами, которые чуть что поднимали хвосты трубой и разбегались в разные стороны. Поэтому сейчас он быстро уморился. Пот струйками тек с висков, со лба, затекал в глаза. Не останавливаясь, Иван скинул с себя казахскую лохматую шапку, расстегнул гимнастерку и продолжал подпрыгивать на месте, широко открыв рот и бессмысленно пуча глаза. Тюлькин угрюмо подбадривал:

— Давай, давай, работай, зарабатывай на сало.

Он смотрел на ноги Ивана и думал: «Хорошо быть дурачком, было бы чего поесть да где поспать, а там хоть трава не расти. И обижай его — не обидится, потому что дурак».

Гошка шел мимо склада в магазин за папиросами. Он случайно увидел пляшущего Ивана и подошел поближе.

— Давай, давай, — подбадривал Тюлькин, — вот и Гошка хочет посмотреть. Хватит барыню, давай русского. Вот так, да побыстрей, а то сало не получишь.

— Опять балуешься, Тюлькин, — сказал Гошка и повернулся к Ивану: — Иван, перестань плясать.

Иван перестал. Поднял с земли шапку и дышал тяжело, по-рыбьи. Тюлькин посмотрел на Гошку, потом на Ивана и после некоторого молчания спросил:

— Ну, чего стал?

— Давай сало, — сказал Иван.

— А чего стал?

— Гошка сказал.

— Ну и проси у него сало, — подумав, посоветовал Тюлькин и, поднявшись, пошел прочь.

Гошка схватил его за рукав:

— Дай человеку сало.

— Вот ты и дай. Ты ведь начальник. Министр!

— Дашь сало?

— Не дам.

После выпивки Тюлькин становился храбрым.

У Гошки задрожали пальцы, и кровь отошла от лица. Он сжал пальцы в кулак и двинул им Тюлькину в подбородок. Тюлькин прошел спиной вперед шага четыре и, споткнувшись, сел в пыль посреди двора возле свиного корыта. Свинья, испуганно хрюкнув, отбежала в сторону, потом зашла с другой стороны и снова принялась чавкать.

— Ну ладно, — сказал Тюлькин, трогая рукой подбородок. — Я тебе, Гошка, это припомню.

Он поднялся, сплюнул кровь с прикушенного языка и пошел прочь.

— Пойду скажу Петру Ермолаевичу, пусть он тебя на пятнадцать суток оформит.

— Сначала дай Ивану сало, а потом пойдешь жаловаться.

Тюлькин, не отвечая, прошел мимо. Гошка опять схватил его за рукав:

— Открой склад.

Тюлькин посмотрел Гошке в глаза и понял: надо открывать.

Вечером к Гошке зашел Пятница. Сняв шапку, приглаживая ладонью пушок на голове, он сказал:

— Ты что ж это, Яровой, рукоприкладством занимаешься?

— Каким рукоприкладством?

Гошка сделал вид, что не понимает, о чем речь.

— Ну как каким? Вот Тюлькин жалуется, что ты его по физиономии съездил. Говорит: «В суд подам». Как же это получается? Я, конечно, на Отечественной не был, врачи в армию не пустили, но у нас в Первой Конной за это знаешь что делали? Не знаешь? А я вот тебе скажу: у нас за это... — Он долго думал, что в таких случаях делали в Первой Конной, но, так и не вспомнив, закончил: — У нас за такие дела по головке не гладили.

Гошка нахмурился:

— А что у вас делали в Первой Конной, если кто-нибудь издевался над раненым или больным?

— То есть как это — издевался? Что мы, деникинцы, что ли? У нас такого не было.

— А у нас было.

— Что было? Расскажи.

Гошка рассказал. Теперь нахмурился председатель.

— Да, брат, — сказал он, — в Первой Конной за такие дела, пожалуй, к стенке поставили б. Ну а как сейчас время не военное, то по морде, наверно, хватит.

Уходя, Пятница остановился в дверях и на всякий случай сказал:

— А вообще, Георгий, ты руки-то не особенно распускай. Не боксер.

Утром возле правления к Гошке подошел Иван и, протянув свой знаменитый пятак, сказал застенчиво:

— На, возьми.

— Зачем? — удивился Гошка.

— Машину себе купишь. Ездить будешь, как председатель.

9

В следующую субботу Илья Бородавка повесил на щите перед клубом афишу, извещавшую всех проходящих мимо, что в девять тридцать вечера в клубе начнется вечер молодежи. В программе — танцы под радиолу. Из всех видов культурно-просветительной работы Илья Бородавка пользовался в основном двумя: танцами и кино.

На должности заведующего клубом Илья оказался совершенно случайно. В прошлом году бывшая завклубом неожиданно вышла замуж за городского учителя и уехала. Полторы недели клуб был закрыт, и как раз в ту пору, когда с полевых станов все уже съехались в село. Из района никого не присылали. Молодежь роптала. Тогда председатель на очередном собрании колхозников спросил, не хочет ли кто занять освободившуюся должность. Все молчали. Знающих это дело людей не было, да и маленькая зарплата заведующего никого не устраивала. Наконец поднял руку счетовод Илья Бородавка и сказал тихо, но решительно, как будто шел добровольцем в опасную разведку:

— Я. Разрешите мне пойти.

Ему разрешили. Все были довольны. Правда, председатель сказал, что Илья на должность назначается временно, пока не пришлют кого-нибудь с образованием, однако всем было ясно, что с образованием никого не пришлют.

Илья взялся за дело со всей решительностью. Отремонтировал сцену, кинобудку, поставил несколько новых скамеек, а самое главное — потребовал у колхоза денег на покупку нового рояля. Рояль купили. Но так как никто не умел на нем играть, инструмент стоял без дела в глубине сцены. Илья сам стирал с него пыль, а чтобы никто без толку не стучал по клавишам, положил на крышку табличку: «Руками не трогать!» Эта заповедь была священной, и никто не решался прикоснуться к дорогому инструменту, кроме самого Ильи, который изредка, когда в клубе никого не было, открывал крышку, трогал наугад какой-нибудь клавиш и, приложив ухо к роялю, долго прислушивался к затихающему звучанию струн.

В этот день Гошка поздно вернулся из Актабара и, не заезжая ни домой, ни в гараж, остановился возле клуба. Так, в замасленных брюках, гимнастерке, кое-как очистив сапоги о скобу, прибитую возле крыльца, он вошел в клуб. Танцы были в полном разгаре. Вся молодежь была в клубе. Хромовые сапоги Аркаши Марочкина осторожно поскрипывали рядом с Лизкиными танкетками. Среди танцующих были две девушки-студентки, приехавшие из города на каникулы. Девушки эти танцевали только вдвоем и только «стилем». Во всяком случае, они сами так говорили. Должно быть, в городе, где они жили, девушки никогда не были «стилягами», но уж очень заманчива перспектива выглядеть в родной деревне по-иностранному.

— Гошка, привет!

Это крикнул Анатолий. Он танцевал с фельдшерицей Азалией, женой тракториста Степана Дорофеева. Сам Степан возле стены играл на маленьком столе в бильярд. Когда подходила его очередь, Дорофеев прикладывался к кию небритой щекой, долго целился, как из ружья, и бил каждый раз мимо. Потом отдавал кий напарнику, а сам ревниво глядел туда, где его жена танцевала с Анатолием.

Потом стали играть в почту. На блузках и пиджаках танцующих появились бумажные номерки. К Гошке подошел Илья Бородавка и тоже вручил номерок. Гошка приколол его к гимнастерке и почти тут же получил анонимку: «№27 в личные руки. Вам шлет чистосердечный пламенный привет молодая и прикрасная прынцесса».

Гошка посмотрел в глубину зала. «Молодая и прикрасная прынцесса», отворачиваясь, смущенно сверкнула «фиксой».

Гошка танцевать не умел, и делать ему в клубе было нечего. Он пришел с единственной целью — увидеть Саньку. Но Саньки не было. Гошка, постояв еще немного возле бильярда, стал пробираться к выходу. Именно в это время он увидел Саньку. Она вбежала в клуб в светлом платье, раскрасневшаяся и запыхавшаяся. И тут же к ней подлетел незнакомый парень из строительной бригады, недавно присланной из района. Он хотел, видно, пригласить Саньку на танец, но неожиданно между ним и Санькой встал Анатолий. Он что-то сказал Саньке, потом парню. Санька улыбнулась и положила руку на плечо Анатолию. Все это Гошка видел издалека. Он стоял возле стены и смотрел, как легко и свободно кружит Анатолий Саньку, и в это время завидовал своему другу. Вот они прошли почти полный круг и подошли к Гошке. Анатолий взял Саньку под руку и, подведя ее к Гошке, сказал:

— Ну а теперь вы станцуйте вдвоем, а то у меня нога что-то заболела.

— Я не умею танцевать, — сказал Гошка и покраснел, сам не понимая почему.

— Врет, — сказал Анатолий Саньке. — Танцует лучше всех. Балеймейстер.

Они прошли два круга. Гошка танцевал первый раз в жизни. Он держал Саньку за талию, стараясь это делать легко и свободно, и все-таки ему казалось, что держится он за горячий утюг. Кроме того, не получалось самое главное. Его кирзовые сапоги казались ему огромными, как пароходы. Он все время боялся наступить Саньке на ногу и смотрел вниз.

— Не смотри под ноги! — сказала Санька.

Но не смотреть он не мог. Ему было страшно. Его спасла сама Санька. Когда они проходили мимо дверей, она сказала:

— Выйдем на улицу. Жарко.

Минут через двадцать из клуба вышла Лизка. Утираясь платком, она увидела стоявшую в стороне машину. В кабине кто-то сидел, кто-то смеялся, кто-то целовался в кабине. Лизка из любопытства прислушалась к смеху и узнала Гошку и Саньку. Лизка вернулась в клуб. Аркаша пригласил ее на танго. Лизка танцевала, и выражение грустной задумчивости не сходило с ее лица.

— Ты чего? — вглядываясь в ее лицо, спросил Аркаша.

— Ничего, — сказала Лизка, — ничего. — И вздохнула.

«Нешто так можно, с первого вечера», — подумала она осуждающе.

10

— Ну чего, хватит, что ли, месить? — Лизка вышла из круга и выставила вперед вымазанную в глине ногу. — Саня, слей-ка, ноги помою. Да не сильно лей-то, а то еще раз к колодцу бежать...

Санька осторожно наклонила ведро. Струйка воды побежала по Лизкиной ноге и, смешиваясь с глиной, стекала на землю.

— Вчера Степан Дорофеев меня на мотоцикле катал. Только из-за магазина выскочили, и свет в аккурат на мельницу попал. А там двое как вскочат да как шарахнутся за мельницу! Парень с девкой. Кто б это, думаю, был, а? — Лизка скосила глаза на Саньку.

— Что у тебя за шпионские замашки, — поморщилась Санька. — Знаешь, что мы с Гошкой были. Ну и что?

— А чего это вы там делали?

— Да ничего не делали. Сидели и разговаривали.

— Девушки, скажите, пожалуйста, как пройти к правлению?

На дороге с чемоданом в руках стоял незнакомый, городской, судя по одежде, парень. На нем были простроченные из простой ткани брюки, которые в городах называют джинсами, желтая в клеточку рубашка навыпуск.

— А вам кого надо? — полюбопытствовала Лизка.

— Ну кого... председателя, что ли.

— А-а. Ну, пойдешь, значит, прямо, потом налево, потом опять прямо, тут тебе по праву руку и будет правление.

— Спасибо.

Парень пошел.

— А председателя-то в конторе нету. Его раньше вечера не поймаешь! — крикнула Лизка вслед приезжему и посмотрела на Саньку. — Кто такой, как думаешь?

Санька пожала плечами. Лизка проводила парня долгим взглядом и опять повернулась к подруге:

— Значит, вы там сидели и разговаривали?

— С кем?

— Ну с Гошкой-то.

— Не веришь? Честное слово, сидели и разговаривали.

— На мельнице? — усомнилась Лизка. — Поговорить, я думаю, и возле хаты на лавочке можно.

— Какая ты умная! — Санька вздохнула. — Ничего такого у нас не было.

— И не будет, — подставляя другую ногу, насмешливо поддержала Лизка.

— Будет или не будет, не знаю, а пока не было. Понимаешь, Лизка, боюсь я этого. Говорят, ребята после этого уже не любят. А вдруг Гошка меня разлюбит?

— Или бросит, — сказала Лизка.

— Нет, разлюбит.

— Ну это все равно, — сказала Лизка. — Что разлюбит, что бросит — все равно.

— Нет, Лизка. — Санька поставила ведро на землю. — Самое страшное — когда разлюбит. А там уж бросит или не бросит...

11

Утром Илья Бородавка пришел в клуб и заперся в библиотеке. От нечего делать занялся перестановкой книг. Каждую книгу он снимал с полки, обтирал байковой тряпкой и ставил на прежнее место. Увлеченный этим занятием, он не сразу услыхал, что кто-то играет на его любимом рояле. Илья прислушался. Нестройные звуки неслись из клуба. Илья почувствовал, что внутри его что-то оборвалось. С тряпкой в руках он вбежал в клуб. Какой-то парень в узких брюках и широкой клетчатой рубахе навыпуск («Должно быть, стиляга», — подумал Илья) сидел за роялем и бойко барабанил по клавишам всеми десятью пальцами. Илье было бы легче, если бы его самого стукнули по голове. Он подошел к парню и вежливо сказал:

— Молодой человек, на инструменте разрешается играть только музыкантам, которые умеют.

При этом Илья поднес ко рту руку и кашлянул в кулак, должно быть, для внушительности.

— А я немножко умею, — сказал неуверенно парень. Илья с сомнением посмотрел на его короткие пухлые пальцы и сказал:

— Что-то не верится. А ну исполните что-нибудь.

— А что именно?

— Полонез Огинского.

Это было единственное произведение из всей классической музыки, которое знал Илья.

Парень пожал плечами и ударил по клавишам. Сначала пальцы его ходили медленно, как бы нехотя, но потом они стали работать все быстрее и быстрее, и Илья уже не успевал следить за ними. Иногда парень высоко взмахивал рукой и с размаху ударял по клавишам.

— Да, — сказал Илья восхищенно. Он готов был прослезиться от умиления. — А я подумал, что вы стиляга, — виновато признался он. Помолчал и спросил нерешительно: — А фокстрот какой-нибудь вы тоже умеете?

А потом в клуб пришел председатель. В последние дни его мучили приступы ревматизма, и он ходил, опираясь на палку. Увидев незнакомого молодого человека, председатель решил, что это, должно быть, из обкома комсомола. «Опять какая-нибудь проверка», — недовольно подумал он. Однако он никак своего недовольства не проявил и, протянув гостю руку, представился:

— Пятница.

— Корзин, — ответил парень. Потом подумал и уточнил: — Вадим.

— Культуру проверять? — полуутвердительно спросил Пятница.

— Нет.

«Заливает», — подумал Пятница и на всякий случай стал рассказывать приезжему, какая работа по части улучшения культурно-просветительной работы ведется в Поповке и в целом по колхозу.

— Вы меня, очевидно, принимаете за кого-то другого, — перебил Вадим. — Я приехал сюда работать. Мне посоветовали в ваш колхоз.

— В наш колхоз? А-а, — догадался председатель, — молодой специалист? Агроном?

— Нет.

— Зоотехник?

— Нет.

Пятница перебрал в уме еще несколько специальностей и посмотрел на гостя.

— Ну а кто же ты?

— Я? Так просто... человек.

— Ну а все-таки?

— Я из Москвы... Учился в институте...

— Исключили?

— Нет, сам ушел.

— Зачем?

— Не знаю. Хочу поработать.

— Понятно, — сказал Пятница. — Нужен жизненный опыт.

— Откуда вы знаете? — удивился Вадим.

— Знаю, — сказал председатель. — Не ты первый, не ты последний. К нам сюда многие приезжают. — Он выдержал паузу. — Потом уезжают. Я для них в конторе расписание поездов повесил. Будет нужда, заходи, посмотришь. А пока устраивайся, куда-нибудь определим.

12

Всей деревне было известно, что в свободное время Илья Бородавка пишет стихи. Писать Илья начал, можно сказать, по необходимости. Вот уже лет пять он был бессменным редактором стенгазеты. А так как никому до газеты не было дела и никто не писал для нее заметок, Илья решил собственными силами сделать ее интересной и содержательной. Так с некоторого времени в газете стали появляться стихи за таинственной подписью «Фан Тюльпан». Илья вывешивал газету в коридоре клуба и в полуоткрытую дверь библиотеки ревниво следил за тем, как относятся к его творчеству читатели. Читатели читали, усмехались, а встречая завклубом, любопытствовали:

— Кто это у нас, интересно, поэт такой?

— Знаем, где взять, — отвечал Илья хотя и некстати, зато загадочно.

Примерно месяц тому назад Илья собрал несколько своих лучших, по его мнению, стихотворений и отправил в столичную газету с таким письмом:

«Дорогая редакция!

Я, Фан Тюльпан (настоящее фамилие Бородавка), посылаю вам несколько своих произведений на сельскохозяйственную тематику. Буду рад увидеть их на страницах печати вашей газеты. Сам я рождения двадцать седьмого года и заведую клубом в селе Поповка. Являюсь редактором стенной газеты. В заключение разрешите выразить надежду на ваше благополучное внимание.

Остаюсь Илья Ефимович Бородавка».

Как только приходила почта, Илья брал нужную газету, запершись в библиотеке, просматривал ее и оставался разочарованным.

Писал Илья, будто глыбы ворочал, — потел, пыхтел, но все-таки ухитрялся сочинять в день по два, по три, а то и по четыре стихотворения. Написанное складывал в бумажный мешок и хранил его под кроватью.

Вернувшись после разговора с Вадимом из клуба, Илья сел за стол и минут за пятнадцать написал стихотворение. Он даже сам удивился такой быстроте. Перечитав стихи и поправив на ходу одну строчку, Илья пошел за женой, которая при свечке чистила курятник.

— Слышь, Пелагея, — сказал он, встав в дверях, — иди в хату, стих расскажу.

Пелагея поставила в угол ведро и лопату, загасила свечу и послушно пошла за мужем.

— Вот, слухай, — сказал Илья, — «Подруге жизни Пелагее Бородавке — тебе, значит, — этот стих посвящает автор:

Я помню чудное мгновенье,
Я шел по улице тогда,
И ваши очи голубые
Взглянули ласково в меня.
И понял я, что жизня наша
Всегда имеет два путя...»

Пелагея легла на стол засаленным животом, подперла голову, смотрела в окно и думала о своем. Вот уже шесть лет, как они с Ильей расписаны, а детей все нет и нет. Соседка

Татьяна восьмерых родила, троих рожать отказалась — лишние, видать. А тут хоть бы один... В прошлом году ездили в город к врачу специальному. «Ничего, говорит, у вас нет, дети должны быть». Татьяна вчера приходила, посидела, семечки поплевала. «Чего-то, говорит, хочется еще родить. Пузо поносить хочется». А Пелагее разве не хочется?

...И я сказал вам: «Здравствуй, Паша,
Я долго ждал вот здесь тебя...»

В дверь постучали. Илья недовольно поморщился и, закрыв тетрадку, пошел открывать. Вошла Яковлевна. Села к столу, развязала ситцевую хусточку:

— Дуже душно. Там, у клуби, якийсь чи поет, чи поёт, в общем, вирши читае.

— Вадим, наверно? — встрепенулся Илья.

— Ну да, мабуть, Вадим. Той студэнт, шо прыихав. Я ходыла грабли шукать. Мои вчора стоялы биля сарайчику, а сьогодни вышла сино сгрэбать, дывлюсь — нэмае. Чи пацаны утяглы, чи шо. Пишла я до Павла-баптиста. «Дай, кажу, Павло, грабли на пивчаса, бо мои дэсь дилысь». А вин: «С сожалением, каже, дав бы, но самому зараз нужни». Бреше як собака. Ни разу из хаты нэ выйшов. Пиду, думаю, до Гальченка, у нього попрошу. А Гальченка дома нэма, и собака коло двору бигае. Ну, я повэрнулась тай назад. Трэба, думаю, в клуб зайты. Зайшла так, стала биля двэрэй, а той студэнт вирши читае. Шось такэ про любовь.

Илья схватил кепку и побежал к дверям.

— Ты куда? — спросила Пелагея.

— Сейчас приду, — сказал Илья.

13

В клубе возле сцены стоял окруженный колхозниками Вадим и, выбрасывая вперед правую руку, читал:

Мы в угольных шахтах потели,
Пилили столетние ели.
Мы к цели брели сквозь метели,
Глотая махорочный дым.

Фуфаек прокисшая вата
Мне тоже знакома, ребята.
Привыкли кирка и лопата
К рабочим ладоням моим.

— Здорово протаскивает! — сказал восхищенно Марочкин.

— Я чего-то не понял, — сказал стоявший рядом с Марочкиным Анатолий. — Это кто там в шахте потел? Ты, что ли?

— Нет, не я, — смутился Вадим. — Нельзя так буквально понимать стихи. Я — это мой лирический герой.

— А я думал, ты — это ты и есть, — сказал Анатолий.

— Ну это все равно что я. Это мой внутренний мир.

— А я думал, ты и снаружи такой, — разочарованно сказал Анатолий, и все засмеялись.

Только Гошка дернул Анатолия за рукав и сказал тихо:

— Брось, зачем ты?

Илье стихи Вадима очень понравились. «До чего складно, — подумал он с завистью. — Мне бы так». С трудом протолкавшись к поэту, он попросил:

— Можно вас на минутку?

— Можно.

Они заперлись в библиотеке и в течение полутора часов вели секретный разговор, после которого Илья сбегал домой и, достав из-под кровати заветный лирический мешок, вернулся в клуб.

— Вот, — сказал он, передавая мешок Вадиму, — здесь все. Только смотри, чтоб ничего не пропало.

Илья шел домой, и настроенние у него было хорошее. Ему было приятно оттого, что он поговорил сегодня с таким интересным человеком. Все-таки образованный и пишет. И печатался в четырех газетах и одном журнале. Когда они сидели в библиотеке, Илья прочел Вадиму несколько своих стихотворений. Вадим стихи похвалил, но сказал, что на месте Ильи он писал бы прозу. Например, записки заведующего клубом.

— Опишите обычные свои трудовые будни. По-моему, это будет очень интересно и актуально.

Придя домой, Илья достал из тумбочки чистую тетрадь и написал на обложке:

«ДНЕВНИК
заведующего клубом
Ильи Ефимовича Бородавки.
Начат в селе Поповка 14 августа 1960 года».

Илья открыл первую страницу и своим красивым почерком написал: «Сегодня в наше село Поповка прибыл молодой поэт. Он охвачен патриотическим подъемом убрать казахстанский миллиард...»

Дальше ничего не писалось. Илья посидел, поскреб обратной стороной ручки в голове и, ничего не придумав, лег в постель, к теплому телу жены.

Когда Вадим шел с мешком по улице, встретился ему Анатолий и спросил удивленно:

— Что несешь?

— Илья Бородавка, — сказал Вадим, вытягивая руку с мешком. — Собрание сочинений в четырех мешках. Мешок первый.

В заливных лугах за Ишимом косили сено. Гошка вез сено в Поповку. Машина была перегружена, и Гошка с тревогой замечал, что на ухабах передние колеса отрываются от земли. Подъезжая к мосту, он сбавил скорость, но это его не спасло. Мост был горбатый, и на самом въезде машина задрала нос и поползла назад. Гошка выжал сцепление и тормоз. Машина встала на задний борт и покачивалась. Река, Поповка, горизонт ушли вниз. Над ветровым стеклом висели облака. Гошка выругался и вылез из кабины.

Машина стояла на заднем борту и сушила на солнце передние колеса.

Подъехал Анатолий. Он обошел машину и почесал в затылке.

— Дела! А у меня и троса буксировочного нет.

В кабине у него сидел Вадим.

— Эй, Вадим! — крикнул ему Анатолий. — Сбегай в правление, пускай трактор сюда гонят.

Вадим вылез из кабины и нехотя затрусил в гору.

— Бегун, — глядя ему вслед, проворчал Анатолий. — Слушай, Гошка, ты зачем Саньке разрешаешь с ним по вечерам заниматься?

— А что? У них же репетиции.

— Репетиции... Смотри, дело, конечно, не мое...

— А что?

— Да ничего! Часто у них репетиции.

— Отстань.

В последние дни он почти не видел Саньку. Работала она по-прежнему на стройке, где Гошка уже не бывал. А по вечерам Санька уходила в клуб и пела под аккомпанемент Вадима разные песенки. Времени для свиданий не было. Отчасти такое положение вещей Гошку даже устраивало — ему надо было готовиться к пересдаче немецкого. Но какая-то смутная, еще не осознанная тревога волновала и его.

Гошка поднял с земли щепочку и стал счищать налипшую на сапог глину. Потом разогнулся и увидел Саньку. Перепрыгивая через лужи, Санька бежала к реке. Косынка у нее развязалась, она на ходу сорвала ее с головы и бежала, размахивая косынкой, как флажком.

— Уф! — Санька перевела дыхание и посмотрела на Гошку. — А Вадим мне сказал, что ты совсем перевернулся.

— А ты испугалась?

Санька посмотрела ему в глаза.

Испугалась. Видно по ней. При чем здесь Вадим?

Гошка насмешливо взглянул на Анатолия.

— Чего ты на меня уставился? — спросил Анатолий.

— Ничего. Вон трактор идет.

От Поповки к реке торопился «ДТ-54». Из его кабины высовывалась кудрявая голова Аркаши Марочкина.

14

Как только начали убирать силос, Саньку перевели на новую работу — весовщицей на автомобильные весы. Теперь она часто виделась с Гошкой, потому что, перед тем как везти силос к яме, Гошка должен был заезжать взвешивать машину. Время было горячее, перекинуться словом некогда, и все-таки, издалека завидев Гошкин «ЗИЛ» с покореженным левым крылом, Санька радовалась, что вот опять она сможет увидеть его.

В этот день Гошке не повезло. С утра он проколол заднюю камеру, и, пока менял колесо, другие сделали уже по две ходки, а Павло-баптист успел сделать три. Смонтировав колесо, Гошка гонял машину на полной скорости, чтобы догнать других, но тут новая неприятность — сломался комбайн.

Когда в конце дня Гошка подъехал к весам, на них стояла машина из Кадырской автобазы. Шофер, здоровенный парень с выпирающей под майкой грудью, размахивая руками, спорил о чем-то с Санькой.

— Вот, — сказал он подошедшему Гошке, — на прынцип идет. Одну ходку, говорю. За свое, что ли, боишься?

Сев в кабину, он сердито хлопнул дверцей, так что весы ходуном заходили, и укатил.

«Здорово Санька его, — въезжая на весы, подумал Гошка, — какой умный, ходку ему».

Санька поставила рычаг весов на защелку и, посмотрев в свой блокнотик, сказала неуверенно:

— Гоша, я тут что-то напутала. У тебя шесть ходок только?

— Правильно, — сказал Гошка. — Шесть.

— Как же это? У других по восемь, по девять...

— Так получилось. Я много стоял.

— Ну ладно, — сказала Санька и стала заполнять путевку. — Восемь ходок хватит?

— Ты что? — Гошка вырвал путевку из ее рук. — Не надо.

— Ну а чего? Пускай, — просительно сказала Санька.

— Не надо, Саня, обойдемся.

— Как хочешь! — Санька обиженно поджала губы. — Я хотела как лучше.

— Разве так можно, Саня? — сказал Гошка и взял Саньку за локоть. — Ведь ты ему вон не приписала.

— Так то ж ему... — сказала Санька и расплакалась. — Так то ж ему... Проезжай давай. Не мешай работать.

15

Накануне концерта художественной самодеятельности Санька и Вадим поздно задержались в клубе. Ушли участники хора, ушли трое исполнителей одноактной пьесы про лодыря «Баранчук проснулся», а Вадим еще долго сидел за роялем и заставлял Саньку повторять то ту, то другую строчку «Подмосковных вечеров».

— Ты пойми, это твой коронный номер. Ты должна исполнить это с блеском. Ты должна исполнить это не хуже, чем... — он назвал фамилию известной певицы.

— Сравнил! — сказала Санька. — Она певица, а я кто?

— Горшки обжигают не боги, — сказал Вадим, — надо работать! Способности у тебя есть.

Он закрыл крышку рояля, и они вышли в коридор. Санька смотрела, как Вадим возится с дверным замком, все никак не может закрыть его. Странный человек этот Вадим. Он ни к чему не приспособлен, ничего не может. Его сейчас поставили работать грузчиком на силосе, эта работа выматывает его, но вечером он аккуратно приходит на репетиции и занимается в клубе допоздна. Он не похож ни на Гошку, ни на Анатолия, ни даже на тех летчиков, которых она знала в своем городе.

Вадим говорит туманно и, наверно, поэтому красиво. И его хочется слушать. Он много знает. И совсем непонятно, зачем он сюда приехал и что ему здесь надо.

— Пойдем!

Вадим наконец справился с замком. Они вышли на улицу.

— Смотри, — сказал Вадим и остановился.

Санька оглянулась вокруг, но ничего не увидела.

— «Ночь тиха. Пустыня внемлет богу, и звезда с звездою говорит», — с чувством прочел Вадим. — Красиво. Люблю ночную степь. Ты знаешь, когда я учился в школе, мы ходили в турпоходы. Больше всего, Саня, я любил ночные привалы. Пылает огонь, трещит хворост, и искры уносятся в синюю тьму. Сейчас бы пойти в поход. Далеко. Километров за сто. И чтобы вокруг ни деревни, ни человека — никого и ничего.

По улице мимо клуба шли парни с гармошкой. «Увидят с Вадимом, сплетен будет...» — подумала Санька и заторопилась.

— До свидания, Вадим, я пойду.

— Уже уходишь? — грустно спросил Вадим. — Хочешь, я тебя провожу?

— Нет, нет, я сама.

Она пошла домой и думала о Вадиме. Зачем здесь живет этот парень? Хочет в поход ходить. На сто километров. Санька не слышала, чтобы у кого-нибудь из ее знакомых возникало такое желание. Вот хоть бы у Гошки. Гошка... Конечно, он прав в этой ссоре. Но Саньке тоже не хотелось сдавать позиции. И вот уже четыре дня они не разговаривают. И опять виновата она. Гошка раза три пытался заговорить, но Санька каждый раз становилась глухой. Гошка ездил злой и измученный. «Надо будет завтра мне помириться с ним», — подумала Санька и ускорила шаги. Пора было спать.

16

Над Поповкой плыли облака, настолько тонкие и прозрачные, что сквозь них просвечивали звезды. Дядя Леша расправил в бричке слежавшееся сено и, улегшись на него, положил рядом с собой ружье-централку. Спать не хотелось. Сегодня было заседание правления, и на нем решили платить колхозникам от шестидесяти лет и старше пенсию, как на производстве.

Яковлевна, которая рассказала об этом дяде Леше, насчет размера пенсии ничего толком не знала. Вроде бы должны платить по тридцать трудодней в месяц да еще надбавка за выслугу лет. За двадцать пять лет — десять процентов, за тридцать лет — не то пятнадцать, не то двадцать процентов. Дядя Леша сначала подсчитал, сколько получится, если надбавка будет двадцать. Выходило неплохо — тридцать шесть трудодней без всякой работы. А если пятнадцать? Дядя Леша снова стал подсчитывать, но тут же сбился со счета. Он плюнул с досады и стал пересчитывать еще раз, но на этот раз его сбили Гошка и Санька, которые шли мимо склада и разговаривали о чем-то. «Может, насчет пенсии», — подумал дядя Леша и прислушался. Говорила Санька:

— Ты, Гошка, хороший, только... ну я не знаю, как сказать. Вот смотри: ночь, степь... Ты хотел бы пойти в поход далеко-далеко, километров... на сто?

— Нет, не хотел бы, — сказал Гошка. — Мы как-то в армии ходили на двадцать пять километров, я портянку плохо намотал и ногу стер до крови.

— При чем здесь портянка? — вздохнула Санька.

— Как — при чем? Чтобы ходить в походы, надо уметь портянки наматывать.

— Вот видишь... портянки. А вот скажи, ты хотел бы совершить какой-нибудь подвиг?

— Зачем?

— Ну ни за чем. Просто так.

— Просто так не хотел бы, — сказал Гошка. — Вот если б для дела...

— А для меня?

— Для тебя?

— Да, для меня. Соверши для меня какой-нибудь подвиг.

— А какой? Ну хочешь, я тебя... на руках понесу?

— Понеси меня на руках, — упавшим голосом сказала Санька.

Дядя Леша не поверил своим ушам, приподнялся на локте и неодобрительно посмотрел вслед уносящему Саньку Гошке. Виданное ли дело — девок на руках носить! И вслух передразнил: «Хочешь, я тебя на руках понесу!»

Чудная молодежь пошла! Он вот свою жену никогда на руках не носил. Да и то сказать, в ней и смолоду пудов шесть было...

— Стой! Кто идет? — крикнул дядя Леша и на всякий случай потянул к себе заряженное солью ружье.

— Я, — ответила, приближаясь, расплывчатая в темноте фигура, и дядя Леша узнал в ней собственную супругу.

— А я уж тебя хотел солью, — сказал дядя Леша. — Чего пришла-то?

— Та вот сметанки тоби прынэсла. Исты будэшь?

Дядя Леша только сейчас вспомнил, что он сегодня не ужинал. Он встал с брички и, разминая затекшие ноги, сказал:

— Пойдем, вон там на приступочках посидим.

— А ружье где?

— Там, в бричке. Нехай лежит.

Яковлевна размотала тряпку и вынула из нее маленький глечик со сметаной. Дядя Леша ел сметану долго, потом вымазал остатки хлебом и положил корку в глечик, потому что выбрасывать — грех. Вытер губы, посмотрел изучающе на жену и поманил ее пальцем:

— Поди-ка сюда.

— Чого тоби?

— Иди, иди, не укушу.

И когда Яковлевна подошла, дядя Леша неожиданно обхватил ее руками и попытался приподнять. Яковлевна, вырываясь, размахивала руками и кричала полусердито:

— Пусты... Дурэнь старый... Тоже выдумал шутки...

С годами дядя Леша ослаб, а жена, видимо, еще прибавила в весе. Дядя Леша отпустил ее и, махнув рукой, сказал огорченно:

— Ладно, иди... бомба водородная.

Яковлевна ушла. Дядя Леша долго вздыхал, думая об ушедшей силе, но потом мысли его опять вернулись к вопросу о пенсии. Дядя Леша подумал, что, когда ему назначат пенсию, он вместе с женой уедет к сыну, который служит летчиком где-то на Кавказе. Он подумал о том, как обрадуется сын, и представил себе эту встречу в лицах. «Здравствуй, сынок», — сказал дядя Леша слабым голосом, обращаясь к воображаемому сыну, и сам себе ответил радостно: «Здравствуй, батя! Очень радый вас видеть! Как доехали?» — «Ничего, спасибо...»

— С кем это ты разговариваешь?

Дядя Леша вздрогнул и увидел перед собой Гошку. Проводив Саньку, Гошка возвращался домой.

— С собой. Это мне по должности моей одинокой полагается, — пояснил дядя Леша. — Из-за скуки своей разговариваю. Дома хоть с бабой поговоришь, а здесь... — сторож махнул рукой.

С бабой! Вот живет человек всю жизнь со своей женой и всю жизнь зовет ее «баба». И может, за всю жизнь ласкового слова ей не сказал.

— Дядя Леша, а ты свою бабу любишь?

— Чего?

— Ну, она у тебя хорошая?

— Да как тебе сказать... — задумался дядя Леша. — Ничего вроде бы. Тяжелая она, — вздохнул он, вспомнив недавнее.

17

Экзамен принимала старая Гошкина учительница, которая не была требовательной. Она заставила только прочесть несколько строк и проспрягать два глагола. И Гошка испытал то едва ощутимое чувство легкой обиды, когда требуют очень мало, а ты способен на большее. Потом Гошка пошел к директору, и ему тут же вручили хрустящий аттестат. Гошка пожал протянутую ему холодную руку директора.

«Ну вот, — подумал он, — среднее образование». Оно ему досталось с таким трудом, и он даже удивился, что особой радости по этому поводу не было. «Так, наверно, всегда, — подумал он, — когда добьешься чего-нибудь, уже не интересно». Сейчас все ему почему-то давалось очень легко. Даже машина завелась с пол-оборота.

Выезжая из брода, Гошка увидел на берегу человека. Человек поднял руку. Гошка затормозил.

— А, наше вам! — в восторге закричал человек и сверкнул стальными зубами. Это был тот самый фотограф, с которым Гошка писал сочинение. Фотограф был тогда первым из заочников, кто завалился.

— До Ивановки подвезешь? — спросил он.

— Садись.

— Свой парень, — сказал фотограф, влезая в кабину, но, когда немного проехал, вдруг спросил озабоченно: — А сколько возьмешь?

— Десятку.

Фотограф дернулся к дверце:

— Останови.

— Зачем?

— Ох ты — десятку! Другие и трояку рады.

— Ладно, сиди. Ничего я с тебя не возьму.

— Ха-ха, шутник! — радостно воскликнул фотограф, удобно устроившись на сиденье, и начал рассказывать, что, кроме сочинения, он завалил и геометрию с тригонометрией, и химию, но ему наплевать, потому что сейчас среднее образование — все равно как раньше четыре класса, и вообще на своей работе он обойдется без него. Вылезая против Ивановки, он спросил:

— Может, все же возьмешь трешницу-то?

— Вылазь.

— Как хочешь, — сказал фотограф и, поправив на бедре фотоаппарат, пошел прочь.

18

В первый же день уборки Илья Бородавка отобрал десятка два книг из тех, что поинтересней, и, связав их стопкой, вышел на дорогу ловить попутную машину. Ему повезло. Не прошло и пяти минут, как на дороге появился Гошкин «ЗИЛ-150». Илья забросил книги в кузов, где лежал большой фанерный ящик с продуктами, и они поехали.

Было жарко. Хвостатое облако пыли тянулось за идущей впереди «Волгой».

— Хорошие книжки везешь? — спросил Гошка.

— А как же! Самые зачитанные выбрал.

— А когда же ты свою книжку дашь почитать? — пошутил Гошка.

— Свою? Да вот жду, чего из Москвы ответят. У меня, Гошка, грамотности не хватает. А стихотворения я писать могу. Талант у меня к этому делу есть, это я знаю. Вот насчет прозы не скажу. Тут я не силен. Захотел я описать нашего председателя, какой он есть. Ну и пишу: «Высокий, стройный, с умным взором в глазах». А он, может, и высокий, да толстый, как беременная баба. Какая уж тут стройность. Не получается, да и все. — Илья вздохнул. — А насчет стихов — это мне раз плюнуть. Другой раз, поверишь ли, идешь — и вдруг в голову чего стукнет. Приду домой, запишу. Через пятнадцать минут стих готов. А вот грамотность — да-а. Тут мне еще надо над собой работать. Говорил я Вадиму: «Исправь ошибки, а потом деньги и все такое на двоих». — «Некогда», — говорит. Не хочет заработать, что ли? А знаешь, я сегодня стих накатал. Послушай: «Воспоминание о любви».

Стихи были длинные. Когда Илья поинтересовался Гошкиным мнением, Гошка ответил:

— Не знаю. По-моему, непонятно.

— Так это ж стихи, — снисходительно объяснил Илья.

На стане народу было полно, и все занимались разными делами: одни натягивали на колья палатку, другие копали в земле печку, третьи перетаскивали вещи.

Гурий Макарович Гальченко, которого назначили на стан бригадиром, шел с Пятницей по краю поля и недовольно размахивал руками.

— Як тут косылы — нэ поймэшь. Тут навесной жаткой, там прыцепной. Тут ни одного валка, тут три валка зразу. Абы скосыть.

Потом Павло-баптист привез шефов — рабочих с консервного завода. Шефы сбрасывали на землю вещмешки, чемоданы, матрацы и тащили все это в палатку. Вместе с ними приехал на стан Вадим, который первую машину проспал. Вскочив на ящик с продуктами, Вадим торжественно произнес:

— Приветствую тебя, пустынный уголок!..

— Эй ты, уголок! — крикнул Микола. — Ящик проломишь!

Гурий Макарович собрал шефов в кружок за палаткой и проводил перекличку:

— Знаме́нский!

— Зна́менский, — поправили его.

— Це по-вашему, по-городскому, а по нашему Знаме́нский, — сказал Гурий Макарович, но в следующей фамилии сделал поправку на городское произношение. — Во́лынский!

— Волы́нский, — поправили его.

— А, вас нэ поймэшь! — Гурий Макарович махнул рукой. — Буду читать по-своему.

После переклички следовал инструктаж. Инструктаж был кратким и выразительным:

— Ну шо вас тут инструктыровать? Це трактор, це комбайн, це копнитель. Прошлый год у нас тут тоже булы городские, так некоторые путалы. Ну, трактор и комбайн вам знать нэ надо, вы будэтэ работать на копнителе. Правильно вин называется чи соломополовокопнитель, чи половосоломокопнитель, вам це тоже знать нэ нужно. Шо вам трэба для работы? Дви руки, шоб дэржать вила, дви ноги, шоб нажимать на педали. Шо ще? Курыть на копнителе нэ положено, но хто курэ, всэ одно нэ вдэржится. Значить, шо? Курыть осторожно. Прыгать на ходу з копнителя нэ положено, но прыгать прийдэться. Значить, прыгать так, шоб нэ попасты пид колэсо. Всэ ясно? Вопросов нэма? Пишлы розпысуваться за технику безопасности.

На поле выехали после обеда. Гурий Макарович расставил все семь комбайнов так, чтобы они были на одинаковом расстоянии.

Аркаша Марочкин хотел трогаться первым, но Гальченко его остановил:

— Нэ лизь попэрэд батька в пэкло.

Он еще раз прошел по краю поля, потом поднялся на свой комбайн и поднял руку:

— Поихалы!

И сразу загудели моторы, заработали приводы комбайнов, тронулись с места трактора. Первые метры валков потекли в молотилки.

Илья Бородавка, вернувшись со стана, вспомнил, что видел он за этот день, и написал в своем дневнике:

«Сегодня началась борьба за казахстанский миллиард! Наш бригадир Гурий Макарович Гальченко встал на своем любимом комбайне и своим свежим голосом сказал: «Поехали!» И сердца у всех задрожали в сладостном волнении, будто лопнула в них какая струна. И все закричали «ура».

Илья подумал и дописал:

«А на копнителях с вилами в руках стояли наши дорогие шефы. Они пели веселые песни».

Дальше ничего не получалось.

«Эх, был бы я писатель», — грустно подумал Илья и отложил дневник в сторону.

19

В этот день, когда на стане был Илья Бородавка, произошла некоторая заминка с распределением кадров. Закрепив комбайны за комбайнерами, трактора за трактористами и копнители за приезжими шефами, Гурий Макарович совсем выпустил из виду Вадима. Вадим подошел к нему:

— А мне что делать?

— Тоби? — Бригадир был явно озадачен. — А шо ты можешь робыть?

— Вин на рояли грае, — подсказал Микола.

— Гм... на рояли... От бида. А в мэнэ сим комбайнив и ни одного рояля. Ну, а шо ще ты можешь робыть?

Вадим пожал плечами.

— Вин ще вирши пыше, — подсказал Микола.

— Значить, вирши... Так издательства в мэнэ тоже нэмае. Щось в тэбэ таки спэциальности нэподходящи. А шо, як я тэбэ поваром назначу? Работа дуже проста, интеллигэнтна. Бэрэшь видро воды, видро крупы и жменю соли. Казан е, кизяк е, солярка е. Работай.

Но очень скоро Гурию Макаровичу пришлось раскаяться в своей неосмотрительности. Вечером, когда комбайны пришли с поля и все, расхватав алюминиевые миски, кинулись к кухне, оказалось, что никакого ужина нет. Гречневая каша наполовину не доварилась, а наполовину пригорела.

— Шо ж ты так, а? — сетовал Гурий Макарович на незадачливого повара. — Можно ж було воды добавыть.

— Вы сказали — ведро, я ведро и налил. — Вадим был расстроен. Гальченко посмотрел на него и пожалел:

— Ну ладно. А як насчет чаю?

— Чай есть.

— Тягны сюды сахар, масло... Шо ще у нас есть... Колбасу. Хлопцы, сьогодни будэм вэчерять сухым пайком.

— Шо? — возмутился Микола. — Цилый дэнь робылы...

— Мыкола! — Бригадир повысил голос.

После этого случая Гальченко составил график, по которому пищу варили все в порядке очередности. Вадим стал постоянным рабочим по кухне. В его обязанности входило залить котел водой, растопить кизяк, принести, если нужно, продукты.

Однажды очередной повар Степан Дорофеев стоял на кухне и огромной суковатой палкой помешивал кашу в котле. Вадим, кусая карандаш и изнывая от жары, лежал в палатке и сочинял очередное стихотворение. Потом встал и подошел к Степану.

— Хочешь, стихи новые прочту?

— Стихи? А чего ж, валяй, — поощрил Степан. Он оперся на палку и приготовился слушать.

Еще туманы бродят по земле,
Еще не встало солнце за спиною,
Но на комбайне, как на корабле,
Я отправляюсь в плаванье степное.
Пусть от жары в глазах круги рябые,
Дымит земля поземкой ковыля...
Земля, ты — покоренная рабыня,
Я — бог и повелитель твой, земля.

— Ну как?

— Ничего вообще-то. — Степан почесал в затылке. — Занятно. Слышишь, а как это все у тебя получается?

— Что — как?

— Ну вот так, чтоб складно было?

— Не знаю. — Вадим замялся. — Это трудно объяснить.

— Да-а... А зачем это ты все сочиняешь? Трудно небось голову ломать.

— Нелегко. Но, понимаешь, стихи помогают людям жить, работать...

— А-а, работать, — сообразил Степан. — Это я, значит, кашу варю, а ты мне помогаешь?

И Вадим не понял — то ли Степан шутит, то ли всерьез говорит.

20

Вторую неделю идет дождь. Постоянно, беспрерывно он стучит по брезенту палатки и с шорохом скатывается на раскисшую землю. Дует ветер. В палатке холодно и сыро. Пахнет мокрыми телогрейками и тулупами. Каждый выбирает себе занятие по вкусу. Четверо режутся в домино. Степан Дорофеев и Микола играют в шахматы. У Миколы ангина. Поэтому он перевязал горло серым полотенцем и хрипит на всех, кто задерживается у входа.

Гошка лежит на постели в бушлате и читает книжку.

— Гошка, как ты думаешь, в этом, наверное, есть своеобразная романтика?

Это спрашивает Вадим. Он лежит рядом, натянув одеяло до самого подбородка.

— Что? Романтика? — Гошка долго не может сообразить, в чем дело. — Не знаю, Вадим.

— Ну а зачем же мы тогда сидим?

— Ну как? Ну... нужно так, вот и сидим. Урожай комунибудь нужно убирать.

— А-а, урожай.

В первый день дождя, когда сверкали молнии и грохотал гром, все стояли, скучившись, в палатке, а Вадим шатался по полю и пел: «Будет буря, мы поспорим...» Теперь он тоже иногда ходит спорить с бурей, но редко.

— Хорошо бы сейчас домой. Присесть в теплом углу, посмотреть телевизор... Вот почему здесь нет телевидения?

— Будет, — отвечает Гошка. — В том году обещают построить станцию.

— Будет, будет... А знаешь, хорошо бы пойти сейчас в ресторан. В Москве я после стипендии всегда ходил в «Арагви». Там бывают поэты, художники... Да что «Арагви»... Мне бы сейчас стакан газированной воды без сиропа. Ты не хотел бы газированной воды?

— Не знаю. — Гошка пожимает плечами. О газированной воде он просто не думал.

Вадим поднимается и выходит из палатки.

В стороне от палатки выстроились в ряд трактора и комбайны. Возле крайнего трактора возится Аркаша Марочкин. У него заедает сцепление. Пользуясь непогодой, Аркаша решил устранить неисправность.

Каждому поэту хочется, чтоб его слушали. Вадим подошел к Марочкину:

— Аркадий.

— Чего тебе?

— Как сцепление? Получается что-нибудь?

— А чего ж не получиться. — Аркаша сплевывает сквозь зубы. — Я ж механик-водитель. Танки, бывало, по кусочкам разбирал. А трактор...

— Аркадий, а у меня и про трактора стихи есть. Хочешь прочту?

Вадим боится, что его не дослушают, и торопится:

Облака лиловые висели,
Полыхали синие ветра...
Вдавливая гусеницы в землю,
Медленно катились трактора.

— Да-а... — Аркаша задумался. — «Вдавливая в землю...» Слышь, Вадим, сбегай к Степану, возьми у него ключ на двадцать два. Скажи, Аркадий просил.

Вот так все. Никто не понимает, никто слушать не хочет. Хоть бы Бородавка приехал, что ли. Вадим приподнимает полог палатки, просовывает внутрь голову:

— Терем-теремок, кто в тереме живет?

— Залази, а то дует, — хрипит из своего угла Микола.

21

В один из дождливых дней Степан Дорофеев, который выходил на улицу по своим делам, вдруг приоткрыл полог палатки и сказал:

— Там кто-то скачет.

— Шо ты мэлэшь? — сказал Гурий Макарович.

— Ну посмотрите.

Кто мог тащиться по степи в такую пору да еще верхом на лошади? Любопытство было настолько большим, что даже Микола выскочил из палатки, обмотав вокруг шеи серое полотенце. Он вгляделся пристально в скакавшего от разъезда всадника и удивился:

— Так то ж баба!

— Шо?

— Та ни шо. Баба, кажу.

Это была Лизка. Возле самой палатки она, откинувшись в седле, натянула повод. Лошадь косилась на людей, раздувала ноздри и перебирала тонкими в забрызганных чулках ногами.

— Аркаша! — Лизка спрыгнула с седла чуть ли не в руки любимого.

— Ну, чего ты, — сказал Аркаша, отступая. — Чего приехала?

— Соскучилась, — сказала Лизка, не обращая внимания на посторонних. С рукавов, с капюшона ее брезентового плаща стекала вода. — Ну, чего встал-то? Аль не рад? Веди в свою хату, — она презрительно скользнула взглядом по палатке.

В палатке вытряхнула из складок капюшона остатки дождя, достала из-под полы привязанный к пояску большой узел.

— Вот, — сказала Лизка, развязывая узел прямо у входа, — пирогов тебе напекла. Носки вот привезла теплые. Сама вязала, — подчеркнула она.

Они сели на Аркашину постель. Лизка сняла резиновые сапоги и поджала под себя ноги. Смущаясь взглядов товарищей, Аркаша нехотя жевал испеченный Лизкой пирог.

— Холодно тут у вас, — сказала Лизка.

— Холодно, — подтвердил Степан. — Привезла бы ты лучше милому одеяльце ватное или тулупчик. Знаешь, как говорится: сейчас бы ружьишко, тулупчик и... на печку.

Все засмеялись. Аркаша отложил полпирога в сторону, поднялся.

— Ну, может, ты поедешь? — сказал он почти ласково. — Погостила — и будет.

— Ну и хозяин, — покачала головой Лизка. — Сейчас гулять пойдем. — И потянула к себе сапог.

— Гулять? Дождь на дворе.

— А мне двадцать пять километров ехать — не дождь? Пойдем, не сахарный.

— Ну пойдем, — покорно согласился Аркаша.

— Иди, иди. Она тебя захомутает, — сказал ему вслед Степан, но тут же поперхнулся под колючим Лизкиным взглядом. — Ну и баба! — сказал он, когда она вышла.

Уезжала Лизка перед вечером, когда надвигались тяжелые дождливые сумерки. Она отвязала лошадь от палатки и неловко, по-бабьи, влезла в седло.

Гошка подошел к Лизке и спросил, не передавала ли ему чего-нибудь Санька.

— Нет, не передавала. Но-о! — Она замахнулась на жеребца кулаком, и тот вихрем понес ее по дороге.

22

На другой день по Поповке пронесся слух, что Аркаша Марочкин дал твердое согласие расписаться с Лизкой, как только закончится уборка. Узнала об этом и Тихоновна. И самое обидное было в том, что узнала она об этом через сторонних людей. К тому, что теперь дети не спрашивают родительского благословения и даже не советуются с родителями, она уже привыкла. Но хоть бы сказал! А то приходит выжившая из ума старуха Макогониха и говорит — так, мол, и так. Тихоновна целый день ходила по комнате как неприкаянная, а вечером, когда вышла встречать корову, увидела на улице Лизку.

— Зайди в хату, — приказала она Лизке. — Подожди меня. Я сейчас, только корову в лабаз загоню.

Лизка послушно зашла в дом и сидела там в полутьме, пока не вошла Тихоновна.

— Чего ж свет не включаешь? — сказала она. — Привыкай, хозяйкой будешь.

Щелкнул выключатель, и Лизка зажмурилась от яркого света. Тихоновна села на стул и долго смотрела в упор на Лизку, которая, потупив глаза, нервно перебирала подол шелкового платья. Потом встала, вынула из печи закопченный казанок, налила в тарелку борща, поставила перед Лизкой:

— Ешь.

Сложив на груди руки, опять смотрела на будущую свою сноху. Лизка очень хотела есть, но, боясь показаться обжорой, ела медленно.

— Ты что ж лоб не крестишь? — сурово спросила Тихоновна.

Лизка бросила ложку и в замешательстве поднесла ко лбу сперва правую, потом левую, потом опять правую руку.

— Ладно, это я так, — сказала Тихоновна.

Лизка, оставив для приличия полтарелки борща, отложила в сторону ложку.

— Еще насыпать? — спросила Тихоновна.

— Нет, благодарю.

— Кашу есть будешь?

Лизка промолчала. Тихоновна наполнила тарелку гречневой кашей, бросила сверху кусок масла. Масло таяло и растекалось по миске желтым пятном. Каша пахла так аппетитно, что Лизка, позабыв уже о всяких приличиях, уплетала ее за обе щеки, громко чавкала и каждый раз вылизывала ложку.

«Эко жрет», — подумала Тихоновна и еле слышно спросила:

— Значит, вы уже про все договорились?

— А? — очнулась Лизка.

— Договорились, говорю, про все? — повысила голос Тихоновна.

— Ага, — испуганно сказала Лизка.

Тихоновна смотрела на Лизку и долго вздыхала, собираясь с мыслями.

— Ну вот что, Лизавета... — начала она. Она хотела сказать Лизке, что раз уж та окрутила ее единственного сына, раз она отняла его у матери, так чтоб берегла его, чтоб смотрела за ним. И много еще кой-чего хотела она сказать Лизке, но ничего не сказала и вдруг расплакалась. Плакала громко, хлюпая носом.

Лизка, перепуганная и растерянная, отодвинула миску и вышла из-за стола. Она не знала, что делать. То ли успокаивать, то ли уходить.

— Спасибочка вам на угощении, — чуть ли не шепотом сказала она.

Тихоновна подняла к ней заплаканное лицо, что-то хотела ответить, но разрыдалась еще пуще и только махнула рукой.

Лизка пулей выскочила на улицу.

23

В дни дождей Гурий Макарович развлекал подчиненных по-своему: проводил по разным поводам собрания или читки газет, когда приходила почта. Почту привозили вместе с продуктами. Письма получали только шефы-горожане и Вадим. Колхозникам обычно получать было не от кого, да и сами они никому не писали.

Но вот однажды пришло письмо Гурию Макаровичу. Гальченко долго и удивленно рассматривал синий конверт с довольно странным адресом, где после названий области, района и колхоза было написано: «Полевой стан. Бригадиру копнителей». Обратного адреса не было, но на штемпеле значилось: «Москва».

Сначала Гальченко подумал, что, может быть, это письмо вовсе и не ему, но, придя к выводу, что больше на стане никаких бригадиров нет, решительно распечатал конверт.

— Гурий Макарович, шо там такое? — Микола подошел сзади и заглянул через плечо.

— Нэ лизь.

Он долго читал это письмо, и чем дольше читал, тем больше хмурился и, сдвинув шапку на лоб, скреб затылок черными пальцами. Потом встал и вышел из палатки. Видно, письмо это его сильно озадачило. Степан, сидевший у выхода, видел, как бригадир широкими шагами ходил взад-вперед возле палатки и бормотал что-то себе под нос, чего раньше за ним не наблюдалось.

Через несколько минут он вернулся и приказал коротко:

— Вси в кучу!

— Чего, опять собрание? — спросил Брынза.

— Митинг. — Гурий Макарович подождал, пока все устроились — кто на чемоданах, кто на концах матрацев, кто просто на корточках. — Вот тут я получил письмо. Из Москвы. — Гурий Макарович выдержал многозначительную паузу и обвел всех задумчивым взглядом. — Но тут шось такэ напысано, чого я нияк нэ понимаю. Якись така ерунда... Може, вмисти розбэрэмось. Хто у нас самый грамотный? Гошка, в тэбэ среднее образование — читай.

— «Уважаемый товарищ бригадир!

Я, пожалуй, не стала бы Вам писать, если бы не самое серьезное беспокойство за судьбу моего единственного сына.

Вчера я получила от него письмо, из которого узнала, что он два дня болел и с высокой температурой лежал на сырой соломе в дырявой палатке.

Меня уже не удивляет то, что разносторонне одаренный мальчик занимается работой, мягко выражаясь, не совсем интеллектуальной. Меня удивляет невнимательное и, если говорить прямо, бездушное отношение к моему сыну со стороны товарищей и с Вашей стороны в частности. Неужели нельзя было вызвать врача и обеспечить больному нормальный уход? Уж Вам-то следовало об этом побеспокоиться не только из простого человеколюбия (об этом я даже не говорю), но и потому, что Вас к этому обязывает положение руководителя и, как я понимаю, воспитателя своих подчиненных.

Безотносительно к своему сыну хочу Вам сказать, что, на мой взгляд, человек, который пренебрег личным благополучием и всеми удобствами, с которыми было связано его пребывание в Москве, достоин всяческого уважения и внимания. Но немного можно сказать хорошего о людях, которые оставляют своего товарища в беде.

Если Вы пожилой человек и если у Вас есть дети...»

— Ну ладно, — прервал чтение Гурий Макарович. — Тут дальше про мэнэ. Неинтересно. — Заложив руки за спину, он заходил по палатке. — Вот я тут шось ничего нэ понимаю. Якась болезнь...

Впрочем, остальные этого тоже не понимали.

— Про кого це? — удивленно спросил Микола.

— Про кого? — Гурий Макарович сощурился. — А про тэбэ.

— Про мэнэ? Та вы чи, здурилы, чи шо? — Микола даже засопел от негодования.

— Ну а про кого ж? Бач, тут напысано насчет температуры. В кого была температура? В тэбэ. Значить, про тэбэ и напысано.

Микола засмеялся, и всем стало весело. Все тоже засмеялись.

— Шо смиешься? Тут ничего смишного нэма.

Микола хотел обидеться еще пуще прежнего, но Гурий Макарович незаметно подмигнул ему.

— Эх, Мыкола, на шо ж так матир волноваты? Ну хай тэбэ температура, погани товарыши — промовчи. Нэ всэ ж трэба матери пысать! А що до нашей роботы, то як тут про нэи напысано? — Гурий Макарович заглянул в письмо. — Не-ин-тел-лектуальная? Це так. Робота у нас неинте... ну, в общем, нэ така, шо и казать. Но шо робыть? Всэ одно комусь надо и сиять хлиб, и убирать. Вот, може, колы диты наши та внуки повырастають, вывчаться, словамы заграничными, як ты, Мыкола, будуть балакать, тоди... тоди, може, и жизнь друга будэ. Може, и так будэ, шо нажмэшь кнопку — посиялось, нажмэшь другу — убралось, а третю нажмэшь — так и булка в роти... З кремом там, чи з повыдлой... Но зараз такого нэма. Нэма. Вот и прыходыться нам в зэмли отой колупаться. И робота у нас неинте, и сами мы неинте. Общем, гусь свыни нэ товариш.

24

Вадим сам не знал, почему он написал матери о болезни, которой не было. Просто хотелось, чтобы его пожалели, а на что жаловаться — сам толком не знал. Вот написал первое, что пришло в голову. И как глупо все получилось.

После этого Вадим как-то отдалился от всех. Он не решался заговаривать с другими, и с ним тоже никто не заговаривал. Но однажды во время обычного вынужденного безделья Гурий Макарович его подозвал:

— Вадим, ты б рассказав шо-нэбудь.

— А что рассказывать?

— Ну як шо рассказывать? Расскажи, як там жизнь в Москви. Шо там вообще хорошего?

— В Москве все хорошее.

— Чого ж там хорошего? Так же люды живуть, як и тут.

— Ну, не так, — сказал Вадим. — Там совсем другие условия. Библиотеки, театры...

— А правда, что в Москве сигналов нету? — спросил Павло-баптист.

— Давно уж.

— Ну, а ежели я, к примеру, еду, а на улице свинья лежит?

— Пидожды ты со своей свынёй, — сказал Гурий Макарович, поморщившись. — Ты, Вадим, мне от шо скажи: в Москве лучше жить, чим тут, так? В тэбэ там своя квартира чи як?

— Своя.

— Ну а в мэнэ своя хата. Яка ж разныця?

— Ну как? У меня в квартире паровое отопление. Ванная...

— Хорошо.

— Уборная...

— Хорошо.

— Телефон.

— А на шо тоби телефон? Кому звонить?

— Ну, например, с товарищем мне надо поговорить.

— Так, хорошо. Ну а ще шо?

— Все, — сказал Вадим. — Хочу я в кино сходить — иду туда, куда мне хочется. Пешком не хожу. Сел в метро или в троллейбус и доехал куда надо. Такси, выставки, музеи — все есть в Москве.

— В общем, в Москви хорошо, а в Поповки погано, так? — спросил Гурий Макарович.

— Ну, я так не говорю... — замялся Вадим.

— Ну а шо, тут ничего такого нэма. Шо погано в Поповки, то погано, я и сам це могу сказать. От дывысь. Утром я встаю, трэба дров наколоть, пичку розтопыть, тут тоби дым, копоть, вся посуда в сажи. Нэ то шо газ. Ты його включив, и вин нэ дымыть, нэ коптыть. У нас такого нэма. Погано? Погано. В бани трэба помыться, сам за водой сходы, сам опять пичку розтопы, поки всэ зробышь, так потом умыешься. Тож погано. Та шо тем казать! Другый раз ночью, извини за выражения, на двир сходыть трэба, та як згадаешь, шо бигты через огород, а на вулыци холодно — витэр, мороз, а ще хуже — грязь, та думаешь: хай воно всэ провалытся! Шуряк в мэнэ в Кайнарах живэ, було б метро, на метри б доихав, а то пишки хожу. Погано. Трэба Мыколу обматэрить, взяв бы трубочку: «Алло, Мыкола!» А то пока чэрэз усю Поповку пройдэшь, так и зло пропадае. Да. Ну и музеев у нас, конечно, нэма. Погано у нас в Поповки, так?

— Ну так, — неуверенно подтвердил Вадим.

— А вот сказалы б мэни зараз: «На тоби, Гальченко, в Москви квартиру из четырех комнат, на тоби ванну, на тоби телефон» — ни за шо б нэ поихав. Ты Москву за шо любышь? За ванну та телефон. А шоб в Москви ничего этого нэ було, а було в Поповки?.. А я вот нэ знаю, за шо я Поповку люблю. Всэ наче тут погано, а никуды нэ пойду. Як бы тут Москву построилы, то дило другое.

Гальченко помолчал. Вынул из-за уха оставленную «на после обеда» папиросу, помял ее в замасленных пальцах.

— А вообще, Вадим, я тоби вот шо скажу. Наша робота нэ для тэбэ, хочь обижайся, хочь нет. Нэпрывыкший ты до нэи. Мы-то тут с самого детства. Для нас хоть бы шо. А для тэбэ... В общем, тут председатель казав, Бородавку в контору беруть. Клуб без хозяина остается. Може пойдешь?

— Мне все равно, — сказал Вадим. — Я согласен.

25

На четвертый день после возвращения в Поповку Вадим вывесил в коридоре клуба новую стенгазету. Вечером возле газеты собрались любопытные. Все читали внимательно и смеялись над карикатурами, особенно над той, где верхом на лошади, в буденновском шлеме и с шашкой на боку был нарисован Петр Ермолаевич Пятница. Под карикатурой были такие стихи:

Чтоб вперед работа шла,
Чтоб назад не пятиться,
Переносит он дела
Со среды на пятницу.

Пятница, узнав об этом, приходил в клуб, смотрел и, ничего не сказав, ушел расстроенный.

Когда люди не очень заняты, они не прочь развлечься чем-нибудь.

Читателей становилось все больше. Читатели обратили внимание и на другие стихи, подписи под которыми не было. Но все понимали, что это не Фан Тюльпан.

Аркаша Марочкин, приехавший со стана за продуктами, долго стоял возле газеты и беззвучно шевелил губами. Прочтя стихотворение, он повернулся к Лизке и заметил:

— Протаскивает.

Лизка понимающе сверкнула «фиксой».

Илья Бородавка сидел в бухгалтерии за своим старым, в чернильных пятнах столом и барабанил по нему пальцами, как будто играл на рояле. Илья был очень огорчен тем, что его отстранили от клубной работы, и даже тем, что Вадим не поместил в газете ни одного из представленных им стихотворений. Илья дал себе слово не ходить в клуб и все-таки не выдерживал, несколько раз на дню появлялся в коридоре клуба. Стоя у входа, он ревниво следил за тем, как относятся читатели к творчеству нового заведующего. При этом он чувствовал себя до крайности неловко: в каждом взгляде (во всяком случае, так казалось Илье) сквозили жалость и насмешка. В каждом взгляде он читал: «Что же ты, Илья? Эх ты...»

Но, несмотря на все это, Илья, который был человеком справедливым, понимал, что должность заведующего клубом Вадиму подходит больше.

Вадим посрывал со стен клуба половину плакатов, и от этого ничего страшного не произошло, в клубе стало даже светлее.

Кроме того, Вадим возобновил занятия художественной самодеятельности. По вторникам и четвергам шли репетиции драматического и хореографического кружков. Но особое внимание Вадим уделял вокальным номерам. Ежедневно он репетировал с хором современные песни, а потом отдельно занимался с Санькой. Они оставались в клубе до позднего вечера, и до позднего вечера слышны были звуки рояля и приглушенный двойными стеклами Санькин голос. И по поводу этого ходили по деревне разные слухи. Однако толком никто ничего не знал.

26

— Саня! — осторожно позвали за окном.

Санька отвела занавеску и разглядела желтое от электрического света лицо Вадима.

— Тебе что? — шепотом удивилась она, выйдя к нему. Было около одиннадцати, и Санька уже постелила.

Вадим улыбался умудренно и горько, как человек, у которого есть что сказать.

— Пойдем в степь, — сказал он.

«Пойдем в степь!» Так никто не говорит. Степь была всюду, и по этой причине в нее никто никогда не ходил.

Но Саньке это понравилось, и она сказала:

— Пошли.

Вадим хотел идти мимо правления, но Санька побоялась, что кто-нибудь увидит их вдвоем и мало ли чего подумает.

— Пойдем здесь, — сказала она. — Мне здесь больше нравится.

И они пошли по узкой тропинке к реке.

Перешли по гулкому настилу моста. Было тихо. Мерцали звезды. Если наклониться к земле, можно было рассмотреть вдали чуть просветленную линию горизонта.

— «Пути господни неисповедимы», — с чувством сказал Вадим. Он шел и давился дымом папиросы, считая своим долгом защищать Саньку от комаров. Впрочем, комаров в этот вечер не было.

— Это заглавие? — несмело спросила Санька, ожидая услышать стихи.

Вадим задохнулся, закашлялся и замотал головой:

— Я говорю образно, ты извини. Понимаешь, Саня, мы часто не знаем точки своего назначения. Не щадим себя, жжем топливо, летим на красный свет. А потом, оказывается, нам надо в обратную сторону.

Санька вежливо промолчала. Это было не про нее и про тех, кого она знала.

— Я уезжаю, — сказал Вадим и остановился, посмотрел на Саньку.

— Уезжаешь? А как же репетиция? — спросила Санька, подумав, что Вадим уезжает на стан.

— Репетиция провалилась, Саня. Представление кончилось — я уезжаю домой. Домой, в дом, в те самые четыре стены, которые могут стоять где угодно. Но мои четыре стены стоят в Москве. Я уезжаю в Москву. Ну, что ты молчишь? Дезертирство, да? Малодушие, да? Да, я тряпка. Слюнтяй! Не выдержал. Осточертело!

— Не кричи на меня, — обиделась Санька.

— Извини. — Вадим понизил голос. — Понимаешь, Саня, Поповка не по мне. И самое главное не то, что она мне не нужна, а то, что я ей не нужен. И стихи мои никому не нужны. Анатолий все время язвит. Аркадий Марочкин думает, что я кого-то протаскиваю. Один поклонник у меня остался — Илья Бородавка. Этот готов молиться на меня. Да что я оправдываюсь? Разве ты не хотела бы в Москву? Не хотела бы, скажи?

— Не знаю, — тихо сказала Санька.

— Не знаешь? А я знаю. Тебе смешно, когда я говорю: «Точка моего назначения». Я так привык говорить. Так вот, точки нашего назначения совпадают. Ты тоже не нужна Поповке. Ты хорошо поешь, у тебя природные способности, а ты сидишь на своей паршивой стройке и камушки перебираешь. Ты же здесь пропадешь. Разве тебе не страшно?

Было тихо и звездно. Санька наклонилась к земле и увидела вдали чуть просветленную линию горизонта.

— Нет, мне не страшно, — сказала она. — Как все, так и я.

— Да, но это всё обыкновенные люди.

— А кто необыкновенный? По-моему, необыкновенных людей нет.

— Все зависит от точки зрения, — сказал Вадим. — Но ты подумай. Вот ты работаешь на стройке. Ты делаешь простую, но тяжелую работу, которую другой на твоем месте мог бы делать лучше. Эту работу может делать любой. А вот петь, как ты, может не каждый. Человека по-настоящему ценят тогда, когда он что-нибудь умеет делать лучше других. Даже если он занимается прыжками в высоту, от которых никому никакой пользы нет. И каждый должен поднимать планку до тех пор, пока окончательно не убедится, что ни на полсантиметра выше он уже не прыгнет.

— Ты опять говоришь образно? — вежливо спросила Санька.

— Да, я опять говорю образно. Я, наверно, всегда буду говорить образно и потому смешно. Даже в этом я донкихот. Я... Ты куда, Саня?

— Домой. Спать пора, — сказала Санька.

27

Так получилось, что с наступлением хорошей погоды Гошку отозвали со стана возить картофель из Поповки в Актабар. Первые две машины он отвез по накладным на какую-то овощную базу, а третью машину нагрузили картошкой для детского сада.

Тюлькин, закрывая основной склад, где хранились сало, масло, сахар и другие ценные продукты, сказал стоявшему рядом дяде Леше:

— Вот я тебя уже знаю досконально. Ведь небось опять ночью дрыхнуть будешь?

— А как же? — удивился дядя Леша. — Ночь для того человеку и дадена, чтобы спать. Кто ж ночью не спит? Филин разве.

— «Фи-илин». — Тюлькин протянул через отверстие в специальной фанерке два шнурка, залепил их пластилином и разровнял пластилин большим пальцем. — «Филин», — повторил он, вдавливая в пластилин бронзовую печать. — Пломбу кто-нибудь сорвет, будет тебе филин. Склад не приму.

— Не сорвут. У меня вот соль. — Дядя Леша похлопал по висевшему за спиной ружью.

Тюлькин махнул на него рукой и пошел к машине.

— Я тоже поеду, — сказал он Гошке.

Завскладом всю дорогу острил, рассказывал «медицинские» анекдоты и вообще вел себя так, как будто между ним и Гошкой никогда ничего не происходило и они всегда были лучшими друзьями. Когда доехали до города, Тюлькин стал показывать, куда надо ехать.

— Вот сюда свернешь. Так. Теперь налево. Прямо. Вон видишь ворота. Это и есть детский сад.

Тюлькин вылез из машины и, разминая ноги, не спеша пошел в маленькую калиточку. Вскоре он вернулся с молодой полной женщиной.

— А мы думали, вы уж не приедете, — сказала женщина, отпирая ворота.

— Как — не приедем? Раз Тюлькин сказал — значит, точка.

Женщина отперла ворота. Тюлькин стал на подножку. Остановились у правой стороны дома. У крыльца высокий мужчина в голубой майке, охая и крякая, колол огромные поленья. Увидев машину, всадил в полено топор и, торопясь, пошел навстречу.

— Чего ж поздно-то? — хмуро спросил он.

— Где ж поздно, Петя? У нас рабочий день еще не кончился.

Картошку носили по узкой крутой лесенке в сырой, пропахший плесенью подвал. Тюлькин покрутил носом:

— Смотри, сопреет она здесь.

— Не твоя печаль, — сказал Петя.

Потом он пригласил гостей в дом. Заведующая детсадом и ее муж занимали в доме две комнаты. В первой комнате было тесно от мебели. Слева стоял большой книжный шкаф.

— Все покупаешь книжечки, — усмехнулся Тюлькин.

— Читаем, — сказал хозяин и вышел из комнаты.

Вошла хозяйка и поставила на стол горячую сковороду с яичницей и картошкой. Следом за ней Петя внес две запотевшие бутыли и тарелку с огурцами. Хозяйка вынула из шкафчика три граненых стакана.

— Я пить не буду, — сказал Гошка.

— Чего это? — удивился хозяин. — Больной, что ли?

— Человек за рулем, — пояснил Тюлькин.

— Твое дело.

— В Бельгии придумали такие машины, — сказал Тюлькин, — что, если от шофера водкой пахнет, она не едет.

— А если кто рядом с шофером сидит выпивший? — спросила хозяйка.

— Будем живы-здоровы, — перебил Петя глупые речи жены и поднял стакан.

— Дай бог не последнюю, — поддержал Тюлькин.

— Поехали, — заключил хозяин.

Тюлькин долго морщился и с ожесточением нюхал черную корку.

Гошка вышел на улицу. Он завел машину и, выехав за ворота, стал ждать. Уже стемнело. Небо было звездное, без луны. Посреди двора висела на столбе под эмалированной шапкой неяркая лампочка. Она освещала двор, угол сарая и крыльцо заведующей детсадом. В доме слышался шум. Тюлькин пытался спеть «Вот кто-то с горочки спустился», но громкий голос хозяина каждый раз перебивал его. «Так они до утра пропоют», — подумал Гошка. Он придавил ладонью кнопку сигнала. Сигнал был слабый, хриплый, и в доме его, вероятно, не слышали. Гошка хотел было идти за Тюлькиным, но в это время дверь распахнулась и Тюлькин вместе с хозяином вышли на крыльцо. Тюлькина шатало из стороны в сторону. Хозяин тоже изрядно выпил, однако равновесие сохранял. Он даже поддерживал гостя, помогая ему сойти с крыльца. Тюлькин поочередно спускал со ступенек то левую, то правую ногу и молол несуразное.

— Кто Тюлькин? — вопрошал он. — Ты Тюлькин?

— Ты Тюлькин, — успокаивал гостя хозяин.

— Ну а раз я Тюлькин, то скажи, друг я тебе или нет? Скажи, Петя, друг тебе Тюлькин или портянка?

— Друг, друг, — уверял Петя, но целовать себя не давал.

Они подошли к машине. Тюлькин сел на подножку и хотел петь песни.

— Тише, Коля, — сказал хозяин, — там на углу милиция.

— Милиция! — обрадовался Тюлькин. — А что мне милиция? Я сам себе милиция.

— Оно, конечно, так, — согласился хозяин. — Но чтоб не было неприятностей.

Он наклонился к Тюлькину и что-то сказал ему на ухо, от чего тот как будто на миг протрезвел и полез в кабину.

— Гошка, ты здесь?

— Здесь, здесь он, — сказал хозяин. — Ты смотри, Георгий, не вырони его по дороге.

— Никуда не денется, — сказал Гошка, выжимая сцепление.

Фары с трудом разрывали густой сыроватый воздух, и дорога черной лентой ложилась под колеса. По обе стороны ее стояла непроглядная темнота, только изредка на фоне темного неба вырастали призрачные конические очертания сопок. Далеко в степи помигивали огоньки. Это работали комбайны.

Через несколько километров Гошка свернул в сторону и погнал машину по сырой траве, по едва заметному автомобильному следу. След шел по небольшому склону, машина все время кренилась влево, и Тюлькин валился на Гошку, мешая править. Гошка время от времени отталкивал Тюлькина плечом, но он был тяжелый, не давался и хватался за рычаг скорости. Но потом дорога сошла со склона, и Тюлькин стал валиться вправо. «Откроет дверцу — вывалится», — подумал Гошка. Он затормозил и, обойдя машину спереди, закрыл дверцу на ключ. Тюлькин проснулся.

— Гошка, ты?

— Я.

— А... а куда... ты меня везешь?

— В Поповку.

— В Поповку? А... поворачивай обратно, — он схватился за руль.

— Пусти!

— Поворачивай. У меня... в городе... баба осталась. Я у ней ночевать хочу. Поворачивай.

— Я тебе сейчас как повернусь, — сказал Гошка. — Сиди смирно.

Тюлькин отодвинулся, посмотрел на Гошку и вдруг захохотал:

— Опять по... по морде дашь, опять! Ой, не могу! — стонал Тюлькин. — Как ты меня тогда двинул. Ой, смешно-то! Слушай, — сказал он, перестав смеяться, — а этот-то, он хитрый. На сотню меня надул.

— Кто надул? На какую сотню?

— А ничего... ничего... — Тюлькин помолчал. — Слышишь, Гошка, а баба-то твоя, Санька, спуталась с этим... с Вадимом.

— Что-о? — Гошка затормозил. — Ты что, пешком хочешь идти?

Тюлькин испуганно отодвинулся в угол.

— Да я чего... Я ничего, — забормотал он как сквозь сон. — Вся деревня знает. Кого хочешь спроси...

— Заткнись!

Высадив Тюлькина возле его калитки, Гошка поехал домой и по дороге вспомнил бессвязные слова Тюлькина о каких-то деньгах. Какие деньги? И вдруг понял: картошка, которую они отвезли в город, не для детского сада, Тюлькин продал эту картошку. Гошка резко развернул машину и остановил ее возле низкого заборчика. За заборчиком светилось окно. За окном сидел Анатолий.

Гошка постучал.

— Гошка?! Ты чего? — Анатолий открыл окно.

— Давай сюда.

— Сейчас обуюсь.

Он вышел в сапогах и в нижнем белье.

Потом они долго разговаривали в кабине. Гошка рассказал ему о Тюлькине и картошке. Анатолий посоветовал Гошке завтра же пойти к председателю.

— А то мало ли чего! Втянет тебя Тюлькин в какую-нибудь историю. — Анатолий открыл дверцу.

— Подожди. Понимаешь... Мне Тюлькин про Саньку что-то наговорил. Врет, конечно. Но все-таки...

Анатолий ответил не сразу:

— Знаешь, Гошка... Я тебе не хотел говорить... Не врет Тюлькин. Санька уезжает.

— Уезжает? Куда?

— В Москву за песнями.

28

А дело было так.

О своем разговоре с Вадимом Санька рассказала Лизке. Голова Лизки была занята мыслями о предстоящем замужестве, и Лизка, не разобравшись толком, решила: Санька уезжает с Вадимом учиться на артистку. Об этой новости Лизка рассказала Полине Тюлькиной, та передала это Пелагее Бородавке, Пелагея — Яковлевне, а той только скажи!

Яковлевна стояла у колодца и, размахивая пустым ведром, говорила:

— Пишла я утречком корову выгонять. Ще остановылась, думаю: чи Иван до Каражар погонэ стадо, чи до Кайнарив. Дывлюсь: Санька со стэпу идэ, а за нэю Вадим...

Бабы, окружив Яковлевну, молча вздыхали и осуждающе покачивали закутанными в платки головами: нехорошо.

Через два дня все в Поповке знали, что Санька с Вадимом уезжает в Москву.

Сама Санька узнала об этом позже всех.

Так вот почему Гошка не здоровается с ней! Вот почему, когда она пытается заговорить с ним, он молча проходит мимо!

Что же делать? Посоветоваться с Лизкой? Но что может посоветовать Лизка? «Я ему докажу», — подумала Санька и направилась к дому Яковлевны. Что она ему докажет и как докажет — Санька пока не знала.

29

Гошка стоял на улице возле калитки и курил. Капля упала на кончик сигареты и потушила ее. Пошел дождь.

Гошка вернулся в хату, одетый упал на кровать и, не снимая сапог, положил ноги на табуретку. Яковлевна, вытаскивая из печки казанок с борщом, посмотрела на Гошку неодобрительно и что-то проворчала себе под нос.

— Яковлевна, — попросил Гошка, — сбегай к продавщице, принеси пол-литра.

— Пол-литра? — удивилась Яковлевна и поставила казанок обратно в печку. Она долго думала, что бы это значило, потом сказала нерешительно: — Так вона ж тэпэр дома нэ продае. Як ото рэвизия була... Ще прыизжаи такий товстючий мужчина...

— Яковлевна, сходи. А я тебе завтра сено перевезу.

— Зараз, — тут же согласилась Яковлевна. Закутавшись в платок, она вышла из хаты.

До дому продавщицы было ходу не больше пяти минут. Пять туда, пять назад, пять на разговоры. Прошло пятнадцать минут — Яковлевны не было.

В дверь постучали. Гошка не пошевелился. Дверь заскрипела, и через зеркало он увидел, что в комнату просунулась голова Саньки, покрытая мокрой газетой.

— Можно?

Гошка вытащил из кармана сигарету и спички. Закурил.

— Гоша, мне надо с тобой поговорить.

— Поговорить? — Он стряхнул пепел. — Поговорить можно. Сейчас как раз такое время: дождь, делать нечего.

— Гошка, я знаю, что обо мне рассказывают...

В это время вошла Яковлевна. Покосившись на Саньку, она поставила бутылку на стол и положила сдачу — рубль с мелочью.

— Вот видишь, Яковлевна, я же знал, что у меня будут гости. — Гошка встал, подошел к буфету. — Так что про тебя рассказывают?

Санька посмотрела на Яковлевну и промолчала. Яковлевна дипломатично удалилась, однако не очень далеко, чтобы не пропустить чего-нибудь в этом любопытном разговоре.

Гошка достал два стакана, тарелку с солеными огурцами, кусок хлеба.

— Садись, пить будем.

Санька стояла.

— Ах да, ты не пьешь. Ну тогда я пить буду.

Он поднес стакан ко рту. Запах водки ударил в нос. Гошка поморщился и хотел поставить стакан, но Санька стояла рядом. Гошка задержал дыхание и выпил всю водку залпом.

— Значит, поговорить? Это интересно. Правда, поздновато уже. Спать чего-то хочется, — Гошка потянулся. — Может, в другой раз, а? Или лучше так: ты мне напишешь письмо, я тебе отвечу, будем переписываться.

— Значит, ты не хочешь со мной говорить? — Глаза Саньки были полны слез. Она рванулась к дверям, но тут же остановилась. — Я ухожу, — тихо сказала она.

Гошка, не оборачиваясь, ткнул вилкой в огурец.

— Я ухожу, — нерешительно повторила Санька.

— Ах да... Тебя проводить? Желаю удачи. Заходи как-нибудь еще.

Выскочив из комнаты, Санька изо всей силы хлопнула дверью. Гошка долго смотрел на дверь, потом подошел к кровати и, уткнувшись в подушку, заплакал тихо и беспомощно, как плачут больные дети.

Яковлевна, изумленная, постояла в дверях, потом на цыпочках подошла к столу и унесла недопитую водку в буфет.

На другой день Санька не вышла на работу. Не дождавшись ее, Лизка решила зайти к ней домой, узнать, в чем дело. Посреди комнаты на табуретке стоял раскрытый чемодан. Санька укладывала вещи.

— Ты чего это? — спросила Лизка.

— Что?

— Ну вот это. — Лизка показала глазами на чемодан. — Уезжаешь, что ли?

— Уезжаю, — хмуро сказала Санька.

— Значит, едешь? — Лизка вздохнула. — С Вадимом, значит?

— А хоть бы и так, — не оборачиваясь, сказала Санька. — Тебе-то что?

30

На общем собрании Тюлькин признался, что продал машину картошки спекулянту из города. Но, сказал Тюлькин, это было с ним в первый раз и он возместит колхозу стоимость проданной картошки. Ему поверили и решили дело в суд не передавать. На собрании решено было в ближайшие дни провести на складе ревизию.

Когда комиссия, выделенная для этой цели, подошла к складу, оказалось, что на дверях нет пломбы. Очевидно, сорвал кто-то ночью во время дежурства дяди Леши. Тюлькин принимать склад отказался. Дядя Леша переминался с ноги на ногу и, время от времени поправляя висевшее за спиной ружье, растерянно хлопал покрасневшими веками.

Часа через два приехали в Поповку два милиционера с собакой. Синяя с красной полосой машина стояла возле правления. Пожилой старшина-казах разговаривал с председателем. Молоденький, с черными усиками сержант держал овчарку на поводке и охотно рассказывал:

— Ведь это собака ученая. Полтора года на курсах была. Кого хошь поймает.

— А мясо ей дать — будет есть? — спросил Аркаша Марочкин.

— Что ты! — Милиционер снисходительно посмотрел на Аркашу. — Да ведь она ученая. У ей и медаль по этому делу есть.

— А если конфету? — спросил Анатолий. — Будет?

— Нипочем не будет. Тоже сказал — конфе-ету.

Видно, сержант не терпел невежества.

Анатолий вынул из кармана шоколадку и, сняв обертку, бросил конфету собаке. Собака, лязгнув зубами, поймала ее на лету.

— Цыц! — крикнул милиционер, но было уже поздно. Собака благодарными глазами смотрела на Анатолия.

Старшина, кончив разговаривать с председателем, подошел к сержанту и взял из его рук поводок. Он подвел собаку к дверям. Обнюхав дверь, собака бросилась в поле. Держась за поводок, старшина неуклюже бежал за ней.

Возле склада собирался народ. Люди насмешливо смотрели, как милиционер с собакой кружит по полю, а когда они повернули назад, Анатолий сказал сержанту:

— Ученая! Так и я бегать умею.

Сержант промолчал. Старшина и собака вернулись. И вдруг неожиданно для всех собака бросилась на Тюлькина. Старшина оттянул ее к себе и, быстро надев намордник, снова отпустил. Собака уперлась передними лапами Тюлькину в грудь, рычала и даже через намордник пыталась ухватить его за горло.

— Ты срывал пломбу? — грозно спросил запыхавшийся старшина.

— Я, — бледнея, признался Тюлькин.

Его посадили в машину.

— Он, понимаешь, зря признался, — пояснил молоденький милиционер, запирая снаружи дверцу. — Собака так и так должна была на него броситься. Ставил-то пломбу он.

31

Анатолий и Гошка шли по берегу Ишима. Дул холодный, порывистый ветер. Возле моста, стоя на большом плоском камне, голый по пояс, умывался Вадим. Он изображал из себя закаленного человека.

— Слушай, — сказал Гошке Анатолий, — почему бы тебе не дать этому, который в шахте потел, по шее?

— Зачем?

— За Саньку. Или просто из любопытства. Посмотреть, как это ему понравится. Надо ж ему знать, что иногда можно получить по шее. Пойдем? Я помогу.

— Да нет уж, не надо.

— Ну тогда я пойду один.

— Как хочешь. — Гошка повернул к дому.

Когда Анатолий подошел к мосту, Вадим уже умылся и растирал загорелую грудь мохнатым полотенцем. Анатолий подошел ближе.

— Приветствую тебя, пустынный уголок, — сказал он Вадиму.

— Привет.

— Ну как жизнь?

— Хорошо. — Вадим поежился и накинул полотенце на плечи. Кисточки бахромы затрепетали на его закаленной груди. — Ветер.

— Ничего, мне не холодно, — успокоил его Анатолий и застегнул верхнюю пуговицу телогрейки. — Значит, уезжаешь?

— Уезжаю, — сказал Вадим и сделал шаг в сторону дороги. — Извини.

— Ничего, я не тороплюсь, — сказал Анатолий, загораживая дорогу, — приятно иногда поговорить с образованным человеком. Между прочим, я сейчас советовался с

Гошкой, дать тебе по шее или не надо. Мы решили, что один раз можно.

— Да? — Щеки Вадима стали принимать зеленоватый оттенок, но сам он держался довольно спокойно. — За что, если не секрет?

— Не секрет, — сказал Анатолий. — Ты что девке мозги крутишь? Куда она поедет? Что ее там ждет?

— Да я разве ее заставляю? Я ей дал совет, и ее личное дело, выполнять его или нет. По-моему...

— Ну что по-твоему? Сам не можешь здесь жить, так другим не мешай. Зачем ты сюда приехал?

Вадим задумался.

— Ну, видишь ли... мне кажется... Я приехал сюда... чтобы делать здесь то, что все. И ты, и я, и Гошка. Все мы здесь делали одно общее дело, и никакой разницы в этом между нами нет.

— Есть разница, Вадим, — сказал Анатолий. — Разница в том, что ты приехал сюда опыт получать, а мы здесь живем. Понял? — Неожиданно для себя самого он повысил голос: — Ты думаешь, я не знаю, как ты делал это общее дело? Я и про письмо знаю.

— С чем тебя и поздравляю. — Вадим криво улыбнулся.

Анатолий подступил ближе к Вадиму.

— Слушай, ты... — сказал он ему. — Я тебе не Гошка. Я больной, я нервный, у меня справка есть.

Вадим что-то хотел сказать, но в нужных случаях он умел быть благоразумным.

— В другой раз приходи умываться в тулупе! — крикнул вслед ему Анатолий. — Поговорим.

32

В воскресенье утром Гошка сидел у окна и видел, как к правлению подъехала машина. Это Анатолий собрался везти колхозников на базар. Со всех сторон с мешками и кошелками к машине торопились женщины. Потом подошли Санька и Вадим. Вадим сначала забросил в кузов чемоданы, а потом подсадил Саньку. Прибежала Лизка. Она стояла возле машины, что-то говорила Саньке и время от времени проводила рукавом по лицу — должно быть, плакала.

Когда машина тронулась, Лизка долго еще стояла на дороге и махала рукой.

В это время в комнату вошла Яковлевна.

— Там шо робыться, шо робыться, — сказала она, стаскивая с головы платок. — Вен вэщи опысують. Стоить Сорока...

— Что? Чьи вещи?

— Та я ж кажу: Тюлькиных. Стоить Сорока, всэ пыше, пыше. Всэ, каже, конфискуемо. Будэм, каже...

Гошка схватил в руки бушлат, поискал глазами шапку, но, не найдя ее, махнул рукой и выбежал на улицу.

Возле хаты Тюлькина стоял самосвал Павла-баптиста. Сам Павло в надвинутой на уши кожаной фуражке сидел в кабине и смотрел, как двое колхозников пытались втащить в кузов объемистый и тяжелый пружинный матрац.

— Осторожней, а то борт пошкрябаете! — Павло выгнулся из кабины и еще глубже натянул на голову фуражку.

Гошке попался навстречу Микола, который вытаскивал спинки от кровати. В хате было еще несколько колхозников во главе с Сорокой. Сорока, раскрыв на подоконнике ученическую тетрадку, писал толстой авторучкой: «Опись имущества гр. Тюлькина Н. А.» Ручка писала плохо, Сорока встряхивал ее, разбрызгивая по крашеному полу зеленые чернила.

В соседней комнате безнадежно голосили Макогониха и Полина. Гошка подскочил к Сороке:

— Ты что делаешь? Зачем это?

— А я не знаю, — флегматично ответил Сорока, — мне что сказано, то я и делаю.

Услыхав Гошкин голос, из соседней комнаты выскочила Полина. Она была в одной рубашке, распатланная. От злости Полина даже плакать перестала. Виновником всего она почему-то считала Гошку.

— Ага, прыйшов! — закричала она, раздувая ноздри и нелепо размахивая руками. — Прыйшов, да? Выслужився? На вот тоби! — Гошке в руки полетело зеленое плиссированное платье. — Може, ще шо-нэбудь визьмэшь? Може, шифанер тоби дадуть?

Гошка держал в руках легкое платье и смотрел, как бьется на покрасневшей шее Полины голубая жилка. Потом неожиданно сорвался с места и, швырнув в сторону платье, бросился к выходу.

Петр Ермолаевич Пятница болел. Возле кровати на стуле лежали какие-то порошки, стоял стакан воды. На спинке стула висел черный с потертым воротником пиджак. На левом борту пиджака — орден Красного Знамени с облупившейся местами эмалью.

— Лежите?! — закричал Гошка, врываясь в комнату. — Там у людей вещи описывают, а вы лежите и ничего не знаете!

— Погоди, погоди, не кричи, — поднимаясь на подушке, сказал Пятница. — Во-первых, на больных и старых не кричат. Во-вторых, я все знаю, и нечего паниковать.

— Знаете?.. — Гошка растерялся, посмотрел на вспотевшую лысину председателя, на пиджак, на облупившийся орден. — Как же так, Петр Ермолаевич? — совсем тихо спросил он. — Знаете и лежите!

— Ты, Георгий, не смотри на меня так, — сказал Пятница, опуская глаза. — Тут дело серьезное. Я звонил в район. Говорил со следователем. Понимаешь, Тюлькин сам признался, что наворовал в колхозе тысяч на пятьдесят. Следователь говорит, что по суду вещи все равно конфискуют. Вот я и решил описать все это, пока Полина не припрятала.

— Петр Ермолаевич, а разве семья виновата, что Тюлькин — вор? Разве они должны за него отвечать?

— Ну, тут трудно сказать, кто за кого отвечает. Тюлькин ведь деньги домой приносил.

— Какие деньги он приносил? Вы ведь сами знаете, что у него баба была в городе. Да и пил он.

— Ну ладно, Яровой, — рассердился председатель. — Нечего нам тут с тобой антимонии разводить. Я знаю одно — раз человек украл, с него надо получить. Вот так.

— Ну как же...

— Не знаю, Яровой, ничего не знаю. На то есть законы, которые все мы должны выполнять.

Гошка посмотрел председателю в глаза, повернулся и, сгорбившись, пошел к выходу. Он уже взялся за ручку двери, но остановился:

— Петр Ермолаевич!

— Да?

— Петр Ермолаевич! — Гошка вернулся. — Вот вы часто рассказываете про Первую Конную. А если бы там так делали?

Пятница приподнялся в постели.

— Ты, Георгий, мне в душу не лезь, — сказал он хмуро. — Тоже заладил: в Первой Конной, в Первой Конной. Много ты понимаешь. Молод еще. Глуп.

Гошка ничего не ответил и опять направился к выходу.

— Погоди, — сказал Пятница.

Гошка остановился.

— Пойди-ка сюда. — Председатель посмотрел ему в глаза. — А может, ты и не глуп. Может, это я... не понимаю чего-то. Чего-то путается в голове... Старею, что ли... Ладно, Георгий, сейчас пойдем разберемся.

Пятница взял со стула брюки и просунул в них белые худые ноги.

33

Всю ночь шел снег. Но никто этого не знал. Люди спали, и снились им разные сны. А утром проснулись, выглянули в окошки и увидели — первый снег.

Утром прибежал Анатолий. В зимней шапке, с фотоаппаратом через плечо.

— Гошка, вставай! Пойдем фотографироваться.

Он тормошил Гошку до тех пор, пока тот не поднялся. Достал из шкафа тщательно отутюженный костюм. Анатолий нетерпеливо ожидал, пока Гошка оденется.

— Да кто ж так галстук повязывает! В Москве сейчас тонкие узлы носят. Ну чего ты опять хмуришься? Подумаешь — уехала девка. Ну и уехала, другую найдешь. Сама ведь она виновата.

— Сама... А знаешь, что мне Лизка вчера сказала?.. Все это брехня. Ничего у Саньки с Вадимом не было. И вообще она не с Вадимом уехала, а в свой город, к родным.

Они вышли на улицу. Все было в снегу — поля, крыши, стога сена.

Фотографировали друг друга сначала у речки, потом возле мельницы, напоследок дома.

А вечером пошли они в клуб. В клубе играла радиола, кружились пары. Илья Бородавка сидел один в библиотеке и подбирал пластинки. Вступив в прежнюю должность, Илья снова задвинул в угол рояль и положил на крышку табличку «Руками не трогать». Но больше ничего менять не стал. Илья понимал, что сравнения с Вадимом ему не выдержать, и все-таки был несказанно обрадован тем, что клуб снова в его распоряжении. Кроме того, была у Ильи еще одна радость, которой он тут же поспешил поделиться с Гошкой:

— Слышь, Гошка, Пелагея-то моя ездила в город. А врач ей сказал: «Вы, говорит, на втором месяцу». На втором месяцу, — повторил Илья и кашлянул в кулак, должно быть, от смущения.

Они снова вернулись в клуб и долго смотрели на танцующих. Аркаша Марочкин, одетый в новенькое полупальто, кружил раскрасневшуюся от счастья Лизку. Только позавчера они расписались, и на заседании правления было решено дать им полдома. Правда, Лизка хотела получить целый дом, но из этого ничего не вышло.

В перерыве между двумя танцами Лизка подошла к Гошке:

— Гошка, председатель сказал, что ты завтра со мной в город поедешь. Там гардеробы по тыще двести я видела.

— Ладно, — сказал Гошка, — съездим.

— Ну вот и хорошо, — обрадовалась Лизка. — Значит, прямо утречком и подъезжай. Четвертый дом от краю.

— Знаю, — сказал Гошка и подошел к Анатолию: — Пойдем домой.

— Побудем еще немного.

— Да чего тут делать? Пошли.

Вышли на улицу. Было совсем темно. Сквозь разрывы в облаках редкими кучками млели звезды. Гошка включил фонарик, и по снегу запрыгал широкий, едва заметный желтый круг.

— Надо сменить батарейку, — сказал Анатолий.

Гошка не ответил. Они шли, и каждый думал о своем.

— Ты, Гошка, я думаю, смог бы, — неожиданно сказал Анатолий.

— Что — смог бы?

— Подвиг совершить.

— Подвиг? Нет, наверно, не смог бы. — Гошка вспомнил, что когда-то об этом же его спрашивала Санька. — Где уж, — вздохнул он. — Даже с Санькой быть человеком не смог. А тут...

Возле дома Ильи Бородавки они попрощались, и Гошка один пошел домой.

— Стой! Кто идет? — грозно окликнули его возле склада.

Дядя Леша стоял у самых дверей и держал ружье наготове.

— Это я, дядя Леша, — сказал Гошка, подходя. — Стоишь?

— Стою, — неохотно сказал дядя Леша. — При бломбе стою.

— Я около тебя посижу здесь, ладно?

Дядя Леша заколебался, но отказать не посмел:

— Посиди, чего уж.

Гошка смахнул со ступеньки снежок и сел.

— Слухай, Гошка, — нарушил молчание сторож, — вот если баба моя в пятьдесят годов работу бросила, пенсию ей будут платить? Ты не узнавал?

— Не узнавал, — сказал Гошка. — Дядя Леша, от тебя Яковлевна никогда не уходила?

— Уходила? Как это — уходила?

— Ну, может, ты ее обидел когда.

— Обидел? Зачем мне ее обижать? Ну бывало, конечно, в молодости, побьешь по пьяному делу, а чтоб обижать — нет, не обижал я ее.

— Ну ладно. — Гошка встал. — Пойду спать.

34

Основные работы в колхозе давно закончились, но на току еще шумели автопогрузчики и зернопульты. Колхозники счищали с буртов пшеницы тонкий слой снега и грузили зерно на машины.

Прямо с элеватора Гошка подъехал к хозяйственному магазину, где его ожидали Лизка и Аркадий. Они купили только шифоньер, а диван, который продавался в магазине, Лизке не понравился: он был без зеркала. А еще Лизка купила на базаре матерчатый коврик, на котором были изображены непроходимые джунгли и полосатый тигр с оскаленной пастью. Лизка показала коврик Гошке.

— Ничего. Хорошо бы еще сюда лебедя, — пошутил Гошка.

— Так тут же тигра. Она его съест. Картины понимать надо, — укоризненно заметила Лизка. — Слышь, Гоша, а я тут на почту ходила...

— Ну и что?

— Да ничего. Письмо от Саньки получила.

— Письмо? Что ж она пишет? — Гошке хотелось показать, что письмо его мало интересует, но это ему не удалось.

— Чего пишет-то? Да так... ничего особенного. Ребят, говорит, у нас много, и все больше летчики да инженера. — Лизка посмотрела на Гошку и пожалела. — Ладно, так просто, для шутки. Ты бы ей написал письмо — может, вернется. На вот адрес.

Лизка оторвала нижнюю часть конверта и подала Гошке. Гошка положил адрес в карман гимнастерки. Потом он открыл задний борт и влез в кузов, а Аркаша подавал ему шифоньер снизу. Шифоньер был тяжелый, дубовый, и Аркаша никак не мог его осилить. Лизка, скрестив руки на груди, стояла в стороне и командовала:

— Да ты его споднизу, споднизу бери!

— Ты лучше подсобила б, — хмуро заметил Аркадий.

— Мне нельзя тяжелое подымать, я женщина, — сказала Лизка.

Когда шкаф был погружен, Гошка получил последние указания:

— Гошка, ты там это... разгрузишь с кем-нибудь, а мы тут еще походим по магазинам.

Лизка взяла Аркашу под руку и повела по улице.

Гошка вынул из кармана обрывок конверта и еще раз посмотрел на адрес, который был написан Санькиной рукой. Значит, она и правда ни в какую Москву не поехала. Может, еще вернется...

Было тепло. Таяло. Следы автомобильных колес пожелтели. Гошка остановил машину возле дорожного щита, что стоял на обочине, и, подойдя к нему, долго смотрел на прямые крупные буквы, которыми было написано одно слово:

«П О П О В К А».

Потом нашарил в кармане угловатый осколок мела и написал внизу:

«МЫ ЗДЕСЬ ЖИВЕМ. Г. ЯРОВОЙ».

Впереди послышался шум моторов. Гошка посмотрел на свою надпись и стер ее рукавом. Шум нарастал. По дороге в сторону Актабара шли машины, груженные хлебом.

1960

Хочу быть честным

Мой друг, мой друг надежный,
Тебе ль того не знать:
Всю жизнь я лез из кожи,
Чтобы не стать, о Боже,
Тем, кем я мог бы стать...

*(Генри Лоусон,
австралийский поэт)*

1

Каждое утро без четверти семь на моем столе звонит будильник, напоминая мне о том, что пора вставать и идти на работу. Ни вставать, ни идти на работу я, естественно, не хочу. На дворе еще ночь, и забрызганное дождем окно едва видно на темной стене. Я дергаю шнур выключателя и несколько минут лежу при свете, испытывая первобытное желание чуточку подремать. Потом опускаю на пол ноги — сначала одну, потом другую. С этого момента начинается медленный процесс превращения меня в современного человека.

Сначала я сижу на кровати и, бессмысленно глядя в какую-то неопределенную точку на противоположной стене, почесываюсь и вздыхаю, широко раскрывая рот. Во рту противно, в груди клокочет — должно быть, оттого, что я слишком много курю. Болит сердце. Вернее, не болит, просто я чувствую его. Кажется, что под кожу вложили круглый булыжник. Если бы кому-нибудь со стороны посчастливилось наблюдать меня в эту минуту, я думаю, он получил бы немалое удовольствие. Вряд ли на земле бывает что-нибудь более нелепое, чем мое лицо, моя фигура и та поза, в которой я нахожусь в это время. Потом я начинаю шевелить босыми пальцами, развожу в сторону руки и делаю другие манипуляции. На полу под батареей лежат гантели, которые я купил в прошлом году. Они покрыты толстым слоем пыли и кажутся больше, чем на самом деле. Я давно уже ими не пользуюсь, и то, что они покрылись пылью, меня несколько оправдывает — не хочется пачкать руки. А когда-то я умел и заниматься гимнастикой, и выбегать на улицу при скатке, автомате и всей другой амуниции через три минуты после подъема. Старшина Шулдыков, который первым учил меня этому, говорил, бывало: «Вы у меня и на гражданке будете за три минуты вскакивать. Я вас этому научу. Это моя цель жизни».

Если другой цели у него не было, можно считать, что жизнь старшины Шулдыкова прошла совершенно бесследно.

Размышляя об этом, я провожу рукой по щеке и обнаруживаю, что мне не мешало бы побриться. Щетина лезет из меня с поразительной быстротой. Тот, кто видит меня вечером, ни за что не может поверить, что утром я был выбрит до блеска. Бриться я начал лет с шестнадцати, и еще в школе меня прозвали «волосатый человек Андриан».

Электрическая бритва «Нева» жужжит так сильно, что пенсионер Иван Адамович Шишкин просыпается за стеной и начинает деликатно покашливать, намекая на то, что хулиганить в моем возрасте стыдно. Помочь ему я ничем не могу и мужественно продолжаю начатое дело, пользуясь при этом небольшим круглым зеркалом в железной оправе. Откровенно говоря, зеркало приносит мне мало радости. Из него на меня смотрит человек отчасти рыжий, отчасти плешивый, более толстый, чем нужно, с большими ушами, поросшими сивым пухом. В детстве мать говорила мне, что такие же большие уши были у Бетховена. Вначале надежда на то, что я смогу стать таким, как Бетховен, меня утешала. В ранней молодости я стыдился своих ушей. Теперь я к ним привык. В конце концов, они не очень мешали мне в жизни.

Побрившись, я иду в ванную, долго и старательно умываюсь водой, холодной настолько, что пальцы краснеют и перестают разгибаться.

Потом надеваю резиновые сапоги, свитер, пиджак, прорезиненный плащ, лохматую кепку и выхожу на лестницу. Из почтового ящика, который висит на дверях, вынимаю письмо. Это письмо от матери. Я его прочту на работе.

2

На дворе начало октября. Небо сплошь затянуто тучами. Рассвет еще не наступил и, кажется, никогда не наступит. Трудно поверить, что солнечные лучи могут пробиться сквозь эту непроницаемую серость.

А город уже живет. Тысячи людей, подняв воротники или раскрыв зонтики, бегут по улице, осаждают сверкающие от дождя автобусы, ныряют в проходную табачной фабрики. Посмотришь на них — и страшно становится: откуда столько народу?

Большая толпа стекается к переходу, готовая ринуться в первый же просвет между потоками автомобилей, которым, кажется, тоже нету конца. В этой толпе я пересекаю широкую улицу и попадаю в большой полустеклянный, полуметаллический колпак — кафетерий, или попросту забегаловку. Внутри забегаловки буфетная стойка, несколько высоких столиков на железных ногах. Цементный пол усыпан толстым слоем серых опилок.

Длинная очередь тянется вдоль буфета. Люди топчутся, ежатся, потирают руки. От намокших плащей и пальто поднимается пар.

За стойкой возвышается Зоя — высокая девушка с гладкой прической. Она бросает мелочь в пластмассовую тарелку, выдает сдачу, бойко орудует блестящими рычагами кофейного агрегата. Может быть, ей кажется, что она стоит у пульта управления атомным кораблем.

Увидев меня, Зоя радостно улыбается, открывая красивые ровные зубы. Едва ли я нравлюсь ей. Ее улыбка объясняется более просто — я ее постоянный клиент.

— Вам — как всегда? — спрашивает Зоя.

— Как всегда, — говорю я.

В обмен на протянутый ей полтинник она выдает мне сосиски с капустой, кофе с молоком и булочку с маком. Очередь шумит и волнуется, но Зоя успокаивает ее:

— Это наш работник. — И улыбается.

Может быть, я ей действительно нравлюсь. В этом нет для меня ничего неожиданного, я нравлюсь многим женщинам, потому что я высокий и сильный, хорошо зарабатываю и не злоупотребляю спиртными напитками.

3

Недалеко от последней остановки автобуса начинается большое пространство, разгороженное дощатыми заборами. Это наши местные Черемушки.

На одном из заборов висит большой фанерный щит с надписью: «СУ-1. Строительство ведет прораб т. Самохин».

А рядом афиша:

«Поет Гелена Великанова».

Тов. Самохин — это я. Гелена Великанова никакого отношения ко мне не имеет, просто рекламбюро решило использовать свободную полезную площадь.

Гастроли певицы кончились, вчера она уехала из нашего города. Скоро афишу снимут. Щит с моей фамилией тоже исчезнет. Дом, который я строю, почти готов к сдаче. Вот он стоит за забором пока что пустой, с потемневшими от дождя стенами из силикатного кирпича.

Неподвижный башенный кран тянет шею в мутное осеннее небо. Кран мне уже не нужен, надо будет вызвать из треста «Строймеханизация» монтажников, пускай его разберут.

В правом крыле здания на одной из дверей первого этажа четвертой секции висит бумажная табличка: «Прорабская». Здесь я обычно и нахожусь ежедневно с половины восьмого до пяти. Довольно часто меня здесь можно найти и в десять, и в одиннадцать, и в двенадцать ночи, потому что рабочий день у меня не нормирован.

В прорабской накурено — дым коромыслом. Свет лампочки едва пробивается сквозь плотные слои дыма. Рабочие, собравшиеся здесь, разместились кто на табуретках, кто на длинной скамейке, кто просто на корточках вдоль стен и у железной печки. Звено штукатуров Бабаева в полном составе лежит на полу.

— Хотя бы форточку открыли, — ворчу я, пробираясь к столу, стоящему у окна.

Никто не обращает на меня никакого внимания, я открываю форточку сам. Дым постепенно рассеивается. С улицы тянет сыростью.

До начала работы еще полчаса, каждый проводит их как умеет. Бригадир Шилов сидит на ящике из-под гвоздей и сушит у печки портянки. Бабаев листает книгу, готовясь к занятиям в университете культуры, подсобница Катя Желобанова рассказывает своей подруге Люсе Маркиной, что летом на пляже видела артиста Рощина и что он, оказывается, лысый, а когда поет по телевизору, наверное, надевает парик.

У окна стоит Дерюшев — толстый рыхлый увалень в армейском бушлате. Сопя от натуги, он пытается согнуть железный ломик, вставленный одним концом в щель между ребрами батареи парового отопления. Рядом с ним паркетчик Шмаков, прозванный Писателем за то, что зимой ходит без шапки.

— Давай-давай, — подзадоривает он Дерюшева. — Главное — упирайся ногами.

— Ты что делаешь? — спрашиваю я Дерюшева.

Дерюшев вздрагивает и застенчиво улыбается.

— Да ничего, Евгений Иваныч, балуемся просто.

— Эх, Дерюшев, Дерюшев, — сокрушенно вздыхает Писатель, — с такой будкой не можешь ломик согнуть. Придется, видно, тебя к Новому году на сало зарезать. Вот Евгений Иваныч запросто согнет, — подзадоривает он меня.

Он обращается ко мне слишком фамильярно, мне хочется его одернуть, но я думаю: «А почему бы, в самом деле, не попробовать свои силы? Есть еще чем похвастаться».

— А ну-ка дай.

Я беру у Дерюшева ломик, кладу на шею и концы его тяну книзу. Чувствую, как гудит в ушах и как жилы на шее наливаются кровью.

Согнутый в дугу ломик я бережно кладу на пол. И не могу удержаться, чтобы не спросить:

— Может, кто разогнет?

— Вот это сила, — завистливо вздыхает Дерюшев и незаметно пробует свои рыхлые мускулы.

Катя Желобанова смотрит на меня с нескрываемым восхищением. Артист Рощин вряд ли согнул бы ломик на шее.

А я задыхаюсь. Сердце колотится так, словно я пробежал десяток километров. Что-то со мной происходит в последнее время. Чтобы скрыть одышку, сажусь за стол, делаю вид, что роюсь в бумагах.

Писатель продолжает донимать Дерюшева.

— Вот, Дерюшев, — говорит он, — кабы тебе такую силу, ты б чего делал? Небось в цирк пошел бы. Скажи, пошел бы?

— А чего, — задумчиво отвечает Дерюшев, — может, и пошел бы!

— А я думаю, тебе и так можно идти. Тебя народу за деньги будут казать. Каждому интересно на таку свинью поглядеть, хотя и за деньги.

Писатель смеется и обводит глазами других, как бы приглашая посмеяться с ним вместе. Но его никто не поддерживает, кроме Люси Маркиной, которая влюблена в Писателя и не скрывает этого.

— Шмаков, — говорю я Писателю, — в третьей секции ты полы настилал?

— Ну я. А что? — он смотрит на меня со свойственной ему наглостью.

— А то, — говорю я. — Паркет совсем разошелся.

— Ничего, сойдется. Перед сдачей водичкой польем — сойдется.

— Шмаков, — задаю я ему патетический вопрос, — у тебя рабочая гордость есть? Неужели тебе никогда не хочется сделать свою работу по-настоящему?

— Мы люди темные, — говорит он, — нам нужны гроши да харчи хороши.

Он говорит и ничего не боится. Уговоры на него не действуют, угрожать ему нечем. На стройке каждого человека берегут как зеницу ока. Да и не очень-то сберегают. Приходят к нам демобилизованные да те, кто недавно из деревни.

Придут, поработают, пообсмотрятся и сматываются — кто на завод, кто на фабрику. Там и заработки больше, и работа в тепле.

Вот сидит перед печкой Матвей Шилов. Он разулся и сушит портянки и думает кто его знает о чем. Может быть, сочиняет в уме заявление на расчет. Но такие, как Шилов, уходят редко. На стройке он уже лет двенадцать. И он привык, и к нему привыкли.

Я смотрю на часы: стрелки подходят к восьми.

— Все в сборе? — спрашиваю у Шилова.

Он медленно поворачивает голову ко мне, потом так же медленно обводит взглядом присутствующих.

— Кажись, все.

— Кончайте перекур, приступайте к работе.

— Щас пойдем, — нехотя отвечает Шилов и начинает наматывать портянки. Обувшись, встает, топает сначала одной ногой, потом другой и только после этого достает из-за печки молоток, протягивает его Писателю: — Пойди вдарь.

Тот послушно выходит и ударяет. Вагонный буфер, подвешенный на проволоке к столбу электроосвещения гудит, как церковный колокол, возвещая начало рабочего дня. Все постепенно выходят.

4

«Дорогой сыночек!

Вот уже две недели от тебя нет никаких известий, и я просто не знаю, что и подумать. До каких пор ты будешь меня мучить? Вчера мне приснилось, что ты идешь босиком по снегу. Я снам не верю, но, когда дело касается тебя, невольно начинаю волноваться. В голову приходят такие страшные мысли, что даже боязно о них говорить. Все думается, уж не заболел ли ты или, не дай бог, не попал ли под машину...»

Это пишет моя мама, бывшая учительница, ныне пенсионерка. Она и раньше любила получать письма, а теперь тем более.

А что я буду писать? Каждый день одно и то же. Без четверти семь — подъем. В восемь — начало работы. С двенадцати до часу — перерыв. В пять — конец рабочего дня. В полшестого — совещание у начальника СУ. Что касается попадания под машину, то об этом сообщил бы отдел кадров или ОРУД: им за это деньги платят.

«...У меня ничего нового, если не считать того, что позавчера на собрании актива меня избрали председателем домового комитета. Ты, конечно, относишься к таким вещам скептически, а мне это было очень приятно.

На днях случайно встретила на улице Владика Тугаринова. Приехал в отпуск с женой. Он теперь стал такой важный. Недавно его назначили начальником какого-то крупного строительства в Сибири. Спрашивал о тебе. Взял адрес, обещал написать».

За всем этим, как говорят, есть свой подтекст: Владик не способнее меня, во всяком случае, по математике успевал много хуже, а теперь он большой начальник. Я бы тоже мог высидеть себе приличную должность, если бы не мотался с места на место.

Мама не учитывает только того обстоятельства, что Владик получил диплом (а в институт мы с ним поступали вместе) в сорок четвертом году, когда я валялся в борисоглебском госпитале. Конечно, Владик не виноват, что его не взяли на фронт: у него еще в десятом классе была близорукость минус восемь. Но и я не виноват, что был только студентом-практикантом в то время, когда Владик был уже начальником ПТО.

После института я, конечно, мог бы сидеть на одном месте. Но я работал на Сахалине, в Якутии, на Печорстрое и даже на целине — строил саманные домики. Кто знает, может, я и здесь продержусь недолго?

5

В это время раздается телефонный звонок. Мне звонят много раз, и это обычно не вызывает во мне особых эмоций. Но сейчас каким-то чутьем я угадываю, что разговор кончится неприятностью. У меня нет никаких оснований так думать, просто я это чувствую. Поэтому я не снимаю трубку. Пусть звонит — посмотрим, у кого больше выдержки. Я закуриваю, выдвигаю ящик стола, просматриваю наряды. У того, кто звонит, выдержки больше. Я снимаю трубку и слышу голос Силаева — начальника нашего стройуправления.

— Самохин, ты что ж это к телефону не подходишь?

— По объекту ходил. Не знал, что вы звоните.

— Знать надо. Должен чувствовать, когда начальство звонит.

— Это я чувствую, — говорю я, — только не сразу. Немного погодя.

— В том-то и дело. Научишься чувствовать вовремя — большим человеком будешь.

Что-то он сегодня больно игрив. Не люблю, когда начальство веселится не в меру.

— Слушай, Самохин, — переходит на серьезный тон начальник, — ты бы зашел, поговорить надо.

— О чем?

— Узнаешь. Не телефонный разговор.

— Хорошо. Сейчас обойду объект...

— Ну давай, на одной ноге.

Как же, разбежался. Я выхожу из прорабской, поднимаюсь на четвертый этаж. На лестничной площадке стоит Шилов, водит вдоль стены краскопультом. Голубая струя со свистом вырывается из бронзовой трубки, краска ровным слоем покрывает штукатурку. Сам Шилов тоже весь в краске — шапка, ватник и сапоги.

— Ну что, Шилов, — спросил я, — портянки высушил?

— Высушу на ногах.

— А почему краска густо идет?

— Олифы нет, разводить нечем. Будет олифа?

— Будет, — сказал я, — если Богдашкин даст.

— Значит, не будет, — скептически заметил Шилов. — Богдашкин не даст.

— Ничего, с божьей помощью достанем.

— Навряд. — Шилов сплюнул и посмотрел за окно.

Я зашел в одну из квартир, осмотрелся. В общем, все, кажется, ничего, прилично. Только штукатурка не сохнет и двери разбухли от сырости, не закрываются. Если бы их вовремя проолифить, было бы все иначе.

Зашел на кухню. Смотрю — у батареи, вытянув ноги, сидят Катя Желобанова и Люся Маркина. Разговаривают. О каких-то своих женихах, мороженом, кинофильмах и прочих вещах, не имеющих к их прямым обязанностям никакого отношения. А батарея, между прочим, не топится: воду еще не подключили.

— И вам не холодно? — спрашиваю я. Молчат. — Ну, чего сидите? Нечего делать?

— Перекур с дремотой, — смущенно пошутила Катя и сама засмеялась.

— Не успели начать работу — и уже перекур. Идите в четвертую секцию, там некому кафель носить.

Я говорю это ворчливым и хриплым голосом. Даже самому противно. Но я ничего не могу с собой поделать: вид сидящих без дела людей раздражает меня. Если пришли работать, значит, надо работать, а не прятаться по углам.

Больше всех меня разозлил Дерюшев. Газосварочным аппаратом он варил решетки. Я сразу заметил, что швы у него неровные и слабые. Я толкнул одну решетку — и шов разошелся.

— Ты что же, — сказал я Дерюшеву, — хочешь, чтоб нас с тобой в тюрьму посадили?

Дерюшев погасил пламя и поднял на лоб синие, закапанные металлом очки.

— Флюс, Евгений Иваныч, слабый — не держит, — сказал он и улыбнулся, словно сообщал мне приятную новость. — И вообще тут электросваркой надо варить.

— Без тебя знаю, да где ее возьмешь? Все решетки переваришь. Я потом проверю. Флюс хороший достанем.

Все от меня что-нибудь требуют, и всем я что-нибудь обещаю. Одному флюс, другому олифу, третьему брезентовые рукавицы. А как все это достать?

6

Когда-то в детстве от учителя физики я узнал про Джеймса Уатта. Еще маленьким он увидел кипящий чайник, потом вырос, вспомнил про чайник и изобрел паровую машину. Услышав это, я поднял руку и спросил:

— А кто изобрел чайник?

Этот вопрос занимает меня до сих пор. Когда я учился в институте, разные профессора преподавали нам множество сложных наук, которые я за пятнадцать лет успел благополучно забыть. Ни эвклидова геометрия, ни теория относительности не пригодились мне в жизни, хотя наши профессора считали, что каждый из этих предметов обязательно надо знать будущему строителю. Они много знали, эти профессора, но ни один из них не смог бы решить простейшую задачу — как достать ящик гвоздей, когда их нет на складе или когда у Богдашкина неважное настроение.

Богдашкин — это начальник снабжения нашего стройуправления, человек совершенно бестолковый. Пока у нас был главный инженер, отдел снабжения работал довольно сносно, был хоть какой-то порядок. Теперь главный ушел на пенсию, Богдашкиным никто не руководит, и он совсем распоясался. С утра до вечера ему звонят прорабы, выколачивая разные материалы. Богдашкин вконец запутался в этой неразберихе и решил упростить дело: посылает кому что придется. Тому, кто просил у него алебастр, он шлет электрический шнур, а тому, кто хотел иметь электрический шнур, посылает дверные ручки. Мне он недавно прислал второй газосварочный аппарат. Я долго не знал, что с ним делать, потом обменял его у Лымаря на электромотор для растворомешалки.

Конечно, можно позвонить Богдашкину и спросить у него насчет олифы, но из этого едва ли что выйдет. У него никакой олифы нет, и делай с ним что хочешь, все равно ничего не добьешься. Поменяться бы с кем... Я взял клочок бумаги, сделал раскладку:

Если позвонить Ермошину и обменять у него плиты на оконные блоки, вместо блоков взять у Лымаря кафель, Сидоркин уступит за кафель кровельное железо, после этого позвонить Филимонову... Ничего не выйдет. Я вспомнил, что Филимонов отдал свою олифу Ермошину, не знаю за что. А зачем Ермошину олифа, когда он еще не начинал отделку?

Я смотрю на свою раскладку. Целый стратегический план. И все для того, чтобы достать одну бочку олифы.

7

Явление второе: те же и Сидоркин. Он открывает дверь и вваливается в прорабскую во всем своем великолепии — длинный, тощий, в зеленой помятой шляпе, потрепанном синем плаще и брюках неимоверной ширины. Желтые ботинки до щиколоток залеплены грязью. И в таких ботинках Сидоркин прется прямо к столу.

— Хоть бы ноги вытер, — говорю я ему. — Все-таки в приличный дом входишь.

— В приличных домах персидские ковры стелют под ноги. — Он садится на стул, стаскивает с себя один ботинок, вытягивает ногу. — Совсем промокли носки.

— Не можешь резиновые сапоги купить? Жмешься все.

— Не жмусь, — ворчит Сидоркин и жмурится. — Ревматизм у меня от этих сапог. В Карелии все в них шлепал.

Он вытаскивает из моей пачки сигарету, закуривает, достает из кармана колоду потрепанных карт, лениво перекладывает их.

— Сыграем?

— На что?

— На мешок цемента.

— Не выйдет. Ты передергиваешь.

— Ну давай тогда в веревочку, — он достает из кармана веревочку, складывает ее двумя кольцами, приговаривая: — Трах-бах-тарарах, приехал черт на волах, на зеленом венике из своей Америки. Кручу-верчу, за это деньги плачу. Сюда поставишь — выиграешь, сюда поставишь — проиграешь. Замечай глазами, получай деньгами. Куда ставишь?

— Знаешь, Сидоркин, — говорю я, — давай я тебе подарю мешок цемента с дарственной надписью, и после этого ты сделаешь так, чтобы я тебя больше не видел.

— Ну что ты, — великодушно возражает Сидоркин, — я не могу тебя лишить такого удовольствия за какой-то мешок цемента. Если ты мне подаришь парочку, пожалуй, подумаю.

До чего же нахальный тип! Пока он снова натягивает свой грязный ботинок, я набираю номер Богдашкина. Там снимают трубку.

— Богдашкин? — спрашиваю я.

— Нет его, — меняя голос, отвечает Богдашкин и вешает трубку.

— Сволочь, — говорю я и смотрю на Сидоркина.

Сидоркин смотрит на меня.

— Опять шутит? — спрашивает он участливо. — Но не волнуйся. Мы с ним тоже пошутим.

Он подвигает к себе аппарат и набирает номер. Талантливый человек Сидоркин! Выбери он вовремя артистическую карьеру, цены б ему не было.

— Алло, это Дима? — говорит он грудным женским голосом.

Богдашкина я не вижу, но хорошо представляю себе, как его одутловатое лицо расплывается в сладчайшей улыбке. Старый дурак! Ему уже скоро на пенсию, а он все еще охотится за молодыми девушками. Ни годы, ни алименты, на которые уходит половина зарплаты, не могут заставить его образумиться.

— Здравствуй, Дима, — ласково щебечет Сидоркин. — Это твоя маленькая Пусенька. Я уже сказала папе о нашем решении, папа хочет с тобой поговорить. Передаю папе трубку.

Я беру трубку, злорадствую:

— Hv что, попался?

В трубке слышно тяжелое сопение — Богдашкин думает.

— Кто это? — наконец спрашивает он.

— Это папа твоей маленькой Пусеньки, — продолжаю я начатую Сидоркиным игру.

— Чего надо-то? — Богдашкин меня уже узнал, голос у него недовольный.

— Ничего особенного. Бочку олифы.

— Олифы? — Богдашкин воспринимает это как личное оскорбление. — Вы ее с хлебом, что ли, едите? Я тебе на прошлой неделе отправил две бочки. Больше нет.

— Может, все-таки найдешь? — прошу я без всякой надежды.

— Как же, найдешь, — сердится Богдашкин. — Одному одно найди, другому другое. И все к Богдашкину. Этому нужен Богдашкин и этому Богдашкин, а Богдашкин всего один во всем управлении.

В конце концов я выхожу из себя и говорю ему несколько слов на родном языке. Богдашкин не обижается, ему все говорят примерно то же самое.

— Будет ругаться-то, — ворчит он довольно миролюбиво. — Высшее образование имеешь, а такие слова говоришь. Алебастру немного могу дать, если хочешь.

Можно послать его еще куда-нибудь, но за это денег не платят. А алебастр — это все-таки нечто вещественное. Для обмена на что-нибудь он тоже годится.

— Черт с тобой, — соглашаюсь я, — давай алебастр, с паршивой овцы хоть шерсти клок.

Пока я говорил с Богдашкиным, Сидоркин сидел и терпеливо ждал. Теперь поднялся.

— Значит, я беру три мешка?

— Совсем обнаглел, — говорю я. — Сначала один просил, потом два, теперь тебе и двух мало.

— Мало, — сказал Сидоркин. — Один по дружбе, один, чтоб ты меня больше не видел, один за Богдашкина. Законно?

— Ладно, — сказал я, — бери четыре мешка и проваливай.

— Бусделано, — сказал Сидоркин, подражая Аркадию Райкину. — Сейчас я подошлю машину.

Я тоже собрался выходить вместе с Сидоркиным, но в это время появился Ермошин, который приехал на самосвале. Он долго стоял на подножке, потом нерешительно поставил ногу на лежащую в грязи узкую доску и пошел по ней, словно канатоходец. Я и Сидоркин с интересом следили за ним, надеясь, что он поскользнется. Но он благополучно одолел одну доску, перешел на другую и явился перед нами чистенький, словно его перенесли по воздуху. Усы, бакенбарды и шляпа придают его лицу умное выражение.

— Слыхал новость? — обратился Ермошин к Сидоркину. — Его назначают главным инженером, — он кивнул в мою сторону.

Это было неожиданностью не только для Сидоркина, но и для меня самого. Правда, слухи о моем назначении давно ходили по тресту, но слухи оставались слухами, никакого подтверждения им не было, если не считать двух-трех намеков, слышанных мной от Силаева.

— Брось, — недоверчиво сказал Сидоркин. — Что, управляющий утвердил?

— Пока не утвердил, но затребовал проект приказа. Я только что от Силаева, сам слышал весь разговор по телефону.

— За что бы это ему такая честь? — Сидоркин критически оглядел меня. — Толстый, рыжий и в лице ничего благородного. А тебя что ж, обошли, выходит?

— Я на профсоюзную работу перехожу, — важно сказал Ермошин. — Романенко увольняется, я на его место.

— Ну и валяй, — сказал Сидоркин и, поднявшись, обратился ко мне: — Значит, ты мне даешь гипсолитовые плиты?

— Какие плиты? — удивился я.

— Ну как же. Только что ведь мы договорились: ты даешь мне плиты, я тебе бочку олифы. Или ты на радостях ничего не помнишь?

Сидоркин мне усиленно подмигивал, и я понял, что он хочет разыграть Ермошина.

— Нет, — сказал я, — за одну бочку не отдам.

— Это вы о чем? — с деланым равнодушием поинтересовался Ермошин.

— Да так, пустяки, — пояснил я, — тут у меня завалялись гипсолитовые плиты, сотни полторы. Он хочет взять у меня за бочку олифы.

Клюнет или не клюнет? Но куда же он денется? Приманка слишком аппетитно пахнет. Сто пятьдесят гипсолитовых плит! Попробуй-ка вырвать их у Богдашкина.

— Я тебе могу дать полторы бочки, — наконец говорит он, стараясь не смотреть на Сидоркина.

— Да тебе зачем? — говорит Сидоркин. — Ты ведь уже перегородки поставил. Вчера докладывал на летучке.

— Мало ли чего я докладывал, — отмахивается Ермошин и снова поворачивается ко мне: — Ну, берешь полторы бочки?

— Смеешься, что ли? Сто пятьдесят плит за полторы бочки олифы. Помажь ею себе волосы.

— Но у меня больше нет.

— Иди к Богдашкину. Может, он даст тебе сто пятьдесят плит.

— Ну, хорошо, — решает Ермошин. — Бери две бочки — и по рукам.

— Мало. Вези свои бочки Богдашкину.

Я неумолим, хотя знаю, что олифы у него в самом деле больше нет. Но ведь есть на свете и другие не менее ценные вещи. В конце концов мы сходимся на том, что Ермошин дает мне еще десять пачек паркета и немного флюса для газосварки.

Мы оба довольны сделкой: он думает, что ловко обвел меня вокруг пальца, я думаю то же самое о нем, и оба по-своему правы. И он, и я выжали друг из друга все, что было возможно, направив на это всю свою энергию и все свои умственные способности. Все было бы гораздо проще, если бы Богдашкин дал каждому из нас что нам полагается.

Только ушел Ермошин — зазвонил телефон. Я подумал, что это опять Силаев, и попросил Сидоркина взять трубку.

— Если Силаев, меня нет.

Сидоркин снял трубку:

— Алло. Одну минуточку. Главный инженер Самохин занят, но я попробую вас соединить... Она, — сказал Сидоркин, передавая мне трубку, и прикрыл глаза от нахлынувшего на него счастья.

В трубке я услышал голос Клавы:

— Это ты?

— Это я.

— Я тебе звоню просто так — поболтать.

— Ты нашла для этого самое подходящее время, — вежливо сказал я.

— Не сердись. Ты когда появишься? Я вчера ждала тебя весь вечер, потом пошла на «Иваново детство». Ты не видел?

— Нет.

Чего доброго, она мне сейчас начнет пересказывать содержание фильма.

— Возможно, я сегодня зайду, — сказал я.

— Правда?

— Может быть, — уточнил я. — А сейчас, извини, я тороплюсь.

Из прорабской мы вышли с Сидоркиным вместе.

Дождь моросил по-прежнему.

— Значит, я подошлю машину и возьму пять мешков, — сказал Сидоркин, поднимая воротник плаща.

— Десять, — сказал я. — Возьми десять. Ты заслужил их сегодня.

8

Когда я вошел, Силаев сидел за столом один и разбирал настольную лампу. Когда-то давным-давно он работал на заводе слесарем, очень любил вспоминать об этом и любил ремонтировать разную технику. Ничем хорошим это обычно не кончалось, и потом приходилось вызывать монтеров или лифтеров — в зависимости от того, что именно брался ремонтировать начальник.

— Что ж так поздно? Курьеров за тобой посылать, — недовольно проворчал Силаев и, не дожидаясь ответа, кивнул на кресло, стоявшее у стола: — Садись.

Я в кресло садиться не стал — оно слишком мягкое. В нем утопаешь так глубоко, что даже при моем росте я едва достаю подбородком до крышки стола. Может быть, такие кресла делают нарочно для посетителей, чтобы, сидя в них, посетители в полной мере ощущали свое ничтожество. Я взял от стены стул и придвинул его к столу.

— Как жизнь? — спросил начальник, снимая с лампы матовый абажур.

— Спасибо, — сказал я, — течет потихоньку.

— Как здоровье жены? — Силаев вынул из лампы кнопочный выключатель и ковырял в нем отверткой.

— Спасибо, здорова, — мне уже надоело говорить ему, что я не женат.

— Ну хорошо, — сказал начальник и положил отвертку на стол. — Ты, конечно, знаешь, зачем я тебя вызвал?

После разговора с Ермошиным я догадывался, но на всякий случай сказал, что не знаю.

— Тем лучше, — сказал Силаев, — пусть это будет для тебя сюрпризом.

Он нажал кнопку звонка, и почти в то же мгновение в дверях появилась секретарша Люся, очень красивая девушка, только ресницы подведены слишком густо.

— Люсенька, принесите, пожалуйста, проект приказа на Самохина, — глядя на нее, попросил Силаев.

Люся исчезла так же бесшумно, как и появилась. Силаев посмотрел на закрывшуюся за ней дверь и почему-то вздохнул.

— Как у тебя дела? — спросил он, помолчав. — Что-то я давно на твоем участке не был. По плану у тебя когда сдача объекта?

— К Новому году.

— А по обязательствам?

— К первому декабря.

Это все он знал не хуже меня, и я подумал, что он задает вопросы, лишь бы поддержать разговор. Начальник посмотрел на меня и сказал, помедлив:

— Так вот. Сдашь его к празднику.

— Неготовый? — спросил я.

— Зачем же неготовый? Подготовишь и сдашь.

В дверях снова появилась Люся. Постукивая тонкими каблучками, она прошла к столу, положила перед Силаевым лист бумаги.

— Все? — спросила она, усмехаясь, как всегда, когда говорила с начальством.

— Нет, не все, — строго сказал Силаев. — Объявите по участкам, что сегодня в семнадцать тридцать состоится производственное совещание. Нет, объявите, что ровно в семнадцать. Все равно меньше чем за полчаса их не соберешь.

Люся стояла, выжидательно опустив ресницы.

— Можно идти? — спросила она.

— Когда я скажу, тогда пойдете, — рассердился начальник. Видимо, он был не в духе и искал, к чему бы придраться. — Что вы стоите как вкопанная и хлопаете своими ресницами? Вы что, меня соблазняете, что ли?

— Вас — нет, — тихо сказала Люся.

Ее ответ совсем вывел начальника из себя.

— Я вот возьму мокрую тряпку, — сказал он, — и вымою вам эти ваши ресницы.

— Не имеете права.

— На вас у меня хватит прав. Я вам в отцы гожусь.

— У меня есть свой папа, — напомнила Люся.

— Ну и очень плохо, — сказал Силаев, но тут же поправился: — То есть плохо то, что ваш папа не следит за вами. Идите.

Люся повернулась и простучала каблучками по направлению к двери. Во время этого разговора она ни разу не изменила тона, ни один мускул на ее лице не дрогнул.

Я понял, что у Силаева какая-то неприятность. Всегда в таких случаях он срывает злость на своей секретарше, которая эти припадки терпеливо выносит. Может, он за это и держит ее.

— Черт знает что, — проворчал он, когда дверь за Люсей закрылась. — Дура.

Он раскрыл пачку «Казбека» и, закуривая, молча подвинул ко мне бумагу, которую принесла Люся. Это был тот самый проект приказа, в котором говорилось, что я назначаюсь главным инженером.

— Прочел? — спросил Силаев. — Дела примешь после сдачи объекта.

— Значит, в декабре, — сказал я.

— Раньше, — сказал Силаев. — Объект сдашь до праздника, а после праздника примешь дела. Можешь считать это приказом, который нужно выполнять.

— Приказы, Глеб Николаевич, должны быть разумные, — сказал я. — Вы ведь знаете, что у меня еще штукатурные работы не закончены и малярные. И паркет еще надо стелить.

— Все сделаешь.

— Но ведь даже штукатурка не высохнет.

— Меня это не касается. Дом должен быть сдан. Ты думаешь — это моя прихоть? Мне приказано оттуда, — он раздавил окурок о край пепельницы и показал на потолок. — В райкоме решили, что надо сделать подарок комсомольским семьям. Праздник, барабаны, вручение ключей. А ты должен радоваться, что тебе дают идею.

— Я бы радовался, — сказал я, — если бы эту идею можно было обменять на бочку олифы. Хороший будет подарок. Сейчас сдадим, а через месяц в капитальный ремонт. А что, если я не сдам все-таки дом?

— Не сдашь? — Силаев посмотрел мне в глаза. — Тогда все меры. Вплоть до увольнения. Так что выбирай. Или сдача объекта вовремя и все остальное. Или... Выбирай. — Он встал и протянул мне руку: — Извини, мне пора к управляющему.

9

Я неудачник. Во всяком случае, так считает моя мама. Я неудачник, потому что не стал ни ученым, ни большим начальником. Я все еще только старший прораб. Старший прораб применительно к армейским званиям что-то вроде старшего лейтенанта. Если к сорока годам ты не шагнул выше этого чина, маршальский жезл из своего рюкзака можешь выбросить.

Мне уже сорок два. В сорок два года мне предлагают должность главного инженера, хотя могли это сделать гораздо раньше. Пятнадцать лет прошло с тех пор, как я окончил строительный институт, почти все пятнадцать я работаю в одной и той же должности — старшим прорабом. За это время я полысел и обрюзг, стал нервным и раздражительным.

Моя работа ничем не лучше, но и не хуже других. Мое это призвание или не мое, я до сих пор не знаю и, если признаться, мало интересуюсь этим. Призвание проверяется в деле, где нужны какие-то особые способности. Прорабу излишние способности ни к чему — ему достаточно умения доставать материалы, читать чертежи и вовремя закрывать рабочим наряды. Я не могу, скажем, сделать дом лучшим, чем он должен быть по проекту.

Но иногда меня заставляют делать хуже, чем я могу, и это мне не нравится. Когда я возражаю, это не нравится начальству. Из двух мест я уже ушел «по собственному желанию». Можно бы уйти и отсюда — на этом городе свет клином не сошелся, — но мне уже надоело скитаться. Надоело жить в палатках и вагончиках или снимать койку в «частном секторе». Когда тебе уже за сорок, хочется пожить нормальной человеческой жизнью, иметь свой угол, может быть, свою семью.

У меня дома на тумбочке под стеклом стоит фотография девушки лет восемнадцати. Удлиненное лицо, большие темные глаза, темные косы, аккуратно уложенные вокруг головы. Это Роза. Я с ней познакомился в Киеве в начале сорок первого года, когда приезжал на зимние каникулы. Она училась в десятом классе (подумать только, сейчас у меня могла бы быть такая дочь!) и собиралась поступать в пединститут на исторический факультет.

Когда немцы подошли к Киеву, она почему-то не уехала и теперь лежит, наверное, в Бабьем Яру. Она была молода и красива — это видно по фотографии. Но она была еще и умна, и добра. Она была необыкновенно чуткой и нежной. Впрочем, может быть, я уже не помню, какой именно была Роза, и в моей памяти живет только образ, нарисованный мной самим? Но с тех пор я не встречал женщины, которая хоть сколько-нибудь напоминала бы этот образ. Может быть, поэтому я до сих пор не женат.

10

Ровно в половине шестого мы, прорабы, один за другим входим в кабинет Силаева. Занимаем места за длинным столом, стоящим перпендикулярно к столу начальника. Пока рассаживаемся, Силаев, склонившись над бумагами, что-то пишет и не обращает на нас никакого внимания.

Совещание только начинается, времени впереди много, и каждый старается провести его с большей пользой. Лымарь вытащил из-за пазухи книжку «Атом на службе человеку», Сабидзе положил перед собой лист бумаги и уже кого-то рисует. Тихон Генералов, многодетный угрюмый человек, сидит слева от меня и составляет план воспитательной работы среди собственных детей:

«План

1. Иван — применить телесное наказание (ремень).

2. Наташа — поставить в угол на 30 мин. за сломанный телевизор.

3. Алла+Люба — купить билеты в кукольный театр.

4. Сергей — проверить дневник.

5. Поговорить с женой насчет грязного белья (можно отнести в прачечную)».

Справа от меня садится Васька Сидоркин. Он достает из кармана маленькие дорожные шахматы с дырочками в доске для фигур.

— Сыграем?

— Давай.

Сидоркин ставит доску на края стульев между мной и собой так, чтобы не видно было из-за стола. Начальник поднимает голову:

— Все собрались?

— Почти, — отвечает Ермошин, который всегда садится ближе всех к начальнику.

— Начнем, пожалуй.

Начальник придвигает к себе папиросы. Все тоже достают папиросы, а Сидоркин, у которого их никогда не бывает, тянется к моей пачке. Через пять минут в кабинете все померкнет от дыма, но пока что довольно светло.

— Кто первый будет докладывать? — спрашивает начальник. — Ермошин?

Ермошин как самый бойкий докладывает всегда первым. Он встает, приосанивается, поправляет галстук.

— На сегодняшний день на вверенном мне участке...

Начальник от удовольствия закрывает глаза. К тому, что говорит Ермошин, он испытывает не практический, а чисто литературный интерес: речь Ермошина льется гладко и плавно, словно он читает газетную заметку под рубрикой «Рапорты с мест».

— Коллектив участка, — привычно тарабанит Ермошин, — включившись в соревнование за достойную встречу сорок четвертой годовщины Октября...

— Сорок третьей, — с места хрипит Сидоркин.

Ермошин озадаченно умолкает, медленно шевелит губами, подсчитывая. Начальник растерянно смотрит то на Сидоркина, то на Ермошина и тоже подсчитывает. Первым подсчитал Ермошин.

— ...за достойную встречу сорок четвертой годовщины Великого Октября, — продолжает он твердо и бросает презрительный взгляд на Сидоркина.

— Погоди, — перебивает его Силаев. — Сидоркин, вы там опять в шахматы режетесь?

— Никак нет! — рявкает Сидоркин и нагло ест начальство глазами.

— Смотрите у меня.

— Слушаюсь! — ревет Сидоркин и незаметно передвигает фигуру.

После Ермошина выступают другие. Все подробно перечисляют успехи и вскользь упоминают о недостатках. Как водится, ругают начальника снабжения Богдашкина. Богдашкин сидит за отдельным столиком возле стены и невозмутимо заносит все замечания в толстую общую тетрадь в коленкоровом переплете. Так он делает каждый раз на всех совещаниях, планерках и летучках. Если бы издать отдельно все записи Богдашкина, получилось бы довольно объемистое собрание сочинений.

Наконец очередь доходит до Сидоркина. Он впопыхах делает не тот ход, что нужно, и встает.

— Ну, у меня, значит, полный порядок, — говорит Сидоркин, подтягивая штаны. — Только вот Богдашкин радиаторы не дает. Богдашкин, запиши.

Богдашкин покорно записывает.

Начальник терпеливо ждет, потом поворачивает голову в мою сторону.

Последним выступаю я.

Меня уже никто не слушает, всем надоело, все хотят по домам. Сидоркин нехотя собирает шахматы. Сабидзе сломал карандаш и сидит скучает.

Начальник ковыряется отверткой в замке стола. Он ждет окончания моего доклада только для того, чтобы спросить:

— Ну как, сдадим к празднику объект?

— Вряд ли.

— Опять заладил свое. Товарищи прорабы, к празднику объект Самохина должен быть сдан. Если сдадим, годовой план по управлению будет в основном выполнен. Поэтому предлагаю каждому со своего участка направить завтра же в помощь Самохину по три человека. Богдашкин, при распределении стройматериалов завтра в первую очередь учитывайте нужды Самохина. Вопросы есть?

— Есть, — сказал Ермошин.

— Твой вопрос решен, — сказал начальник, — в отпуск пойдешь зимой. На этом совещание считаю закрытым. Будьте здоровы, товарищи.

11

Около восьми часов мы выходим на улицу. Дождь перестал, но, видимо, ненадолго, сырой ветер забирается под плащ и пронизывает насквозь тело. Сидоркин поднял воротник и придерживает его рукой, защищая от ветра больное ухо.

Кто-то предложил «раздавить бутылку» — возражений особых не было. Взяли в магазине три поллитровки, пошли в столовую ткацкой фабрики, которая хороша тем, что в ней всегда есть жигулевское пиво, и тем, что в ней можно сидеть, не раздеваясь.

Пока мы носили пиво и котлеты с макаронами, Сидоркин под столом разлил водку в стаканы и закрасил пивом. Сделал он это быстро и незаметно.

Подошла уборщица Маруся и, посмотрев на нас, покачала укоризненно головой:

— Ой, мальчики, опять водку принесли. Тут дружинники ходят, полчаса как двоих забрали.

— Ничего, Маруся, — сказал Сидоркин, — не бойся, нас не заберут. — Он положил на угол стола полтинник.

Маруся смахнула монетку тряпкой в ладонь и, успокоившись, отошла. Теперь она не боялась дружинников.

— Выпьем за дружбу, — сказал Ермошин. — За то, чтобы мы всегда оставались друзьями. — И посмотрел на меня.

— Далеко пойдешь, — сказал Сидоркин и выпил свою водку первым.

Мы тоже выпили. Сидоркин разлил по стаканам вторую бутылку и, так же как первую, поставил под стол. Снова выпили. Ермошин, который всегда знал все новости, сказал, что слышал разговор в тресте, будто с нового года переходим на крупноблочное строительство.

— Давно пора, — сказал Филимонов, который пришел к нам всего два месяца назад, прямо из института, и горой стоит за передовые методы. — Вот будет здорово. Что ни месяц, то дом.

— Чего ж хорошего, — сказал Сидоркин. — Вот и будешь бегать с места на место. Для прораба ничего нет хуже, чем бегать с места на место. Скажи, Ермошин.

— Я за прогресс, — сказал Ермошин.

— Ну и валяй, — охотно согласился Сидоркин. — Ну что, еще по капельке? У кого бутылка?

Третья бутылка была у меня, но вытащить ее я не успел: в столовую вошли двое дружинников — один высокий и плечистый, с всепонимающим взглядом, другой маленький и щуплый. У дверей огляделись и направились прямо к нашему столику.

— Ну что, ребята, выпьем жигулевского, — радушно пригласил Сидоркин и наполнил свой стакан пивом.

— В другой раз, — сказал высокий дружинник и, отогнув скатерть, заглянул под стол.

Я замер и посмотрел на Сидоркина. Сидоркин отхлебнул из стакана пива и тоже заглянул под стол. Ермошин вдруг вскочил с места и, сказав, что надо бы принести чаю, не спеша пошел к окну выдачи.

Сидоркин и высокий дружинник разогнулись одновременно и посмотрели друг другу в глаза. Дружинник — удивленно и испытующе, Сидоркин — дружелюбно и доверчиво.

— Да, — сказал высокий дружинник, — извините, пожалуйста.

— Ничего, не стоит, — вежливо сказал Сидоркин, — заходите еще.

— Извините, — повторил высокий дружинник. — Пошли, Олег.

Они уже дошли до дверей, но Сидоркин позвал их:

— Ребята!

Дружинники снова подошли. Ермошин получил свой чай, но, увидев, что дружинники вернулись, остался у окна выдачи и читал приклеенное к стене меню.

— Ребята, — сказал Сидоркин дружинникам, — хотите, покажу фокус?

— Какой фокус? — спросил маленький, и глаза его заблестели от любопытства.

— Ну какой. Обыкновенный, как в цирке, — пообещал Сидоркин. — Только между нами. Идет?

— Идет, — сразу же согласился маленький, и высокий нехотя подтвердил:

— Идет.

— Ну ладно, — сказал Сидоркин, — глядите под стол.

Дружинники посмотрели. Сидоркин поднял ноги. На полу остались две пустые бутылки.

— Видели? — спросил Сидоркин. — Больше не увидите. — И, опустив ноги, снова прикрыл бутылки штанинами.

Дружинники растерянно поглядели друг на друга, не зная, как им вести себя в таком случае, но потом, видимо, вспомнили о своем обещании.

— Ладно, — сказал высокий дружинник, — в другой раз будем знать. До свидания.

Они ушли. Ермошин подождал, пока дверь за ними не закрылась, и вернулся к столу.

— Ну как чаек? — спросил Сидоркин. — Не остыл?

— Остыл, — сказал Ермошин, глядя в сторону. — Вы, ребята, на меня не обижайтесь. Если б что вышло, мне было бы больше всех неудобно.

— Что ж так? — спросил Сидоркин.

— Ну, понимаешь. Я же веду общественную работу. Меня знают. Скажут: «Сам выступаешь на собраниях, и сам же...»

— А ты одно из двух, — сказал Сидоркин, — или не пей, или не выступай. Женька, давай твою бутылку.

Не помню, почему это произошло, но после третьей бутылки мы вдруг стали спорить о честности. Ермошин сказал, что, если говорить откровенно, прораб и честность несовместимы, как гений и злодейство. Можешь играть в честность сколько угодно, но все равно тебе придется выкручиваться, заполнять липовые наряды, составлять липовые процентовки.

— Вот уж на что Самохин, — сказал Ермошин, — а и тот не лучше нас. Приказали ему сдать дом к празднику — и он сдаст его как миленький, в каком бы состоянии этот дом ни был.

Если бы это сказал не Ермошин, а кто-нибудь другой, я, возможно, и промолчал бы. Но здесь я вдруг распалился и стал говорить, что сдам дом тогда, когда он будет полностью готов, и что мне плевать на Силаева и плевать на всех остальных, я поступлю так, как мне подсказывает совесть.

Я поспорил с Ермошиным на бутылку коньяку, что поступлю именно так, как сказал. После этого мы разошлись.

12

Вернувшись домой, я застал моего соседа Ивана Адамовича Шишкина, как обычно, на кухне за чтением любимой книги. Как называется книга и кто ее написал, узнать невозможно — обложки у нее давно нет, а листы порядком порастрепались и рассыпаются. Но через эту книгу, и только через нее, Иван Адамович постигает всю мудрость и простоту нашей жизни.

Увидев меня, Иван Адамович, как всегда, вскочил и следом за мной прошел в мою комнату. Книгу, раскрытую посредине, он держал в обеих руках.

— Женя, гляди-ко чего написано, — сказал он, как всегда, с удивлением. — Ты думаешь, что ты есть. А на самом деле тебя нет. То ись как? — Помолчав, Иван Адамович сам ответил на свой вопрос: — А вот так. Ни тебя, ни комнаты, ни стола — ничего. Все — одно наше воображение. Всемирный вакуум. Об этом же надо задуматься.

Мне сейчас задумываться об этом не хотелось.

— Иван Адамович, — сказал я, — не надо меня сразу убивать такими открытиями. К этому надо приходить постепенно.

— То ись как?

— Ну вот так. Сначала представим себе, что здесь нет вас. А стол, комната и я пока остаемся на месте. Частичный вакуум.

Иван Адамович внимательно посмотрел на меня, пытаясь сообразить, правильно ли он понял мою мысль.

Он ее понял правильно.

— Ну хорошо, — сказал он обиженно, — я уйду.

— В добрый путь.

13

Засыпаю я всегда быстро, но сплю чутко. Если за стеной включат радио, если Иван Адамович хлопнет дверью, если по улице проедет пожарная машина — я просыпаюсь.

В этот раз меня разбудил телефонный звонок. «Только бы не меня», — подумал я, затаив дыхание, словно это могло спасти.

К телефону подошел Шишкин.

— Алле. А кто его спрашивает? Клава? Нет, он спит. Сейчас я его позову.

Он постучал ко мне в дверь и, не услышав ответа, постучал снова:

— Женя, тебя к телефону.

Я сунул ноги в комнатные туфли и вышел в коридор. Шишкин, вероятно, уже собирался спать, он стоял возле телефона в подштанниках и в очках. Его лицо сияло от злорадства.

— Не мог сказать, что меня нет, — прошипел я, сгорая от ненависти.

— Не мог, — сказал Шишкин. — Как же я скажу, что нет, когда ты есть. — Иван Адамович никого еще не обманывал, особенно из женского полу.

Я снял трубку и услышал:

— Как ты думаешь, что для человека труднее всего?

— Труднее всего разговаривать по телефону, когда хочется спать.

Я начал потихоньку беситься.

— Да, правильно, — согласилась она, будто я сказал что-то мудрое. — Слушай, ты почему не приехал?

— Я был занят.

— Но сейчас ты не занят?

— Сейчас я хочу спать. И уже поздно.

— Еще только одиннадцать часов.

Я гляжу на часы: верно. Мне казалось, что уже гораздо больше.

— Слышишь, я очень хочу тебя видеть. Очень, очень!

При этом она, конечно, закрывает глаза и покачивает головой. Эта театральная самодеятельность раздражает меня, но я все-таки соглашаюсь:

— Хорошо, я приеду.

Мне жалко Клаву.

14

Когда-то Клава была замужем. Семь лет она прожила с одним учителем, который активно участвовал в художественной самодеятельности, но потом выдвинулся, был приглашен в областную филармонию. После этого он ушел от Клавы, решив, что теперь их интересы не совпадают. Клава тогда уехала на Печору, где я с ней и познакомился четыре года тому назад.

Она работала в нашей амбулатории, и все у нее одалживали спирт, когда его не было в магазинах. Наши отношения начались еще там и теперь продолжаются — по инерции.

Сейчас она работает в поликлинике участковым врачом. Живет на окраине города в вытянутом сером строении, в том самом, где когда-то жила вместе с мужем. Ее комната находится на втором этаже в конце узкого коридора с дверями, расположенными в шахматном порядке по обеим его сторонам. Все соседи меня давно знают. Когда я иду по коридору, двери поочередно открываются, и я на ходу кланяюсь направо и налево, как бы раскачиваясь из стороны в сторону.

Клаву застаю всегда в одной и той же позе: она лежит на низкой тахте, обложенная книгами. Книги она проглатывает в огромном количестве, и я ей немного завидую. Но нельзя же читать все без разбору. Все, что в Клаве есть деланного и наигранного, — это от них.

Когда я прихожу к ней, у нас начинается вечер вопросов и ответов.

— Ты на чем приехал?

— На такси.

— На улице холодно?

— Так себе.

— А помнишь, какие морозы были на Печоре?

Если не прекратить это вовремя, мне придется ответить на вопросы об изменении климата и о видах на урожай, поделиться впечатлениями от последнего фильма и высказать свое отношение к алжирской проблеме.

— Слушай, согрей, пожалуйста, чаю, — прошу я только для того, чтобы прервать эту бесконечную цепь вопросов.

— Ой, прости.

Она торопливо вскакивает и, запахнув полы халата, бежит на кухню. Я отодвигаю в сторону книжки, ложусь на тахту, курю и стараюсь ни о чем не думать.

Блаженное состояние. Так бы, кажется, лежал целую вечность, но через семь часов меня снова разбудит будильник и снова, проклиная все на свете, мне придется тащиться к себе на объект, выколачивать из Богдашкина материалы, ругаться с рабочими, начальством или скучать на производственном совещании, для которого, наверное, и завтра найдется повод.

Впрочем, все это можно было бы вынести, если бы меня не торопили со сдачей объекта. Можно бы сдать его в том виде, как он есть. Но уж больно хочется сделать что-нибудь настоящее, чтоб было не стыдно.

Конечно, можно и отказаться от сдачи, именно так я и делал два раза. Но тогда я был помоложе и посмелее. Я легко переезжал с места на место и, живя в палатках или временных бараках, с презрением относился к коммунальным удобствам.

Клава внесла чайник, налила мне чай и пододвинула тарелку с пряниками собственного производства. Сама села напротив и, подперев голову руками, смотрит на меня, как я ем и пью.

— Что-то ты плохо выглядишь, — сказала она. — Ты, по-моему, нездоров.

— Хорошие пряники, — сказал я, — как тебе удается такие делать?

— Выпьешь чай, я тебя, пожалуй, послушаю. Что-то мне твой вид очень не нравится, — сказала Клава.

— Нечего меня слушать, — сказал я, — я не патефонная пластинка. Вид мой мне самому не нравится.

Клава взяла мою руку в свою и подержала недолго.

— Пульс у тебя совсем паршивый, похоже, предынфарктное состояние.

— Прошлый раз ты говорила то же самое, — сказал я. — У любого прораба каждый день предынфарктное состояние. Особенно перед праздником.

— Если ты не веришь мне, — обиделась Клава, — сходи к другому врачу.

— Я бы сходил. Если б знал, что меня положат в больницу.

Про себя я подумал, что в больницу лечь сейчас было бы очень неплохо, пускай Силаев сам сдает мой объект, раз уж он ему так нравится.

— Хорошие пряники, — сказал я. — Где ты достала муку?

— Хорошая хозяйка все достанет. Правда, я хорошая хозяйка?

— Не хвастайся, я все равно на тебе не женюсь.

Она засмеялась:

— Потому что это зависит не только от тебя. Между прочим, как там поживает Зоя?

— Какая Зоя?

— Ну, твоя симпатия. Которая работает в забегаловке. Я думаю, ты имел бы у нее успех.

Все это говорится в подчеркнуто шутливом тоне, но при этом она бросает на меня быстрый и тревожный взгляд. Она боится, что в шутке есть доля истины.

Между прочим, пока я пью чай, происходит такой эпизод. Клава вдруг бледнеет и прикладывает ладонь к груди возле горла.

— Что с тобой? — вскакиваю я.

Она ни слова не говорит. Закрыв глаза, машет рукой. Потом, переводя дыхание, улыбается:

— Да так... ерунда.

— Тебе дурно?

— Немножко. Не обращай внимания.

Я смотрю на нее подозрительно. Это уже не из книжек. Клава вздыхает:

— Дурачок. В конце концов, я врач и знаю, что надо делать в таких случаях.

— Ты знаешь это не как врач, а как баба.

— Хотя бы и так, — согласилась Клава. — И поэтому знаю.

Ну что ж, в ее возрасте она имеет право на такой опыт, но все равно это мне кажется оскорбительным. Роза бы так не сказала.

Я отодвинул стакан и встал.

— Ты хочешь уйти? — тихо спросила она.

— Да, — сказал я.

В глазах у нее показались слезы, но она не заплакала.

— Если тебе надоело, ты можешь уйти, — сказала она, помолчав. — Я не буду тебе мешать. Господи, какая я идиотка. Зачем я заставляю тебя нервничать? Ты хороший, добрый, талантливый человек.

Если бы она закричала или заплакала, я бы, пожалуй, ушел. Сейчас я не мог этого сделать.

— Ты опять говоришь глупости, — проворчал я, успокаиваясь. — Никакой я не талантливый. Обыкновенный серый человечишка. И зачем тебе нужно, чтобы я был талантливым? У тебя был уже один талантливый. Разве тебе мало?

Стрелки подошли к двенадцати. Клава долго думала о чем-то своем, потом спросила:

— Скажи, ты меня хоть немножечко любишь?

— Сколько можно спрашивать об одном и том же?

— Не сердись. Просто мне кажется, что ты ходишь ко мне из жалости. Жалость — самое отвратительное человеческое чувство.

— Неправда, — сказал я устало. — Это ты прочла в своих книжках. Было бы совсем неплохо, если бы мы побольше жалели друг друга.

Я уже совсем засыпал, когда Клава толкнула меня в бок:

— Ты знаешь, о чем я думаю?

— О чем? — Я не в состоянии был даже сердиться.

— Я думаю о том, как хорошо знать, что всегда рядом с тобой есть такой человек.

Это она обо мне. Книжки не доведут ее до добра.

15

На другой день погода немного улучшилась, с утра показалось солнце. Рабочие сидели на бревнах возле растворомешалки, курили. Большинство из них было мне незнакомо — их прислали другие прорабы по приказанию Силаева. Кто из них чем занимается — видно было по инструментам. Вместе с Шиловым я развел их по рабочим местам, обошел объект и вернулся в прорабскую. В прорабской за моим столом сидел некто Гусев, корреспондент городской газеты. В газете он, видимо, считался специалистом по строительным делам, потому что все время околачивался в нашем тресте. Очерки его не отличались стилевым разнообразием и почти все начинались примерно так: «В тресте «Жилстрой» все хорошо знают бригадира такого-то...»

Увидев меня, Гусев встал из-за стола и пошел мне навстречу. Был он, как всегда, в вельветовых брюках, болгарской куртке из кожзаменителя и в синем берете.

— Привет, старик, — сказал он в порыве высокого энтузиазма и долго тряс мою руку.

«Ну что ж, — подумал я, — как говорит Писатель, время есть, будет тресть».

— А я к тебе по делу, — сказал Гусев, натрясшись вдоволь.

— Очерк обо мне писать?

— Откуда ты знаешь?

— Такой я проницательный человек, — сказал я. — Это тебе Силаев посоветовал?

— Он, — сказал Гусев, вынимая толстый, обтянутый резинкой блокнот.

Это событие я воспринял как дурное предзнаменование. Если уж обо мне решили писать в газете, то покоя теперь не дадут.

— Говорят, скоро главным инженером будешь? — спросил Гусев. Он сел напротив меня и положил ногу на ногу.

— Подожди еще, — сказал я, — может, не буду. И вообще, ты бы написал о ком-нибудь другом. Вон хоть о Шилове. Лучший бригадир в тресте.

— О нем я уже писал, — сказал Гусев и сделал пометку в блокноте, должно быть, насчет моей скромности. — Ну давай, чтоб зря время не терять, ты мне расскажи коротко о себе.

— Зачем это тебе? — спросил я. — Все равно напишешь: «В тресте «Жилстрой» все хорошо знают прораба Самохина. Этот высокий, широкоплечий человек с открытым лицом и приветливым взглядом не зря пользуется уважением коллектива. «Наш Самохин», — с любовью говорят о нем рабочие».

Гусев положил блокнот на край стола, вежливо посмеялся и сказал:

— Ты, старик, зря так про меня. Я вовсе не поклонник штампов. Понимаешь, я хочу начать с войны. Ты на фронте был?

— Был, — сказал я. — Могу дать интересный материал.

— Сейчас это не нужно, — сказал Гусев. — Вот к двадцать третьему февраля будет готовиться праздничный номер, тогда пожалуйста. Можем даже вместе написать. А пока мне война нужна для начала. Тут у меня будет так: сорок пятый год. Тебя вызывают к командиру дивизии и предлагают взорвать здание вокзала...

— Погоди, — сказал я. — Я вот никак не припомню, чтобы меня вызывали к командиру дивизии. Я с командиром полка разговаривал один раз за всю войну, когда мы стояли в резерве и он выгнал меня из строя за то, что у меня были нечищеные сапоги.

— Это неважно, — отмахнулся Гусев.

— Вот понимаешь, я ему тоже говорил — неважно, а он мне за разговоры вмазал пять суток строгой гауптвахты. Правда, сидеть мне не пришлось, на другой день нас отправили на передовую.

— Слушай, это все неинтересно, — сказал Гусев. — При чем тут гауптвахта? Я ведь очерк пишу и немного домыслил. Имею я право домысливать?

— Имеешь, — сказал я, — но дело в том, что в сорок пятом году я не воевал, а учился уже в институте, бегал на костылях с этажа на этаж, потому что лекции у нас были в разных аудиториях.

— А ты что, был ранен? — удивился Гусев. — Я не знал. Это очень интересно. — Он записал что-то в блокнот.

— Очень интересно, — сказал я. — Особенно когда тебе в одно место влепят осколок от противотанковой гранаты. Приятное ощущение.

— Да, — сочувственно сказал Гусев. — Наверно, больно было. Но я про войну просто так, для начала. Мне надо показать, что ты взрывал дома, мечтая их строить. Сейчас тема борьбы за мир очень важна. Ты на войне офицером был?

— Нет, — сказал я, — я на войне был старшим сержантом и никаких домов не взрывал, потому что служил в разведке.

— Какая разница, где ты служил, — сказал он, — для идеи важно, чтобы ты взрывал дома. Теперь ты мне скажи еще вот что. Когда ты решил стать строителем: на войне или еще в детстве?

— Да как тебе сказать, — замялся я. — Понимаешь, после ранения я жил как раз напротив строительного института. В другие институты надо было ездить на трамвае, а в этот — только перейти дорогу. А я ходил тогда на костылях...

— Понятно, — сказал Гусев, но в блокнот ничего не записал. — Теперь скажи мне еще: у тебя есть какие-нибудь изобретения или рационализаторские предложения?

— Нет, — сказал я, — я принципиально ничего не изобретаю, хочу посмотреть, получится у людей что-нибудь без меня или нет.

— Ну и как?

— По-моему, получается. Уже изобрели такую бомбу, после которой дома и машины останутся, а мы с тобой превратимся в легкое облачко. Но могу тебя заверить, что я в этом изобретении никакого участия не принимал.

— Да, — сказал Гусев и значительно помолчал.

— Да, — сказал я. — А ты знаешь, кто изобрел чайник?

— Чайник? — Гусев задумчиво потер высокий лоб. — Ломоносов?

— Правильно, — сказал я. — Ломоносов открывал закон сохранения энергии, писал стишки, а в свободное время выдумывал чайники. Только не эти, которые стоят у нас в хозяйственном магазине и у которых отрываются ручки. Их выдумал Юрка Голиков, который работает инженером в артели «Посудоинвентарь».

Гусев мне надоел, и я нарочно болтал разную ерунду, чтобы сбить его с толку. Ему это тоже, видимо, надоело. Он положил блокнот в карман, бросил окурок к печке и встал.

— Я лучше напишу, — сказал он, — а потом покажу тебе. Хорошо?

— Правильно, — сказал я. — Пиши, потом разберемся.

Гусев вышел. Я посидел еще немного и пошел по этажам. На объектах, как всегда бывает во время авралов, творилось что-то невообразимое. Одни работали изо всех сил, торопились, другие не работали вовсе, сидели на подоконниках, курили, рассказывали анекдоты. На меня никто не обращал никакого внимания, словно я к этому делу был вовсе не причастен. Мне самому показалось, что я здесь лишний; я ходил, ни во что не вмешиваясь, пока не столкнулся с каким-то лохматым малым, который навешивал двери в четвертой секции. Он брал дверные навесы, втыкал шурупы и загонял молотком их чуть ли не с одного удара по самую шляпку. Инструментальный ящик лежал сзади него, весь инструмент и шурупы были рассыпаны по полу.

— У тебя отвертка есть? — спросил я у малого.

— Нет, — сказал он. — А зачем?

— Не знаешь разве, что шурупы полагается отверткой заворачивать?

— И так поедят, — лохматый махнул рукой и принялся за очередной навес.

— Ты с какого участка? — спросил я его.

— С ермошинского.

Я сам собрал его инструмент, аккуратно сложил в ящик. Парень перестал забивать шурупы и смотрел на меня с любопытством.

Сложив инструмент, я взял ящик и передал его парню.

— До свидания, — сказал я ему, — передавай привет Ермошину.

Парень взял ящик и долго стоял против меня, покачиваясь и глядя на меня исподлобья.

— Эх ты, шкура! — искренне сказал он и, сплюнув, пошел по лестнице.

Я вернулся в прорабскую и позвонил Силаеву. Я хотел сказать ему, что не буду сдавать дом, пока не приведу его в полный порядок. Пусть Ермошин покупает мне проигранный коньяк. Пусть он знает, что не все такие, как он, что есть люди, которые никогда не идут против своей совести.

Когда я думал об этом, меня распирало от сознания собственного благородства, сам себе я казался красивым и мужественным.

Но весь мой пыл охладила Люся, которая сказала, что Силаев уехал на сессию райсовета и сегодня уже не вернется.

Ну что ж... Можно отложить этот разговор до завтра.

16

В этот день домой я вернулся раньше, чем обычно. У дверей меня встретил Иван Адамович. Он как-то странно улыбался, отводил глаза в сторону, словно был виноват в чем-то. Я сразу понял, что что-то произошло, но догадаться, что именно произошло, было трудно. Я посмотрел на Шишкина, он как-то съежился и глупо хихикнул. Я пожал плечами и пошел в кухню попить воды. В кухне на стуле сидела девочка лет двух, обвязанная полотенцем не первой свежести. Перед нею на кухонном столе стояла тарелка с манной кашей. Девочка набирала кашу рукой, размазывала по лицу, а то, что попадало ей в рот, выплевывала на полотенце.

— Вот, понимаешь ты, — смущенно хихикнул Иван Адамович, — племянница днем оставила. Говорит: «В кино схожу». Шесть часов прошло, а она не идет... Ну-ну, не балуй! — строго закричал он на девочку, которая решила ускорить утомительный процесс размазывания каши и запустила в тарелку обе руки. — Не балуй, — сказал Иван Адамович, — а то дяде скажу, он тебя в мешок посадит.

Девочка вынула руки из тарелки, посмотрела сначала на Ивана Адамовича, потом на меня и заплакала.

— Ну, не плачь, — начал успокаивать ее Иван Адамович, — уходи, дядя, мы тебе не отдадим Машеньку.

Девочка плакала. Иван Адамович рассердился.

— А я вот твоего крику не слышу, — сказал он. — Понятно? То ись как? А вот так, не слышу, да и все. — Старик сделал язвительное лицо. — Нет никакого крику. И тебя самой нет, и меня нет — одно пустое место. Всемирный вакуум. Во!

Девочка посмотрела на него внимательно и заплакала пуще прежнего.

Я прошел к себе в комнату.

— Женя, я тебе там бросил письмо! — крикнул мне вслед Иван Адамович.

Письмо лежало на полу. Я поднял и распечатал его.

В нем было всего несколько строчек:

«Здравствуй, дорогой друг Женька!

Решил написать тебе эту писульку, хотя от тебя давно уже ничего не получал. Видно, ты совсем загордился (шутка) и не хочешь знать своих старых друзей. Я здесь работаю начальником СУ, строю один небольшой заводишко. Когда тебе надоест сидеть на одном месте, приезжай ко мне. Работенку подыщем. Для начала будешь старшим прорабом. Работа, как говорится, непыльная и денежная. Насчет квартиры пока ничего пообещать не могу, но потом что-нибудь придумаем. Ну все. Будь здрав и думай. Привет от Севки. Он работает у меня начальником ПТО, женат, имеет троих детей, но по-прежнему рисует разные пейзажи.

В общем, приезжай. Жду ответа. Жму лапу.

Владик».

Я перечитал письмо два раза. Приятно, черт побери, получить неожиданное письмо от старых друзей. Севка и Владик работают вместе. Интересно, какие они сейчас. Хоть бы фотокарточку прислали, собаки. У Севки трое детей. Подумать только. Я его помню совсем пацаном. Такой рыжий, тщедушный, вся морда в царапинах, он вечно дрался со своей старшей сестрой. Он довольно толково рисовал, и мы думали, что ему прямой путь в живописцы. Но, видно, не получилось. То ли способностей не хватило, то ли еще что.

Я еще раз перечитал письмо. Ну что ж... Пожалуй, оно как раз кстати. Удобный выход из положения. Сдавайте свои дома сами, а я поеду в Сибирь. Я не буду вместе с вами халтурить и краснеть за эту халтуру.

Заодно решится и вопрос с Клавой. Наши отношения слишком затянулись. Теперь все. Не стоит себя обманывать, не стоит мучить друг друга.

В это время в дверь позвонили. У нас в квартире не так уж часто бывают гости — я прислушался. Я слышал, как Иван Адамович отворил дверь, как он говорил с кем-то. Незнакомый женский голос спросил меня. Я вышел в коридор. Женщина стояла на лестничной площадке. Иван Адамович разговаривал с ней через щелочку и придерживал дверь, чтобы в случае чего захлопнуть ее. Я отодвинул Шишкина и пригласил женщину войти. Она прошла, шурша дорогой шубкой, усыпанной дождевыми каплями.

— Вы меня, конечно, не помните, — сказала женщина, разглядывая меня и близоруко щурясь. — Мы с вами в прошлом году встречались на дне рождения Клавы.

Но я ее очень хорошо помню. Она была самая толстая на этом вечере. Я даже запомнил, что ее зовут Надя, что она работает гинекологом в той же поликлинике, что и Клава.

— Ну почему же, Надя? — сказал я. — Было бы странно, если бы я не запомнил вас.

Я повесил ее шубу на вешалку и пригласил Надю к себе, извинившись за беспорядок.

— Ничего, — сказала она, входя в комнату и осматриваясь. — Я понимаю. Холостяцкий быт. Если бы у вас была жена...

— Чего нет, того нет.

Я прикрыл за ней двери, но неплотно, чтобы Иван Адамович не мучился в напрасных догадках.

Надя начала разговор с того, что, очевидно, ее визит мне кажется странным. Я ответил, срочно припоминая все правила хорошего тона, что я, конечно, не ожидал, но это тем более приятно...

— Не думаю, чтобы это вам было очень приятно. — Она достала из сумочки сигарету и закурила. — Тема нашего разговора несколько деликатная... Но я врач и позволю себе говорить прямо. Вы, конечно, знаете, что Клава беременна.

— В общем... Конечно... я догадывался.

— В общем, конечно, — передразнила она. — Что там догадываться? Это — извините меня — видно невооруженным глазом. Но дело не в этом. Дело в том, что Клава хочет, как это говорят, прекратить беременность, а этого ей делать ни в коем случае нельзя. Это для нее просто смертельно опасно. Я нисколько не преувеличиваю.

— Почему бы вам не сказать этого ей лично? — спросил я.

— Я ей говорила. Она ничего не хочет слышать. Вашим мнением она дорожит больше, вы должны на нее повлиять.

— Хорошо, — сказал я неуверенно, — я постараюсь.

— Постарайтесь, — сказала она, поднимаясь. — И вообще, мой вам совет — женитесь. Я тоже долгое время жила одна и ничего хорошего в этом не нашла...

— Да, но между нами есть небольшая разница, — робко заметил я.

— Абсолютно условная.

Я не стал спорить и проводил ее до дверей. «Ну вот, — думал я, вернувшись в комнату. — Теперь все стало на свои места». Посидев еще немного, я снял со стула брюки и начал одеваться. Часы показывали половину двенадцатого.

В коридоре мне встретился Иван Адамович. Он держал двумя пальцами байковые штанишки, и лицо его выражало полную растерянность.

— Женя, — сказал он, — гляди-ко, чего наделала срамница. Видишь?

— Не вижу, — сказал я.

— То ись как? — опешил Иван Адамович.

— Так, — я пожал плечами. — Не вижу, да и все. Это все одно ваше воображение, Иван Адамович.

Свободной рукой Иван Адамович задумчиво поскреб в затылке.

— Так оно ж пахнет, — сказал он неуверенно.

17

Клава еще не спала. Она сидела перед зеркалом в одной рубашке и чем-то мазала волосы. Увидев меня, она растерялась и сунула какой-то флакончик в ящик стола.

— Ты что делала? — спросил я, хотя должен был, наверное, промолчать.

— Ничего.

Она смотрела на меня все так же растерянно. Волосы у нее были мокрые. Я догадался, что она красила их восстановителем. Мне стало жалко ее, и, чтобы скрыть это, я сказал:

— Дура ты.

Она виновато прижалась ко мне. Потом спросила:

— Ты зачем приехал?

— Так просто. А тебе что, не нравится?

— Нет, мне очень нравится, только я не ожидала.

— Приятная неожиданность, — сказал я. — Видишь ли... сейчас у меня была Надя...

— Да? — Клава насторожилась. — Ну и что она тебе сказала?

— Она мне сказала все, что надо было.

— Вот идиотка! — рассердилась Клава. — Вот идиотка! А кто ее просил? Я ее просила? Зачем она вмешивается?

— Она говорит, что для тебя это опасно.

— Врет она все. Что она понимает? Ты ей не верь. Я тоже врач и разбираюсь в этих делах не хуже ее.

— Клава, я тебе хочу сказать, что если это действительно так...

Она посмотрела на меня насмешливо:

— Я, конечно, ценю твое благородство, но это не так. Ты не волнуйся, все будет в порядке.

Ну что ж... Раз она сама считает, что это неопасно... Ведь она в самом деле врач.

— Да, ты знаешь, — сказал я, — я получил письмо от Владика. Помнишь, я тебе о нем говорил.

— И что он пишет?

— Ничего особенного. Зовет меня к себе. Он там строит какой-то завод.

— Ты хочешь поехать? — быстро спросила Клава.

— Не знаю, — сказал я. — Теперь едва ли.

— Если хочешь, езжай, — сказала Клава. — Я тебя не держу. Ничего особенного не произошло. Все остается по-прежнему.

— Нет, — сказал я, — теперь было бы просто глупо уезжать. Я скоро буду главным инженером.

— Правда? — удивилась Клава. — С чего это вдруг?

— Не знаю. Так хочет начальство.

— Я очень рада за тебя. — Она притянула мою голову к себе и поцеловала. — Ты знаешь, если тебе без меня лучше — ты уходи. Я тебя не держу. Я не хочу, чтобы ты чувствовал себя связанным.

— Не выдумывай глупостей, — сказал я. — Никуда я уходить от тебя не собираюсь.

— А ты меня любишь?

— Да.

Она посмотрела на меня недоверчиво, но ничего не сказала.

Утром, когда я собирался на работу, Клава спросила:

— Теперь не увидимся до самого праздника?

— Почему? — сказал я. — Можем увидеться хоть сегодня.

— Правда? — обрадовалась Клава. — Давай сегодня сходим в кино.

— Давай, — согласился я, хотя в кино мне идти не хотелось. Но я хотел сделать Клаве приятное.

18

Этот день прошел сравнительно спокойно, мне почти никто не звонил, никуда меня не вызывали. Я даже подумал, что обо мне позабыли. В четыре часа, после ухода рабочих, я позвонил в трест, сказал, что не смогу быть на летучке, потому что заболел. И поехал в поликлинику за Клавой.

Фильм, на который собрались сходить мы с Клавой, уже прошел, но в кинотеатре «Новатор» шел другой новый фильм, благо их теперь выпускают много.

Мы хотели пойти на шестичасовой сеанс, но билеты достали только на десять, времени впереди было много, шел дождь, и Клава сказала:

— Твой дом рядом. Пойдем посидим у тебя. За все время ты меня ни разу не пригласил к себе. Я даже не знаю, как ты живешь.

Дома у меня, как всегда, был беспорядок, и поэтому я согласился без особой охоты.

По дороге мы купили маленького ослика на деревянной подставке и принесли его Машеньке, мать которой совсем пропала.

Увидев незнакомую женщину, Машенька испугалась и расплакалась. Я проводил Клаву в комнату, предупредив ее, что у меня беспорядок, но чтобы она не вздумала убирать. После этого я вернулся к Машеньке и вручил ей подарок. Машенька отнеслась к игрушке равнодушно, зато Иван Адамович был доволен.

— Смотри, какого слоника тебе дядя купил, — весело сказал он.

— Это не слоник, а ослик, — поправил я его.

Иван Адамович прочел по складам название, написанное на ярлычке:

— «Ослик». — И, поставив игрушку на место, сказал упрямо: — Слоник.

Я не стал спорить.

— Мать так и не приходила? — спросил я.

— Нет, — грустно сказал Иван Адамович, — не приходила. Телеграмму из Воронежа прислала — замуж вышла.

Я вернулся в комнату. Клава стояла у столика и, держа в руках фотографию Розы, рассматривала ее.

— Это твоя новая симпатия? — спросила она с преувеличенным спокойствием.

— Положи на место и не трогай, — сказал я.

Это ее неожиданно возмутило.

— Да? А если я не положу?

— Клава, положи, — сказал я сдержанно и довольно миролюбиво.

— А если не положу?

— Положи! — повысил я голос.

— Не положу! — заупрямилась Клава.

Тогда я заорал и затопал ногами.

Такого со мной еще не бывало. До сих пор, когда я вспоминаю это, мне становится стыдно.

Клава вдруг ни с того ни с сего швырнула карточку на пол. Зазвенело стекло. Вот они, семейные сцены!

Я молча шагнул к ней. Клава посмотрела на меня и побледнела.

— Не смей! Не смей! — закричала она. — Ты потом пожалеешь! Тебе самому будет стыдно!

Хорош я, наверное, был, если Клава подумала, что я ее буду бить.

Дверь приотворилась. В комнату заглянул любопытный ко всему Иван Адамович, но, увидев мое разъяренное лицо, тут же захлопнул дверь.

— Да ты знаешь, кто это? — спросил я зловеще.

— Знаю, — сказала Клава. — Зачем ты мне морочишь голову? Если я тебе противна, можешь катиться к ней. К этой своей...

Клава с плачем вылетела за дверь.

Я прислонился к стене. Я задыхался. Снова заныло сердце.

Немного успокоившись, я присел на корточки и стал собирать осколки стекла. В конце концов, ничего страшного не произошло. Разбилось только стекло. Карточка осталась целой. Я осторожно освободил ее от осколков и положил на стол.

Большие глаза Розы смотрели на меня задумчиво и грустно. «Эх ты, — подумал я о Клаве, — нашла к кому ревновать».

Моя злость проходила. В чем виновата Клава? В том, что она хуже Розы. Но кто знает, какой была Клава в восемнадцать лет и какой стала бы Роза, если бы ей пришлось прожить столько и так, как Клаве.

Поймав себя на этой мысли, я удивился. Что это значит? Я стал хуже относиться к Розе? Или лучше к Клаве? Я даже испытывал угрызения совести и подумал, не догнать ли и не вернуть ли мне ее. Но, прикинув примерно, что она уже далеко (может быть, подходит к остановке), я сообразил, что бежать надо будет слишком быстро. Бежать мне, понятно, не хотелось. «Завтра позвоню, извинюсь», — решил я.

И как был, в пальто, прилег на кровать.

19

Потом мне надоело лежать, и я вышел на улицу. Дождь перестал, но все равно было холодно и сыро. На другой стороне улицы в забегаловке горел свет. Там была одна только Зоя. Она протирала вилки и ложки и собиралась уходить. Увидев меня, она удивилась.

— Что-то вы вечером к нам первый раз, — сказала она. — Видно, жена не хочет готовить.

— У меня нет жены, — сказал я.

— Рассказывайте, — кокетливо засмеялась Зоя. — Все мужчины говорят — нет, а потом оказывается — у него и жена, и дети.

— У меня нет жены, Зоя, — повторил я. — И детей тоже нет.

В забегаловке ничего не было, кроме холодных котлет.

Расплачиваясь, я вместе с деньгами вытащил из кармана билеты и только сейчас вспомнил про кино.

— Зоя, в кино хотите сходить? — неожиданно для самого себя предложил я.

— Я бы с удовольствием, — сказала Зоя, — но вы, наверное, шутите.

— Да нет, Зоя, серьезно, — сказал я. — Вот билеты.

Зоя согласилась. Мы вышли вместе, и я помог ей запереть дверь. До начала сеанса оставалось около часа, и мы решили побродить по улице.

Я не знал, с чего начать разговор, и спросил:

— Зоя, а что вы делаете в свободное время?

— Когда как, — сказала Зоя. — Иногда с девочками на танцы хожу или в кино. А то просто сижу дома, выражения переписываю.

— Что?

— Выражения. Ну вот знаете, например, такое выражение: «Лучше умереть стоя, чем жить на коленях»? Это Долорес Ибаррури сказала. Или вот выражение Гюго: «Жизнь — цветок, любовь — мед из него». У меня этих выражений уже целых два альбома есть. Если иметь их много, никаких книжек читать не надо!

— Скажите! Это интересно... — сказал я. — Значит, вы храните в этих альбомах всю мудрость в чистом виде?

— В чистом, — согласилась она. — Вы знаете, у меня почерк очень красивый, хотя даже среднюю школу я не закончила. А вот у моей сестры высшее образование — учительница она, — так вы не поверите, как напишет что-нибудь, сама не разберет. А у вас высшее образование?

— Да вроде бы высшее, — сказал я.

— А правда, что вы очень сильный?

— С чего это вы взяли?

— А мне один мальчик рассказывал. Он с нашей поварихой дружит. Говорит, что с вами вместе работает. Его Сашей зовут.

— Не знаю, — сказал я, — со мной много Саш работает. Как фамилия?

— Фамилию не помню. Русый такой, волосы длинные-длинные.

— А, — догадался я, — Писатель?

— Как, он разве писатель? — удивилась Зоя.

— Ага, — сказал я. — Писатель. Знаешь что, давай будем на «ты». Так как-то проще. Правда?

— Правда, — согласилась она. — Лучше дружеское «ты», чем холодное «вы».

— Вот именно, — сказал я. — И так холодно. Давай зайдем в фойе. Погреемся, журнальчики посмотрим.

Она согласилась. Мы вошли. Посмотреть журнальчики нам не удалось, в фойе выступал режиссер, поставивший эту картину. Стоя у стены, мы слушали его. Режиссер рассказывал, как был поставлен фильм, как героически работал весь съемочный коллектив, какие надежды они возлагали на эту работу. В конце своей речи он сказал:

— Если наш фильм заставит вас над чем-то задуматься, если, посмотрев его, вы станете хоть чуточку лучше и умнее, мы будем считать, что наша задача выполнена.

Ни лучше, ни умнее после этого фильма мы не стали.

Когда мы шли из кино, Зоя долго молчала и вздыхала, думая о чем-то своем. И наконец спросила:

— Женя, а что такое любовь?

— Не знаю, — сказал я.

Она вздохнула и сказала задумчиво:

— Любовь — это бурное море, любовь — это злой ураган.

Я с ней согласился.

Мы дошли до ее дома. Я быстро попрощался и ушел, решив, что теперь придется завтракать в другой забегаловке.

20

И вот наступил этот день, которого все ждали в нашем управлении. Утром меня вызвал к себе Силаев. Он сказал, что приказ о моем назначении утвержден и что после праздника я могу принимать дела. С Клавой я до сих пор не помирился. Настроение у меня было отвратительное, мое назначение меня не радовало.

— Ну что, Евгений, выходишь в люди, — бодро сказал Силаев. — Скоро вообще большим человеком будешь. Сегодня сдашь дом, а после праздника примешь дела. Ты чего хмуришься?

— Сами знаете чего, — сказал я. — Халтурить не хочется.

— Что делать? — сказал Силаев. — Не всегда мы можем делать то, что хочется. Райком требует сдать — и против него не попрешь. Теперь такое дело. Первая секция у тебя вроде бы лучше всех отделана?

— Вроде.

— Ну вот. И асфальт возле подъезда есть. А возле других нет.

— Ну и что же? — не понял я.

— Да как же — что? Первый день на стройке, что ли? — Силаев развел руками. — На улице грязно, а комиссия придет в ботиночках, люди интеллигентные.

— Думаете, по грязи не захотят ходить?

— Не захотят, — уверенно сказал Силаев. — Я их знаю. Сам такой.

Мне было уже все равно. Делайте, что хотите, и я буду делать, что хотите, — так будет спокойней.

Я вышел из кабинета. В приемной толкалось много народу. Секретарша Люся бойко стучала по клавишам машинки — печатала акт сдачи-приемки объекта. Возле нее на стуле сидел Сидоркин и объяснялся Люсе в любви.

— Значит, не пойдешь за меня замуж? — спрашивал он с самым серьезным видом.

— Нет, — ответила Люся, — ты уже старый и худой.

— Это хорошо, — сказал Сидоркин. — Помру, скелет сдашь в музей — большие деньги получишь.

— Ты чего здесь торчишь? — спросил я его.

— Богдашкина жду. Поговорить надо, хороший он больно уж человек.

В это время в приемной появился Дроботун — представитель райисполкома, бессменный председатель всех комиссий по приемке зданий. Я его не видел месяца три. За это время он еще больше погрузнел, раздался в плечах, и его военный костюм, в котором он несколько лет назад вышел в отставку, уже расползался по швам. В руках он держал тяжелую от дождя плащ-палатку.

Дроботун кивнул мне и Сидоркину, потом посмотрел, что печатает Люся.

— Готово уже? — спросил он.

— Сейчас будет готово, — ответила Люся. — Оценку поставим сейчас или потом сами напишете?

— Давай сейчас, — сказал Дроботун. — Чтобы не от руки. Официально. Пиши: «Здание принято с оценкой «хорошо».

— А может, оно сделано на «отлично»? — спросила Люся.

— Такого не может быть, — уверенно сказал Дроботун. — На «отлично» Растрелли делал или Росси какой-нибудь. Сейчас все делают на «хорошо».

21

Вскоре пришли еще двое — члены приемной комиссии. Санинспектор, маленький, худой человек с впалой грудью и золотыми зубами, и представитель райкома комсомола, какой-то студент. Должен был прийти еще один представитель от какой-то общественной организации, но Дроботун его дожидаться не стал.

— Ладно, — сказал он, — захотят — потом подойдут. Праздник на носу, жена велела продуктов купить.

— Мне бы тоже поскорей, — откровенно сказал санинспектор. — Костюм надо взять из химчистки.

Студенту, видно, ничего не надо было, он промолчал. Мы вышли на улицу. Дождя не было, но он мог вот-вот пойти: низкие тучи неслись над землей. Было холодно. На пустыре глинистая почва размокла, пришлось идти в обход по асфальту. Дроботун в развевающейся плащ-палатке шел впереди, глядя под ноги и осторожно огибая сиреневые от машинного масла лужи. Я смотрел на его чистые ботинки с войлочным верхом и подумал, что Силаев был прав: ботинки председатель комиссии пачкать не захочет.

Мы подошли к дому и остановились. Плотники уже разобрали забор, дом виден был от дороги, он блестел свежей краской и вымытыми окнами.

— Снаружи вроде бы ничего, — сказал Дроботун, — посмотрим, как-то там внутри.

— А это что? — показывая пальцем на стены, спросил студент, который до сих пор молчал.

— Где? — спросил Дроботун.

— А вот трещина. Выходит, не успели построить дом, а он уже треснул.

Мы не сразу поняли, в чем дело, а когда поняли, Дроботун переглянулся с санинспектором, и оба они снисходительно улыбнулись.

— Это не трещина, — мрачно сказал я. — Это осадочный шов.

Парень смутился, покраснел, но сказал очень строго:

— Проверим. Покажете потом проект.

Я понял, что хлопот с ним не оберешься.

Так оно и получилось. Пока мы ходили по первой секции, где было, в общем, все в порядке, студент куда-то сбежал. Мы ходили втроем. Дроботун рассеянно тыкал пальцем в стены, смотрел окна, двери. В одной квартире он показал мне на мокрый пол.

— Надо было раньше поливать, — хмуро сказал Дроботун, — чтоб успел хоть немножко высохнуть.

Это была работа Писателя. Попался бы он мне сейчас на глаза, я из него душу бы вытряс.

Санинспектор занимался своими делами: смотрел кухни, ванные, уборные, дергал ручки спускных бачков. Полы и двери его не интересовали.

Мы обошли все этажи, и я предложил председателю и санинспектору посмотреть вторую секцию. Предложил я это просто для очистки совести, наверняка знал, что они откажутся.

— Чего там смотреть? — сказал Дроботун. — Все ясно. Где акт?

Я вынул акт, сложенный вчетверо, из кармана. Я уже думал, что сейчас все кончится, и обрадовался. Если уж я не могу делать все как полагается, так пускай хоть будет меньше возни.

В это время открылась дверь, в комнату, где мы находились, вошел студент, мокрый с ног до головы, в ботинках и брюках, облепленных грязью.

— Опять дождик пошел? — глядя на студента, насмешливо спросил Дроботун.

— Я был во второй секции, — отдышавшись, сказал студент.

— Ну и что?

— Ничего. Все плохо. Дом принимать нельзя.

— Так уж и нельзя? — переспросил Дроботун.

— Нельзя, — уверенно сказал студент. — Я акт не подпишу.

— Подпишешь, — сказал Дроботун.

— Да вы пойдите посмотрите, что там творится.

Дроботун посмотрел на свои ботинки, потом на санинспектора.

— Придется идти, — сказал санинспектор, хотя тоже был недоволен этим.

Мы вышли на улицу. Вдоль стены от первого подъезда ко второму были положены кирпичи, но расстояние между ними было слишком велико. Дроботуну сохранить ботинки не удастся, это было понятно сразу. Студент, которому терять было уже нечего, уверенно плыл впереди.

Ничего страшного во второй секции не было — обычная наша работа. Кое-где двери не закрывались.

— Вот, — сказал студент, — двери не закрываются.

— Сырость. Поэтому не закрываются, — пояснил Дроботун.

— Если бы одна дверь... — сказал студент.

— Сырость на все двери действует сразу, — заметил санинспектор. Ему-то уж до дверей было меньше всех дела. Он думал, наверное, о химчистке, в которой после двух часов будет такая очередь, что не достоишься.

— А теперь поднимемся выше, — сказал студент. Он говорил уже так уверенно, словно был самым большим нашим начальником. Он пошел впереди, перепрыгивая через ступени, мы не спеша плелись следом.

— Карьерист, — глядя студенту в спину, тихо сказал Дроботун. — Такой молодой, а уже выслуживается.

— Смолоду не выслужишься, потом поздно будет, — деловито заметил инспектор.

Студент вывел нас на балкон четвертого этажа и толкнул сильно балконную решетку. Она оторвалась от бокового крепления и закачалась. Это была та самая решетка, которую варил Дерюшев.

— Вот видите, — сказал студент торжествующе и посмотрел на Дроботуна. Тот нахмурился.

— Это уже непорядок, — сказал он. — А вдруг кто свалится? Подсудное дело. Пускай сегодня же приварят.

— Потом подпишем акт, — добавил студент.

— Акт подпишем сейчас, — сказал Дроботун. — Решетку он приварит.

— А двери? А окна? — сказал студент.

— Это ерунда, — сказал Дроботун. — Подсохнет — и все будет нормально. Ты уж хочешь, чтоб вообще все было без придирок. А сроки у него какие?

— Сроки, — сказал студент. — Все гонят, лишь бы сдать дом, а потом сразу же в капитальный ремонт. Раньше дома строили вон как. По пятьсот лет стоят.

— Раньше на яичном желтке строили, — заметил Дроботун. — А теперь мы яичницу сами есть любим.

Разговор принимал отвлеченный характер. Я стоял в стороне, как будто меня это все не касалось. Я был зол на Дроботуна. Ему до этого дома нет никакого дела, важно поскорее отделаться и сообщить начальству, что все в порядке. Я так разозлился, что мне было уже наплевать на все, что будет потом. В конце концов, и с семьей можно уехать в Сибирь. Поэтому, когда Дроботун предложил мне подписать акт, я отказался.

— Ты что, шутишь? — удивился Дроботун.

— Не шучу, — сказал я. — Он прав. Дом сдавать еще рано.

— Да ты понимаешь, что говоришь? Это ж будет скандал. Уж во все инстанции сообщили, что дом сдается. Подарок комсомольским семьям.

— Он прав, — сказал я, — такой подарок никому не нужен.

— Да, вообще-то, может, и нужен, — вдруг засомневался студент. Должно быть, он пожалел меня.

— Выйди, — строго сказал ему Дроботун, и студент вышел.

Некоторое время Дроботун молча стоял у окна и ковырял ногтем замазку.

— Ну чего ты дуришь? — сказал он. — Ты представляешь, чем дело пахнет? Давай быстро подписывай, а мы тоже подпишем. Студент тоже подпишет.

На какую-то секунду я заколебался, но потом меня понесло.

Я подумал: «Будь что будет, подписывать акт я не стану. В конце концов, хорошая у меня работа или плохая — она единственная. И если эту единственную работу я буду делать не так, как хочу и могу, зачем тогда вся эта волынка?»

— Вот что, — сказал я Дроботуну, — вы идите, а дом я пока сдавать не буду. Встретимся после праздника.

Он посмотрел на меня и понял, что дальше спорить со мной бесполезно.

— Как хочешь, — сказал он, — тебе же хуже.

22

В контору я пошел не сразу, сначала заглянул в прорабскую. Там сидели все рабочие, они курили, переговаривались, ожидали меня. При моем появлении все замолчали и повернули головы ко мне.

— Ну, чего смотрите? — сказал я, остановившись в дверях. — Идите работать.

— Значит, объект не приняли? — спросил Шилов.

— Не приняли.

— Почему?

— Потому что надо работать как следует. Собери сейчас плотников, пусть обойдут все квартиры и подгонят двери. Не успеют сегодня, будем работать после праздника до тех пор, пока не сделаем из дома игрушку. Дерюшев, ты ту решетку так и не заварил?

— Я заварил, — сказал Дерюшев неуверенно.

— Так вот пойди еще раз перевари. А я потом проверю.

Зазвонил телефон. Я попросил Шилова снять трубку.

— Алло, — сказал Шилов. — Кого? Сейчас посмотрю. Силаев, — шепнул он, прикрыв трубку ладонью.

— Скажи: ушел в контору, сейчас будет там, — сказал я.

Пока я дошел до конторы, Дроботун уже, наверное, успел туда позвонить, там поднялся переполох. Секретарша Люся куда-то звонила, просила отменить какой-то приказ. Возле нее стоял Гусев и спрашивал, как же теперь с очерком, который уже набран.

— Может, мне поговорить с Силаевым, он даст кого-нибудь другого?

— Конечно, — сказал Сидоркин, который все еще здесь крутился в ожидании Богдашкина. — Тебе ведь только фамилию заменить, а все остальное сойдется.

— У хорошего журналиста все, если надо, сойдется, — сказал Гусев, глядя куда-то мимо меня, как будто меня здесь не было вовсе.

— Силаев у себя? — спросил я у Люси.

— У себя. Он ждет вас, — сухо ответила Люся.

Разговор с Силаевым не получился. Как только я вошел, он стал на меня топать ногами и кричать, что я подвел не только его, но и весь коллектив, что теперь нам не дадут ни переходящего знамени, ни премий и вообще райком сделает свои выводы.

Дальше — больше. Он сказал, что теперь ему мой облик совершенно ясен, что должности главного инженера мне не видать как своих ушей и что вообще он выгонит меня как собаку.

Я все это терпел, но, когда он сказал, будто только служебное положение мешает ему набить мне морду, я не выдержал.

Я взял с его стола пластмассовое пресс-папье и раздавил его одной рукой, как пустую яичную скорлупу. Я сказал, что и с ним мог бы сделать то же самое, если бы он посмел меня тронуть. И вышел.

В дверях мне встретился Гусев. Сидоркин сидел у стены и молча курил. Люся стучала на машинке.

— Ну что, — спросил Сидоркин, — поговорили?

— Поговорили, — сказал я. — Нет Богдашкина?

Сидоркин не успел мне ответить: из кабинета Силаева выскочил красный Гусев, он осторожно прикрыл за собой дверь, пожал плечами и вышел в коридор. Мы с Сидоркиным подождали немного и тоже вышли.

Закурили. Зажигая спичку, я почувствовал, что у меня дрожат руки. Должно быть, от волнения. Никогда раньше руки у меня не дрожали.

— Нервный ты стал, — глядя на меня, сказал Сидоркин, — лечиться надо.

— Пошли подлечимся, — сказал я.

23

Мы пошли напрямую через пустырь. На мне были резиновые сапоги, поэтому я шел впереди, нащупывая дорогу. Половину пути прошли молча. Потом Сидоркин сказал:

— Чего это ты сегодня со сдачей намудрил?

— Я не мудрил, — ответил я. — Просто не хочу халтурить. Хочу быть честным.

— Честность, — хмыкнул сзади Сидоркин. — Кому нужна твоя честность?

— Она нужна мне, — сказал я.

Мы купили бутылку водки, зашли в столовую. Рабочий день еще не кончился, в столовой почти никого не было. Маруся вытирала столы. Она заметила, что карман у Сидоркина оттопырен, и покачала укоризненно головой. Мы сели за свой столик в углу, Сидоркин разлил водку в стаканы. Выпили.

— Дуб ты, — сказал Сидоркин, закусывая винегретом. — Сейчас бы главным инженером был.

— Обойдусь.

— Обойдешься, — сказал Сидоркин. — Так вот и будешь всю жизнь старшим прорабом, если еще не понизят.

— Ты думаешь, все счастье в том, какое место занимаешь? — спросил я.

— А ты думаешь в чем?

— Не знаю, — сказал я. — Может, и в этом. А может, и нет. По крайней мере, я знаю, что живу, как хочу. Не ловчу, не подлаживаюсь под кого-то, не дрожу за свое место.

— Не дрожишь, — сказал Сидоркин. — Потому и летаешь с места на место. Теперь тебя здесь съедят. Куда денешься?

— В Сибирь поеду, — сказал я. — Ребята зовут. Вместе в институте учились.

— А ребята тебе квартиру приготовили?

— Не в квартире дело, — возразил я.

— Кто знает, может, и в квартире. Сколько можно человеку мыкаться без своего угла, без семьи, без... А, что говорить! — Сидоркин махнул рукой. — Давай выпьем.

Таким серьезным я его никогда еще не видел. Мы выпили. Сидоркин поставил бутылку под стол. Сделал он это вовремя — в столовую вошли знакомые нам дружинники. Остановившись у дверей, они быстро сориентировались в обстановке и направились к нашему столику. Высокий дружинник отогнул скатерть и заглянул под стол.

— Поднимите, пожалуйста, ноги, — попросил он Сидоркина.

— Пожалуйста, — сказал Сидоркин и поднял ноги.

Под столом ничего не было. Дружинники переглянулись и пожали плечами.

— Ладно, пошли, — сказал высокий, и они направились к выходу.

Но Сидоркин остановил их.

— Ребята, показать? — спросил Сидоркин. Он был опять в своем репертуаре.

Дружинники снова переглянулись, и маленький первым не выдержал.

— Покажите, — попросил он.

— Только прежний уговор — никому ни слова, — на всякий случай условился Сидоркин.

— Никому, — хмуро буркнул высокий дружинник.

— Ну что с вами делать, — вздохнул Сидоркин, — глядите. — Он поднял правую штанину — под ней на тыльной стороне ступни стояла пустая бутылка.

24

В прорабской сидели трое: Шилов, Дерюшев и Писатель.

— Шилов, — спросил я, — плотники работают?

— Работают, — сказал Шилов, — да что толку? Все равно не успеют, полчаса осталось до конца.

— Хорошо, — сказал я, — сколько успеют, столько сделают. Дерюшев, заварил решетку?

— Нет.

— То есть как?

— Да так, — Дерюшев флегматично пожал жирными плечами. — Баллон с кислородом надо поднять на четвертый этаж, а кран отключили.

— И вы, такие здоровые лбы, не можете поднять один баллон? — спросил я совершенно спокойно, но чувствуя, что скоро сорвусь.

— Как же поднимешь, — сказал Дерюшев, — когда в нем больше центнера весу?

— А ты знаешь, как египтяне, когда строили пирамиду Хеопса, поднимали на высоту в сто сорок семь метров глыбы по две с половиной тонны?

— Без крана? — недоверчиво спросил Писатель.

— Без крана.

— Без крана навряд, — покачал головой Шилов.

Конечно, можно было на них орать и топать ногами, но этим их не проймешь.

— А ну-ка пошли, — сказал я и первым вышел из прорабской.

Баллоны лежали возле подъезда в грязи. Я поднял с земли щепку, поставил баллон на попа и очистил его немного. Потом взвалил его на плечо. Шилов, Писатель и Дерюшев выступили в роли зрителей. Пройдя первые десять ступенек, я понял, что слишком много взял на себя. Лет пять назад я мог пройти с таким баллоном втрое больше, теперь это было мне не под силу. Меня качало. На площадке между вторым и третьим этажом я споткнулся и чуть не упал. Но вовремя прислонил баллон к батарее отопления. Подбежал Шилов.

— Евгений Иваныч, давай подмогнем.

— Ничего, — сказал я, — обойдусь.

Неужели я так ослаб, что ничего уж не могу сделать? Я пошел дальше. У меня еще хватило сил осторожно положить баллон на пол.

— Ну что, — сказал я, — поняли, как строилась пирамида Хеопса?

— Вам бы, Евгений Иваныч, заместо крана работать, — почтительно пошутил Писатель.

Я ему ничего не ответил. Я сказал Дерюшеву, чтобы сейчас же заварил решетку, и Шилову, чтобы потом закрыл прорабскую и отнес ключ в контору. После этого я пошел домой. Мне нездоровилось.

Дома я разделся, умылся, согрел чаю. Ко мне пришла Машенька, и мы стали пить чай вместе. Я наливал ей в блюдечко, и она, сидя у меня на коленях, долго дула на чай, чтобы он остыл. Потом мне стало плохо. Я снял Машеньку с колен и пошел к кровати. Мне показалось, что кровать слишком далеко, и я опустился на пол. Машенька засмеялась. Она подумала, что я играю. Пол подо мной качался и стены тоже. Мне вдруг показалось, что я лечу куда-то вверх ногами. Так, говорят, наступает состояние невесомости.

25

Сразу после праздника ударил мороз и прошел снег. Теперь все вокруг бело: белый снег, белые простыни, белые халаты.

Больница, в которой я лежу, — одна из лучших в городе. Здесь тепло и уютно, много света и воздуха. И если вначале мешает запах лекарств, то потом постепенно к нему привыкаешь.

В палате двенадцать коек. Люди все время меняются. Когда кто-нибудь должен умереть, старшая санитарка тетя Нюра заранее кладет у его постели чистое белье, потому что больничные койки не должны пустовать.

И я, и мои соседи знаем, что если возле кого-нибудь кладут свежие простыни, то он уже не жилец. Тетя Нюра утверждает, что за всю жизнь не ошиблась ни разу.

А вообще она приветливая и услужливая старушка. Все двенадцать часов своего дежурства она проводит на ногах, ходит от койки к койке — там поправит одеяло, здесь подаст «утку» или еще чем услужит. Я ее всегда встречаю одним и тем же вопросом: скоро ли она принесет мне белье?

И старушка тихо смеется — она рада, что ей попался такой веселый больной.

Больница — хорошее место для размышлений. Здесь можно оглядеть все свое прошлое и оценить его. Можно думать о настоящем и будущем.

Я прожил жизнь не самую счастливую, но и не самую несчастную — многие жили хуже меня. Может быть, при других обстоятельствах я мог бы стать... А кем я мог бы стать? И при каких обстоятельствах? Да, конечно, если бы я не пошел на фронт, и вовремя кончил институт, и активничал на собраниях, и вступил в партию, и ни за кого не заступался, и был равнодушен к собственному делу, и кидался со всех ног выполнять распоряжение любого вышестоящего идиота, и лез наверх, распихивая локтями других... Но тогда я был бы не я. Так стоят ли любые блага того, чтобы ради них уничтожить в себе себя? Я всегда знал, что не стоят. Только один раз в жизни заколебался, но устоял и не жалею об этом.

Но иногда мне приходит на ум, что я что-то напутал в жизни, что не сделал чего-то самого главного, а чего именно — никак не могу вспомнить. И тогда мне становится страшно. Мне всего сорок два года. Это ведь совсем немного. Я еще мог бы долго жить и сделать то самое главное, чего я никак не могу вспомнить.

Если я завтра умру, от меня ничего не останется. Меня похоронят за счет профсоюза. Ермошин или кто-нибудь такой же бойкий, как он, соврет над моим гробом, что память обо мне будет вечно жить в сердцах человечества. И наши прорабы — та часть человечества, которая знала меня, — вскоре забудут обо мне и если вспомнят при случае, то вспомнят какую-нибудь чепуху вроде того, что я сгибал ломик на шее.

Каждый день между шестью и семью вечера ко мне в гости приходит Клава. Пользуясь своими связями, она приходила даже во время карантина, когда больница для посещений была закрыта.

Она садится рядом со мной, и мы долго говорим о разной ерунде, вспоминаем, как жили на Печоре, как познакомились. И она задает мне разные вопросы, и я отвечаю, и, как ни странно, это ничуть не раздражает меня.

Однажды она сказала, что, как только мне станет лучше, она тоже ляжет в больницу.

— Зачем? — спросил я.

Она вдруг покраснела и сказала:

— Ты сам знаешь зачем.

И я удивился, что она покраснела. Ведь не девочка, и столько лет мы знаем друг друга. Но мне почему-то было приятно, что она покраснела.

— Никуда ты не пойдешь, — сказал я ей. — Особенно если мне станет лучше. Пусть все остается, как есть. У нас будет ребенок, и мы никогда не будем ссориться. Только бы мне стало хоть немножечко лучше.

— Все будет хорошо, — сказала Клава. — Я говорила с лечащим врачом, он обещает, что через недельку ты сможешь ходить.

— Обещает. Что она может обещать, когда у меня разрыв не рубцуется?

— Между прочим, я с ней хочу поговорить. Может, она разрешит мне ухаживать за тобой.

— Нет, нет, нет, — пугаюсь я. — Не хватает еще того, чтобы ты выносила после меня горшки.

— Это не так уж страшно, — улыбается она.

Нет, я, конечно, не могу ей этого разрешить, хотя знаю, она с радостью пошла бы на это. Что-то не могу я представить себе в этой роли Розу. Может быть, настоящая любовь заключается именно в том, чтобы и горшки выносить.

Однажды в палате появился Сидоркин. Он был все такой же тощий, а мне казалось, что за это время все должны были перемениться. На нем был белоснежный халат и, по обыкновению, грязные ботинки. Просто удивительно, где человек может найти столько грязи в такую погоду. Тетя Нюра посмотрела на его ботинки осуждающе, но ничего не сказала. Сидоркин сел на стул рядом со мной и положил на тумбочку кулек с мандаринами.

— Лежишь, значит?

— Как видишь.

— Что же это ты так, — сказал Сидоркин, — подкачал? От нервов, что ли?

— Нет, — сказал я. — Просто я слишком много поднял. Что нового в управлении?

— Новостей полно и маленькая тележка, — сказал Сидоркин. — Тут вот я тебе подарок принес.

Он вынул из кармана затасканную газету, развернул ее и протянул мне. Там был напечатан очерк под рубрикой «Герои семилетки». Очерк назывался «Принципиальность». Начинался он так: «В тресте «Жилстрой» все хорошо знают прораба Самохина. Этот высокий, широкоплечий человек с мужественным лицом и приветливым взглядом пользуется уважением коллектива. «Наш Самохин», — говорят о нем любовно рабочие».

В Гусеве-то я не ошибся...

1962

Расстояние в полкилометра

1

От Климашевки до кладбища — полкилометра. Чтобы покрыть такое расстояние, нормальному пешеходу понадобится не больше семи минут.

В воскресенье произошло небольшое событие — умер Очкин. Возле дома покойника стояла Филипповна и, удивленно разводя руками, говорила:

— Тильки сьогодни бачила його. Пишла я до Лаврусенчихи ситечко свое забрать... Хороше в мене таке ситечко, тильки з краю трохи продрано. А Лаврусенчиха давно вже взяла його, каже: «Завтра принесу». Тай не несе. Иду я, значить, тут по стежечке, колы дывлюсь: навустричь Очкин. Веселый и начи тверезый. Ще спытав: «Де идешь?» — «Та ось, кажу, до Лаврусенчихи иду ситечко свое забрать». А вин ще каже: «Ну иди». А тут бачь — помер.

2

Еще сегодня утром Афанасий Очкин был совершенно здоров. Он встал, оделся, умылся подогретой водой и, пока жена его Катя готовила завтрак, пошел в сельмаг за солью. В сельмаге была крупная соль, поэтому Очкин, поговорив с продавщицей, пошел через все село в другой магазин, или, как его называли, чапок. В чапке мелкой соли тоже не оказалось, но зато был вермут в толстых пыльных бутылках. Очкин отдал продавщице Шуре все деньги, и та налила ему стакан вермута, правда, неполный, потому что у Афанасия до полного стакана не хватило двух копеек. Очкин поговорил с Шурой, потом из пивной кружки насыпал в кулечек две ложки крупной сырой соли и собрался уже совсем идти домой, да увидел двух дружков — плотника Николая Мерзликина и счетовода Тимофея Конькова, которые тоже пришли в чапок выпить. Очкин знал, что дружки ему не поднесут, но на всякий случай стал изучать взглядом консервные банки, выставленные на прилавке.

Он терпеливо рассматривал эти банки, пока Николай с Тимофеем покупали вино и закуску. Они взяли бутылку вермута, кильки в томате и сто граммов соевых конфет. Потом вышли и, расстелив на пыльной траве газету, сели в холодок под деревом. Афанасий следил за ними в окно. Он подождал, пока они распечатают выпивку и закуску, и только после этого подошел к ним.

— Приятного аппетита, — вежливо сказал он и присел рядом.

Дружки неприязненно покосились на него и, молча чокнувшись, выпили. Тимофей складным ножиком полез в банку за килькой, а Николай сплюнул.

— Вода, — сказал Очкин. — Зеленого вина сейчас не найдешь. Моя позавчера в Макинку ездила, там тоже нет. Запрет на нашего брата накладывают.

Потом он взял в руки бутылку с остатками вина и повертел ее в руках.

— Тут на двоих, считай, ничего не осталось, — сказал он и с надеждой посмотрел на Николая.

— Не твое дело, — грубо сказал Николай, забирая бутылку. — Ты тридцать копеек когда отдашь?

Кроме плотницкого дела, Николай знал еще парикмахерское и этим изредка подрабатывал на дому, так как парикмахерской в селе не было. Очкина он подстриг два дня назад в долг.

— Да вот Катя на той неделе повезет в город сметану, тогда и отдам, — пообещал Очкин, с грустью наблюдая за тем, как Николай аккуратно разделил вино на два стакана. — Ну ладно, — нехотя приподнялся Очкин. — Надо жене кой-чего подсобить по хозяйству. До свидания вам.

Его никто не задерживал. По дороге домой он и встретил Филипповну. И Филипповна была последней из тех, кто видел Очкина живым.

Вернувшись домой, Очкин поругался с женой из-за потраченных на вино денег и разнервничался. Жена тоже разнервничалась. Она налила ему супу, а сама пошла в огород докапывать картошку.

Вернувшись, она увидела, что муж сидит за столом, уткнувшись в тарелку, и рыжие волосы его мокнут в гороховом супе.

Фельдшерица Нонна, осмотрев покойника, велела с похоронами обождать и пошла звонить в город, чтобы вызвать врача для установления причины смерти Очкина. Тем временем возле хаты покойника народу скоплялось все больше и больше. Высказывались различные предположения и догадки. Филипповна, например, сказала, что Очкин, должно быть, отравился, иначе отчего бы ему ни с того ни с сего помереть.

— Будет болтать-то, — хмуро возразила только что подошедшая Лаврусенчиха. — Нам, бабам, чего ни случись — лишь бы языками помолоть. Я вот сама прошлый год чуть не померла. Помнишь?

— Не помню, — сказала Филипповна.

— А я помню. А как все случилось? Торговала я в городе молочком. Стою себе за прилавком, когда подходит она. «Почем, слышь, молоко?» — «Да как у всех, — говорю, — по три рубля». — «Чтой-то больно дорого», — говорит. «Куда уж, — говорю, — дорого. Ты бы, слышь, сама походила бы за коровой, да поубирала бы за ней, да сена бы на зиму припасла, а потом, может, и задаром отдашь молочко». А она в этот момент на меня как глянет: «Неужто Марья Лаврусенкова?» — «Я самая», — говорю. «А меня неужто не признаешь? Я ж прошлый год у вас в Климашевке, почитай, целый месяц жила. Давненько не виделись». — «Давненько», — говорю. А сама про себя думаю: «А тебя и сейчас бы не видела, кабы ты не пришла». А она меня давай нахваливать: «Уж ты, слышь, и справная стала, и гладкая, и на личность вся розовая, прямо кровь с молоком». А сама как зыркнет на меня своими глазищами, как зыркнет. Мне сначала будто и ни к чему. А потом я подумала: «Баатюшки, так она ж меня сглазит!» И сразу в сердце у меня будто что оборвалось. Схватила я свои бидоны и, даром что за место было уплочено, кинулась на автобус. Да насилушки до дому добралась. Да потом цельну неделю пролежала. Спасибо, люди добрые бабку из Мостов призвали, и она меня заговором да студеной водой выходила. Вот как бывает, — заключила Лаврусенчиха и снисходительно посмотрела на Филипповну.

Потом она склонила голову набок и прислушалась. За окнами очкинской хаты голосила вдова.

— Густо орет, — строго сказала Лаврусенчиха, — густо. Помню, матушка моя, как брат ейный, дядя мой значит, в крушение попали, так она уж так убивалась, так кричала. Тонко да с надрывом. Аж сердце холонуло. Ну ладно, — сказала она, помолчав. — Пойду спрошу у Кати, может, чего подмогнуть надо.

3

Солнце передвинулось к зениту, тень ушла, а Николай и Тимофей сидели на старом месте и спорили о том, сколько колонн у Большого театра. Тема спора была старая. Когда-то они оба в разное время побывали в Москве и с тех пор никак не могли решить этот вопрос и даже заспорили на бутылку водки. И не то чтобы делать им было нечего. Просто оба любили поспорить, а помочь им никто не мог. Остальные жители или вовсе не бывали в Москве, или бывали, да не считали колонны.

Тимофей однажды написал письмо во Всесоюзное радио в редакцию передач «Отвечаем на ваши вопросы». Но на вопрос Тимофея радио ничего не ответило. Вопрос остался открытым. Сейчас, сидя возле чапка за четвертой бутылкой вермута, дружки пытались решить его путем косвенных доказательств.

— Значит, ты говоришь — шесть? — переспросил Николай.

— Шесть, — убежденно ответил Тимофей.

— Тупой ты, Тимоша, — сочувственно вздохнул Николай. — Подумал бы своей головой: как же может быть шесть, когда в нашем Доме культуры шесть колонн. Дом культуры-то районного значения, а Большой театр, считай, на весь Советский Союз один.

Довод был убедительный. Пока Тимофей придумывал довод еще убедительней, подошла Марья Лаврусенкова и, посмотрев на них, укоризненно покачала головой:

— Баламуты вы, одно слово — баламуты. Картошка-то в огороде еще небось не копана, а они с утра пораньше водку жрут. Пошел бы лучше покойнику домовиночку справил, — повернулась она к Николаю.

— Какому еще покойнику? — Николай недоуменно пошевелил густыми бровями.

— Да какому же? Очкину, царство ему небесное.

— Очкину? Ай помер? — удивился Николай.

— А ты только узнал? — в свою очередь удивилась Лаврусенкова.

— Да он же только что вот на этом месте сидел. Еще тридцать копеек за стрижку обещался принесть. Скажи, Тимоша.

— Шесть, — бездоказательно буркнул Тимофей, который думал все время о колоннах, но так и не нашел убедительный довод.

4

Перед вечером из города приехала санитарная машина. Покойника положили в крытый кузов для того, чтобы отвезти на экспертизу. Шофер достал из-за кабины измятое ведерко и пошел к колодцу за водой для радиатора. В ожидании его девушка-врач села в кабину и развернула какую-то книжку. Книжка, видимо, была интересная. Читая ее, девушка то хмурилась, то улыбалась, и Николай с любопытством следил за ней сквозь полуоткрытую дверцу кабины. Потом он обратил внимание на саквояж, который лежал на коленях у девушки. Красивый желтый саквояж с металлическими застежками. Жена Николая собиралась отмечать свой день рождения, и Николай подумал, что неплохо было бы подарить ей такую красивую сумку. Но где ее взять, Николай не знал и решился спросить об этом у девушки.

— Не знаю, — ответила девушка, отрываясь от книжки. — Я ее в Москве купила.

— В Москве? — с уважением переспросил Николай. — А сами, случаем, не московская будете?

— Московская.

— Да ну! — удивился Николай и, недоверчиво посмотрев на нее, решил уточнить: — Из самой Москвы или, может, поблизости?

— Из самой Москвы, — сказала девушка и улыбнулась. Должно быть, своим московским происхождением она немного гордилась.

— Тогда у меня к вам вопрос будет, — решительно сказал Николай. — Тут у нас с одним товарищем, климашевским, спор вышел. Насчет колонн у Большого театра. Я ему — восемь, а он мне — шесть. Как говорится, ты ему плюнь в глаза, а он говорит — божья роса. А спросить в точности не у кого. Народ у нас тут такой — ничего не знает. Зря хвалиться не буду, сам тупой, но уж чего-чего, а посчитать что хочешь посчитаю. Я ведь тут плотником работаю. Меня все знают. Спроси вот такого пацана: «Где тут плотник Николай живет?» — и он тебе в любой момент покажет. Вот он мой дом под железной крышей. Сам прошлый год накрыл. Железа-то не было. Пришлось бочки из-под солярки покупать... Раскатал их — и гляди как ладно получилось. Я думаю, не хуже, чем у людей. Придете, чайку попьем, поговорим. Жена у меня городская, официанткой в ресторане работала. Я ее из города и взял. Здесь, конечно, ресторанов нет, и специальность пропадает. А я ее работать много и не заставляю, сам хорошо зарабатываю. Кому пол перестелить, кому дверь навесить — все за мной бегут. Сейчас вот директор говорит, рамы надо новые в конторе поставить. А я всегда пожалуйста. Потому и живем хорошо. Дочка Верунька в четвертый класс пошла. А у этого, — Николай показал на кузов, в котором лежал Очкин, — детей не было. Детей-то ведь кормить надо. А на что кормить? Работать-то он не любил. Все норовил на чужом горбу в рай...

Начав говорить, Николай уже не мог остановиться и, прислушиваясь к собственному голосу, с удовлетворением замечал, как сладко у него все получается. Он смог бы так говорить до самого вечера, но ему помешал шофер, который, залив в радиатор воду, сел рядом с докторшей и включил зажигание.

— Уже едете? — спохватился Николай. — Счастливый путь. Значит, восемь?

— Что — восемь?

— Колонн у Большого театра, — терпеливо напомнил Николай.

— Кажется, восемь, — вспоминая, сказала девушка. — А может быть, и шесть. Знаете что, я дома постараюсь выяснить этот вопрос и в следующий раз скажу вам точно. Идет?

— Идет, — уж не веря ей, уныло согласился Николай. И, проводив машину глазами, повернулся к Филипповне: — А говорит, из самой Москвы.

Ни в Климашевке, ни в Мостах, ни даже в Долгове не было плотника лучше, чем Николай. Может, лучше плотника не было и во всей области, но этого никто не мог сказать с полной уверенностью.

Во всяком случае, не зря в прошлом году, когда надо было отделывать районный Дом культуры, приезжали не за кем-нибудь, а именно за Николаем. Он там узорный паркет стелил и стены в танцевальном зале дубовыми да буковыми планочками выложил — короче говоря, такие вещи делал, что не каждому краснодеревщику под силу.

Архитектор, который руководил строительством, сказал, что, если бы Николаю дать красное дерево, он смог бы сделать что-нибудь необыкновенное.

Но красное дерево ни в Климашевке, ни поблизости не росло, поэтому, вернувшись из района, Николай занимался тем, чем занимался и раньше: рубил избы, стелил полы, делал люльки для новорожденных. А когда случалось, делал и гробы — кто ж еще их будет делать?

На другой день после смерти Очкина Николай поднялся на рассвете и вышел на улицу. На улице стоял густой туман. Он был настолько густой, что соседняя хата была видна только наполовину — та ее часть, что не была побелена. В другой части виднелось только окно, даже не окно, а желтое, расплывающееся в тумане пятно электрического света.

На железном засове сарая и на ржавом замке застыли мелкие капли. «Должно быть, это от атома туманы такие», — подумал Николай, снимая замок, который на ключ не запирался и висел просто так, для блезиру. Он вошел в сарай и, подсвечивая себе спичками, вытащил из угла на середину четыре половых доски, промерил их складным деревянным метром и провел красным карандашом под угольник четыре риски, которые видны были даже в полумгле. Потом покурил и, пока совсем не развиднелось, стал наводить инструмент на оселках — сначала на крупном, потом на мелком. Когда стало светло, он оттесал топором края прошпунтованных досок и принялся за работу.

Работая, он думал о том, как странно устроена жизнь. Еще вчера Очкин сидел рядом с ним возле чапка и надеялся, что Николай поднесет ему стопочку, а сегодня Николай ладит ему гроб. А три дня назад Николай еще подстригал Очкина под полубокс, как тот просил. И хотя Очкин умер, так и не отдав ему тридцать копеек за стрижку, хотя при жизни Николай относился к нему пренебрежительно, сейчас он испытывал перед покойником непонятное чувство вины, какое часто испытывают живые перед мертвыми. Он чувствовал себя виноватым и в том, что не дал человеку перед смертью вина, и в том, что требовал у него эти самые тридцать копеек. Не такие большие деньги, чтобы обижать человека. А еще виноват был Николай перед покойником в том, что потешался над ним и один раз за чекушку водки заставил катать себя в тачке по всей деревне. Вся деревня тогда вышла на улицу и хохотала в покатыши, а Николай спокойно сидел в этой тачке и смотрел на народ без всякого выражения.

Вспомнив все это, Николай решил искупить свою вину перед Афанасием и сделать ему такой гроб, каких еще никому не делывал.

Закрепив в верстаке доски, он обстругал их кромки сначала рубанком, потом фуганком с двойной железкой, и сделал это так хорошо, что доски смыкались краями без всякого зазора.

Потом он позавтракал, сходил в контору и, взяв отгул за позапрошлое воскресенье, работал без перекура до двух часов. В два часа в сарай вошла его жена Наташа и позвала обедать.

— Успеется, — сказал Николай, вытаскивая из кармана измятую пачку «Прибоя». — Погляди лучше, чего сделал, — он небрежно кивнул в сторону готового гроба.

— Чего на него глядеть? — возразила Наташа. — Гроб, он и есть гроб. Ящик.

— Эх ты, ящик, — обиделся Николай. — Не пойму я тебя, Наташка. Живешь с плотником вот уж почитай пятнадцать лет, а никакого интересу к его работе не имеешь. Да, может, этот ящик («И слово-то какое нашла», — подумал он про себя) на шипах «ласточкин хвост» связан. Да разве ты в этом что понимаешь? Тебе все равно, что «ласточкин хвост», что прямой шип, что на мездровом клею, что на клейстере.

У Николая была одна странность. Любимым предметам собственного изготовления он давал человеческие имена и разговаривал с ними. Имена выбирал в созвучии с названиями изделий. Например, стол, который стоял на кухне, он звал Степой, а резную полочку возле рукомойника Полей. Гроб по ассоциации со словом «ящик» он назвал Яшей.

— Ты, Яша, не обижайся, — сказал он, когда жена ушла. — Баба, она, известно, дура. У ней нет понимания, что ты, может, как Большой театр — один на весь Советский Союз. Ну ничего. Вот мы тебя еще лаком покроем, хоть ты и сосновый. Будет на что поглядеть. Конечно, ежели кто понимает.

Потом он взялся за крест, но делал его без особой охоты. На глаз отрезал крестовинки, связал их вполдерева и склеил полуостывшим мездровым клеем. Крест, на всякий случай, он назвал Костей, но разговаривать с ним не стал.

5

В этот же день утром фельдшерица Нонна звонила в город, чтобы узнать, отчего умер Очкин. То, что она узнала, Нонна рассказала Кате Очкиной, но та никак не могла запомнить название болезни. Тогда Нонна написала ей название на бумажке. Болезнь называлась инфаркт миокарда. Многие удивлялись, Лаврусенкова, прочтя написанное на бумажке, прямо сказала:

— Отродясь такого не слыхивала. Раньше, старики сказывали, люди помирали от холеры, от чумы. Ваську-аккордеониста прошлый год ангина задушила. А такого... — она посмотрела на бумажку, — у нас еще не бывало. Видно, жил он не по-людски, потому и болезнь ему нелюдская вышла.

После обеда снова приехала санитарная машина. Два мужика внесли покойника в нетопленую избу и положили на стол, покрытый старой клеенкой. Девушка-врач дала Кате подписать какую-то бумажку и нетерпеливо ждала, пока Катя, всхлипывая и утираясь, дрожащими пальцами медленно выводила свою корявую подпись. Потом девушка взяла бумажку и пошла к машине. Когда она открыла дверцу и встала на подножку, ее остановил Николай, принесший только что новый, покрытый красным нитролаком гроб.

— Девушка, а как насчет моего дела? — робко осведомился он. — Вы не забыли?

— Не забыла. — Девушка порылась в своем красивом саквояже и, вынув из него измятую открытку, протянула ее Николаю: — Вот, нашла у себя в альбоме.

Николай не успел поблагодарить ее, потому что, пока он дважды пересчитал колонны, шофер включил скорость и машина уехала, оставив за собой шлейф пыли.

Николай был прав. Колонн оказалось восемь. Он шел, не разбирая дороги, и заранее торжествовал, представляя себе в лицах, как будет ошеломлен его противник. «Сейчас приду, — думал Николай, — перво-наперво: «Беги, Тимоша, за поллитрой». А он мне: «С какой это радости мне за поллитрой бечь?» А я ему: «Сколько колонн у Большого театра?» А он мне, как обыкновенно: «Шесть!» А я ему: «Плохо, видно, ты считал. Пальцев, мол, не хватило для счету». Тут Тимофей обидится, полезет в бутылку. «Ты, мол, мои пальцы не считай, они, мол, на фронте потеряны. Мы, мол, не то что другие, мы кровь свою проливали». А я ему: «И мы, мол, не Ташкент обороняли...»

Размышляя таким образом, он неожиданно столкнулся с Марьей Ивановной, учительницей дочери. Марья Ивановна, по обыкновению, стала говорить ему, что Верунька и этот учебный год начала плохо. Не слушает, что говорят на уроке, и не выполняет домашние задания.

Николай терпеливо выслушал учительницу, а потом бухнул ни с того ни с сего:

— Слышь, Марь Иванна, а Тимофей-то мне проспорил поллитру.

— Какие пол-литра? — удивилась учительница.

— Да какие ж? Обыкновенные...

Николай хотел рассказать ей всю эпопею с колоннами и показать открытку, неожиданно разрешавшую спор в его пользу, но вдруг увидел на ногах учительницы красивые танкетки из белой простроченной кожи и вспомнил, что подарок жене он так и не купил.

Учительница, заметив, что Николай внимательно разглядывает ее ноги, смутилась и отступила на полшага назад.

— Где брала? — в упор спросил Николай.

— Чего? — испугалась учительница.

— Да танкетки ж, — нетерпеливо сказал Николай.

— А, танкетки, — учительница облегченно вздохнула. — Это мне брат из Москвы прислал.

— Тьфу ты! — рассердился Николай. — Сумки в Москве, танкетки в Москве, братья в Москве...

— А в чем дело? — удивилась учительница.

— Ни в чем.

Николай махнул рукой и пошел дальше. Но после встречи с учительницей ход его мыслей принял совершенно иное направление. Он подумал, что надо будет на день рождения жены созвать всех соседей, свою бригаду и хорошо бы кой-кого из начальства. Директор Андриолли, может, и откажется, но пригласить надо. Прораба Позднякова тоже. А чтобы не скучно было, можно пригласить Тимофея, будет хоть с кем поговорить и поспорить. И тут Николай остановился. О чем же он будет спорить, если сегодня покажет Тимофею открытку? Он растерянно поглядел на открытку и еще раз машинально пересчитал колонны.

«Поллитру выпить, конечно, можно, — размышлял Николай, — особенно если под хорошую закусочку. Огурчики у Тимохи в погребе больно хороши. Ну и сало, конечно, есть, поросеночка заколол на прошлой неделе. Только ведь поллитру я и сам могу поставить. Не обедняю. А поговорить на дне рождения не про что будет...»

Он и сам не заметил, как оторвал от открытки один угол, потом второй... А когда заметил, изорвал ее всю и, вернувшись домой, выбросил клочья в уборную.

6

К вечеру небо заволокло тучами. Задул сырой ветер. Катя Очкина быстро управилась по хозяйству и, как только стемнело, не зажигая огня, забралась на высокую постель под ватное одеяло. Она лежала и слушала, как дребезжат от ветра, задувавшего сбоку, оконные стекла, как разбиваются о стекло первые капли дождя.

«Надо промазать стекла, — нехотя подумала Катя. — И подтесать дверь. Разбухла, не закрывается».

Вообще это была мужская работа, но к мужской работе Катя давно привыкла. Этот дом построил ее отец в тридцать девятом году и оставил его дочери, когда умирал. Умер он в районной больнице после того, как его, сонного, переехал в борозде трактор. Катя одна осталась хозяйкой в новом доме. Перед самой войной она привела в этот дом своего мужа Афанасия. Ей тогда было восемнадцать лет, а ему девятнадцать. Они собирались жить долго и счастливо, но тут началась война, и Афанасию через несколько дней принесли повестку.

Афанасий тогда работал на скотном дворе. Он пошел к себе на работу, чтобы поднять колхозного бугая и нажить грыжу. Бугая он поднял, но грыжи не получилось. Тогда Афанасий наточил топор, точно рассчитанным ударом отрубил себе указательный палец на правой руке и таким образом лишил себя возможности нажимать на спусковой крючок. На суде прокурор требовал расстрелять дезертира, но судьи были помягче — они дали ему десять лет. Десять лет Очкин сидеть не стал — его выпустили в сорок пятом году по амнистии в честь нашей победы. В тот день вечером, когда они легли на эту самую постель, Очкин долго расспрашивал жену о своих односельчанах, и она долго рассказывала ему о них. Рассказывала о том, как мыкались они все во время войны, особенно те, у которых были детишки. Рассказывала о том, как наехали сюда эвакуированные с Украины и Белоруссии. Им не хватало жилья, и их расселяли по избам. У Кати было две семьи, они вечно ссорились, но Катя привыкла к ним и потом, когда они уезжали домой, очень не хотела с ними расставаться. Из мужиков почти всех забрали на фронт, и многие не вернулись. Тимофею Конькову на войне оторвало три пальца.

— Вроде как у меня, — усмехнулся Очкин и спросил у Кати насчет дружка Федора Коркина. Им тогда вместе принесли повестки.

— Небось вся грудь в орденах? — спросил Очкин.

— Не вернулся он, — тихо пояснила Катя.

— Убили на фронте?

— Нет, не доехал до фронта. Поезд их разбомбило по дороге.

Афанасий долго молчал, а потом вспомнил:

— Когда меня забирали, Федька говорил — дурак. А теперь он, умный, в земле лежит, а я еще хожу по ней.

После лагеря на работу он не спешил, все присматривался. И присмотрел карточки в совхозной кассе. Ночью его поймал с этими карточками сторож, и Афанасий уехал в тюремном вагоне восстанавливать Днепрогэс. Восстанавливать Днепрогэс он не стал. Вернувшись после амнистии 1953 года, он рассказывал Кате, что умному человеку и в лагере жить неплохо. Летом он спасался от жары в холодке под штабелем досок или под конторкой старшего оцепления, а зимой брал железную бочку, пробивал в ней много-много дыр и, наполнив ее дровами и кусками толя — того и другого на стройках всегда хватает, — устраивал «маленький Ташкент». У этого «Ташкента» был тот недостаток, что грел он неравномерно и к нему надо было поворачиваться то спиной, то грудью, но это было лучше, чем тюкать на ветру топором или возить тачку с раствором, который тут же покрывался ледяной коркой.

Кормили их в лагере не очень жирно, но зато бесплатно, а на воле за такую еду надо еще поработать. Кроме того, у них была своя баня, клуб, где три раза в неделю показывали кино и устраивали концерты.

В общем, судя по рассказам Афанасия, такая жизнь его вполне устраивала. Может, потому, что такая жизнь его устраивала, он разбил витрину в сельмаге и опять поехал в тюремном вагоне, на этот раз на великие сибирские стройки. Последний раз вернулся он этой весной и на зиму опять собирался на великие стройки, да не успел, помер.

Может быть, все это вспоминала Катя Очкина, когда лежала одна в темной нетопленой комнате. А может быть, она ничего не вспоминала и просто лежала, прислушиваясь к завыванию осеннего ветра.

Ветер переменился. Теперь он дул прямо в окна, и в комнате становилось все холоднее. Тогда Катя встала, сняла с гвоздя свой старый рабочий тулупчик и, не отдавая себе отчета в том, что делает, накрыла тулупчиком покойника.

7

Дождь принимался идти несколько раз, но тут же переставал и разошелся только к утру. Директор совхоза Матвей Матвеевич Андриолли сидел в брезентовом плаще за своим столом и занимался делами, какие обычно начинаются во время дождей.

Первым пришел прораб Поздняков. Он принес на подпись наряды наемных строителей, которые по случаю окончания сезона собрались домой. Директор бегло просмотрел наряды, заметил, что Поздняков слишком уж щедро платит этим шабашникам, но подпись свою поставил, так как наряды были оформлены в строгом соответствии с имеющимися расценками.

Потом пришла Филипповна и, сообщив, что она уезжает на родину, спросила, не купит ли совхоз ее хату. Директор посмотрел на Позднякова, и тот сказал, что он эту хату знает, брать ее нет никакого смысла, так как она уже разваливается.

— Разве что на дрова, — сказал Поздняков.

— На дрова мы брать не будем, — сказал Матвей Матвеевич, — потому что дров у нас своих достаточно. И дорого мы заплатить не можем, максимум сто рублей.

— Ну як хочете, — сказала Филипповна. — Я тоди продам Миколе-плотнику, вин мени даст сто пятьдесят.

— А где плотник? — спросил Андриолли у Позднякова. — Он сегодня собирался рамы вставлять.

— Я ему отгул дал, — сказал Поздняков. — Гроб он делает Очкину.

О смерти Очкина директор как-то забыл и теперь вспомнил, что хотел сходить к вдове и хоть как-то утешить ее. Он знал Катю еще девочкой. Она еще в детстве работала на огороде, а потом дояркой на ферме. И работала очень хорошо, пожалуй, лучше всех. Ее фотографию вот уже много лет не снимали с Доски почета. А своих лучших работниц Андриолли умел ценить и считал своей обязанностью проявлять к ним внимание. Тем более что, как правило, они попусту не беспокоили его ненужными просьбами. И он, конечно, сходил бы к вдове еще вчера, но как ее утешить, не знал. Обычно в таких случаях о покойнике говорят, что он сделал то-то и то-то и память о нем будет жить во веки веков.

Андриолли стал вспоминать, что сделал Очкин, но ничего хорошего вспомнить не мог. Потом все-таки вспомнил. В этом году, когда проводили праздник доярок, надо было написать лозунг, а комсорг, который всегда занимался этими делами, как на грех заболел. Тогда неожиданно для всех вызвался Очкин. Он расстелил в конторе красное полотно и всю ночь ползал перед ним на коленях. К утру он написал лозунг, да, пожалуй, почище, чем это делал комсорг. Может, у него и талант к этому делу был. Но потом он снова ничего не делал, хотя ему и предлагали разные работы. Пока директор вспоминал, что еще делал Очкин, в дверь просунулась голова шофера Лехи Прохорова. Увидев, что Андриолли на месте, он медленно стащил с головы измятую кепку-восьмиклинку и, оставив на полу мокрые следы, прошел к столу.

— Вот заявление вам принес, — сказал он, доставая из кармана сложенный вчетверо листок бумаги. — Насчет отпуска без содержания.

— Зачем тебе отпуск? — спросил Андриолли.

— К матери надо съездить, крышу покрыть. Пишет: течет крыша-то. На недельку, Матвей Матвеич. В тот понедельник как штык на работе буду, — заверил он в слабой надежде.

Но директор неожиданно легко согласился.

— Ну что ж, валяй, — сказал он. — Только сначала съезди к Кате Очкиной, покойника на кладбище отвези.

— Мы его мигом! С ветерком! — обрадовался Леха и побежал к дверям.

— Погоди, — остановил его Андриолли. — Ты, Прохоров, не дури. С ветерком будешь пшено возить, да и то не очень. А это покойник, — сказал он значительно.

— Покойник покойнику рознь, — возразил Леха.

— Покойники все одинаковы, — настоял на своем Андриолли, хотя и не был уверен в своей правоте.

8

Дождь не усиливался, не слабел, все так же монотонно шелестел по стеклам, по соломенным крышам, по облысевшим кронам деревьев. Бабы, накрывшись кто чем, толпились с кошелками возле сельмага: сегодня был день приема посуды.

Леха Прохоров забрался в кабину своего «ГАЗ-63» и включил скорость. Машина забуксовала. Пришлось включить передний мост.

Кое-как машина дотащилась до очкинского дома. Леха остановил ее возле самого крыльца и прошел в хату, в которой собралось уже много народу. Вдова, прикладывая к сухим глазам чистый платок, стояла у изголовья гроба. Леха отозвал ее в сторону.

— Тетя Катя, — сказал он почтительным шепотом, — давай закругляться. Везть уж пора, а то дорога такая, того и гляди на оба моста сядешь.

— Успеешь, — хмуро ответила вдова и вернулась на свое место.

Леха, расстроенный этой волынкой, вышел на улицу и стал под навес возле крыльца. Дело было, конечно, не в дороге. Его «ГАЗ-63» и не по таким дорогам ходил. Просто Лехе надо было поспеть за три километра на станцию на пятичасовой поезд, а времени было уже около четырех. Нетерпеливо поглядывая на часы, он стоял под навесом, курил и злился, глядя на людей, которые все шли и шли к дому покойника. «В такой чепуховой деревне столько народу — конца не видать, — думал он, раздражаясь все больше и больше. — И куда их несет? Будто тот покойник медом намазанный».

— Куда прешь? — сказал он толстой старухе, поднимавшейся на крыльцо. — Покойников, что ль, не видала? Вот погоди, скоро на тебя придем поглядеть.

Старуха ничего не ответила и, обиженно поджав губы, пошла внутрь. Леха пошел за ней.

В горнице шли разговоры о том, что покойник никому ничего плохого не сделал. А если сделал, то не так уж много. Правда, хорошего от него было еще меньше. А потом вполголоса стали разговаривать о своих делах.

Филипповна рассказывала Лаврусенковой, что у ее дочери, которая живет на Украине, родился ребенок и теперь ей надо ехать нянчить внука. Леха извинялся перед толстой старухой, объясняя ей, что обидеть он ее не хотел, а сказал так, потому что торопился. Тимофей, который слыл в деревне книгочеем, пересказывал Николаю содержание рассказа Чехова «Каштанка». Рассказ Николаю понравился, и он сказал:

— Значит, Чехов правда хороший писатель?

— Это на чей вкус, — сказал Тимофей. — Вот Толстой Лев Николаевич его не любил.

— А чего это он о нем такое мнение имел?

— Да кто его знает. «Плохо, — говорит, — пишешь. Шекспир, — говорит, — плохо писал, а ты того хуже». Шекспир — это английский писатель был.

— А чего, он плохо писал?

— Да не то чтобы плохо — неграмотно. На нашем языке его поправили, а в своем он слабоват был...

Все поднялись и пошли выносить гроб.

Дождь перестал. Тучи уже не сплошь закрывали небо: среди них намечался какой-то просвет.

Леха откинул борта, и мужики втолкнули в кузов открытый гроб. У изголовья кто-то поставил крашеную табуретку. Катя устроилась на табуретке поудобней и снова завыла, но уже без тоски, без горя, а так — для приличия.

Леха сел в кабину и посмотрел на часы. Пять часов. Сейчас бы он уже сидел в вагоне. А через три часа сидел бы дома за столом, и мать суетилась бы, подавая ему закуску. Теперь придется ждать целые сутки, а отпуск идет. Надо будет сходить к директору, чтоб он этот день не считал. Лаврусенкова стукнула ему в кабину. Леха понял знак и медленно тронул машину.

Перед машиной шли Николай с Тимофеем. Они несли крышку гроба. Николай шел сзади и старался развернуть крышку то влево, то вправо, в зависимости от того, откуда подходил народ. Делал он это для того, чтоб люди могли посмотреть настоящую работу, а если надо, то и поучиться. Единственное, о чем сейчас жалел Николай, это о том, что работу его, которую по-настоящему надо бы поставить в музее на всеобщее обозрение, сейчас зароют в землю и в скором времени ее источат черви и съедят грибки, и, может быть, через год от этой его работы останутся только трухлявые доски, а через несколько лет и этого не останется.

Когда подъехали к кладбищу и сняли гроб с машины, снова заморосил мелкий дождик. Поэтому Николай поспешно надел на гроб крышку и приколотил ее гвоздями. Гроб на двух веревках опустили в могилу и засыпали размокшей, налипающей на лопаты глиной. Сверху Николай воткнул крест.

Андриолли, который подошел в это время к месту похорон, заметил на кресте потеки мездрового клея и подумал, что надо будет сказать Николаю, чтобы наружные рамы для конторы он ставил на казеиновом клею, он меньше боится сырости.

И еще подумал Андриолли, что этот крест теперь сравнял Очкина со всеми, кто лежит здесь с ним рядом. Потом он понял, что был не прав. Ведь память о человеке определяется не местом, где он лежит, а тем, что он сделал при жизни. Те, с кем лежал теперь Очкин, по-разному жили, по-разному работали, и разные расстояния лежали между днями их рождения и днями, когда их положили сюда. А Очкин, родившись в полукилометре от своей могилы, много поездил и много повидал и все-таки прошел только эти полкилометра, прошел за сорок лет расстояние, на которое нормальному пешеходу достаточно семи минут.

1961

Два товарища

В субботний день после работы я получил повестку и уже во вторник, совершенно голый, стоял посреди актового зала педагогического института, где мы, призывники сорок такого-то года рождения, проходили медицинскую комиссию.

За окном было сыро и пасмурно. Порывистый ветер трепал деревья и раскачивал форточку, которая дергалась и скрипела, как бы напоминая о приближении осени.

Очередная врачиха, худая, как жердь, черная, похожая на цыганку, хриплым, прокуренным голосом заставляла меня присесть, повернуться, нагнуться и брезгливо дотрагивалась до моего посиневшего, покрытого «гусиной кожей» тела рукой, обтянутой резиновой желтой перчаткой вроде тех, какими пользуются электрики, имеющие дело с проводами высокого напряжения.

Наконец и эта процедура была закончена, и мне разрешили предстать перед главными членами комиссии, заседавшими за длинным, ничем не покрытым черным столом, на правой ножке которого блестела жестяная блямба с выбитым на ней инвентарным номером.

Их было трое: маленький щуплый старичок в белом халате, белой шапочке, из-под которой вылезали такие же белые волосы, полная женщина, тоже в халате и в шапочке, и молодой майор с золотыми зубами, с красными просветами на зеленых погонах.

Маленький старичок задумчиво поглаживал мизинцем свои коротко подстриженные усики, смотрел в пространство мимо меня, и взгляд его не выражал ничего, кроме невыносимой скуки много пожившего и много повидавшего за свою жизнь человека. С тех пор как он впервые надел халат, перед его взором прошли тысячи, может быть, десятки тысяч голых людей всех возрастов и рангов, и все они, в сущности, мало чем отличались друг от друга. Он мог под любой одеждой распознать голого человека, поэтому все, что происходило сегодня в этом большом и холодном зале, мало интересовало его.

Другое дело майор. Он смотрел весело на меня, на старичка, на полную врачиху, на всех остальных врачей, на моих товарищей, которые тряслись от холода перед этими врачами. И весь его цветущий веселый вид говорил, что майор — оптимист. В конце концов, одни и те же вещи можно видеть по-разному, все зависит от точки зрения. Можно смотреть на лужу и видеть лужу, а можно смотреть на лужу и видеть звезды, которые в ней отражаются. Человек-то, конечно, гол, но если при этом он будет неуклонно соблюдать воинскую дисциплину, выполнять требования уставов, приказы вышестоящих начальников и постоянно совершенствовать свое воинское мастерство, то сможет стать отличником боевой и политической подготовки, ведь отличники, в конце концов, тоже голые люди.

Майор только поинтересовался:

— Что это у тебя под левым глазом?

— В темноте на что-то наткнулся, — сказал я.

— На кулак? — спросил майор и подмигнул мне, довольный своей догадливостью.

Что касается женщины, сидевшей между старичком и майором, то она, по-моему, ни о чем таком вовсе не думала и каждый голый индивидуум интересовал ее только в определенном смысле: годен он или не годен к строевой службе.

— Годен к строевой, — сказала она и тут же, потеряв ко мне интерес, перевела взгляд на следующего по очереди, который мелко постукивал зубами у моего затылка.

Майор отметил что-то на лежавшем перед ним листке бумаги и протянул мне повестку:

— Отдашь на завод как основание для расчета. Два дня на расчет, два — на пропой, один — лечить голову после пьянки, в понедельник — отправка. Все. — Майор сформулировал свои мысли кратко и четко.

Я пошел в угол, где лежали на скамейке мои вещи, и поспешно натянул на себя холодное белье и все остальное, кроме плаща, — плащ я надел в коридоре.

В коридоре шла совершенно иная жизнь, не похожая на ту, что осталась за дверью. На подоконнике, поставив на батарею парового отопления ноги в забрызганных грязью желтых ботинках, сидел мой бывший друг Толик, рослый парень в синей «болонье», с рыжей челкой, вылезшей из-под кепки. Он был, как всегда, в центре внимания.

Многочисленные зрители, обступив Толика, торопливо и дружно докуривали папиросы, а потом отдавали ему. Собрав штук десять или больше окурков, Толик аккуратно оборвал изжеванные мундштуки, а остальное высыпал в широко разинутый рот.

Все восхищенно замерли. Парень в кожаной куртке нагнулся и смотрел Толику прямо в рот, а другой парень, в желтом плаще, присел на корточки и смотрел на Толика снизу. Толик трудолюбиво жевал окурки, они шипели у него во рту и полыхали бледными искрами. Потом он сделал глотательное движение, опять широко раскрыл рот, в нем ничего не было, только язык, зубы и десны почернели от пепла. Наступила минута молчания.

— Потрясающе! — не выдержал парень в желтом плаще. — Первый раз вижу живого человека, который жрет горящие окурки. И не горячо?

— Ничего, — скромно сказал Толик, вытирая платком почерневшие губы, — я привык.

— А ты керосин пить умеешь? — спросил парень в кожаной куртке.

— Не знаю, не пробовал, — уклонился Толик. — Граненый стакан съесть могу. Есть у кого граненый стакан?

Граненого стакана ни у кого не оказалось. Была только железная кружка, прикованная цепью к питьевому бачку, но железо Толик не ел.

Заметив меня, Толик спросил:

— Ты домой?

Я ответил:

— Домой.

— Подожди, пойдем вместе. Я только рот сполосну, — и побежал в туалет, находившийся в конце коридора.

Я ждать его не стал и пошел один.

Когда пришел, мать в коридоре мыла полы. Она бросила к порогу тряпку, я вытер ноги и прошел в комнату. Мать подняла тряпку и прошла следом за мной.

— Ну что? — спросила она.

— А где бабушка? — спросил я.

— Пошла в магазин за хлебом.

— А, — сказал я и посмотрел на маму.

Она смотрела на меня с тревогой и надеждой на то, что все обошлось.

— Все в порядке, — сказал я беспечно. — Годен к строевой. — И протянул ей повестку.

Мама бросила тряпку на пол, вытерла о халат мокрые руки. Когда она брала повестку, руки ее дрожали. В повестке было написано, что мне, Важенину Валерию Сергеевичу, к такому-то числу необходимо получить на производстве полный расчет, включая двухнедельное пособие, и явиться в райвоенкомат, имея при себе кружку, ложку, смену белья, паспорт и приписное свидетельство. Мать прочла все от первого слова до последнего, а потом села на стул и заплакала.

Я зашел сзади и обнял ее за плечи.

— Мама, — сказал я, — я же не на войну.

Наш город делился на две части — старую, где мы жили, и новую, где мы не жили. Новую чаще всего называли «Дворцом», потому что на пустыре между старой частью и новой строили некий Дворец, крупнейший, как у нас говорили, в стране. Сначала это должен был быть крупнейший в стране Дворец металлургов в стиле Корбюзье. Дворец был уже почти построен, когда выяснилось, что автор проекта подвержен влиянию западной архитектуры. Ему так намылили шею за этого Корбюзье, он долго не мог очухаться. Потом наступили новые времена, и автору разрешили вернуться к прерванной работе. Но теперь он был не дурак и на всякий случай пристроил к зданию шестигранные колонны, которые стояли как бы отдельно. Сооружение стало называться Дворец науки и техники, тоже крупнейший в стране. После установки колонн строительство снова законсервировали, под крупнейшим сооружением в стране обнаружили крупнейшие подпочвенные воды. Прошло еще несколько лет — куда делись воды, не знаю, — строительство возобновили, но теперь это уже должен был быть крупнейший в Европе Дворец бракосочетания.

Вообще в нашем небольшом городе было много чего крупнейшего. Крупнейший бондарный завод, крупнейший мукомольный комбинат и крупнейшая фабрика мягкой тары, где делали мешки и авоськи. Шестиэтажный дом, в котором мы жили, был когда-то крупнейший в нашем городе, потом появились новые, покрупнее.

Квартира наша была не крупнейшая — она состояла из двух смежных комнат. В ней мы жили втроем. Мой отец с нами не жил. Он оставил нас, когда мне было лет шесть или семь, а он работал в редакции городской газеты и учился заочно в Московском университете. Однажды после сессии он привез из Москвы новую жену и ушел от нас. Сам я этого момента не помню, да, собственно говоря, такого момента, наверное, и не было, потому что он несколько раз уходил и возвращался, и еще неизвестно, чем бы кончилось дело, если бы мама однажды не сказала:

— Хватит. Либо оставайся здесь, либо там.

Отец остался там. С новой женой Шурой они долго мыкались по частным квартирам и только недавно получили собственную в кооперативе.

Он давно уже ушел из редакции, потому что стал за это время писателем — писал для цирка репризы. Кроме того, с самого детства я слышал, что отец задумал и пишет грандиозный роман, на который возлагает большие надежды.

Сначала он к нам приходил часто — каждое воскресенье. Приносил конфеты, подарки, расспрашивал, как живу, как учусь. В последнее время, когда я стал уже взрослым, отец бывал у нас реже (я сам к нему ходил иногда), но все-таки бывал и давал матери деньги. Мать деньги брать не хотела (я ведь на себя уже сам зарабатывал), но боялась обидеть отца и брала.

Вообще она, несмотря ни на что, относилась к отцу хорошо и жалела его.

Почти каждый день после работы под надзором мамы и бабушки я готовился к поступлению в институт.

За год до этого я пытался попасть в Московский энергетический, но сделал в сочинении три ошибки (две стилистические и одну грамматическую) и провалился. Был зверский конкурс. Мама была огорчена больше меня. Она считала, что я по призванию энергетик, наверное, потому, что мне иногда удавалось починить перегоревшие пробки или сменить спираль в утюге. Я в своем призвании не был уверен и по совету Толика поступил работать. К великому маминому неудовольствию.

Моя мама, женщина умная и образованная (она имела высшее экономическое образование и работала старшим нормировщиком на заводе), могла понять все, что угодно.

Она не могла понять одного — моей странной, на ее взгляд, дружбы с Толиком.

— Я понимаю, — говорила она, — когда людей связывают общие интересы или когда они дружат по идейным убеждениям.

Я был бы не прочь дружить с Толиком по идейным убеждениям, но, насколько мне помнится, таковых в ту пору ни у него, ни у меня не было, и мы дружили просто потому, что были всегда вместе. Мы жили на одной улице, в одном доме, а теперь еще работали на одном заводе и в одном цехе. Так что общие интересы у нас все-таки были.

На нашем заводе делались очень серьезные, очень важные вещи. Настолько важные, что мы сами толком не знали, какие именно. Не то ракеты, не то скафандры — в общем, что-то космическое.

Что касается нас с Толиком, то мы сами важных вещей не делали. Мы делали ящики для этих важных вещей. Мы их сколачивали из досок, и профессия наша называлась «сколотчики». Размеры ящиков считались секретными, потому что, как нам объясняли, по размерам ящиков можно определить размеры изделий, а по размерам изделий их назначение и характер. Мы с Толиком как ни думали, ничего по этим размерам определить не могли. Толик в глубине души, по-моему, надеялся, что в космос запускают просто ящики как таковые. Поэтому внутри ящиков он иногда писал карандашом свою фамилию Божко в расчете на то, что какой-нибудь из них попадет на другую планету и таким образом фамилия эта станет известной не только на Земле, но и за ее пределами.

Утро мое начиналось всегда с небольшого скандала. Сначала звонил будильник на стуле возле кровати, но я его выключал. Потом из соседней комнаты на помощь будильнику спешила бабушка, которая, к сожалению, не выключалась.

Маленькая, сухонькая старушка в белоснежном передничке, бабушка носила увеличительные очки с толстыми стеклами, делавшими ее глаза большими и страшными.

— Валерик, тебе пора вставать, — сообщала она таким сладким голосом, будто поздравляла меня с днем рождения.

Я лежал, уткнувшись лицом в подушку.

— Валерик, ты слышишь: уже половина восьмого.

Это было сильно преувеличено, потому что будильник с вечера я ставил всегда ровно на семь.

— Валерик, ведь ты не спишь. Я же вижу, что ты притворяешься.

На такие мелкие провокации я не поддавался.

Бабушка переходила к угрозам:

— Валерик, я все равно не уйду, пока ты не встанешь.

Я бы не встал, пока она не уйдет, но тут в комнате появлялась мама с решительным выражением на лице. Не тратя времени на разговоры, она стаскивала с меня одеяло. Дальнейшее сопротивление было бесполезным, я вскакивал и тащился в трусах в уборную.

Там мне тоже очень-то задерживаться не позволяли, приходила мать и грохотала по двери кулаком.

— Валера, если ты там решил накуриться, пеняй на себя.

— Катя! — кричала из комнаты бабушка. — Скажи ему, чтобы он, когда выйдет, выключил свет, вчера лампочка горела всю ночь.

В девятнадцать лет меня опекали, как маленького. Ни о каком куренье не могло быть и речи. Не говоря уже о питье.

С девушками гулять разрешалось, но не позже чем до половины двенадцатого.

— Если девушка хорошая, — говорила мама, — она поймет, что у тебя дома будут волноваться. Ты можешь привести девушку сюда, и сидите здесь сколько угодно.

Девушки, даже хорошие, предпочитали сидеть с парнями на лавочках или обниматься в подъездах. У меня никакой девушки не было. У меня были только мама и бабушка, которым для полного спокойствия хотелось, чтобы все процессы моей личной жизни протекали на их глазах. В девятнадцать лет я понял, что ограничение свободы — тяжкое наказание, даже если оно следствие чьей-то безмерной любви.

Я выходил из дому примерно в половине восьмого, народу на улице было уже полно. В такое время куда-нибудь да торопятся. Кто на работу, кто в детский сад, кто в магазин.

На перекрестке возле сквера маячит долговязая фигура парня в сандалиях на босу ногу, в синей рубашке с закатанными по локоть рукавами. Он один никуда не торопится и стоит просто так, равнодушно глядя на дома, прохожих, на идущие мимо автомобили. Я подкрадываюсь к парню сзади и хлопаю его по плечу:

— Здорово, Толик!

Толик, вздрогнув от неожиданности, оборачивается, и лицо его расплывается в глупейшей улыбке.

— Привет! — Он небрежно сует мне руку дощечкой. Я достаю сигареты, мы садимся на заборчик, ограждающий сквер, курим.

Толик вынимает из кармана шариковый подшипник, вертит его на пальце, лукаво поглядывая на меня. Ему явно хочется, чтобы я спросил, зачем ему этот подшипник, и, хотя меня подшипник совершенно не интересует, я спрашиваю:

— Зачем он тебе?

— А ты догадайся.

— Делать мне нечего — буду еще догадываться.

— На мотороллер, — великодушно объясняет Толик. — Когда куплю, пригодится. Запчастей сейчас днем с огнем не найдешь. Эх, и ездить с тобой будем! — Толик кладет руки на воображаемый руль, наклоняется, словно в крутом вираже. — Врррр.

Время подходит к восьми, людей на улицах все прибавляется. Машин тоже. Медленно проскрипел автобус, скособоченный на правую сторону: на нем нависло столько народу, что кажется странным, как это он не перевернется. Прогромыхал «МАЗ» с длинным, метров в двадцать, прицепом на многих колесах. За ним, припадая на передние колеса, прошелестела черная «Волга».

— А ты вчера что делал? — спрашивает Толик.

— Ничего. Лежал, книжку читал.

— Что за книжка?

— «Над пропастью во ржи...»

— Про шпионаж?

— Нет, про жизнь.

— А почему ж пропасть?

— Не знаю, не дочитал еще.

— Может, дальше про шпионаж? — надеется Толик.

— Может быть, — говорю я. — Смотри, Козуб едет.

Витька Козуб — наш старый знакомый. Он жил когда-то в нашем доме, и я с ним даже учился вместе в школе, в четвертом классе. Я бы с ним учился и дальше, если бы остался на второй год. За двенадцать лет упорной учебы Козуб кое-как одолел семилетку и четырехмесячные курсы шоферов третьего класса. Теперь он ездит на стареньком сером «ГАЗ-51» с полустершейся надписью на левом борту: «Будьте осторожны на перекрестках!»

Сейчас осторожность надо проявлять больше всего ему самому. И он ее проявляет, потому что заметил нас. Бдительно вытянув длинную шею, он приближается к перекрестку, выключив скорость.

Мы с Толиком сидим, курим, делаем вид, что ни сам Козуб, ни его машина нас совершенно не интересуют. Мы даже совсем отворачиваемся и смотрим в другую сторону.

Но вот машина вписалась в поворот.

— Пошел! — командует Толик.

На повороте Козуб переключает скорость и дает полный газ, но уже поздно. В два прыжка настигаем мы беззащитную жертву, и вот уже наши пальцы крепко вцепились в задний борт кузова.

Козуб начинает бросать машину из стороны в сторону, мы раскачиваемся, как обезьяны на ветках. Очень трудно удержаться. Но вот я нашел уже точку опоры и одну ногу перекинул в кузов. Толик тоже. А враг не дремлет. Он применяет новый маневр. Визжат тормоза, и в полном соответствии с законом Ньютона наши тела довольно активно стремятся сохранить состояние равномерного прямолинейного движения. Словно две торпеды на параллельных курсах, мы летим вперед, рискуя пробить головами кабину.

— Что, ушиблись? — Козуб вылез на подножку и смотрит на нас через борт с лицемерным сочувствием.

— Ничего. — Толик потирает ушибленное колено. — Валяй дальше.

— Слезайте.

— Как же, слезем, — ухмыляется Толик.

— Хуже будет, — грозит Козуб.

— Куда уж хуже? Милицию позовешь?

— Зачем милицию? Он шайку свою соберет, — говорю я.

— Да уж найду кого позвать, — обещает Козуб.

Он стал таким храбрым после того, как подружился с Греком. Этой дружбой Козуб гордился, как будто Грек его был академиком или министром. Но Грек не был ни академиком, ни министром — он был просто хулиганом, достаточно, однако, известным в масштабе нашего города.

Козуб при случае намекал нам, что, стоит ему мигнуть Греку, тот из нас сделает блин, но намеки оставались намеками, потому что Грек был чаще всего далеко, а мы близко.

— Последний раз спрашиваю: не слезете?

— Последний раз отвечаю: не слезем. — Толик плюнул мимо Козуба на дорогу.

— Ну ладно, я вас теперь покатаю.

— Покатай, будь другом, — просит Толик смиренно.

Едем дальше. Посреди кузова подпрыгивает запасное колесо. Мы садимся на колесо и подпрыгиваем с ним вместе.

Проехали железнодорожный переезд, пересекли пустырь с недостроенной громадой Дворца бракосочетания, потом район наших местных Черемушек. Вот стадион «Трудовые резервы», а за ним уже и наша проходная. Я заглянул в кабину через плечо Козуба на щиток приборов.

Мы живем в век больших скоростей. На спидометре семьдесят. Со спидометра я перевожу взгляд на дорогу, потом на Толика. На лице Толика полное уныние. Если мы покинем машину на этой скорости, наши тела слишком долго будут сохранять состояние прямолинейного движения. Тормозить брюхом об асфальт не очень приятно.

— Постучи ему, — предлагает Толик, хотя в действенность этой меры ни на секунду не верит.

Я тоже не верю, но другого выхода нет — стучу. Сначала тихонько, потом кулаком, потом в это дело включается Толик, мы громим кабину четырьмя кулаками — никакого эффекта. А колеса крутятся, и наше родное сверхважное предприятие осталось далеко позади.

Козуб злорадно смотрит назад, и лицо его вытягивается от злости и удивления. Мы подкатили к заднему борту запаску и пытаемся перевалить ее через борт. Снова визжат тормоза, наступает состояние относительного покоя. Козуб вылезает на подножку.

— Вы что делаете?

— Да вот, — с невинным видом отвечает Толик, — хотим поставить небольшой опыт: сможет колесо ехать отдельно от машины или не сможет.

— Ладно, слезайте.

— Слезать? — Толик смотрит на меня, и я отвечаю ему глазами: ни в коем случае.

— Никак не выходит, — вздыхает Толик и садится на борт.

— Далеко, что ли?

— Далеко.

— Как хотите. — Козуб достает сигарету, закуривает. — У меня почасовой график, я не спешу.

— Тебе хорошо, — завидует Толик. — А вот у нас сдельщина. Помоги, Валера, будь другом, — обращается он ко мне, склоняясь опять над запаской.

Двоим сбросить с машины колесо легче, чем одному поднять его на машину. Закон всемирного тяготения. Это знает даже Козуб. Он для этого слишком долго учился.

Произнеся короткую речь, полную негодования и угроз, он разворачивает машину и подвозит нас прямо к проходной.

— Спасибо, — говорит Толик, слезая. — И не забудь, Витя: мы кончаем работу в четыре.

Вплотную к нашему цеху примыкает склад тары под оборудование — беспорядочное нагромождение ящиков на большом пространстве.

Толик, раскинув руки, лежит на траве под ящиком. Я стою рядом. Курим. Светит солнышко. До начала работы еще минут двадцать. Делать нечего.

— Не хочется на работу идти, — вздыхает Толик. — Ты бы рассказал что-нибудь, что ли?

— Стихи хочешь?

Толик стихи не любит, но тут соглашается:

— Давай стихи.

— Ну, ладно. — Я взбираюсь на один из ящиков. Толик принимает удобную позу, смотрит на меня снизу вверх.

В пустыне чахлой и скупой
На почве, зноем раскаленной,
Анчар, как грозный часовой,
Стоит один во всей вселенной.

Вокруг, насколько хватает взгляд, стоят эти большие заграничные ящики. Они громоздятся друг на друга и кажутся каким-то странным пустынным городом...

... А царь тем ядом напитал
Свои послушливые стрелы
И с ними гибель разослал
К соседям в чуждые пределы.

— Ну как? — спрашиваю я.

— Здорово! — искренне говорит Толик. Он залезает на ящик и садится на край, свесив ноги. — И как ты все это помнишь? Не голова, а совет министров. Я даже в школе когда учился, никак эти стихотворения запомнить не мог. Не лезут в голову, да и все. Слушай, а вообще вот, наверное, которые стихи пишут... поэты... ничего себе зарабатывают.

— Наверно, ничего, — соглашаюсь я.

— Работа, конечно, не для всякого, — задумчиво говорит он. — Не с нашими головами. А я вот читал в газете: один чудак нашел в пещере... забыл чего нашел. Деньги, что ли. Ты не читал?

— Нет, не читал.

Толик вздыхает.

— Мне бы чего-нибудь такое найти, я б матери платье новое справил. Джерси.

— Да зачем ей джерси?

— Ну так, знаешь. Слушай! А что, если мы с тобой вдруг проваливаемся сквозь землю, и перед нами... — он закатывает глаза и мечтательно покачивает головой, — куча золота.

— Да ну тебя, — говорю я. — Нужно тебе это золото.

— А что? — говорит Толик. — Зубы вставил бы.

— Зачем тебе? У тебя и свои хорошие.

— Золотые лучше, — убежденно говорит Толик.

Разговоры мы вели, может, и глупые, но в то время я мало думал об этом.

Я относился к Толику хорошо до тех пор, пока не произошла эта история, которая помогла мне понять и Толика, и себя самого.

Но расскажу по порядку.

Однажды в субботу я сидел в большой комнате за обеденным столом и под надзором мамы готовился к новому поступлению в институт — учил русский язык. Мама лежала у окна на кушетке и читала «Маленького принца» Экзюпери, который в последнее время стал ее любимым писателем, оттеснив на второй план Ремарка. Все, что писал Экзюпери, казалось маме очень трогательным. В самых трогательных местах она доставала из-под подушки давно уже мокрый платок и плакала тихо, чтобы мне не мешать. Напротив нее за своей швейной машинкой сидела бабушка. Она перешивала мою старую куртку: наверное, думала, что я эту куртку буду еще носить. Треск машинки меня раздражал.

— Мама, — сказал я, — я пойду к себе в комнату.

Мама подняла ко мне заплаканное лицо и твердо сказала:

— Нет, ты там ляжешь на кровать.

— Но ты же лежишь, — сказал я.

— Я лежу, потому что отдыхаю. Работаю я всегда сидя.

Мама вытерла слезы и снова уткнулась в книгу, давая понять, что разговор окончен.

Делать было нечего, я снова взялся бубнить эти проклятые правила. Я старался делать это как можно громче, чтобы заглушить раздражавший меня стрекот швейной машинки.

— «Слова, — читал я, — нужно переносить по слогам, но при этом нельзя отделять согласную от следующей за ней гласной, например: лю-бовь, кро-вать, пе-тух».

Когда я это прочел, бабушка остановила машинку и насторожилась. В воздухе повисла зловещая тишина. Я сразу почувствовал, что что-то произошло, перестал читать и повернул голову к бабушке. Она не отрываясь смотрела на меня и молчала. Я, не зная, что сказать, тоже молчал.

— Что такое «хетуп»? — строго спросила бабушка.

— Хетуп? — переспросил я заискивающе. — Какой хетуп?

— Только что ты сказал «хетуп».

— А-а, — сообразил я. У меня даже отлегло от сердца. — Я сказал не «хетуп», а «петух».

Я думал, что на этом инцидент будет исчерпан, но я забыл, с кем имею дело.

— Валера, ты сказал «хетуп».

— Бабушка, я не говорил «хетуп», я сказал «петух». И даже не сказал, а прочел вот здесь в учебнике: «любовь, кро-вать, пе-тух».

— Нет, ты сказал «хетуп».

Мать подняла голову от книжки, посмотрела сперва на бабушку, потом на меня, пытаясь понять и осмыслить происходящее.

— Что еще за спор? — сурово спросила она.

— А чего ж она говорит, — сказал я, — что я сказал «хетуп».

— Не она, а бабушка, — поправила мать.

— Все равно. Я сказал «петух», «петух», «петух». — Мне было так обидно, что я еле сдерживал себя, чтоб не заплакать.

— Господи! — всплеснула руками бабушка. — Ну зачем же так волноваться? Если ты даже ошибся и сказал «хетуп», в этом же нет ничего...

— Я не ошибался, я сказал «петух».

— Ну, хорошо, пускай я ошиблась, пускай мне послышалось «хетуп», хотя на самом деле ты сказал «петух».

— Да, я сказал «петух».

— Ну и ладно, пожалуйста, успокойся. Ты сказал «петух». — Бабушка пожевала губами и все-таки не сдержалась: — Хотя, если бы ты старался быть объективным...

Этот разговор мог кончиться плохо, но в это время в коридоре раздался звонок, и я побежал открывать.

За дверью стоял Толик. Он был в коричневом, сшитом на заказ костюме, в белой рубашке с галстуком. Сбоку на ремешке, перекинутом через плечо, болтался транзитный приемник.

— Вытирай ноги и проходи, — сказал я.

Толик нагнулся и стал развязывать шнурки на ботинках.

Из комнаты выглянула мама.

— Толя, что за глупости? — сказала она. — Зачем ты снимаешь ботинки? Вытри ноги, и все.

— Ничего, ничего, — сказал Толик.

Он снял ботинки и, подойдя к маме, протянул ей руку.

— Здравствуйте, Екатерина Васильевна.

У него были черные эластичные носки с красной полоской.

Он вошел в комнату, огляделся, подошел к бабушке и, протянув руку ей, сказал громко:

— Здравствуйте, бабушка.

— Здравствуй, Толя, — сказала бабушка и посмотрела на него с нескрываемым восхищением. — Ты куда это так вырядился?

— Так, — сказал Толик, — просто переоделся.

— Садись, — сказала мама, подвигая к нему стул.

— Благодарю. — Толик подтянул штаны, чтоб не вытягивались, положил руки сначала на стол, потом его смутила белая скатерть, он снял руки со стола и положил на колени.

— Толя, — спросила бабушка, — кто тебе гладит костюм?

— Да я, соответственно, сам глажу.

— Почему соответственно? — спросила мама.

— Просто слово такое, — пояснил Толик.

— Какой аккуратный мальчик, — вздохнула с завистью бабушка. — Ты, наверное, в брюках в постель не ложишься?

Толик смущенно кашлянул, шмыгнул носом и посмотрел на меня.

— Да ведь, вообще, не положено.

— Бабушка хочет сказать, — объяснил я, — что бывают счастливые люди, у которых такие вот аккуратные внуки.

Толик сидел красный от смущения и от галстука, давившего шею. Он не знал, как реагировать на мои слова, и промолчал.

— Чаю хочешь с вареньем? — спросила мама.

— Благодарю, — сказал Толик, — что-то не хочется. — Он многозначительно посмотрел на меня, я понял, что светские манеры даются ему с трудом.

— Сейчас пойдем, — сказал я.

— Куда это вы собрались? — спросила мама.

— Надо подышать воздухом.

Толик солидно кашлянул.

— Опять будете шляться до часу ночи, — сказала мама.

— Ладно, — сказал я, — никуда не денемся.

Я пошел в другую комнату и переоделся. Конечно, костюм мой был не так уж выглажен, но какие-то складки еще оставались.

Когда я вошел, бабушка посмотрела на меня, потом на Толика и вздохнула. Сравнение было явно не в мою пользу.

— Пошли, что ли, — сказал я.

Толик чинно встал, подошел к маме, протянул руку.

— До свидания, Екатерина Васильевна, — сказал он громко.

Потом подошел к бабушке и протянул руку ей.

— До свидания, бабушка, — сказал он еще громче.

Я пропустил его вперед. Пока Толик зашнуровывал ботинки, мама стояла в дверях комнаты и насмешливо смотрела на нас обоих.

Выйдя на лестницу, Толик облегченно вздохнул и снова стал самим собой. На площадке он подошел и посмотрел вниз.

— Слушай, а ты бы отсюда за миллион рублей прыгнул?

Я посмотрел вниз и отказался немедленно.

— А я бы, пожалуй, прыгнул, — сказал Толик.

— И ноги сломал бы.

— Зато миллион рублей, — сказал Толик. — Знаешь, я на эти деньги чего купил бы?

— Костыли, — сказал я.

— Зачем костыли? — обиделся Толик. — Можно «Москвич» с ручным управлением.

Мы вышли на улицу. Вечерело.

Солнце еще не зашло, но его не было видно. Оно просто пряталось где-то за домами, и его лучи лежали под крышами самых высоких зданий. Мы шли в сторону парка.

— Слушай, — неожиданно спросил Толик, — у тебя отец — хороший человек?

Вопрос был сложный. У меня самого отношение к нему было смутное. Точнее, я к отцу своему относился по-разному. Но одно дело, что думал я сам по этому поводу, и другое дело, что отвечал другим.

— Хороший, — сказал я, и это была правда, потому что отец мой был, может быть, и не совсем хорошим, но скорее хорошим, чем плохим.

— А почему же он мать твою бросил?

— Он не бросил, просто они не сошлись характерами.

— А чего там сходиться-то? — усомнился Толик. — Чего сходиться? У меня вот отец с кем хочешь сойдется характерами. Мать ему чего не так скажет, он ей как врежет, она летит из угла в угол.

Отец Толика дядя Федя работал в бане пространщиком. Что значит это слово — я не выяснил до сих пор, знаю только, что дядя Федя сторожил в бане одежду клиентов, подавал желающим полотенце, похлопывал по спине и приносил из буфета пиво в стеклянных кружках. За это он получал в зависимости от объема услуг и щедрости клиента десять-пятнадцать копеек. Некоторые давали больше, но таких было мало. Он работал через день по двенадцать часов, но готов был работать и каждый день, если бы разрешили, не из любви к профессии, а из-за этих самых гривенников, которых к концу смены набиралось довольно много. Мать Толика несла эту мелочь в магазин к знакомой кассирше и обменивала на бумажки, а когда бумажек набиралось достаточно, дядя Федя шел в сберкассу и делал очередной вклад.

— А много у твоего отца денег? — спросил я у Толика.

— Много, — вздохнул Толик. — Я точно не знаю, но там, наверное, машины на три уже наберется. И все мало ему. Я получку принесу, он все до копеечки пересчитает и по расчетной книжке проверит. А чуть недосчитается — сразу по шее.

— А как же ты на мотороллер собираешь? — спросил я.

— Выкручиваюсь, — сказал Толик. — Я говорю, что мастеру даю по десятке с каждой получки... Слушай, — оживился он, — а ты своего отца не спрашивал, сколько вот поэты или писатели зарабатывают?

— Не спрашивал. А зачем тебе?

— Так просто. Мне один чудак говорил: рубль за строчку. Это можно, знаешь, сколько строчек написать!

— Сколько? — спросил я.

— Много, — ответил Толик и остановился. — Что это там такое?

На спортплощадке во дворе красного кирпичного здания школы возле турника толпились какие-то люди.

— Может, соревнования? — предположил я.

— Не похоже, — усомнился Толик. — Пошли, поглядим.

Мы подошли ближе. Там к турнику было подвешено какое-то сооружение из арматурной проволоки, как я потом понял — макет купола парашюта. От купола шли стропы, соединявшиеся у брезентовых лямок с блестящими замками. Возле турника толпилось человек пятнадцать ребят нашего с Толиком возраста. Рядом на параллельных брусьях возвышался худощавый человек лет тридцати (по нашим тогдашним представлениям, пожилой), в кожаной куртке на молниях и в старой летной фуражке с облезлой кокардой. К куртке у него был прикручен большой значок с изображением белого парашюта на синем фоне. Наискось через значок шла блестящая металлическая цифра «600», а на цепочке болтался еще треугольник, и там тоже было выцарапано какое-то число — не то «15», не то «45», я точно не разглядел.

Человек этот сидел на одном брусе и упирался левой ногой в противоположную стойку, удерживая равновесие.

Мы с Толиком сразу догадались, что это инструктор по парашютному делу. Догадаться было, конечно, нетрудно.

Держа в руках авторучку и раскрытый блокнот, инструктор следил за ребятами, которые поочередно влезали в лямки, разворачивались влево, вправо и спрыгивали на землю, уступая место следующим по очереди.

— Следующий! — выкрикивал инструктор и отмечал в блокноте очередную фамилию.

Когда мы подошли, в лямках болтался высокий парень в клетчатой ковбойке. У него были очень длинные ноги, и парень поднимал их, чтобы они не волочились по земле.

— Развернись влево, — скомандовал инструктор.

Парень положил на грудь правую руку, потом левую, потом, подумав, поменял их местами, потянул лямки на себя, и его длинное неуклюжее тело послушно повернулось влево.

— Вправо, — сказал инструктор. — Да побыстрей. Если ты и в воздухе будешь так долго соображать, тебе до самой земли времени не хватит.

— Что это вы делаете? — шепотом спросил Толик у остроносого парня в синем берете.

— Тренируемся, — тоже шепотом ответил парень. — Прыгать с парашютом будем.

— С турника, что ли? — насмешливо спросил Толик.

— Почему ж с турника? С самолета. Нас от военкомата направили, — сказал парень и пошел к турнику, потому что подошла его очередь.

Пока он разворачивался вправо и влево, Толик зашел сбоку и внимательно наблюдал. Парень расстегнул лямки и сполз на землю.

— Следующий, — сказал инструктор.

Следующих не оказалось.

— Все, что ли? — спросил инструктор.

— Как все? А я? — неожиданно сказал Толик.

— А чего ж ты стоишь? — рассердился инструктор.

— Задумался, — объяснил Толик.

Он стащил с себя транзистор, сунул его мне и вышел вперед. Влез в эти лямки, застегнул замки и стал болтать ногами, ожидая указаний инструктора.

— Не болтай ногами, — строго сказал инструктор. — Это тебе не качели. Развернись влево.

Толик решительно потянул за обе лямки, но у него почему-то ничего не получилось, и он стал раскачиваться, пытаясь развернуться.

— Ты что? — закричал инструктор. — Не знаешь, как разворачиваться?

— Забыл, — сказал Толик, глядя на инструктора.

— Если забыл, надо спросить. В воздухе спрашивать будет некого. Положи левую руку на грудь. Сверху правую. Берись за лямки. Тяни. Теперь вправо.

Вправо у Толика получилось совсем хорошо.

— Молодец, — похвалил инструктор. — Слезай. Как фамилия?

— Божко, — четко сказал Толик.

— Божко? Что-то я такой фамилии не помню.

— Пропустили, — нагло сказал Толик.

— Да? — Инструктор покорно пожал плечами и отметил что-то в блокноте. — Может быть. Есть еще кто-нибудь?

Толик стал мне усиленно подмигивать и призывать знаками последовать его примеру, и мне очень хотелось поступить так же, как он, но я не решился.

Инструктор спрятал блокнот и ручку в карман и спрыгнул на землю.

— Сегодня в три часа ночи чтобы все были на бульваре у кинотеатра «Восход». Ровно в три придет машина, поедем прыгать. Ясно?

— Ясно! — нестройным хором закричали парашютисты.

— Можете расходиться, — сказал инструктор и первым направился к выходу.

Мы вышли на улицу. Я отдал Толику транзистор, он его на плечо вешать не стал, а держал в руках и размахивал. Потом он его включил и стал размахивать еще больше. Передавали Эдиту Пьеху по заявкам передовиков Саратовской области.

— Выключи ты его, — попросил я. Настроение у меня было паршивое.

Толик посмотрел на меня и все понял.

— Слышь, Валера, ты не огорчайся, — сказал он. — Утром придем и вместе прыгнем.

— Как же, прыгнем, — сказал я. — Тебя-то он в блокнот записал, а меня нет.

— А чего ж ты растерялся? — сказал Толик. — Я же тебе подмигивал. В общем, придем, а там видно будет. Ему все равно, есть ты в списке или нет. Ты думаешь, он мне поверил, когда я сказал: пропустили? Да ему лишь бы план. Понял? Я это точно знаю.

В этом смысле Толик действительно знал больше меня. И умел многое из того, чего я не умел.

Мы идем по парку. Все аллеи запружены бесчисленными толпами желающих убить длинный субботний вечер.

Уже стемнело. Включили электричество. В дальнем конце парка грянула музыка — начались танцы. Мы прошли из конца в конец парка, постояли у танцплощадки, попили из автомата воды с мандариновым сиропом, заглянули в Зеленый театр, где шел концерт художественной самодеятельности гарнизонного Дома офицеров.

Идем дальше. Дошли до главного входа, опять повернули в сторону танцплощадки, но уже по другой аллее, параллельной. Толик идет чуть впереди, заложив руки в карманы, раздвигая прохожих плечом. А меня все затирают, оттесняют от Толика, я отстаю, потом догоняю. Толик оборачивается, замедляет шаг, поджидая.

— Что ты все отстаешь? — ворчит он. — Не можешь ходить по-человечески? Будешь всем уступать дорогу — далеко не уйдешь.

На улице, в парке, везде, где много народу, Толик чувствует себя как рыба в воде. Он идет, уверенно выбрасывая вперед длинные ноги, вертит головой, здоровается с какими-то людьми, которых я даже не успеваю заметить, и обращает внимание на всех девушек, идущих нам навстречу. И все они, или почти все, поражают воображение Толика. Вот он схватил меня за руку:

— Гляди, вон кадришка какая идет!

«Кадришками» по моде нашего времени Толик называл всех девчонок. Были у него в словаре и другие названия — «крали», «курочки» или просто «бабы».

Я не чувствую в себе достаточного интереса, и мне очень стыдно. Мне кажется, что во мне чего-то не хватает, раз я не испытываю при этом такого же восторга, как Толик. Мне не хочется казаться в его глазах дураком, и, вызывая в себе ложное возбуждение, я кричу с предельной заинтересованностью:

— Где кадришка?

— Прошла уже, — сердится Толик. — Пока ты тут чухался...

Не успев договорить фразы, он кидается за обогнавшей нас девицей на длинных, словно ходули, ногах:

— Девушка, а девушка, вы не из баскетбольной команды?

— Иди ты к... — не оборачиваясь, ответила девушка.

Толик вернулся сконфуженный.

— Что она тебе сказала? — спросил я.

— Да ничего, — сказал Толик. — Дура длинная.

Идем дальше. Толик сопит, молчит, переживая только что перенесенный позор.

— Толик, — спрашиваю я, — у тебя есть идейные убеждения?

— Чего? — удивился Толик.

— Я спрашиваю: у тебя есть идейные убеждения?

— Маленько есть, — подумав, ответил Толик.

— А какие у тебя убеждения?

— Разные, — отмахнулся Толик и опять насторожился. — Пошли.

— Куда? — не понял я.

— Потом поймешь.

Он схватил меня за руку, увлекая вперед. Мы почти побежали. Свернули на боковую безлюдную аллею. Впереди нас шли две девушки в красных платьях с красными сумочками в руках.

— Понял — куда? — сказал Толик, сбавляя ход; теперь мы шли с той же скоростью, что и девушки. — Давай что-нибудь говори.

— А что говорить? — спросил я.

— Неважно что, лишь бы громко. — И тут же повысил голос: — Ничего себе крали идут, а?

— Ничего, — сказал я еле слышно.

— Громче, — шепнул Толик и снова во весь голос: — Тебе какая больше нравится? — И, не дождавшись моего ответа, почти прокричал: — Мне крайняя... Что ж ты молчишь? — снова прошептал он.

Видно, поняв, что со мной каши не сваришь, он стал вести игру сам.

— Девушки, вы здешние? — спросил он.

Девушки молча свернули направо.

— Гляди, — громко восхитился Толик, — попутчицы.

Мы свернули следом за девушками. Тогда они неожиданно развернулись и пошли в обратную сторону.

— Куда мы, туда и они, — бодро прокомментировал этот маневр Толик, и мы, пропустив их вперед, опять пошли следом.

Наше преследование кончилось безрезультатно. Возле главного входа девушек ждали двое парней. Когда они шагнули навстречу девушкам, мы с Толиком сделали по шагу в обратном направлении. Физическое превосходство парней было очевидным.

— Ну что, теперь погонимся за другими? — спросил я удрученно.

— Зачем гоняться? — сказал Толик. — Пускай они за нами гоняются. Вон на лавочке две сидят, пойдем с ними поговорим.

— Да ну их, — сказал я. — Бегаем как дураки по всему парку, а толку чуть.

— Ну, пошли, сейчас познакомимся.

— Как же, познакомимся, — усомнился я.

— Точно тебе говорю: познакомимся. Пошли.

— Ну ладно, пошли, — сказал я.

Толик обрадовался.

— Ты себе какую берешь?

— Никакую, — сказал я сердито.

— Ну ладно, я себе беру блондинку, а твоя будет рыжая. Ты рыжих любишь.

Я и сам не знал, каких я люблю.

Наши очередные жертвы, ни о чем не подозревая, сидели на лавочке и разговаривали.

— Здрасьте, — сказал Толик.

— До свидания, — сказала блондинка.

— Спасибо, — сказал Толик и сел рядом с блондинкой. — Прошу вас, — пригласил он меня.

Я подчинился и сел рядом с рыжей.

— Знакомьтесь, — сказал Толик, кивая в мою сторону, — мой друг Валерий, очень большой человек, лауреат Международной премии за укрепление мира между народами.

— А вы кто? — с любопытством спросила блондинка.

— Я? Я поэт Евтушенко, — сказал Толик скромно.

— А я думала — Маяковский, — сказала блондинка.

— Маяковский — это он.

— А если серьезно? — спросила блондинка.

— А если серьезно... — Толик встал и представил торжественно меня и себя: — Валерий Баженин, Анатолий Божко.

Это прозвучало солидно. Довольный произведенным впечатлением, Толик сел на место и уже тихим, вкрадчивым голосом спросил:

— А вас как прикажете...

— Ее Поля, — сказала блондинка, — а меня... вы только не подумайте, что я нарочно... так у нас получилось... меня зовут Оля.

— Очень хорошо, — сказал Толик, — запомнить легко, а забыть еще легче. Ну что, Оля и Поля, может, пойдем туда-сюда пошляемся?

— Что это вы так говорите? — подала голос Поля. — Что это за слова такие — «пошляемся»?

— Это я по-французски, — оправдался Толик. — В смысле погуляем.

Поля посмотрела на Олю.

— Мне все равно, — сказала Оля.

— Может, пойдем потанцуем? — спросила Поля.

— Блестящая идея, — согласился Толик.

Мы встали, пошли. Запас шуток у Толика истощился, некоторое время мы шли молча. Молчание грозило стать затяжным, и Толик нашел выход из положения.

— А что это мы идем и молчим? — сказал он. — Может, поговорим о чем-нибудь?

— А о чем? — деловито спросила Оля.

— Мало ли о чем. Валера, расскажи девочкам стих. Вот этот... про дерево.

— А вы любите книжки читать? — заинтересовалась Поля.

Я смутился:

— Да так. Иногда.

— Я книжки ужасно люблю, — сказала Поля. — Особенно жизненные. Вот я недавно прочла «Сестру Керри».

— Драйзера. — Я проявил эрудицию.

— Не знаю. Так там мне больше всего понравилось, что все как в жизни. Когда я жила в Днепропетровске, у нас была одна соседка, капля воды — сестра Керри. А еще недавно я читала «Красное и черное»...

— Стендаля, — подсказал я.

Поля остановилась и посмотрела мне прямо в глаза.

— Учтите, Валера, — строго сказала она. — Я авторов никогда не запоминаю.

— Мальчики, а билеты у вас есть? — вдруг вспомнила Оля.

— В самом деле, — сказал я и посмотрел на Толика.

Толик похлопал себя по карману и сделал кислую рожу.

— Так надо купить, — сказала Поля.

— Правильно, — обреченно сказал Толик.

— Может, у вас нет денег?

— У нас? — Толик скривился презрительно. — У нас мешок. Валера, отойди на минутку. — (Мы отошли в сторону.) — У тебя хоть что-нибудь есть?

— Тридцать копеек.

— Это не деньги, — сказал Толик. — Это слезы. Посиди пока с ними, чтоб не сбежали. Я скоро вернусь.

Он ушел, а я остался. Говорить было не о чем, мы молчали. Первой заговорила Оля.

— Жарко сегодня, — сказала она, вытирая шею платочком.

— Да, действительно жарко, — согласился я. — Может, хотите воды?

Надо было как-то растянуть время.

— Лучше мороженое, — робко сказала Оля.

— Эскимо? — бодро уточнил я и потрогал в кармане тридцать копеек.

— Пломбир, — возразила Поля.

В этот момент я ее ненавидел. Мы встали в хвост длинной очереди за толстой теткой в цветастом открытом платье. Не знаю, на что я рассчитывал. Может, на то, что, пока подойдет очередь, появится Толик. Или разразится стихийное бедствие.

Очередь двигалась довольно быстро. Небо было чистое, звездное. Стихийного бедствия пока не предвиделось. Что делать? Может, просто сбежать? Очередь катастрофически приближалась. Спасение пришло неожиданно.

— Смотрите, — сказала вдруг Поля, — спутник летит.

— Где спутник? — спросил я, выходя на всякий случай из очереди.

— Вон, прямо над головой, смотрите.

Я отошел еще дальше.

— Нет, это не спутник, — сказал я, — это самолет.

— Откуда вы знаете? — не поверила Оля.

— Во-первых, — сказал я, — это можно определить по шуму двигателей. Во-вторых, по огням. Они называются «БАНО» — бортовые аэронавигационные огни.

— Вы что, — сердито спросила Поля, — все знаете?

— Не все, — сказал я, — но это знаю. В школе я занимался в авиамодельном кружке, и мы там кое-что проходили.

— Братцы, — сказала Оля, — а очередь-то мы пропустили.

— Неужели? — всплеснул я руками.

И в самом деле. Тетка в цветастом платье, которая стояла впереди меня, отходила в сторону, торжественно, как факел, неся перед собой эскимо на палочке.

— Все ваша эрудиция, — упрекнула Поля.

— Ну ничего, постоим, — сказал я в расчете на то, что теперь нам мороженого просто не хватит. — Время у нас еще есть.

— Какое же время? — сказала Оля. — Вон ваш товарищ уже идет.

Наконец-то. Беспечно размахивая транзистором, к нам приближался Толик.

— А если вы все знаете, — не унималась Поля, — скажите, это правду говорят, что дельфины — мыслящие существа?

— Чего? — спросил подошедший Толик.

Поля повторила вопрос.

— Не думаю, — сказал Толик. — Если б они были мыслящие, они бы в трусах плавали.

Мы пропустили девчонок вперед, а сами немного отстали.

— Достал? — шепотом спросил я у Толика.

— Достал два билета, — сказал Толик, — толкнул частнику подшипник за рубль.

— Что же делать?

— Придумаем что-нибудь... Девочки, — сказал он, подходя к Оле и Поле, — вот вам два билета, вы идите, а мы сейчас придем. У нас тут еще одно небольшое дельце есть.

— Что это у вас все дела какие-то? — недоуменно сказала Поля, но билеты взяла.

Они ушли, а мы остались. Играла музыка. Над освещенной, забитой людьми танцплощадкой стояла пыль.

— Ну, что ты еще придумал? — спросил я у Толика.

Мне это уже все надоело, я бы с удовольствием ушел домой, чтобы, лежа на диване, подремать над какой-нибудь книжицей.

— Пойдем через служебный вход, — сказал Толик, — больше делать нечего.

Возле оркестрового купола в заборе, ограждающем танцплощадку, кто-то выломал железные прутья, получилась дыра, не очень большая, но для нас с Толей в самый раз. Эту дыру Толик и называл служебным входом. Возле дыры, опершись на забор, стояли два парня в одинаковых синих рубашках, здоровые и плечистые, должно быть, спортсмены. Они о чем-то между собой разговаривали.

— Ребята, милиции нет? — деловито спросил Толик.

Парни перестали разговаривать, повернулись к нам.

— А что, пролезть хотите? — с любопытством спросил тот, который загораживал дыру.

— Может быть, — уклончиво сказал Толик. — А что?

— Да ничего, — парень подвинулся к своему товарищу, освобождая дыру. — Откуда тут милиция? Валяйте.

— Как бы не вляпаться, — засомневался Толик.

— Как хотите, — сказал парень, — мы вот не вляпались.

Толик посмотрел на парней, потом на меня.

— Ну ладно, — решил он, — давай, Валера, ты первый, а я за тобой.

Только я пролез на ту сторону и разогнулся, как сразу заметил красную повязку на рукаве парня, стоявшего возле дыры.

— Вот и хорошо, — сказал парень. Он сжал мою руку повыше локтя так сильно, что я понял: вырываться бессмысленно.

Толик сразу все сообразил и отпрянул от забора.

— Так вы дружинники, — сказал он укоризненно.

— Так уж получилось, — сказал тот, что держал меня за руку. — Чего ж ты не лезешь?

— В другой раз, — пообещал Толик.

— Ну смотри, дело твое, — сказал дружинник и обратился к своему товарищу: — Пойдем, что ли?

— Пойдем, — сказал тот, почесывая затылок. Ему, видно, очень не хотелось со мной возиться.

— Пошли, — сказал тот, что держал меня за руку.

— Пусти руку, — сказал я, — тогда пойду.

— А не побежишь?

— Не бойся, — успокоил я, — не побегу.

Пробираясь между танцующими, я столкнулся с Олей и Полей. Они танцевали вдвоем.

— Валера, — обрадовалась Оля. — А Толя где?

— Сейчас я его найду, — сказал я.

— Вы не ждите, — сказал дружинник, — он его долго будет искать.

Мы вышли с танцплощадки и направились по аллее к выходу.

Сзади на почтительном расстоянии двигался Толик.

— Ты, может, с нами хочешь? — обернулся дружинник.

— А чего это мне с вами идти? Я через забор не лез, — сказал Толик. — Валера, что матери передать, если надолго задержат?

— Ничего, — сказал я сердито.

— Валера, ты на меня не сердись. Если бы я первый полез, они сцапали бы меня.

— А почему же ты не полез первым?

— Кому-то же надо быть первым. А теперь что ж — нам двоим пропадать?

— Ну и сволочь у тебя дружок, — заметил дружинник, шедший ближе ко мне. — Возьми его тоже, — сказал он своему товарищу.

— Иди сюда, — сказал второй дружинник и сделал шаг к Толику.

— Сейчас, разбежался, — сказал Толик и на шаг отступил.

— Догоню ведь, — сказал дружинник и сделал еще один шаг.

— Как же, догонишь, — сказал Толик, отступая к кустам. — У тебя по бегу какой разряд?

— Черт с ним, — сказал тот, что был возле меня. — Хватит нам на первый раз одного.

— Ты можешь пойти на танцы, — сказал я Толику. — Дырка свободна.

— Ладно, — оборвал дружинник, — хватит разговаривать. Пошли.

Дежурный по отделению милиции, молодой белобрысый сержант, при моем появлении не проявил ни малейшего удовольствия.

— Вы еще мне танцоров будете водить, — сказал он дружинникам. — Дали бы под зад пинка — и пускай себе катится на все четыре. А теперь протокол на него составлять, начальству докладывать.

— Мы еще одного хотели взять, — сказал дружинник, приведший меня, — да он убежал.

— Ладно, идите. — Сержант недовольно махнул рукой. — А ты садись на скамейку, посиди.

Я сел на желтую, с облупившейся краской скамейку, дружинники все еще стояли, переминаясь, перед барьером, отделявшим их от дежурного.

— Ну, чего стоите? — сказал дежурный. — Сказано вам: свободны.

Они-то, наверное, думали, что им вынесут благодарность за их выдающийся подвиг. Обиженные, они повернулись и направились к выходу.

Сидевший на табуретке у входа толстый милиционер в сдвинутой на глаза фуражке посторонился, дружинники вышли.

— Так, может, я пойду, если я вам не нужен, — сказал я и встал.

— Отдохни пока, — сказал дежурный и обратился к стоявшей перед ним девице примерно моего возраста, а может, чуть-чуть постарше: — Так как твоя фамилия? — Девица стояла, положив руки и подбородок на барьер, и смотрела на милиционера преданными глазами.

— Иванова, — сказала она охотно.

— А может, Петрова?

— Может, Петрова, — согласилась девица.

— А правильно как?

— Правильно Иванова.

— Ты где-нибудь работаешь?

— Нет. Работала в столовой, потом уволили по сокращению. На самообслуживание перешли.

— В какой столовой?

— В какой столовой-то? Ну, в обыкновенной столовой. Знаете, где едят.

— Ты мне голову не морочь. Номер столовой?

— А я чего-то не припоминаю.

— И где находится не помнишь?

— Нет.

— Ну, хорошо. А родители у тебя есть?

— Нет.

— А у кого ты живешь?

— У тетки.

— А как фамилия тетки?

— Иванова.

— А зовут как?

Девица перевела взгляд с сержанта на меня, потом опять на сержанта, пожала плечами и вздохнула.

— Не помню.

Сержант вздохнул тоже.

— Ну, хорошо. А где живет твоя тетка?

— А она не живет. Она померла.

Дежурный вышел из себя.

— Слушай, что ты мне голову морочишь. Вот сядь здесь и сиди до утра. Начальник придет, он сам с тобой будет разговаривать.

— Как же сидеть? — возмутилась девица. — Мне на троллейбус надо и спать охота.

— Сидя поспишь. Ну-ка, танцор, подойди сюда.

Я подошел.

— Как фамилия?

— Важенин.

— Зовут?

— Валерий.

— Где работаешь?

— В почтовом ящике. — Я решил напустить туману.

— Что ж ты, ящик, без билета на танцы лазишь? Денег нет? — (Я промолчал.) — Раз денег нет — сиди дома. А теперь будешь здесь сидеть. До утра. А утром к судье — и на пятнадцать суток. Понял? Вот. Садись... Крошкин, — сказал он толстому милиционеру. — Ты тут погляди за ними. Я сейчас вернусь.

Сержант ушел.

Девица сидела на лавочке, обхватив руками колени и глядя в пол. Когда я садился с ней рядом, она быстро вскинула на меня глаза и снова опустила их к полу. Я исподволь к ней пригляделся. Беленькая такая, с красивыми ногами. Глаза у нее, насколько я успел заметить, были большие, темные, только слишком подкрашены в уголках. Темная юбка в обтяжку слегка открывала круглые колени.

— Тебя правда Валеркой зовут? — шепотом спросила девица.

— А что ж я — врать буду? — ответил я тоже шепотом.

Она убрала руки с колен и подвинулась ко мне вплотную.

— А я им все вру, — сказала она. — Им хоть правду говори, хоть неправду — все равно не поверят, так я вру нарочно, пускай работают, пишут свои протоколы. Или еще не говорю ничего. Спрашивает: «Как зовут?» А я говорю: «Не помню». — «Что, говорит, тебе память отшибло?» А я говорю: «Не отшибло, а я такая и родилась беспамятная». Ну, он злится! А вообще-то меня Татьяна зовут.

— «Итак, она звалась Татьяной...»

— Чего это ты сказал?

— А это стихи такие, — сказал я.

— Стихи? — переспросила она мечтательно. — Я стихи ужас как люблю. Прямо до смерти. — И прочла, откинув в сторону правую руку: — «Вино в бокале надо пить, пока оно играет, жизнь дана, надо жить, двух жизней не бывает».

Милиционер на табуретке очнулся, сдвинул фуражку на затылок, посмотрел на Татьяну.

— Ты чего? — спросил он зловеще. — Самодеятельность устраиваешь?

— Проснулся? — обрадовалась она. — С добрым утром, дядя. Физкультпривет!

— Я вот тебе дам физкультпривет, — лениво проворчал милиционер.

— Какой сердитый, — скривила губы Татьяна. — Тебя что, работа испортила?

— У меня работа нормальная, — сказал милиционер. — Не то что у тебя.

— А сколько тебе платят за твою работу, а?

— С меня хватает.

— Я вижу, что хватает. Небось, когда здесь по коридору идешь, ушами за стенки цепляешься.

— Замолчи! — повысил голос милиционер.

— А чего мне молчать-то? Свобода слова. Понял? Чего хочу, то говорю.

— Замолчи, а то встану, — сказал милиционер. И встал.

— Ну, чего встал? — Татьяна тоже встала. — Думаешь, я тебя испугалась, да? Да мне на тебя плевать. Тьфу!

Милиционер двинулся к ней. Я вжался в стенку. Сейчас что-то будет. Татьяна, протянув вперед руки с растопыренными пальцами, продолжала дразнить приближавшегося к ней милиционера.

— Ну, подойди сюда, — перешла она на завораживающий полушепот. — Подойди, бегемот проклятый, подойди еще. А-аа! — закричала она неожиданно пронзительным голосом, вскочила на лавку и прижалась спиной к стене.

— Чего орешь? — растерялся милиционер.

— А что, испугался? — Татьяна заплясала на лавке. — Чего ору, да? А вот хочу и ору. А-аа! — закричала она еще пронзительней.

Расстегивая на ходу кобуру револьвера, вбежал дежурный сержант. Остановился посреди комнаты.

— В чем дело? — спросил он, переводя взгляд с Татьяны на милиционера.

— Спроси у нее. — Милиционер отошел к своей табуретке, сел и снова закрыл глаза козырьком.

— Чего вопила? — спросил с любопытством сержант у Татьяны.

Татьяна села на место, оправила юбку, сложила руки между колен и сказала жалобно:

— Сержант, он меня изнасиловать хотел.

— Тебя? — насмешливо переспросил сержант.

— Меня, — сказала она еще жалобней и для убедительности шмыгнула носом. — Вот, пожалуйста, свидетель сидит, — показала она на меня. — Он может подтвердить.

— Бедная ты, — сказал сержант, заходя за свою загородку. — Несчастная. Беззащитная. — И стукнул неожиданно кулаком. — Будешь у меня тут хулиганить, я тебя живо на пятнадцать суток оформлю. Ясно?

— Ясно, — покорно согласилась Татьяна.

Зазвонил телефон. Сержант снял трубку.

— Дежурный по отделению милиции слушает, — сказал он в трубку. — Да. Алкоголики? Ну ладно, поместим где-нибудь. Я думаю, им отдельной жилплощади не требуется? — Он повесил трубку, раскрыл какую-то книгу и отметил в ней что-то.

— Сержантик, — ласково сказала Татьяна, — отпусти меня домой, а? А то я на последний автобус опоздаю, тетка волноваться будет.

— Тетка, которая померла? — поинтересовался сержант.

— Да она не то чтобы померла, а так — и померла, не померла, и живет еще.

— Отпустить ее, что ли? А, Крошкин? — обратился сержант к толстому милиционеру.

— Крошкин, — попросила Татьяна. — Крошечка, скажи, пусть отпустит.

— А ты чего обзывалась? — обиженно сказал Крошкин.

— Да я ж пошутила. Я просто так. Характер у меня дурной. Тетка говорит: «Тебя с таким характером ни один дурак не возьмет замуж».

— Ладно, пусть идет, — махнул рукой сержант.

— Пусть идет, — согласился Крошкин. Отодвинулся, освобождая проход, и снова закрыл глаза козырьком.

— Вот спасибо. — Татьяна вскочила и направилась к выходу. Обернулась: — Спасибо, сержантик. И тебе спасибо. Слышь, Крошечка. — Она постучала пальцем по козырьку.

— Иди, — махнул рукой Крошкин.

— И больше не попадайся, — добавил сержант.

— В ваше отделение, — сказала Татьяна, — ни за что в жизни.

Мы остались втроем. Сержант посмотрел на меня.

— Ну, а с тобой, орел, что будем делать?

Я пожал плечами:

— Дело ваше.

— Ладно, — сказал он весело, — я сегодня добрый. Валяй и ты.

Я не заставил себя долго упрашивать.

Татьяна стояла на улице. Она рассматривала приткнувшиеся к бровке тротуара милицейские мотоциклы. Увидев меня, обрадовалась как родному.

— Ой, — сказала она, разведя руки в стороны. — Тебя тоже выпустили? А я так и знала, что выпустят. Куда ж им нас девать? Некуда. Тебе куда идти?

— Некуда, — ответил я в тон ей.

— Как некуда? — всполошилась она. — Тебе что, негде ночевать? — Она подошла ко мне ближе и посмотрела мне прямо в глаза.

— Что ты, — поспешно сказал я, — я пошутил. У меня все есть. У меня есть квартира с мамой, бабушкой и швейной машинкой.

— Да? — сказала она разочарованно. — А где ты живешь?

Я сказал. Она вздохнула.

— Тебе близко. А мне аж за Дворец переть. Автобусы спатки легли.

— Пошли провожу, — предложил я.

— Далеко ведь.

— Ничего, — сказал я беспечно.

Она взяла меня под руку, и мы пошли. Никогда до этого я не ходил под руку с девушкой. На улице было тепло и тихо. Шелестели листья на ветках деревьев. По улицам только что прошли поливальные машины, и звезды отражались неясно на мокром асфальте.

Мы шли рядом. Я посмотрел на нее сбоку и засмеялся.

— Ты чего смеешься? — спросила она удивленно.

— Вспомнил, как ты Крошкина воспитывала, — сказал я.

— А! — Она засмеялась тоже. — Здорово я ему выдала. Вообще-то он ничего, толстячок потешный. Правда?

— Правда, — сказал я, остановился и посмотрел на нее. — Послушай, а за что тебя забрали в милицию?

— А ты разве не понял? — тихо спросила она.

— Не понял.

Она выпустила мою руку, отошла в сторону и сказала вызывающе:

— За легкое поведение.

— Правда? — спросил я упавшим голосом.

— Конечно, правда.

Она опять оживилась, схватила меня за руку, и мы пошли дальше.

— Понимаешь, я с мальчишечкой одним на лавочке целовалась. Я вообще-то целоваться не люблю. А он пристал ко мне, прямо чуть не плачет. А у меня характер такой дурной: жальливая я очень. Думаю: «Ну, если ему так нужно, что мне, жалко, что ли? Не убудет ведь меня. В крайнем случае потом умоюсь». А тут этот Крошечка. «Вы чем, говорит, занимаетесь в общественном месте?» А я говорю: «Не твое дело, проходи себе стороной». А он говорит: «Ах, не мое дело...» И свисток в зубы. А я говорю: «Выплюнь ты этот свисток, он заразный». Мальчишечка-то убежал, а мне бежать не на чем, у меня и так каблук еле держится. А ты думаешь, я правда нигде не работаю? Это я им нарочно сказала. Я вообще-то работаю в парикмахерской. Вот приходи, я тебе любую стрижку сделаю, польку молодежную, польку простую, канадскую, бокс, полубокс, что хочешь. У нас работа художественная. Наш бригадир говорит: «Парикмахер — все равно что скульптор. Он из обормота произведение искусства делает».

На пустыре было тихо и темно. Неуклюжая громада Дворца, освещенная единственной лампочкой, мрачно пела на фоне звездного неба и косилась на нас пустыми проемами окон.

— Страшный какой, — сказала Таня. — Кто ж, интересно, будет в таком жениться?

— Может, мы с тобой, — пошутил я.

— Не надо насмехаться, — строго сказала Таня. Пустырь сразу переходил в широкую улицу. Потом пересекли площадь, прошли еще немного вперед и повернули направо в темный глухой переулок, в конце которого горел фонарь на столбе. Мы до этого фонаря не дошли и остановились возле крупнопанельного пятиэтажного дома. Было только половина первого, но ни одно окно в доме не светилось, все подъезды тоже были темны.

— Как в войну во время затемнения, — сказал я.

— А откуда ты знаешь, как было в войну? — спросила она.

— Я не знаю, мне рассказывали, — сказал я, — а потом еще я видел кино.

— Чего-то я к тебе за какой-нибудь час так привыкла, — грустно сказала она, — как будто сто лет тебя знаю. Даже расставаться не хочется.

Я подумал, что она врет, но все равно было приятно.

— Мне тоже не хочется, — сказал я.

— Может, еще погуляем? — спросила она.

Легко сказать — погуляем. Мама с бабушкой, наверно, уже сходят с ума, обзвонили уже все милиции, больницы, «Скорую помощь» и бюро несчастных случаев. Я постеснялся ей это сказать, я сказал:

— Не могу. Мне на работу рано вставать.

Она поежилась то ли от холода, то ли просто так.

— На работу? Мне вообще-то тоже. Ну ладно, пока.

Она издалека протянула мне руку. Рука у нее была маленькая и холодная.

— А когда мы с тобой встретимся? — спросил я.

— Никогда. — Она вырвала руку и скрылась в темном подъезде.

Я постоял немного на улице, потом тоже вошел в подъезд. Ничего не было видно. Я нащупал рукой шершавую полоску перил и остановился, прислушался, услышал ее шаги. Она тихо, словно крадучись, поднималась по лестнице. Я думал: сейчас откроется дверь и я на слух определю, на каком этаже она живет. Сейчас она была, как мне казалось, на третьем. Пошла выше. Четвертый. Еще выше. Значит, она живет на пятом. Остановилась. Сейчас откроется дверь. Не открывается. Я посмотрел наверх. Ничего не было видно, только чуть обозначенное синим окно на площадке между третьим и вторым этажом. Может, Татьяна тоже пытается разглядеть меня и не видит? Не отдавая себе отчета в том, что делаю, я ступил на первую ступеньку лестницы. Потом на вторую. Тихо-тихо, ступая на носках, я поднимался по лестнице. Вот и пятый этаж. Лестница кончилась. Татьяна была где-то рядом. Я слышал, как она прерывисто дышит. Я вытащил из кармана спички и стал ломать их одну за другой, потому что они никак не хотели загораться. Наконец одна спичка зашипела и вспыхнула, и я увидел Татьяну. Испуганно прижавшись к стене, она стояла в полушаге от меня и смотрела, не мигая. Потом ударила меня по руке, и спичка погасла. Потом она обхватила мою шею руками, притянула к себе и прижалась своими губами к моим.

Я позабыл о маме, о бабушке, о себе самом.

Вдруг она громко зашептала:

— Убери руки, обижаться буду! Руки! — Она резко меня оттолкнула.

Я зацепил ногой мусорное ведро, оно загремело.

— Тише! — шепнула она.

Глаза мои привыкли к темноте, в слабом свете, проникавшем сквозь окно на площадке между этажами, я различал смутно ее лицо. По-моему, она усмехалась. Усмехалась потому, что я дышал, как загнанная лошадь. Ничего не соображал.

— Ты что, сумасшедший? — спросила она.

— Нет, — сказал я, переводя дыхание.

— А чего ж ты?

— Чего «чего»?

— Чего руки распускаешь, говорю? — сказала она громко.

Я не знал, что ответить.

— Ты всегда так делаешь? — спросила она уже тише.

— Всегда. — Я рассердился и полез в карман за сигаретами.

— Дай закурить, — сказала Таня.

— А ты разве куришь?

— А как же.

Прикуривая, она смотрела на меня с любопытством. Я поспешил прикурить сам и погасил спичку. Некоторое время курили молча. Потом она спросила:

— Ты раньше с кем-нибудь целовался?

— Всю жизнь только этим и занимаюсь.

— Что-то не похоже, — усомнилась она.

— Почему?

— Почему? — Она затянулась и пустила дым прямо мне в нос. — Не умеешь. Хочешь, научу?

Я ничего не ответил. Она взяла у меня окурок и вместе со своим бросила в лестничный пролет. Окурки, ударяясь о ступеньки и рассыпая бледные искры, полетели зигзагами вниз, то встречаясь, то расходясь, и пропали.

— Ну, учись, — сказала Татьяна и пригнула меня к себе.

Назавтра мы договорились встретиться снова. В восемь часов возле универмага.

Приближалось утро, небо бледнело, на улицы вышли дворники и громко шаркали метлами.

Пустырь я пересек напрямую и вышел к площади Победы. За площадью свернул на бульвар и пошел по аллее. Редкие фонари рассеивали конусы света, на темных скамейках блестела роса.

Я шел не торопясь. Торопиться мне, собственно говоря, было уже просто некуда. Бабушка с мамой, конечно, обегали все, что можно обегать ночью, и теперь сидят при свете, ждут. Приду — будут попрекать, будут демонстративно глотать сердечные таблетки и капли. Хоть совсем не приходи.

Потом я услышал какие-то голоса и смех и посмотрел вперед. Впереди меня под фонарем расположилась группа каких-то людей. Они сдвинули вместе две скамейки, некоторые сидели на этих скамейках, а те, кому не хватило места, стояли.

Я несколько сбавил шаг и стал смотреть себе под ноги. Потом нашел кусок кирпича, хотел положить его в карман, но в карман он не влез, я прижал его к бедру и пошел немного правее, подальше от скамейки, на всякий случай. Мало ли чего может случиться, когда на улице нет ни милиции, ни прохожих — никого, кроме меня и этих парней.

О чем они разговаривали между собой, я не слышал, но, когда я поравнялся с ними, они замолчали и уставились на меня, я этого не видел, но чувствовал. Я шел, напрягшись, и держал кирпич так, чтобы его не было видно.

— Валерка! — услышал я знакомый голос и обернулся. Ко мне приближался Толик.

И я сразу вспомнил двор школы, турник, тренирующихся парашютистов и приказ инструктора в кожаной куртке собраться в три часа ночи на бульваре у кинотеатра «Восход».

Я незаметно бросил кирпич в кусты.

— Ты откуда? Из милиции, что ли?

— Из санатория, — сказал я сердито. Я никак не мог простить ему, что он ушел, когда дружинники тащили меня в милицию.

— Ну, я так и знал, что до утра выпустят, — сказал Толик. — У них и без тебя работы хватает.

— Ну да, — сказал я, — ты все знал заранее. А чего ж тогда ты со мной не пошел?

— А зачем нам вдвоем идти? — сказал Толик. — Тебе разве легче было бы, если б меня тоже забрали?

— Морально легче, — сказал я. — Вместе лезли, вместе надо и отдуваться. Я на твоем месте ни за что не ушел бы.

— Ну и зря, — сказал Толик. — Зря не ушел бы. Ты прыгать будешь?

— Ну да, прыгать, — сказал я. — Ты-то выспался, а я из-за тебя всю ночь глаз не сомкнул.

— А я, думаешь, спал? — обиделся Толик. — Я этих провожал. Как их? Олю и Полю.

— Ну и что? — спросил я.

— Да ничего. Они в общежитии живут. Я хотел с Олей в подъезде постоять, а эта зараза рыжая тоже стоит, не уходит. Ну, я плюнул и ушел. Поехали, а?

— Да я не знаю, — заколебался я. — Мать волноваться будет.

— Не будет, — сказал Толик. — Она ко мне приходила в час ночи, я сказал, что ты поехал к товарищу за книжками для института и останешься у него ночевать. Поехали.

В это время из-за угла выехал микроавтобус с включенными подфарниками. Он остановился как раз напротив скамеек. Из него вылез знакомый уже нам инструктор и, сложив ладони рупором, весело закричал:

— Эй, парашютисты, вали все сюда!

Все парашютисты кинулись прямо через газон к машине.

— Ну что, ты едешь или не едешь? — нетерпеливо спросил Толик.

— Да я не знаю, — сказал я. Я все еще колебался.

— Ну, как хочешь, — сказал Толик и побежал к машине.

— А, была не была, — сказал я и побежал вслед за ним.

Дорога была длинная. Мы проехали весь город, выехали на шоссе, потом свернули на проселочную дорогу и еще долго ехали по ней. Когда приехали на аэродром, было уже совсем светло.

Аэродром был аэроклубовский. На нем не было, как я себе представлял раньше, бетонных дорожек или стеклянных ангаров — просто клочок поля с выгоревшей травой, два небольших домика и несколько белых цистерн с бензином, врытых наполовину в землю.

Маленькие зеленые самолетики (потом я узнал, что называются «ЯК-18») взлетали, садились, рулили по земле, таща за собой хвосты желтой пыли. По полю взад и вперед сновали какие-то люди в комбинезонах.

Наш микроавтобус подъехал к одному из домиков, над крышей которого болтался полосатый мешок.

Инструктор первый вылез из кабины и встал возле дверцы.

— Вылезайте, да побыстрей, — скомандовал он.

Парашютисты стали по одному выпрыгивать из машины, а инструктор считал:

— Раз, два, три, четыре...

Пятым из машины вылез я.

— А ты встань сюда. — Инструктор показал мне место рядом с собой. — И ты тоже, — сказал он вылезшему из машины Толику. Пересчитал остальных. Скомандовал: — В колонну по два становись! Равняйсь! Смирно! Шагом марш вон к тому самолету. — Он показал на самолет, который стоял отдельно от других. У него на фюзеляже был нарисован такой же, как на куртке инструктора, парашютный значок.

— А мы как же? — растерялся Толик.

— Как хотите, — сказал инструктор. — У меня вас в списках нет.

Мы остались одни.

— Дурачок какой-то, — укоризненно сказал Толик, глядя вслед удаляющемуся инструктору. — Раньше не мог сказать.

— А он нарочно завез нас, хотел проучить, — сказал я.

— Я и говорю: дурачок. — Вид у Толика был виноватый. — Может, такси где поймаем? У меня деньги есть. Я у отца трешку свистнул.

— Какое уж тут такси, — безнадежно сказал я.

Я достал сигареты, дал Толику, взял себе. Пробегавший мимо человек в комбинезоне сказал:

— Ребята, здесь курить нельзя. Там, за домом курилка.

За домиком вдоль стены тянулась длинная, врытая в землю скамейка, перед ней железная бочка, тоже врытая в землю и наполненная наполовину водой. Вода была мутная, в ней плавали жирные размокшие окурки. На краю скамейки сидели два летчика. Один — лет тридцати, маленький, коренастый, черный, как жук, — был похож на мелкого жулика. На нем были широкие брюки и бежевая куртка на молниях. Из-под белого подшлемника выбивалась на лоб аккуратно подстриженная челочка. Другой был постарше, повыше, рыжий, с белыми глазами, как у альбиноса. Мы с Толиком сели с другого края.

Летчики не обратили на нас никакого внимания, они и между собой вели какой-то странный, непонятный мне разговор.

Белоглазый жаловался:

— Выходит, курсант сломал ногу, а ты должен за него отвечать.

— А как он сломал? — спросил черный. — Ткнулся на три точки?

— Если б на три. А то как шел носом, так и воткнулся.

— И что, ничего теперь с ногой сделать нельзя?

— Черт ее знает. Отдали пока в ПАРМ, может, там сварят. А не сварят — придется новую ставить. А за новую вычтут из зарплаты.

— Это уж точно, — вздохнул черный. — У меня в прошлом году курсант фонарь в воздухе потерял, и то два месяца высчитывали, а это же нога.

Он встал и швырнул в бочку окурок. Белоглазый тоже встал и свой окурок раздавил каблуком.

Они ушли.

Впереди нас, немного левее, белели наполовину врытые в землю большие цистерны. Они были огорожены колючей проволокой. Между двумя цистернами стоял маленький черный ишак, запряженный в двухколесную тележку, на которой лежала железная бочка. И маленький человек в грязном комбинезоне при помощи ручного насоса перекачивал что-то не то из цистерны в бочку, не то из бочки в цистерну.

— А я эту Олю вчера поцеловал, — неожиданно похвастался Толик. — Мы стояли в подъезде, а рыжая пошла к себе воды попить. А я Олю к батарее прижал и — чмок, прямо в губы. А она ничего, только говорит: «Не надо, Толя, мы еще мало знакомы». А я говорю: «Так будем больше знакомы». И тут эта рыжая снова приперлась и помешала. — Толик с видом явного превосходства посмотрел на меня.

— Подумаешь, — сказал я. — Я всю ночь целовался.

— С милиционером?

— Зачем с милиционером? С девчонкой. Вчера познакомился.

— Где познакомился? — Толику никак не хотелось в это поверить.

— В милиции, — сказал я.

— Не заливай.

— Не веришь — не надо, — сказал я и снова стал следить за человеком в грязном комбинезоне.

Человек перестал качать насос. Сложил шланг, после чего залез на бочку и пнул ишака сапогом. Ишак покорно тронулся и, миновав узкий проход в колючей проволоке, побрел в сторону стоянки самолетов, таща за собой двуколку с железной бочкой, на которой крупными белыми буквами было написано: «Масло».

— Слышь, — не выдержал Толик. — А что за девчонка? Красивая?

— Красивая, — сказал я.

— А зовут как?

— Таня.

Я не хотел рассказывать ему, но он пристал как банный лист: как выглядит да сколько лет, и я постепенно ему все рассказал. Тогда Толик подумал и сказал с облегчением:

— А, я ее знаю.

— Откуда? — удивился я.

— Да ее все знают, — сказал Толик. — Она с Козубом путалась.

— Кто это тебе говорил? — не поверил я.

— Козуб. Да я и сам сколько раз видел их вместе.

— Мало ли чего ты видел. Может, это вовсе и не она.

— Да как же не она? — сказал Толик. — Все сходится: Татьяна, работает парикмахершей. Она за Дворцом живет?

— Нет, не за Дворцом, — соврал я. Продолжать этот разговор мне не хотелось.

Далеко над опушкой леса на большой высоте кружился самолет. Он делал всевозможные фигуры: петли, бочки, иммельманы, то падал вниз камнем, то свечой взмывал вверх и терялся за легким облачком.

Из-за домика вышел белобрысый паренек в комбинезоне, подпоясанном армейским ремнем. Под ремнем болтался шлемофон с дымчатыми очками. В руках у него было ведро, в ведре лежала какая-то часть мотора, болты, гайки. Я сначала не обратил на парня никакого внимания, потому что следил за самолетом.

— Во дает! — восхитился Толик. — Вот бы на нем прокатиться. Скажи?

Я не ответил.

Паренек достал из кармана комбинезона сигареты, спички, закурил.

— Смотри, смотри, штопорит! — закричал Толик.

— Не штопорит, а пикирует, — поправил парень.

— Да? Пикирует? — усомнился Толик. Он осмотрел парня с ног до головы, задержал взгляд на шлемофоне с очками и спорить не стал.

Я тоже посмотрел на парня и вдруг узнал:

— Славка!

Славка недоуменно посмотрел на меня и тоже просиял:

— Валерка! Ты что здесь делаешь?

— Да ничего. Толик, познакомься: это Славка Перков, мы с ним в школе вместе учились.

Толик не спеша протянул Славке руку и со значением представился:

— Толик.

— А ты здесь что делаешь? — спросил я.

— Вообще, то же, что и все, — сказал Славка. — Летаю.

— Как летаешь? — не понял я.

— Ну как летаю. Обыкновенно. Я же в аэроклубе учусь. Ты разве не знал?

— Первый раз слышу.

— Вот тебе на! — Славка даже присвистнул. — Да я уже кончаю. Еще месяц — и все.

— А потом что? — спросил я.

— Потом пойду в истребительное училище. Сейчас у истребителей такие скорости, что летать можно только лежа.

— И ты сам можешь летать на самолете без инструктора?

— Конечно, сам, — сказал Славка. — Я же тебе говорю: кончаю уже.

— И вот так можешь? — Я показал на самолет, выполнявший фигурный пилотаж.

— Знаешь что? — Славка встал, взял ведро в руки. — Хочешь со мной прокатиться?

— А разве можно?

— Даже нужно. А то нам вместо человека мешок с песком во вторую кабину кладут. Для центровки. Но на всякий случай, если спросят, хочешь ли в аэроклуб, говори: «Хочу». Мечта, мол, всей жизни. Понял?

— Понял, — сказал я. — Только я ведь с товарищем.

— Ну, можно и товарища. — Славка посмотрел на Толика. — Пойдешь?

— Я-то?

— Ты-то.

Толик посмотрел на Славку, потом на кувыркающийся самолет, снова на Славку.

— Да нет, — сказал он лениво, — что-то не хочется. — Повернулся ко мне: — А ты иди, если хочешь, я здесь подожду.

Мы со Славкой прошли в конец стоянки, к самолету, который стоял без колес, поднятый на «козелки». Из открытой кабины торчали ноги в брезентовых сапогах.

— Техник! — Славка поставил ведро и забрался на крыло. — Техник! — Он дотронулся до одной ноги и покачал ее. — Я карбюратор промыл, все в порядке.

Голос из кабины ответил:

— Теперь промой подшипники колес, набей смазкой, я шплинт поставлю, потом проверю.

— Техник, — сказал Славка, — мне летать пора.

Ноги поползли сперва вверх, потом опустились на крыло, из кабины вылез рыжий человек с перепачканным смазкой лицом.

— «Летать», «летать», — сказал он, вытирая потный лоб рукавом и еще больше размазывая грязь. — Летать все хотят, а как драить машину, так вас днем с огнем не найдешь. Скажи командиру, пусть пришлет курсантов, которые отлетали.

— Ладно, — сказал Славка, — скажу. — Он повернулся ко мне: — Бежим.

Посреди аэродрома квадратом были расставлены четыре длинные скамейки, на них сидели курсанты в комбинезонах, полный человек в кожаной куртке и военной фуражке и летчик с белыми глазами, который в курилке жаловался на курсанта, сломавшего какую-то ногу.

В стороне от квадрата маленький летчик, похожий на жулика, распекал долговязого, нескладного парня с длинными, как у обезьяны, руками.

— Ты, Кузнецов, — говорил летчик, — длинный фитиль. Ты не можешь сообразить своей головой, что, когда у тебя крен семьдесят градусов, руль поворота работает как руль высоты, а руль высоты работает как руль поворота.

— Почему не могу? Могу, — тихо обижался Кузнецов.

— А если можешь, какого хрена выправляешь шарик ногой, когда его надо ручкой тянуть?

Курсант виновато глядел в пространство. Может быть, он не знал, что ответить.

Тут Славка схватил меня за руку и всунулся между летчиком и курсантом.

— Иван Андреич, — сказал он. — Вот мой товарищ, хочет в аэроклуб поступить.

— Молодец, — сказал Иван Андреич. — Летчик — самая настоящая профессия для мужчины. Летчик — это романтика, красивая форма, деньги...

— И короткая жизнь, — неожиданно сострил Кузнецов.

— Что ты сказал? — возмутился Иван Андреич.

— Я пошутил, — быстро сказал Кузнецов.

— Ах, ты пошутил. Сейчас же на стоянку к Моргуну и драить машину. Понял?

— Иван Андреич, я пошутил, — взмолился Кузнецов.

— Шутка становится остроумней, когда за нее надо расплачиваться, — изрек Иван Андреич. — Шагом марш к Моргуну!

Курсант нехотя двинулся в сторону стоянки.

— Бегом! — крикнул ему вслед Иван Андреич. И повернулся ко мне: — После аэроклуба можешь поступить в любое училище. Три года — и ты лейтенант. Еще три — старлей. Восемнадцать лет прослужишь — полковник. Документы принес?

— Нет, — сказал я, ошеломленный богатством открывшихся перспектив.

— Хорошо, принесешь завтра. Аттестат зрелости, справку с места работы, с места жительства, две фотокарточки. В отделе кадров скажешь, чтоб записали во второе звено ко мне. Понял?

Тут незаметно подошел белоглазый.

— Почему же он должен записываться во второе, — сказал он, — может, он хочет в первое.

Иван Андреич повернулся к белоглазому, осмотрел с головы до ног, словно видел впервые, и тихо, но внятно сказал:

— В первое он не хочет. Ему там нечего делать.

— Почему же нечего? — обиделся тот. — Что ты — лучше других?

— Я лучше, — убежденно сказал Иван Андреич. — Я курсантов летать учу, а не шасси ломать.

— Тоже мне учитель нашелся, — фыркнул презрительно белоглазый. — А в прошлом году кто фонарь потерял?

— А ты — хрен в сметане, — не найдя других возражений, буркнул Иван Андреич.

— Товарищи! — крикнул из квадрата человек в кожанке. — Прекратите немедленно. Вы что тут базар устроили? Хоть бы постеснялись курсантов.

— Да мы ничего, товарищ майор, — смутился Иван Андреич. — Просто небольшой обмен опытом. — Он наклонился ко мне и тихо напомнил: — Во второе звено. Понял?

— Иван Андреич, — снова влез Славка. — Можно я его с собой в зону возьму для ознакомления?

Иван Андреич замялся.

— В зону нельзя, — сказал он. — По кругу еще куда ни шло, а в зону нет. Строжайший приказ по ДОСААФ: посторонних не возить.

— А я его возьму, — сказал белоглазый. — У меня сейчас Ухов летит, посажу к нему.

— Еще чего не хватало, — возмутился Иван Андреич. — Да твой Ухов летать не умеет. Угробит зазря человека. А из него, может, ас мирового класса бы вышел, может, вышел бы космонавт.

Он говорил таким тоном, будто неизвестный мне Ухов уже меня загубил.

— Перков! — закричал Иван Андреич Славке так, словно Славка был далеко. — Разрешаю. Понял? Под свою ответственность. Пусть возьмет мой парашют. Только без фокусов. Если что, ноги вырву, спички вставлю и ходить заставлю. Понял?

— Так точно. Понял, — ответил Славка.

Первый раз в жизни я в воздухе. Натужно на одной ноте гудит мотор, самолет, задрав нос, медленно подбирается к пухлому облаку. Внизу какой-то чахлый лесок, деревушка, узкая полоска шоссе с ползущим по нему ярко-красным, похожим на божью коровку автобусом. В наушники сквозь гул мотора прорываются голоса:

— «Альфа», я — сорок шесть, закончил третий, разрешите посадку.

— «Альфа», я — семнадцатый, к взлету готов.

— Сорок шестому — посадка.

— Семнадцатый, побыстрее взлетайте, не чухайтесь на полосе.

— Двадцать третий, куда лезешь не в свою зону, дурак.

— Четырнадцатый, прекратите болтовню в эфире. Ваша зона четвертая, четвертая зона. Как поняли меня? Я — «Альфа». Прием.

— Я — четырнадцатый, понял вас, понял. Прием.

Низкий невнятный голос сонно бубнит:

— Даю настройку, настройку, настройку. Один, два, три, четыре, пять, пять, четыре, три, два, один. Как понял меня? Прием.

— Понял, давно понял, закройся. Прием.

— Радисты, радисты, я — «Альфа», перестаньте хулиганить. Я — «Альфа».

— Валерка, — неожиданно слышу я свое имя и вздрагиваю, — как чувствуешь себя?

Сообразив, в чем дело, нажимаю на кнопку переговорного устройства (кнопку мне показали еще на земле):

— Тридцать первый, я — Валерка, чувствую себя отлично. Как поняли? Прием.

— Не дурачься, — отвечает спокойно Славка.

Он сидит в передней кабине. Передо мной, заслоняя горизонт, торчит его круглая голова, обтянутая кожей потертого шлемофона. Славка — мой школьный товарищ, с которым я просидел столько времени за одной партой, — ведет этот самолет. Он может накренить его влево или вправо, может по своему усмотрению ввести в пике или перевернуть вверх колесами. Славка, которому я не однажды давал по шее, который учился в школе гораздо хуже меня, может управлять этой машиной, может делать с ней все, что угодно. На разворотах машина кренится, одно крыло опускается к земле, другое упирается в небо. Я хватаюсь за подлокотники кресла. Самолет переваливается на другое крыло, потом выравнивается и опять ползет вверх.

Снова Славкин голос:

— Поуправлять хочешь?

Я недоверчиво смотрю на его затылок:

— Ты мне, что ли?

— А кому же еще? Поставь ноги на педали.

Нагибаюсь, смотрю на педали, потом осторожно всовываю ноги под ремешки.

— Поставил? — спрашивает Славка. — Теперь возьми ручку управления.

Беру.

— Ручка управления, — говорит он тоном преподавателя, — служит для управления элеронами и рулем высоты. Ручку от себя — самолет идет вниз, ручку на себя — вверх, ручку влево — левый крен, ручку вправо — правый. Педали служат для управления рулем поворота. Чтобы повернуть влево, надо координированным движением дать ручку влево и левую ногу вперед. Вот так.

Ручка и педали чуть шелохнулись, самолет накренился, горизонт поплыл вправо мимо Славкиной головы.

— Понял? — спросил Славка и выровнял самолет.

— Понял, — сказал я.

— Ну давай, шуруй.

Я взял и, недолго думая, двинул ручку влево к борту кабины и тут же бросил ее, потому что самолет чуть не перевернулся — левое крыло оказалось внизу, а правое уперлось в небо. Потом крылья описали обратную дугу, самолет покачался и пошел ровно.

— Ты что, ошалел? — испуганно сказал Славка.

— Ты же сам сказал — ручку влево, ногу вперед.

— Я сказал, — проворчал Славка, — надо чуть-чуть, еле заметным движением. Хорошо, что аэродром далеко, а то руководитель полетов сделал бы замечание.

— Ты извини, я не хотел, — сказал я.

— Ничего, обошлось, — сказал Славка и закричал: — «Альфа», «Альфа», я — тридцать первый, вошел в зону, разрешите работать!

Работать ему разрешили.

Я посмотрел на стрелки высотомера — прибора, похожего на часы. Маленькая стрелка стояла на единице, большая на двойке. «1200 метров», — сообразил я.

— Сейчас будем делать восьмерку, — сказал Славка. — Сперва левый вираж на триста шестьдесят градусов, потом правый. Вон видишь, на горизонте телевизионная вышка? По ней будем ориентироваться.

Я посмотрел вперед и увидел в дымке город — бесчисленное количество серых коробочек. Вышки я не увидел.

Правое крыло плавно поползло вверх, все выше и выше, я подумал, что самолет сейчас перевернется, вцепился в подлокотники сиденья, но крыло остановилось почти вертикально, и горизонт пополз вправо. Неимоверная тяжесть вдавила меня в сиденье. Такое ощущение, будто к ногам и рукам привязали двухпудовые гири, а щеки вместе с ушами ползут к плечам.

Славка поворачивает ко мне расплывшееся от счастья лицо.

— Ну как, жмет?

— Жмет немного, — бодрюсь я, еле двигая отяжелевшей челюстью.

— Это что, — говорит Славка, — ерундовая перегрузка. Вот на реактивных — там жмет. Переходим в правый вираж.

Правое крыло падает вниз, левое занимает его место над головой. Снова перед глазами плывет горизонт, но теперь уже в другую сторону.

Самолет выходит из виража, выравнивается.

— Петля! — коротко объявляет Славка.

Я не могу передать все свои впечатления, не могу рассказать, как все это было. У меня для этого не хватает слов.

Были петли и полупетли, бочки правые и левые, боевые развороты и перевороты через крыло. Не всегда я мог понять, где верх, где низ. Земля и небо менялись местами. Иногда казалось, что самолет висит неподвижно, а вселенная вращается вокруг его оси.

Потом наступило затишье, и все встало на свои места. Земля была внизу, небо вверху — даже не верилось.

— Хочешь еще поуправлять? — спросил Славка.

— Еле заметным движением? — спросил я, приходя понемногу в себя.

— Теперь наоборот. Можешь показать все, на что способен. Поставь ноги на педали, возьми ручку. Когда я скажу «пошел», возьмешь ручку на себя до отказа, а левую ногу до отказа вперед. Не резко, но энергично. Понял?

— Понял.

Славка убрал газ, стало тихо. Скорость падала, самолет терял устойчивость — покачивался и проваливался вниз, «парашютировал».

— Пошел!

Я что было сил рванул ручку на себя и двинул вперед левую педаль. Самолет взмыл вверх, встал почти вертикально и вдруг рухнул на левую плоскость. Беспорядочно вращаясь, рванулась навстречу земля. Я испуганно бросил ручку, схватился за подлокотники кресла. Славка перевел самолет в пикирование, потом боевым разворотом вывел на прежнюю высоту.

— Знаешь, что ты сделал? — спросил он.

— Иммельман, — наобум брякнул я.

— Левый штопор, — объяснил Славка. — Сейчас будем правый делать. Ручку на себя и правую ногу вперед. Приготовься. — Он убрал газ, самолет снова начал «парашютировать».

— Пошел!

В правый штопор я ввел самолет более уверенно. И вот наконец мы садимся, рулим по земле. Нас встречает усатый механик. С поднятыми вверх руками он пятится назад, и самолет послушно тащится за ним. Механик остановился. Остановился и самолет. Механик сложил руки крестом, Славка выключил двигатель. Потом он выбрался на плоскость и открыл фонарь надо мной.

— Ну как ты, живой? — спросил он, заглядывая ко мне в кабину.

— Голова кружится, — сказал я.

— Ну и вид, — сказал Славка. — Зеленый, как огурец. Ничего, бывает хуже. Я первый раз после зоны облевал всю кабину. Потом самому чистить пришлось.

И все-таки мне этот полет понравился. Потом я летал много и на самых разных самолетах. Летал со скоростью звука и быстрее звука, сам делал и петли, и полупетли, бочки горизонтальные и восходящие бочки. Один раз мне даже пришлось катапультироваться, когда я вошел в плоский штопор и не мог из него выйти, но ни от одного полета у меня не осталось столько впечатлений, сколько от того первого раза, когда Славка разрешил мне прикоснуться к ручке управления.

После полета я пошел искать Толика. В ушах еще стояли крики по радио, шум мотора. Перепонки болели от перепадов давления. Меня еще мутило, в ногах была слабость, а земля казалась нетвердой и зыбкой. Толик мне был нужен немедленно. Я хотел ему рассказать, как все было, как я летал, как говорил по радио, как управлял самолетом и вообще, какой я был молодец. Меня просто распирало от впечатлений.

Толик сидел в прежней позе на прежнем месте. Судя по его отрешенному виду, он отсюда и не уходил никуда.

— Ну как? — спросил он со слабо выраженным любопытством. — Летал?

— Летал, — сказал я счастливо. — Еще как летал, Толик!

— Здорово? — спросил он недоверчиво.

— Здорово, — сказал я и, пока не остыл, начал рассказывать: — Значит, так. Надеваем парашюты, садимся в кабину. Запустили мотор, проверили управление. «Альфа», я — тридцать первый, разрешите выруливать». — «Тридцать первый, я — «Альфа», выруливать разрешаю». — «Альфа», я — тридцать первый, разрешите взлет». — «Тридцать первый, я — «Альфа», взлет разрешаю»...

— Подожди, — перебил Толик, — а чего ты такой бледный?

— Ерунда, — сказал я, — укачало немного. Ты слушай дальше. «Альфа», я — тридцать первый, разрешите работать».

— Слушай, — вдруг загорелся Толик. — А что, если мы с тобой сейчас проваливаемся и перед нами голая баба, а?

— Дурак ты, — сказал я, — и не лечишься.

— Нет, ты рассказывай, рассказывай, — сказал Толик.

— Иди ты к черту.

Я махнул на него рукой и пошел в сторону стоянки. Туда подошла машина, которая должна была увезти нас в город.

Домой я вернулся около часу дня. Благодаря усилиям Толика мое возвращение прошло без скандала.

В квартире пахло распаренным бельем и мылом. Стиральная машина гудела на кухне, как самолет. Мать вышла из кухни, вытирая намокшие руки о полы халата.

— Привет, — сказал я ей преувеличенно бодрым тоном. — Как вы тут без меня живете?

— Валера, — спокойно сказала мама, — в следующий раз, когда ты захочешь ночевать у товарища, я бы хотела знать об этом заранее.

— Ладно, ладно, — сказал я и прошел в комнату.

Бабушка сидела у окна и читала Библию.

Библия была у нее настольной книгой. Еще когда я был совсем маленьким, она читала мне Новый завет вперемежку с «Коньком-горбунком» и «Песней о купце Калашникове». Помню, мне было жалко не столько самого Иисуса, сколько его ученика Петра, которому Иисус предсказал в роковую ночь, что, прежде чем прокричит петух, Петр трижды отречется от него. Так оно и получилось: трижды отрекся Петр от Христа, а потом вспомнил его слова и горько заплакал.

Потом, когда я научился читать, мне нравилось, как пишутся слова в этой книге «Ветхаго и Новаго завета». И еще нравилось, что все касающееся Иисуса писалось с большой буквы: «Истинно говорю тебе, что Человек Сей есть Сын Божий».

Не могу сказать, чтобы бабушка моя была очень набожной, хотя регулярно читала Библию и ходила иногда в церковь не молиться, а слушать, как там красиво поют, и сама порой подпевала тоненьким своим голосочком.

Вообще-то голос у нее был нормальный, но пела она всегда тоненько (слезно), и я вспоминал при этом сказку, в которой волку подковали язык.

К бабушкиным религиозным причудам я относился снисходительно, особенно после того, как в седьмом классе наша учительница химии Леонида Максимовна (она работала по совместительству внештатным лектором в обществе «Знание») посредством нескольких химических опытов неоспоримо доказала отсутствие бога. В Библию я тоже давно не верил, но то, что все, касающееся бога, писалось там с большой буквы, мне по-прежнему нравилось. При случае мне хотелось о себе самом написать в подобном стиле. Например, как меня сажали в самолет: «И взяли Его за Руки Его, посадили Его в кабину. А Плечи Его и Живот Его и все Тело Его привязали ремнями».

Я поприветствовал бабушку (помахал ей рукой и сказал: «Приветик»), прошел к себе в комнату, снял пиджак и повесил на спинку стула. Мама вошла следом за мной и остановилась в дверях.

— Ты есть хочешь? — спросила она.

— Пожалуй, можно слегка подзакусить, — великодушно согласился я.

— Иди мой руки.

Я пошел в ванную, умылся. Вернулся на кухню. Съел две тарелки фасолевого супа, две котлеты с картошкой и с ощущением легкого голода пошел к себе в комнату.

— Ты что собираешься делать? — спросила мама.

— Хочу немного вздремнуть.

— Ты разве ночью не спал? — Мама подозрительно посмотрела на меня.

— Вообще-то спал, но еще немного подремать не мешает.

Я снял рубашку и брюки, повесил на спинку стула, забрался под одеяло и уснул как убитый.

Я проснулся с ощущением, что спал очень долго. Я открыл один глаз и посмотрел на часы — они показывали половину восьмого. В восемь я обещал Тане быть возле универмага.

До универмага на автобусе три остановки, пешком минут десять. Десять минут на сборы, пять на то, чтобы что-нибудь пожевать. Пять минут можно еще подремать. Я закрыл глаза.

Через пять минут я решил, что десять минут на сборы слишком много — пяти минут за глаза хватит. За эти пять минут я подсчитал, что на дорогу тоже оставил слишком много — если даже не будет автобуса, быстрым шагом ходьбы минут шесть. Семь от силы. Короче говоря, без десяти восемь я все-таки встал и в трусах побежал в ванную ополоснуться.

Бабушка сидела за швейной машинкой. Мамы не было.

— Физкультпривет, — сказал я бабушке, пробегая мимо.

Вернувшись, я хотел быстро одеться, но брюки куда-то пропали. Ложась спать, я повесил их на спинку стула. Теперь их на стуле не было. Не было и под стулом. На всякий случай я перерыл постель, заглянул под кровать и вышел в большую комнату.

— Бабушка, где мама? — спросил я.

— Мамы нет, — ответила бабушка, продолжая трещать машинкой. — Она ушла в кино.

— В кино — это хорошо, — сказал я. — А где мои брюки?

— А где ты сегодня ночевал? — спросила бабушка.

— Странный вопрос, — удивился я. — Я же сказал: у товарища.

— Если ты ночевал у него, почему же ты весь день после этого спишь?

— У меня летаргия, — сказал я нетерпеливо. — Где мои брюки?

Бабушка оставила машинку и посмотрела на меня из-под очков.

— Твои брюки мама спрятала, чтобы ты никуда сегодня не ходил, а готовился в институт.

— А, в институт... — сказал я. — Хотите, чтобы я стал образованным и интеллигентным человеком, а сами воруете мои штаны. Придется мне идти на улицу в трусах.

— Как хочешь, — ответила бабушка, возвращаясь к любимому делу.

Эта угроза на нее не подействовала. Я вернулся в маленькую комнату и стал рыться в шифоньере в поисках брюк. Брюки я не нашел, но нашел старую мамину юбку из какого-то лохматого зеленого материала. Я взял и примерил ее на себя. Посмотрел в зеркало. А что? Я в ней выглядел не так уж плохо.

Я снова вышел в большую комнату, сказал бабушке:

— Ну, я пошел, — и направился к двери.

— Валера, — остановила меня бабушка, — ты что, серьезно собираешься в таком виде на улицу?

Все-таки она испугалась.

— А что, разве так плохо? — спросил я простодушно.

— Нет, ты, конечно, если тебе самому не стыдно, можешь поступать, как тебе заблагорассудится. Но этим поступком ты поставишь в неловкое положение не только себя, но и нас с мамой. Где это видано, чтобы взрослый мужчина ходил по улицам в юбке?

— Взрослый мужчина, — повторил я. — Во-первых, у взрослых мужчин штаны не отбирают, а во-вторых, тут ничего такого нет, шотландцы, например, взрослые и не взрослые, сплошь и рядом ходят по улицам в юбках.

— Но ты же не шотландец.

— А кто знает? Я же не буду каждому паспорт показывать.

С этими словами я направился к выходу.

— Валерий! — строго сказала бабушка.

Я остановился.

— Я не могу позволить тебе в таком виде выходить на улицу.

— Тогда отдай брюки.

— Хорошо, я тебе отдам брюки, но маме я скажу, что ты меня вынудил.

— Согласен, — сказал я.

Бабушка открыла ящик стола, на котором стояла машинка, и достала брюки. На них были пятна от пыли.

— Прежде чем прятать брюки, надо как следует протирать ящик, — сказал я. — У меня лишних выходных брюк нет.

Я пошел к себе в комнату и, не снимая ботинок, быстро переоделся. Было без пяти восемь.

— Валера, — еще раз попыталась образумить меня бабушка, — зачем ты уходишь, если мама тебе не разрешила?

— У меня дела, — сказал я.

— Какие могут быть на улице дела?

— Разные.

Я вышел.

Когда я пришел к универмагу, было четыре минуты девятого. Я оглянулся вокруг — Тани не было. Хорошо, что пришел раньше я, а не она.

Скамейку под часами захватила группа ребят. Их было много, скамейки им не хватило. Посреди скамейки сидел белобрысый парень с гитарой на веревочке и нещадно рвал струны. Остальные, которые сидели от него справа и слева или стояли напротив, покачивались в такт музыке и, делая зверские рожи, что-то такое пели. Песни у них были разные, а припев ко всем песням один:

Эх, раз! Еще раз!
Еще много-много раз!
Лучше сорок раз по разу,
Чем ни разу сорок раз!

При этом один из стоявших парней хлопал себя по ляжкам и лихо взвизгивал:

— Ух-ха!

Шла двадцатая минута девятого, Тани не было. Под часами остановилась какая-то девушка. Я подошел ближе, посмотрел на нее сбоку. Девушка держала в руке изящную сумочку, на которой был изображен космонавт Леонов, свободно плавающий в космическим пространстве. Подпись под рисунком гласила: «Пролетая над Крымом». Я пригляделся к этой девушке и понял, что Таню в лицо я как следует не запомнил. То ли она, то ли не она. Они сейчас все одинаковые. Делают большие глаза и прически вроде тюрбанов. Я описал вокруг девушки глубокий вираж, посмотрел ей в лицо — ничего не понял. Сделал еще один круг в надежде на то, что если это Таня, то она узнает меня. Девушка взглянула на меня равнодушно и отвернулась. Значит, не Таня. Я отошел к газетному стенду, прочел заголовки: «Не снижать темпы заготовки кормов», «Новые злодеяния расистов», «Москва приветствует высокого гостя», «Демократия по-сайгонски», «Замечательная победа советских ученых», «Переполох в Белом доме».

Я вернулся к часам.

Ребят с гитарой на скамейке уже не было, на их месте сидели старичок с газетой и старушка с вязаньем. Было без пяти девять. Ну что ж, не пришла — значит, не пришла. Я пошел было по улице в надежде встретить Толика, но тут же вернулся. А вдруг она что-нибудь перепутала и решила, что мы встречаемся не в восемь, а в девять.

Я проторчал там еще ровно двадцать минут и только после этого ушел.

Толика я нигде не встретил, он был уже, наверное, в парке. В парк мне идти одному не хотелось, я вернулся домой.

После полета со Славкой во мне что-то словно бы перевернулось. Где бы я ни был — на работе, дома или на улице, — я все время представлял себе, что летаю.

Мама с бабушкой чувствовали, что со мной что-то произошло, но никак не могли понять, что именно, а я им ничего не рассказывал, понимая, что это бессмысленно — все равно не поймут.

Мать однажды не выдержала и спросила:

— Что ты ходишь все время словно очумелый? Может, у тебя какие-то неприятности? Неужели ты не испытываешь желания поделиться с родной матерью?

— Мама, у меня нет никаких неприятностей, — сказал я, — у меня все в порядке.

Вскоре, однако, меня крупно разоблачили. Как-то я вернулся домой с работы раньше обычного. Мама с бабушкой стояли над фанерным ящиком от посылки, в котором у нас хранились документы. Сейчас содержимое ящика было вывалено на стол беспорядочной грудой.

— Чего вы тут роетесь? — спросил я с самым беззаботным видом.

Мама выпрямилась и строго спросила:

— Где твой аттестат?

Я хотел сказать сразу правду, но не решился и уклонился от прямого ответа:

— Какой аттестат?

— У тебя что, много разных аттестатов? — повысила голос мама.

— А, — сказал я, — разве его здесь нет?

— Валера, куда ты дел аттестат?

— Я его не брал, — сказал я.

Мама подошла ко мне.

— А ну, посмотри мне в глаза.

— Да что там смотреть! — Я рассердился и пошел к себе в комнату. — Нет аттестата, я его сдал.

Мама пошла за мной и встала в дверях.

— Куда сдал? — тихо спросила она.

— Куда надо, туда сдал, — сказал я. — В конце концов, я уже достаточно взрослый человек и могу сам распоряжаться своей судьбой.

Мама не отступала:

— Я тебя спрашиваю, куда ты сдал аттестат?

— Куда, куда, — сказал я. — В военкомат.

— Зачем? — Несмотря на всю суровость маминого тона, глаза у нее были испуганные. Мне стало ее жалко, и я сбавил тон.

— Мам, ты не сердись, — сказал я, — я подал заявление в летное училище.

— Так я и знала, — сказала бабушка и всплеснула руками.

Мама вошла в комнату и села на кровать.

— Это правда?

— Правда, — сказал я, стараясь не встречаться с ней взглядом.

— И ты все хорошо продумал? — спросила она, помолчав.

— Да, мам, — сказал я. — Я все продумал. Я летал недавно на самолете, меня катал Славка Перков, и я понял, что хочу быть летчиком. Я не хочу быть энергетиком.

— Но почему обязательно энергетиком? — закричала мама. — Ведь есть много других специальностей. Ты можешь стать физиком, металлургом, железнодорожником. Неужели ты не можешь выбрать из всех одну какую-нибудь приличную специальность?

— Я уже выбрал, — твердо сказал я. — Я буду летчиком.

Мама попыталась воздействовать на мои сыновние чувства.

— Валера, — сказала она, — прошу тебя, пойми меня. Если ты будешь летать, я никогда не буду спокойна. Неужели ты не можешь понять, что ты у меня единственный сын. Что, если, не дай бог, с тобой что-нибудь случится, я этого не переживу.

Я промолчал.

— Короче говоря, — успокаиваясь, сказала мама, — ты сейчас же пойдешь в военкомат и заберешь документы.

— Да ты что? Кто мне их отдаст? — сказал я.

— Если попросишь как следует, отдадут. В крайнем случае, можешь сказать, что мама тебе не разрешает поступать в это училище.

Тут мне даже стало смешно.

— Ну и чудачка ты, — сказал я. — Да что это такое ты говоришь? Как это я пойду в военкомат и скажу, что мама не пускает меня в училище?

— Да, так и скажешь, — сказала мама. — И ничего тут смешного нет.

— Как же не смешно, — сказал я. — Да надо мной там весь военкомат обхохочется. А если будет война, я тоже скажу, что мама не пускает?

— Если будет война, тогда другое дело, а сейчас ты пойдешь и заберешь документы, если не хочешь, чтобы я это сделала сама.

С этими словами мама встала и пошла в большую комнату. Я пошел следом за ней посмотреть, что она будет делать. Она открыла шкаф, вынула из него свой выходной темно-синий костюм с ромбиком (этот костюм она надевала только в самых торжественных случаях) и пошла в ванную переодеваться.

— Если бы ты был хорошим мальчиком, ты бы не стал так волновать свою маму, — хмуро сказала бабушка.

— Значит, я нехороший мальчик, — сказал я и сел на стул.

Мама вернулась из ванной. Под синей жакеткой на ней была полупрозрачная блузка.

— Ты что, серьезно собралась в военкомат? — спросил я.

— Абсолютно серьезно, — сказала мама, вешая в шкаф свой халат. — Я сейчас же пойду к командиру военкомата.

— Не командир, а начальник, — сказал я.

— Вот я пойду к этому начальнику. Я с ним поговорю. Что это за безобразие? Как это можно мальчика без разрешения родителей записывать в военную школу?

— Мама, — я встал в дверях, — ты никуда не пойдешь.

— Это еще что такое? — еще больше возмутилась мама. — Отойди от дверей.

— Не отойду, — сказал я.

— Ты, может быть, еще драться с матерью будешь? Отойди сейчас же!

В конце концов я отошел.

— Как хочешь, — сказал я. — Все равно документы тебе никто не отдаст.

— Ну, это мы еще посмотрим, — сказала мама и вышла.

Она вернулась примерно через час, возбужденная и довольная. Начальник сперва не хотел ее слушать, а потом сдался и пообещал затребовать документы обратно.

Я ничего не сказал ей. Я пошел к себе в комнату, лег на кровать. Вошла мама и села рядом со мной.

— Сынок, — тихо сказала она и, как в детстве, погладила меня по голове. — Сыночек. Прости меня, пожалуйста, но я не могла поступить иначе. Если бы ты стал летчиком, я бы этого не пережила.

Я ощущал себя самым несчастным на земле человеком. До каких же это пор мной будут руководить? Когда мне позволят самому отвечать за свои поступки?

У Толика жизнь была тоже не сахар. Однажды в получку он пересчитал деньги и сказал:

— Порядок. Сегодня иду покупать мотороллер. Пойдешь со мной?

Документы для покупки в кредит у него были давно заготовлены. Не заходя домой, мы пошли сначала в сберкассу, там у Толика лежало шестьдесят с чем-то рублей и еще набежало четыре копейки процентов.

Мотороллер мы катили по очереди.

Сначала Толик сидел за рулем, а я толкал, потом толкал Толик, а я сидел.

Мотороллер был весь новенький, жирно смазанный маслом, а передние амортизаторы были еще обернуты вощеной бумагой, чтоб не пылились.

Уже в переулке, недалеко от нашего дома, мы остановились, чтобы передохнуть, мотороллер поставили на дороге, а сами сели на тротуар и закурили.

— Значит, в институт будешь поступать? — спросил Толик.

— Придется, — сказал я не очень весело, — я уже подал в наш педагогический.

— Ты же в Москву хотел? — удивился Толик.

— Чего я там не видел, — сказал я. — Раз в училище не вышло, поступлю сюда, а там будет видно.

— Слушай, — сказал Толик. — А ты, может, в армию пойдешь? Оттуда в училище попасть легче, чем с гражданки. Там всем, у кого среднее образование, предлагают.

— Ну да?

— Точно тебе говорю. У меня братан двоюродный так поступил.

Это меня заинтересовало. Значит, если я провалю экзамены — возьмут в армию. Из армии — прямая дорога в училище. Это же просто здорово! Блестящий выход из положения.

— Ладно, — сказал я, — поехали дальше.

Толик взгромоздился на мотороллер, и мы поехали. То есть он поехал, а я толкал. Так, подталкиваемый мною, Толик и въехал торжественно в наш двор.

Во дворе было шумно. Мужчины в беседке забивали «козла». Женщины вывели детей и стояли толпой, разговаривали о своих делах.

Группа пацанов в переулке играла в футбол. Когда мы с Толиком въехали, они сразу свой матч закончили, кинулись к Толику, обступили мотороллер и стали обсуждать его достоинства и недостатки.

Подошла и мать Толика, тетя Оля, которая развешивала во дворе белье. Она так и подошла с оставшимся бельем, перекинутым через руку.

— Это что такое? — спросила она у Толика, кивая на мотороллер.

— Не видишь, что ли? Мотороллер, — сказал Толик довольно бодро.

— А где ты его взял?

— По лотерее выиграл, — сказал Толик.

— Ах ты, идиот несчастный, — сказала мать. — Да что же ты врешь, бессовестный! — Она подошла к своему окну (они жили на первом этаже) и постучала свободной рукой: — Федор!

Там долго никто не откликался.

— Федор, — повторила она, — выйди-ка на минутку.

Окно растворилось, из него высунулся небритый человек в нижней рубахе.

— Чего кричишь? — сказал он недовольно. — Знаешь ведь: человек с работы пришел, отдохнуть должен.

Но тут он заметил Толика с мотороллером, замолчал и долго с любопытством разглядывал и мотороллер, и Толика.

— Что это? — спросил он наконец.

— Не видишь, что ли? Мотороллер, — понуро объяснил Толик, глядя на отца грустными и преданными глазами.

— Мотороллер? — заинтересовался отец. — Надо поглядеть.

Он раздвинул на подоконнике горшки с цветами и вылез наружу прямо через окно. Кроме нижней рубахи, на нем еще были серые галифе и шерстяные носки с дырами у больших пальцев. Он оглядел мотороллер со всех сторон, заглянул под переднее колесо, потом погладил рукой сиденье.

— Вот это машина, — сказал он с явным восхищением и повернулся к Толику: — И небось дорого стоит?

— Он его по лотерее выиграл, — насмешливо сказала мать.

— Да не по лотерее, — сказал Толик, — я пошутил. В рассрочку взял. Восемьдесят рублей всего заплатил, а остальные из зарплаты постепенно вычитать будут.

— Постепенно — это хорошо, — сказал отец одобрительно. — Постепенно — это не то что сразу. А на кой он тебе нужен?

— На работу с Валеркой ездить будем.

— На работу, — согласно кивнул отец. — С Валеркой? Это хорошо. Самое главное — удобно. В автобусе давиться не надо.

— И тебя буду возить, — осмелев, задобрил Толик.

— И меня, — эхом откликнулся отец и, неожиданно развернувшись, влепил Толику такую оплеуху, что он повалился вместе со своим мотороллером на землю и чуть не отдавил матери ноги, да она вовремя отскочила. — Чтоб больше я этого мотороллера не видел, — спокойно сказал отец Толика и пошел обратно к окну.

— Дурак старый, — сказал ему вслед Толик, поднимаясь и потирая покрасневшую сразу щеку.

— Что ты сказал? — спросил отец и обернулся.

— Тунеядец кривой, — сплевывая на землю кровь, сказал Толик, хотя отец его был вовсе не кривой и даже не тунеядец.

— А ну подойди! — грозно сказал отец и сделал шаг к Толику.

— Сейчас подойду, — сказал Толик, отступая назад.

— Ну ладно, — сказал отец, — ужо домой придешь — поговорим. — И полез в окно. На каждой ягодице у него было по огромной рыжей заплате.

— Ты с отцом лучше не спорь, — примирительно сказала мать и пошла развешивать дальше белье.

Толик поднял мотороллер и стал смотреть, не погнулся ли руль.

Вечером, когда мы, как всегда, должны были идти в парк, я зашел за Толиком, но, не дойдя до его двери, остановился в коридоре. Из-за двери доносился нечеловеческий крик и звонкие удары ремня по чему-то живому и теплому. Мне стало жаль Толика.

Сочинение мы сдавали в том самом актовом зале, где некоторое время спустя я проходил медкомиссию. Я пришел сюда с созревшим желанием получить двойку.

Окна были распахнуты настежь, ветер гулял по залу и слегка шевелил листки бумаги, аккуратно разложенные на длинных черных столах по три стопки на каждом.

Мы ввалились туда огромной толпой, нас было человек сто пятьдесят или больше, может быть, даже двести. Все сразу кинулись занимать места поудобней; пока я колебался, осталось только четыре передних стола, за одним из них, стоявшим возле окна, уселась девушка в белой блузке с комсомольским значком, вероятно отличница. Уже все расселись, а я стоял в проходе между столами и растерянно озирался в надежде на какое-нибудь место сзади, но там было все забито.

Две преподавательницы, ожидая, пока все успокоятся, тихо о чем-то между собой разговаривали. Одна из них, высокая, худая, с крашеными волосами и выдающимся вперед подбородком, подняла голову и посмотрела на меня.

— Молодой человек, вы что, не можете найти себе место? Садитесь сюда. — Она кивнула на стол перед собой.

— Ничего, я здесь, — сказал я и сел рядом с девушкой в белой блузке, хотя мне она (я говорю про девушку) совершенно не нравилась.

Место было не из самых лучших, зато возле окна, которое выходило во двор института, засаженный тополями.

За моей спиной стоял тихий гул, все перешептывались, скрипели стульями и шелестели бумагой. Преподавательницы начинать не спешили и продолжали вполголоса свой не слышный мне разговор.

Потом высокая преподавательница посмотрела на большие мужские часы, что были у нее на руке, и встала.

Она молча обвела аудиторию медленным взглядом, все сразу перестали шуршать бумагой и замерли.

— Товарищи, — сказала она негромким приятным голосом, — сейчас я напишу на доске темы ваших сочинений. Всего их будет четыре. Три по программе и одна свободная. Времени вам дается три часа. Бумаги достаточно. Если кому не хватит, мы дадим еще. Чистовики писать на листках со штампами. Все ясно?

Кто-то сзади сказал:

— Ясно.

— Я думаю, насчет шпаргалок и списывания вас предупреждать не надо: вы уже люди взрослые и хорошо знаете, чем это грозит.

После этого она подошла к доске и стала писать темы сочинений: «Образы крестьян в поэме Некрасова «Кому на Руси жить хорошо», «Образ Катерины в пьесе Островского «Гроза» и «Тема революции в поэме Маяковского «Хорошо». Свободная тема называлась «Моральный облик советского молодого человека».

Когда преподавательница написала это все на доске, все погалдели немного, посуетились, а потом опять стало тихо — началась работа. Девушка в белой блузке спросила, будут ли неточности в цитатах считаться ошибками. Преподавательница ответила, что смотря какие неточности; девушка успокоилась, разложила перед собой бумагу и стала усердно трудиться, закрыв свое сочинение промокашкой, чтобы я не подглядывал.

Я сперва хотел писать по Некрасову и уже вывел на бумаге название темы и стал составлять план, но потом мне стало скучно. Я подумал: зачем я буду писать по Некрасову или еще что-нибудь, если я все равно хочу получить двойку? Может, лучше и не стараться, просидеть все три часа просто так, а потом сдать чистую бумагу — да и все? И я стал смотреть в окно, что там происходит. Но там, собственно, ничего особенного не происходило.

— Молодой человек, вы почему не работаете?

Я поднял голову. Надо мной стояла высокая преподавательница и смотрела на чистую бумагу, которая лежала передо мной.

— Как не работаю? — не понял я.

— Я вас спрашиваю: почему вы ничего не пишете!

— Я думаю, — сказал я.

— Пора бы уже что-нибудь и придумать, — сказала она, посмотрев на свои большие часы. — Прошло полчаса, а вы еще не написали ни строчки.

— Ладно, — сказал я, — я успею.

— Смотрите, дело ваше. — Она пожала плечами и пошла между столами, проверяя, кто чем занимается.

Я подумал, что времени впереди еще много и, наверное, надо чем-то заниматься, а так просто сидеть смотреть в окошко неудобно, да и смотреть, собственно, не на что.

И тут меня вдруг осенила замечательная идея, я даже не знаю, как это мне пришло в голову — я решил написать, как я летал на самолете, как Славка давал мне подержать ручку, как он разрешил потянуть ее до отказа на себя, а левую ногу вперед, а потом опять ручку на себя и правую ногу вперед, и как самолет кувыркался в воздухе, и как кувыркались и летели навстречу деревья, и как мне было при этом страшно. И писать интересно будет, и двойку наверняка поставят, потому что сочинение не по теме.

Я вот только не знал, с чего начать — то ли с того момента, когда я ночью в сквере встретил Толика, то ли еще раньше, когда мы с Толиком увидели парашютистов во дворе школы, но потом мне показалось, что всего этого будет слишком много, и я начал прямо с аэродрома, как встретил Славку. Я все написал подробно: и как он сидел в курилке, и какой на нем был комбинезон, и какой за поясом висел шлемофон, и как мы ходили упрашивать Ивана Андреича, и как Иван Андреич спорил с белоглазым, и как мы потом со Славкой летели, и как он кричал по радио: «Альфа», я — тридцать первый, вошел в зону, разрешите работать!»

Все это я описал подробно, как что было, кто где стоял, кто что говорил. И я так здорово себе это все стал представлять, что даже и не заметил, как стал говорить вслух, подражая руководителю полетов:

— Тридцать первый, я — «Альфа», работать разрешаю, разрешаю работать, я — «Альфа», как поняли меня? Прием.

— Молодой человек, — услышал я голос высокой преподавательницы, — вы что разговариваете?

Я жутко смутился. Еще чего не хватало — вслух начал разговаривать.

— Да я про себя.

Страшно неловко. Ничего себе, подумает — паренек с приветом.

Преподавательница как-то странно на меня посмотрела, но ничего не сказала, только пожала плечами.

Это меня немного сбило с толку, и я не сразу смог войти в прежний ритм, но потом опять все вспомнил и пошел писать дальше. Я описывал все очень подробно, потому что жалко было что-нибудь пропустить. И про то хотелось написать, и про это, и я не добрался еще до самого полета, как у меня кончилась вся бумага.

— Можно еще бумаги? — спросил я.

— А что, у вас разве уже кончилась? — удивилась преподавательница. Она только что обошла все столы и вернулась на свое место.

— Кончилась, — сказал я виновато.

— Ну, вот возьмите еще.

Я подошел к столу, она пододвинула ко мне лист бумаги.

— Мало, — сказал я.

Она дала мне еще лист.

— Еще, — сказал я.

Она переглянулась со своей соседкой и уставилась на меня.

— Да вы что? — сказала она. — Вы целый роман хотите писать?

— А разве нельзя?

Время, отпущенное на экзамен, уже истекало, а я только дошел до самого главного. «Ручку влево и левую ногу вперед — левая бочка, ручку вправо и правую ногу вперед — правая бочка. Ручку на себя до отказа и левую ногу вперед — левый штопор. Ручку на себя до отказа и правую ногу вперед...»

— Товарищ, вы что гудите?

Я очнулся. Скрестив на груди руки, надо мной стояла высокая преподавательница, а я, поставив ноги на воображаемые педали, тянул на себя воображаемую ручку управления самолетом и изо всех сил изображал губами рев мотора на полном газу.

Сзади кто-то хихикнул. Моя соседка по столу бросила на меня уничтожающий взгляд и отодвинулась, как бы подчеркивая, что не имеет со мной ничего общего.

— Ничего, — сказал я, — я просто так.

Преподавательница отошла.

Вскоре у меня опять кончилась бумага. Преподавательница дала мне сразу листов десять и сказала, что теперь-то уж мне должно хватить наверняка.

— Посмотрим, — сказал я уклончиво.

Время шло незаметно. Я не написал еще и половины, преподавательница посмотрела на часы и сказала:

— Заканчивайте, товарищи, осталось пятнадцать минут.

Девушка в белой блузке положила свое сочинение на преподавательский стол и тихо вышла из зала. За ней сдал свою работу демобилизованный солдат в гимнастерке с отложным воротником, потом косяком пошли остальные. Они молча клали свои листочки на стол и выходили. Осталось человек шесть. Преподавательница ходила между столами и торопила:

— Заканчивайте, товарищи, заканчивайте, время вышло. — Она подошла ко мне: — Заканчивайте.

— Сейчас, — сказал я.

Я все еще писал самое главное. «Ручку на себя, левую ногу вперед. Ручку от себя, правую ногу вперед. Ручку влево, левую ногу вперед. Ручку вправо, правую ногу вперед. Ручку вперед, ногу назад. Ногу вперед, ручку назад...»

Нет, что-то не так. Я зачеркнул это, чтобы написать правильно. «Ручку на себя, ногу от себя. Ногу на себя, ручку от себя...»

В конце концов я запутался намертво. Я поднял голову и ошалелым взглядом окинул аудиторию. Из абитуриентов я остался один. Высокая преподавательница, скрестив на груди руки, стояла передо мной и ждала, не давая сосредоточиться.

— Молодой человек, — сказала она, — может быть, вы думаете, что я вас буду ждать до вечера?

— Сейчас, — сказал я. — Еще две минуты.

— Никаких минут, — сказала она, — сдавайте работу немедленно.

Я отвечать ей не стал, мне было некогда. Мне надо было еще написать про сектор газа, про перегрузки, про то, как на выходе из пикирования оттягивает щеки к плечам, как дрожит и «парашютирует» самолет на малой скорости перед вводом в штопор; мне надо было многое еще рассказать, и я торопился, а преподавательница стояла у меня над головой и все чего-то ворчала.

— Молодой человек. — Она взяла меня за плечо. — Что с вами? Очнитесь!

— Отберите у него бумагу! — взвизгнула другая, сидевшая за столом преподавательница. — Что вы на него смотрите?

Та, которая стояла возле меня, схватила бумагу и потянула к себе. Авторучка оставила на бумаге косую полосу.

— Не трогайте! — закричал я, закрывая бумагу телом. — Я сейчас. Еще полминуты.

Но преподавательница дернула бумагу к себе, бумага затрещала, и я отпустил, чтоб не порвать.

— Очень странно вы ведете себя, молодой человек, — сказала преподавательница и понесла мои листочки к столу.

— А ну вас, — сказал я и, закрыв ручку, сунул ее в карман и пошел к выходу.

Я думал, что они меня остановят и отчитают за грубость, но они ничего не сказали: наверное, не хотелось им связываться с психом. Я вышел в коридор.

В конце концов, стоит ли ради двойки так уж стараться?

Через день я пошел узнавать оценку. В приемной комиссии было много народу, все толклись возле девушки, сидевшей за боковым столиком.

— Ребята! — пыталась она перекричать всех, кто ее окружал. — Через полчаса оценки вывесят в коридор и вы все узнаете. Неужели так трудно подождать полчаса?

Девушка, которая была прошлый раз в белой блузке (сейчас на ней была зеленая кофточка), стояла перед столом секретарши и ныла:

— Девушка, ну пожалуйста, что вам стоит, посмотрите на «У», Уварова.

— Девушка, я вам сказала, через полчаса сами увидите.

— Ну что через полчаса? Ну какая вы странная. Неужели так трудно?

— А вы думаете, не трудно? Вас вон сколько, и каждый хочет, чтоб ему сделали исключение, — говорила секретарша, листая журнал. — Как вы говорите? Уварова? Двойка вам, Уварова. Приходите после обеда, получите документы. Вам что, молодой человек?

Демобилизованный солдат в гимнастерке с отложным воротником держал в руках зеленую хлопчатобумажную солдатскую шляпу. Сейчас такие шляпы носят солдаты, которые служат на юге.

— Перелыгина посмотрите, — робко попросил он.

— Девушка, ну как же — двойка? — не уходила Уварова. — Этого не может быть. Я в школе ниже чем на четыре никогда не писала.

— Перелыгин, у вас тройка. Вы идете вне конкурса?

— А как же, — обрадовался Перелыгин. — Мне больше тройки не надо.

— Девушка, вы еще посмотрите, там, наверно, ошибка.

— Уварова, — секретарша устало поморщилась, — я вам сказала все. Документы в отделе кадров после обеда. Ваша фамилия? — обратилась она ко мне. — Важенин? Вы знаете, с вами хочет поговорить Ольга Тимофеевна.

— Кто это — Ольга Тимофеевна? — спросил я.

— Ваш преподаватель. Она сейчас, кажется, в деканате. Пойдете прямо по коридору, четвертая дверь направо.

Честно сказать, идти в деканат мне не очень хотелось. Если поставили двойку, о чем разговаривать? Сказали бы, как Уваровой: «Приходите за документами» — и я бы пришел. Спорить не стал бы.

Ольга Тимофеевна сидела на столе и о чем-то разговаривала с черным, похожим на цыгана человеком, он стоял у окна. Мундштук папиросы, которую она держала в руке, был весь перемазан помадой.

Я поздоровался.

— Здрасьте, — хмуро ответила Ольга Тимофеевна. — Вы ко мне?

— Да, меня послали, — сказал я.

— Ваша фамилия Важенин? Возьмите стул, посидите. Я сейчас освобожусь. Так вот, Сергей Петрович, я думаю, что этот вопрос мы в ближайшее время решим. Николай Николаевич сказал, что он лично не возражает.

— Ну, хорошо, — сказал Сергей Петрович, — посмотрим, там будет видно.

Он взял со стола большой желтый портфель, а со шкафа снял соломенную шляпу с аккуратно загнутыми полями, попрощался и вышел.

Мы остались вдвоем. Ольга Тимофеевна раскурила погасшую папиросу. Она сидела прямо напротив меня, положив ногу на ногу.

— Так вот что, товарищ Важенин, — заговорила она не спеша, подбирая слова, — я прочла ваше сочинение. Оно написано не по теме.

— Правильно, — подтвердил я охотно.

— Вообще, — сказала она, — у нас не принято, чтобы абитуриенты писали что хотели, но ваше сочинение очень понравилось, и я поставила вам пятерку.

— Пятерку? — Я посмотрел на нее: шутит, не шутит.

— Там, конечно, были незначительные ошибки, я их сама исправила. Но, вообще, все сочинение написано так свежо, так выразительно, хороший диалог, точные детали... Я поражена. Из моих абитуриентов еще никто так не писал. Вы занимаетесь где-нибудь в литкружке?

— Нет, — сказал я и сострил: — Может, все дело в генах?

— В каких генах?

— Ну, в обыкновенных. Наследственность. У меня ведь отец писатель. Не слышали — Важенин?

— Нет, — заинтересовалась она. — А где он печатается?

— Да он печатается мало. Он в цирке пишет репризы.

— А, — сказала она.

— Ага, — подтвердил я.

Она положила окурок в чернильницу и слезла со стола.

— Я очень рада, что познакомилась с вами. У нас в ин-
титуте есть литературное объединение «Родник». Я им ру-
овожу. У нас там очень способные ребята. Правда, прозаи-
ов мало. В основном поэты. — Она помолчала, подумала и
ообщила: — Я, между прочим, тоже пишу стихи.

— Да? — удивился я.

— Хотите послушать?

— С удовольствием.

— Я вам прочту последнее свое стихотворение.

Она отошла к стене, напряглась, вытянула шею и вдруг
акричала нараспев:

Гроза. И гром гремит кругом,
Грохочет град, громя гречиху.
Над полем, трепеща крылом,
Кричит и кружится грачиха.

И я, подобная грачу,
Под громом гроз крылом играю.
Куда лечу? Зачем кричу?
Сама не знаю.

При этом на шее у нее вздулись жилы и лицо покрасне-
ло от напряжения. Она перевела дух и остановила на мне
взгляд, выжидая, что я скажу. Я молчал.

— Ну как? — не выдержала она. — Вам понравилось?

— Очень понравилось, — сказал я поспешно.

— Мне тоже нравится, — искренне призналась она. —
I вообще не очень высокого мнения о своих способностях,
да и времени не всегда хватает, но эти стихи, по-моему, мне
удались. Вы обратили внимание на аллитерации? Часто по-
вторяющийся звук «гр» подчеркивает тревожность обста-
новки. «Грохочет град, громя гречиху...» Вы чувствуете?

— Да, это есть, — согласился я.

— А образ грачихи, которая кружит над полем и тяжело
машет намокшими крыльями?

— Ну, это вообще, — восхитился я.

— Я послала эти стихи в журнал «Юность», не знаю, напечатают или нет.

— Должны напечатать, — сказал я убежденно. — Есл такие стихи не будут печатать...

Она обрадовалась.

— Вы думаете? Мне тоже кажется, что должны, но бе знакомства очень трудно пробиться. Печатают только своих

— Наверно, блат, — согласился я.

— Ну, ладно. — Она поднялась и протянула мне пло скую, в кольцах руку. — Я думаю, что мы еще будем с вам встречаться и поговорим. Всего доброго.

— До свидания, — сказал я.

Иногда мне кажется, что я вообще невезучий человек В самом деле, ведь вот когда я хотел поступить в институт – я в него не поступил. А когда не хотел и сделал все, чтобы не поступить, — мне ставят пятерку да еще находят литературные данные. А мне эти данные ни к чему. Мне бы попасть в училище.

По устной литературе Ольга Тимофеевна поставила мне пятерку без всяких разговоров. Я только начал ей отвечать и хотел наплести какую-нибудь чушь, но она меня перебила и сказала:

— Я верю, что вы все знаете.

И поставила оценку. Если бы так все шло дальше, я, пожалуй, вытянул на повышенную стипендию, но я вовремя придумал умнейший ход. Иностранный я завалил в пух и прах, и то только потому, что вместо английского, который учил в школе, пошел сдавать немецкий.

Тут уж я насладился вволю. Я отомстил сполна всем кто пихал меня в этот институт, и всем, кто хотел вырастить из меня местного гения. Такого чудовищного ответа древние стены этого института, наверно, еще слышали. Экзаменаторша была так потрясена, что, когда ставила двойку сломала перо. Я с удовольствием предложил ей свою ручку Ее ручка писала толсто, а моя тонко. Поэтому двойка получилась как бы составленная из двух половинок: жирная голова на тонкой подставке.

Дома вздохов хватило на две недели, но я был доволен Теперь оставалось только ждать повестку, и ждать пришлось недолго. Повестки мы с Толиком получили одновре-

енно. Нам предлагалось явиться на медкомиссию остри-
кенными под машинку, имея при себе паспорт и припис-
ое свидетельство.

Долго стоял я перед дверью, обитой черной клеенкой.
I нажал кнопку звонка, и звонок где-то там далеко продре-
езжал еле слышно. Потом зашлепали шаги в мягкой обу-
и, дверь отворилась. Из-за нее выглянула женщина лет
ридцати пяти с собранными в узел и заколотыми кое-как
олосами. На ней был толстый махровый халат, расписан-
ый красными большими цветами, и домашние тапочки.
Эту женщину звали Шурой. Она была второй женой моего
тца и, следовательно, приходилась мне мачехой. Она нис-
олько не удивилась моему появлению, хотя сделала вид,
то удивилась.

— А, Валера, — сказала она, — проходи. — И отступила
сторону, пропуская меня внутрь.

Отец с Шурой занимали вдвоем отдельную квартиру из
двух смежных комнат. Первая комната у них была общей,
торая спальней и кабинетом, в тиши которого отец созда-
ал свои бессмертные репризы, интермедии, скетчи и сати-
ические куплеты для цирка, областной эстрады и сатири-
еского радиожурнала «На колючей радиоволне».

Шура подошла к дверям второй комнаты, приотворила
дверь и громко сказала:

— Сережа, к тебе посетитель.

Отец сидел за машинкой и что-то на ней выстукивал.
Когда я вошел, он обернулся и обрадовался то ли моему по-
влению, то ли возможности оторваться от работы. Встал и
протянул мне руку.

— Здорóво. В гости пришел?

— Ага, — сказал я.

— Садись. — Он повернул ко мне кресло и сам сел на
тул возле окна. — А я тут, понимаешь, сижу вот целыми
днями, барабаню на машинке, даже пальцы болят. Ну, что
тебя нового?

— Ничего особенного, — сказал я. — Просто я ухожу в
рмию.

— То есть как в армию? — удивился отец.

— Ну, пока что еще не совсем в армию, — сказал я, — пока на комиссию, но раз остриженным — значит, уже все

— Черт, как это все неожиданно, — пробормотал отец. — А что ж с институтом, ничего не вышло?

— Не хочу я в институт, — сказал я. — Если возьмут пойду в летное училище.

— Мне мама говорила. Ну, я даже не знаю, как к этому отнестись. Ты должен все тщательно продумать, потому что профессия — такая вещь, которую надо выбирать на всю жизнь. Поэтому ты должен трезво подумать, может быть, это просто временное юношеское увлечение, и не больше. Профессия летчика уже давно перестала быть романтичной. Но с институтом, конечно, можно и не спешить. Я учился после войны, будучи уже совершенно взрослым человеком. Ты уже в садик ходил.

Я вспомнил, что именно в то время, когда я ходил в садик, он от нас и ушел. Отец, видимо, тоже вспомнил это же потому что в этот момент он смешался. Да, как раз тогда когда я ходил в садик, Шуре было примерно столько лет сколько мне сейчас, они вместе учились в университете и там у них это все получилось.

Шура просунула голову в дверь.

— Вы обедать будете?

— Конечно, будем, — сказал отец.

— Ну так идите, уже готово.

— Сейчас. — Отец подождал, пока она скрылась, повернулся ко мне: — Да, ты знаешь, Валера, я хочу тебя попросить об одной вещи, мне, правда, как-то очень неловко... — Он замялся и понизил голос: — Но на всякий случай, если за столом зайдет какой-нибудь разговор, не говори, что я деньги вам приношу и все такое. Нет, ты ничего такого не подумай, это все неважно и деньгами я распоряжаюсь сам, но чтобы просто не было лишних разговоров.

Он встал, и я встал тоже. Я посмотрел на него, он быстро отвел от меня взгляд и стал в замешательстве перебирать на столе бумаги. Он был в эту минуту такой жалкий, что мне стало как-то не по себе. Ведь мать мне всегда говорила, и я сам это знал, что отец мой очень хороший и умный человек. И как же так получается, что из-за какой-то женщины, ак бы ею ни дорожил, он позволяет себе говорить такие лова? Но я, конечно, ничего ему не сказал. Я только пробормотал невнятно:

— Хорошо, папа.

— Ну, ладно, — сказал он с наигранной бодростью, как ы давая понять, что разговор на эту щекотливую тему кончен. — Пошли обедать.

Мы вышли в большую комнату. Стол был уже накрыт. Шура разливала суп по тарелкам.

— Водку пить будете? — спросила она.

— Конечно, будем, — сказал отец и подмигнул мне. — 'потребляешь?

— Да так, — сказал я, — если в компании.

— Ну, сегодня сам бог велел, — сказал отец.

Шура пошла на кухню и принесла начатую поллитровку «Столичной» и три рюмки.

— Ты знаешь, — спросил ее отец, — что Валерка в армию уходит?

— В армию? — Она расставляла рюмки и была очень заята этим делом. — Когда?

— На днях, — сказал я.

— И в какие же части?

— Пока неизвестно.

Шура пробежала взглядом по столу — все ли в порядке — и села. Мы сели тоже.

— Ну что ж, — сказала Шура. — Армия приучает человека к дисциплине. Мой начальник Алексей Аркадьевич сегда говорит, что он многими своими качествами обязан именно армии. Ну так что? — Она посмотрела на меня, потом на отца. — За него и выпьем?

— Да, конечно, — сказал отец.

Мы подняли рюмки и чокнулись.

— Ну, будь здоров.

Мы выпили. Все потянулись вилками к селедке, лежавшей на блюде посреди стола. Она была жирная, густо посыпана луком.

— Селедка — прелесть, правда? — обратился отец ко мне.

Селедка как селедка.

— Хорошая, — сказал я.

— Шура очень хорошо умеет ее разделывать.

— Ладно подлизываться, — сказала Шура, подвигая себе тарелку с супом.

Мы, как по команде, дружно застучали ложками.

— Ты писать-то хоть будешь? — спросил отец.

— Конечно, — сказал я.

— Хоть изредка, — сказал отец.

— Раз в неделю, — пообещал я.

— Нет, раз в неделю не будешь, — сказал отец. — На доест. По себе знаю. Я сам, когда служил в армии, даже в время войны, не очень любил писать письма. Так что, есл раз в месяц черкнешь пару строк — жив-здоров, — и то бу дет хорошо.

Мы долго и сосредоточенно ели суп, потом Шура по ложила нам в эти же тарелки жаркое. Мы молчали, я не сколько раз поднимал глаза, встречался со взглядом отца, взгляд этот был очень жалостливый.

Мне казалось, что отец что-то хочет сказать, да все как то то ли не решается, то ли не знает, с чего начать. Потом он положил вилку, посмотрел на меня в упор и сказал не ожиданно:

— А ты вообще понимаешь, что сейчас происходит?

— В каком смысле? — спросил я.

— В обыкновенном. Твои детство и юность кончились Начинается новая трудная жизнь. До меня это как-то н сразу дошло. А до тебя дойдет и подавно не скоро. Вс слишком неожиданно. Надо бы тебе подарить что-нибудь.

— Не надо мне ничего, папа, — запротестовал я.

— Нет, надо.

Он быстро снял с руки свои часы и протянул мне:

— Держи.

Шура метнула на меня быстрый взгляд и сосредоточен но стала нанизывать картошку на вилку. Надвигалась гро за. Я это понял по тому, как напряглась Шура.

— Не надо, — сказал я, следя за ее движениями.

— Надо, — настойчиво сказал отец. Он перегнулся че рез стол и надел мне часы на руку.

— В самом деле, зачем мальчику золотые часы? — не выдержала Шура.

— Он не мальчик, — строго сказал отец. — Он в армию уходит.

— Дело, конечно, твое, — пожала плечами Шура, — только их у него украдут. Алексей Аркадьевич говорил, что у него однажды из-под подушки вытащили фотоаппарат.

— Меня совершенно не интересует, что говорит твой Алексей Аркадьевич. Это мой сын и мои часы. И я имею полное право, никого не спрашивая, подарить свои часы своему сыну.

— Пожалуйста, делай что хочешь, я тебе ничего не говорю, — обиделась Шура.

— Нет, ты говоришь, — повысил голос отец. — Ты говоришь совершенно определенно, что я не должен дарить свои часы своему сыну.

Шура ничего не ответила, уткнулась взглядом в тарелку. Наступило долгое тягостное молчание.

Шура отодвинула тарелку, встала.

— Когда поешь, — сказала она отцу, — убери, пожалуйста, со стола. — И ушла в соседнюю комнату.

Отец посмотрел на меня виновато.

— Обиделась, — сказал он. — Ты не думай, она хорошая, только иногда скажет что-нибудь, не подумав, потом сама жалеет.

Из соседней комнаты снова вышла Шура. Она уже оделась и расколола волосы. Вид у нее был деловой.

— Ты не знаешь, где расческа? — спросила она.

— Ты собираешься уходить? — спросил отец.

— Да.

— Совсем?

— Совсем. Можешь оставаться один и создавать свои великие творения в одиночестве. Валера, ты можешь гордиться своим отцом. Он у тебя писатель. Инженер человеческих душ. Он пишет репризы для цирка. «Бип, что у тебя в чемодане?» — «У меня в чемодане теща». Ха-ха-ха!

Она нашла расческу и снова ушла в другую комнату.

— Ничего, это пройдет, — сказал мне отец. — Ты не обращай внимания.

— Я не обращаю, — ответил я.

Снова вышла Шура. В руках она держала несколько листков бумаги.

— Валера, — сказала она, — ты знаешь, что твой отец пишет роман?

— Шура, — тихо сказал отец. — Неужели тебе не стыдно?

— Мне очень стыдно, — сказала Шура и подняла листочки над собой. — Вот многолетний труд. Семнадцать страниц за двенадцать лет. Взыскательный художник. А какой стиль! — Она поднесла бумагу к глазам, прочла первую строчку: — «Море было зеленое». Море было зеленое... — Она повернулась к отцу. — Ты видел когда-нибудь зеленое море?

— Море бывает всякое, — сказал отец. — Синее, лиловое, черное, зеленое и даже, если хочешь знать, красное во время заката.

— Валера, — сказала Шура. — Ты видел когда-нибудь зеленое море?

— Я море вообще не видел, — сказал я поспешно.

— Очень жаль, — сказала Шура и ушла снова в другую комнату.

Отец стоял, обхватив руками голову.

— Какой стыд, — бормотал он. — Какой стыд!

Мне стало неловко, я понял, что делать здесь больше нечего.

— Я пойду, папа, — сказал я.

— Ладно, иди, — вздохнул отец. — Только матери не рассказывай. Ладно?

— Ладно. До свидания, папа.

— Что же ты так уходишь? Я уезжаю в командировку и, наверное, не смогу тебя проводить. Давай простимся, как полагается.

Мы обнялись. За его спиной я незаметно снял с руки часы и положил на стол. Отец прошел со мной до двери и хлопнул меня по плечу ободряюще:

— Не забывай, пиши.

— Ладно, — еще раз пообещал я.

Я спустился на одну площадку, посмотрел на отца, и мне показалось, что у него глаза полны слез. Я нагнул голову и медленно пошел по лестнице дальше.

Еще когда я учился в десятом классе, у нас был такой случай. Боб Карасев объяснился в любви Ленке Проскуриной, с которой сидел за одной партой. Ленка сказала ему: «Нет». Тогда Боб пошел домой, напустил полную ванну воды, залез в воду и вскрыл себе вены лезвием от безопасной бритвы. Его потом еле спасли.

Таких людей, как Боб, я не понимал никогда. Любил ли я кого-нибудь в жизни? Маму любил. Бабушку, несмотря ни на что, любил. А так чтобы влюбиться в какую-нибудь девчонку да еще резать из-за нее вены, на это я никогда не был способен. Может быть, это плохо. Учительница химии Леонида Максимовна говорила, что настоящий человек должен по-настоящему любить и по-настоящему ненавидеть. Ненавидел ли я кого-нибудь? Нет, пожалуй. Может, некого было. За всю жизнь не было у меня никаких врагов; были, правда, кое с кем мелкие стычки, но они быстро забывались, и все проходило. Я не умел долго ни злиться, ни обижаться на кого-нибудь и не понимал людей злопамятных, обидчивых, непримиримых. Впрочем, я многого не понимал. Не понимал своего отца. Я бы понял, если бы знал, что с мамой ему было плохо, а с новой женой хорошо. Но он любил меня и хорошо относился к маме, а жил все-таки с этой женщиной, которая его не любила. Я был уверен, что она его не любила. Но он, наверное, думал иначе.

Я шел по широкой улице, где проносились автомобили и гремели трамваи. Скупо светило неяркое, но пока еще теплое осеннее солнце. Забираться в трамвай не хотелось, я шел пешком. Пройдя несколько остановок, я увидел на противоположной стороне улицы парикмахерскую, вспомнил, что мне надо постричься. На призывной пункт полагалось явиться постриженным под машинку — это указано было в повестке.

В парикмахерской все мастера были заняты.

Очередь впереди меня состояла из одного старичка с аккуратно протянутыми через обширную плешь длинными и редкими рыжеватыми прядями. Он сидел за низким полированным столиком и листал старые газеты. Я тоже взял со стола газету и стал ее разглядывать.

В это время из зала вышел очередной клиент, от него так и несло одеколоном. Старичок, который был передо мной, с газетой в руках подошел к двери, заглянул в зал и сказал мне:

— Идите. У меня постоянный мастер.

Тоже еще мне, старый пижон. У него постоянный, видите ли, мастер.

Я положил газету и встал.

— Следующий! — сказала парикмахерша и обернулась. И я ее сразу узнал. Это была Таня. И как это мог думать, что не узнаю ее?

— Привет, — сказал я, подходя к ее креслу.

— Здрасьте, — сказала она, — садитесь. Польку или полубокс?

— Под ноль, — сказал я. — Ты меня разве не узнаешь?

Она равнодушно скользнула взглядом по моему отражению в зеркале и сменила ножи в электрической машинке.

— Не узнаю.

— Я — Валерка, — сказал я, задирая к ней голову. — Помнишь, в милиции вместе сидели?

— Не помню.

— Как же, — обиделся я. — А потом мы с тобой гуляли, стояли на лестничной площадке и даже... Ну, разве не помнишь?

— Не помню, — жестоко повторила она и сильно надавила мне пальцами голову. — Не вертись.

Она включила машинку и провела первую борозду посреди головы. Первые пряди моей роскошной прически упали на белое покрывало.

Она нагнулась ко мне и тихо спросила:

— Целоваться-то научился?

— Узнала? — обрадовался я.

— Сразу узнала, — сказала она. — Еще как ты первый раз заглянул, я тебя в зеркале увидела. В армию, что ли, уходишь?

— Откуда ты знаешь?

— По прическе догадалась. Жалко, волосы хорошие.

Ровно гудела машинка, и Таня деловито водила ею по моей голове, и я смотрел на свое отражение, которое казалось мне все более уродливым.

— Голова у тебя какая-то шишковатая, — сказала Таня. — Говорят, такие только у умных людей бывают.

— Что ж ты тогда не пришла? — спросил я. — Когда у часов договаривались встретиться.

— А ты разве приходил?

— А как же. Я там полтора часа проторчал.

— Полтора часа? — удивилась она. — А я, знаешь, не хожу на эти свиданки. Договоришься с каким, так он тебя обманет, пойдешь — одно расстройство.

Я посмотрел в зеркало на свой безобразно голый череп и без всякой надежды спросил:

— Может, тогда сегодня встретимся?

— Можно, — сказала она, сдергивая покрывало. — Пятнадцать копеек.

Мы подошли к кассе, я заплатил, а она расписалась в ведомости.

— Я в семь часов кончаю работу. Приходи сюда. — Она обернулась к двери: — Следующий!

Вечером мы сидели в парке на лавочке недалеко от плакатной экспозиции «Мы покоряем космос». Вращающийся фонтан рассыпал по кругу сверкающие в электрическом свете брызги. По радио кто-то читал «Моцарта и Сальери» таким голосом, будто передавал сообщение ТАСС.

Рядом с нами сидели молодые муж и жена, оба в серых костюмах. Муж покачивал стоявшую перед ним детскую коляску, равнодушно глядя на проходящих мимо людей.

На открытой эстраде шел концерт, приятный женский голос исполнял самую популярную песню сезона «Ты не печалься, ты не прощайся».

— Это хорошо, что ты пришел в парикмахерскую, — неожиданно сказала Таня. — Если б я тебя встретила на улице или хотя бы здесь, в парке, первая ни за что бы не подошла.

— Это еще почему? — удивился я.

— Из гордости. Как говорится, чем девушка горже и грубей, тем лучше качество у ней, — сказала она со значением.

— Как? — не понял я.

Она повторила.

— И у тебя хорошее качество? — поинтересовался я.

— У меня очень хорошее, — ответила она серьезно, но тут же поправилась: — Смотря, конечно, в каком смысле. Если насчет характера, то ты не надейся, от меня просто так ничего не добьешься.

— Да я от тебя ничего не хочу добиваться, — смутился я. — Я просто так встретил тебя и позвал. Если не хотела, могла не идти.

— Нет, я вообще-то не против, если по-человечески, с уважением, если погулять хорошо да подружиться месяц-другой, а не в виде корыстных целей.

— Да что ты несешь? — возмутился я. — Какие у меня могут быть к тебе корыстные цели?

Вот уж не думал, что она такая дура. На вид вроде нормальная, тогда, в милиции, мне даже понравилась, тут на тебе — прорвало. Я уже пожалел, что пригласил ее в парк. Лучше б дома лежал, книжку читал.

На летней эстраде раздались аплодисменты, а потом, видно на «бис», певица снова запела «Ты не печалься».

— Я раньше тоже пела в самодеятельности, — сказала Таня. — Исполняла романсы. «Средь шумного бала случайно...» — закричала она нараспев дурным голосом.

Ребенок в коляске проснулся и заплакал. Отец зашикал на него и стал остервенело трясти коляску. Женщина посмотрела на Таню осуждающе и сказала:

— Можно бы и потише. Ребенка вот разбудили.

— С ребенком надо в детский парк ходить, — огрызнулась Татьяна. — А это взрослый, культуры и отдыха.

— У вас-то никакой культуры и нет, — сказала женщина.

— А у вас есть? — поинтересовалась Таня.

Я не знал, как себя вести. Первым нашел выход из положения молодой отец.

— Пошли, — коротко приказал он жене и, поднявшись, пошел в сторону танцплощадки, толкая перед собой орущую во весь голос коляску. Женщина тоже поднялась и пошла следом.

— Культурная! — крикнула вслед ей Таня. — Ты хоть рубашку убрала бы под платье, культура! — Довольная, она повернулась ко мне: — Ничего я ее отшила, скажи?

— Ничего, — сказал я. — Можешь за себя постоять.

— Да уж спуску не дам никому, пожалуй, — сказала она с сознанием собственного достоинства. — Меня отец так чил. У тебя-то отец есть?

— Есть, — сказал я.

— А где он работает?

— Дома.

— Кто ж это дома работает? — не поверила она.

— Отец. Он писатель, — пояснил я неохотно.

— Писатель? — Она посмотрела на меня недоверчиво. — И чего же он написал?

— Он пишет репризы для цирка. Знаешь, что такое репризы?

— Нет.

— Ну вот, например: «Бип, что у тебя в чемодане?» — «У меня в чемодане теща». Ха-ха-ха!

Реприза произвела неожиданный для меня эффект. Таня задергалась и тихо поползла с лавки.

— Ты что? — Я подхватил ее под мышки, чтобы она не свалилась.

— Теща? — со слезами на глазах повторяла она, корчась от смеха. — Ой, не могу! Теща в чемодане! А как же она туда попала?

— В каком смысле? — не понял я.

— Я спрашиваю: чемодан большой или теща маленькая?

— А черт ее знает.

Мне стало скучно. Я подумал, что хорошо бы найти где-нибудь Толика, может, он хоть отчасти взял бы ее на себя. Я даже посмотрел в оба конца аллеи в надежде, что он откуда-нибудь да появится, но его нигде не было видно, и я совсем скис. Черт знает что. Через несколько дней в армию, каждый вечер на учете, а тут сиди и думай, как теща могла попасть в чемодан. Мне уже пора о своем чемодане подумать. Хотя думать, собственно, о нем нечего. Только бы как-нибудь не промахнуться, попасть в училище. А то вдруг запихнут в пехоту и будешь — «кругом, бегом, встать, ложись». И так три года. А три года — это почти институт.

Я думал о своих делах, а Таня что-то рассказывала. Я ее не слушал, но она не замечала, потому что ей надо было рассказывать независимо от того, слушают ее или нет.

— А вот когда я была совсем маленькая... — сказала она и вдруг замолчала.

Я обратил внимание на эту фразу только потому, что она была последняя.

— И что было, когда ты была маленькая? — спросил я.

Она ничего не ответила. Я заметил, что она как-то странно жмется ко мне плечом, а лицо отвернула и закрыла рукой, словно пыталась спрятаться от кого-то.

— Что с тобой? — спросил я.

— Молчи! — ответила она шепотом.

Я бросил взгляд на аллею и тут же все понял. Медленной походкой к нам приближался Козуб. Он был гладко прилизан, в черном костюме с черным галстуком бабочкой на белой рубахе.

— Здоро́во! — поприветствовал он, поравнявшись со мной, и остановился.

— Привет! — ответил я неохотно.

Таня все еще прикрывала лицо ладонью.

— Чего прячешься? — обратился к ней Козуб. — Чего прячешься? — повторил он свой вопрос.

— А я и не прячусь. — Таня убрала руку. — Просто так заслонилась, смотреть на тебя неохота.

— Неохота, — зашипел Козуб, приближаясь к ней. — Когда я на тебя деньги тратил, охота было. У, сука позорная, сейчас я тебе глаз выну. — С этими словами он ткнул ей пальцем в лицо, но она вовремя увернулась.

Мне ничего не оставалось больше делать, как встать между ними.

— Отойди, — сказал я Козубу и подвинул его плечом.

— Не лезь! — окрысился на меня Козуб. — Не лезь, говорю, если не хочешь по мозгам заработать.

Я разозлился. Обидно, когда тебе так угрожают, да еще вот при девушке. И тут у нас пошел дурацкий такой разговор.

— От тебя, что ли, я заработаю? — спросил я.

— А хоть бы и от меня.

— Смотри, как бы сам не схватил по шее.

— Уж я-то не схвачу.

— А если схватишь?

— Пошли потолкуем.

Козуб схватил меня за рукав и потащил к кустам. Я вырвал руку и пошел следом за ним. Мы стали за кустами друг против друга, чтобы продолжить наш содержательный разговор.

— Ну, чего надо? — спросил Козуб, задыхаясь от ярости.

— А тебе чего?

— А мне ничего.

— Ну и мне ничего. А девушку не трогай.

Козуб скривился презрительно.

— Девушку. Да у этой девушки таких, как ты, знаешь, сколько было?

Я схватил его за галстук.

— Давай отсюда проваливай, а то я тебе не знаю что сделаю.

Этого я действительно не знал.

Козуб вырвался, поправил галстук.

— Ты рукам воли не давай, — сказал он, охорашиваясь передо мной, как перед зеркалом. — Жалко, тут мусора ходят, а то бы я тебе сейчас рыло начистил.

Он положил руки в карманы и наискось через газон пошел в сторону танцплощадки. Я вернулся к Тане. Она сидела, не шелохнувшись, на прежнем месте.

Я сел с ней рядом. Не поднимая головы, острым носком туфли она чертила что-то перед собой на песке. Я достал сигареты.

— Дай закурить, — попросила она.

Я дал. Прикуривая, она бросила на меня быстрый, настороженный взгляд.

— Ты думаешь, у меня с ним чего было? — спросила она.

— А мне все равно, — сказал я.

Мне действительно было все равно.

— До чего же противные мужики, — сказала она с чувством. — Два раза в ресторан сводил и думает, что теперь я ему должна.

— Ладно, пошли отсюда, — сказал я.

Она мне за этот вечер порядком поднадоела. А впереди еще предстоял длинный путь до ее дома с разговорами. Молчать, судя по всему, она не умела.

На мое счастье, у выхода из парка нам встретился Толик. Он куда-то торопился, идя нам навстречу, и лицо его выражало крайнюю озабоченность. Я загородил ему дорогу, он наткнулся на меня и долго стоял, ничего не понимая, словно соображал, как преодолеть это неожиданно возникшее на пути препятствие.

— Ты куда? — спросил я.

— Да я... Это самое... Слушай. — Он приходил потихоньку в себя. — Ты не видел этих самых, как их — Олю и Полю?

— Нет, — сказал я, — не видел.

— Вот бабы. Никогда нельзя верить. Договорились в кино смотаться, я пошел доставать деньги, вернулся, а их уже нет.

Таня стояла в стороне, разглядывая фотовитрину «Не проходите мимо».

— Да брось их, — сказал я Толику. — Пошли лучше с нами. — Я кивнул в сторону Тани.

Увидев Таню, Толик оживился.

— Твоя, что ли? — спросил он шепотом.

— Ага, — ответил я равнодушно. — Ты же ее знаешь.

— Вообще-то знаю, но незнаком, — сказал Толик грустно. — Баба, конечно, в порядке.

— Бери ее себе, — щедро предложил я.

— А ты как же? — спросил он.

— Ничего, — сказал я. — Как-нибудь перебьюсь.

Мы подошли к Тане, и я их познакомил. Толик протянул ей руку и представился, как всегда, со значением:

— Анатолий.

Она ответила:

— Очень приятно.

Мы вышли из парка. Из-за крыш домов выступила полная луна. Она светила так ярко, что вполне можно было выключить в городе все электричество.

Толик и Таня быстро нашли общий язык. Когда мы выходили на пустырь, Толик сказал ей почти серьезно:

— Если бы мне попалась такая девчонка, я бы на ней женился.

— Шути любя, но не люби шутя, — обиделась Таня.

— Да я разве шучу? — сказал Толик. — Я серьезно.

— В армии сперва отслужи, а потом женихайся.

— А что армия? — возразил Толик. — В армии женатому милое дело. Жена когда посылочку пришлет, когда сама приедет.

— Ну, давайте я вас зарегистрирую, — предложил я, кивнув в сторону темневшего впереди будущего Дворца бракосочетания.

Идея пришлась Толику по вкусу, но Таня обиделась.

— Найди себе какую-нибудь дурочку и с ней шутки шути, — сказала она. — А я — за серьезные отношения.

Домой мы с Толиком возвращались во втором часу ночи. Небо было затянуто тонкими облаками. Лунный свет сочился сквозь облака, расплываясь, как масло на сковородке. Единственная лампочка возле Дворца бракосочетания теперь горела ярко и весело.

Если бы знать, что ждет нас возле этого Дворца, мы бы обошли его стороной, но мы ничего не знали и поэтому шли мимо него напрямую — оба торопились домой. Когда мы их увидели, было слишком поздно менять направление. Их было человек шесть или семь. Они стояли кучкой возле стены и вполголоса переговаривались. Отдельных слов не было слышно, шел только общий гул от общего разговора. Я толкнул Толика в бок, но уже сам все увидел. Не сговариваясь, мы замолчали и стали забирать немного в сторону, хотя надо было просто повернуть и бежать со всех ног обратно. Но было бы странно и стыдно бежать ни с того ни с сего, просто увидев людей, которые стоят и мирно разговаривают между собой.

— Эй, ребята! — От стены отделилась длинная темная фигура и направилась к нам.

— Грек! — упавшим от страха голосом шепнул Толик.

Тут уж надо было бежать не раздумывая, но мы стояли как вкопанные, я почувствовал в коленях такую слабость, что, если бы и захотел, вряд ли смог двинуться с места.

Грек подошел вплотную. От него несло водкой, но н вид он был совершенно трезв. Он только сутулился и по еживался: видно, давно здесь стоял и продрог. В руке о держал папиросу.

— Ребята, закурить есть? — спросил он миролюбиво.

— У него есть, — услужливо сказал Толик, кивнув мою сторону.

Делать было нечего. Я достал сигареты и молча протя нул Греку.

В конце концов, может, правда человеку надо прост закурить и ничего больше. Если разобраться, мы же их н трогаем, идем себе мимо. И нас совершенно не касается зачем они здесь собрались и что делают.

Грек повертел в руках сигареты, вынул одну и засуну обратно.

— «Памир» я не курю. У меня от них горло дерет, — ска зал он и швырнул сигареты на землю.

— Зачем же бросать сигареты? — не удержался я.

Когда мне хочется что-то сказать, я говорю, не дума о последствиях. Такой дурацкий характер.

— Да что тебе, жалко? — поспешил исправить мок ошибку Толик. Он нагнулся и поднял сигареты. — На вот.

Грек резко ударил его по руке. Сигареты снова упали н землю.

— Никогда не подбирай ничего с земли, — сказал он и обернувшись, крикнул в темноту: — Козуб!

От стены отделилась еще одна темная фигура и прибли зилась к нам. Теперь все было более или менее ясно: Козуб нажаловался Греку. Теперь меня будут бить. И Толика з компанию, наверное, тоже.

— У тебя какие сигареты? — спросил Грек, когда Козуб подошел.

— «Шипка». — Козуб торопливо полез в карман.

— Это другое дело, — удовлетворенно сказал Грек.

Козуб протянул ему сигареты и зажигалку. Вспыхнул огонь, и запахло бензином. Прикурив, Грек поднес зажигалку прямо к моему носу, я слегка отстранился.

— Этот, что ли? — спросил Грек.

— Этот, — тихо ответил Козуб.

В то же мгновение я получил такой удар в нос, что у меня потемнело в глазах. На ногах я все-таки удержался. Я взвыл от боли и кинулся на Грека, но не смог его ударить ни разу: какие-то два типа из этой компании подскочили и схватили меня сзади за руки. Я попробовал отбиваться ногами, но тут подскочил кто-то третий. Он лег на землю и обхватил мои ноги руками.

— За что вы меня бьете? — спросил я.

Вопрос был, конечно, бессмысленным.

— Мы не бьем, а наказываем, — сказал Грек. — Ты зачем обижал нашего товарища? — Он кивнул на Козуба.

— Да кто его обижал? Я просто заступился за девушку.

И я начал путано объяснять, что когда Козуб приставал к Тане, у меня просто не было никакого другого выхода, что любой на моем месте поступил точно так же.

Грек меня выслушал очень внимательно.

— Значит, ты считаешь, что Козуб был не прав? — спросил он участливо.

— Да, — сказал я.

Он повернулся к Козубу:

— Ты слышал, что он говорит?

— Слышал, — ответил Козуб.

— И что же ты терпишь? А ну вмажь ему, чтоб было все справедливо.

Козуб не заставил себя долго упрашивать. От второго удара у меня потекла из носа кровь.

— Ребята, да бросьте вы, — заныл неожиданно Толик. — Неужели из-за какой-то бабы нужно бить человека? Ну, побаловались, и ладно. Пошли по домам.

Грек повернулся к нему, Толик умолк и испуганно съежился.

— Ты кто такой? — спросил Грек.

— Это его дружок, — сообщил Козуб. — Они вместе работают.

— Дружок? — оживился Грек. Ему в голову пришла замечательная идея. — А ну врежь-ка ему по-дружески. — Он подтолкнул Толика ко мне.

Толик попятился назад.

— Да ну бросьте шутить, ребята! — На своем лице он изобразил понимающую улыбку. — Уже поздно, домой пора, ребята, не надо шутить.

— А с тобой никто и не шутит. — Грек снова толкнул его вперед. — Врежь, тебе говорят, и пойдем по домам.

Толик отпрыгнул в сторону, хотел убежать, но Грек вовремя подставил ногу, и Толик упал.

— Ребята, отпустите! — закричал он. — У меня мать больная, у меня отец инвалид Отечественной войны!

Он боялся подняться и ползал на четвереньках, пытаясь уползти прочь, но куда бы он ни поворачивался, всюду натыкался на чьи-то ботинки, кто-то загораживал ему путь из этого круга. Потом Грек схватил его за шиворот и сильно встряхнул. Затрещала рубаха. Толик вскочил на ноги, заметался, обращаясь то к Греку, то к Козубу, то ко мне:

— Ребята, ну что вы? Ну бросьте! Ну зачем?

Грек схватил его снова за шиворот и подтащил ко мне. Толик хныкал и пытался сопротивляться.

— Бей! — с угрозой сказал ему Грек.

— Валерка, — заплакал Толик, — ты же видишь — я не хочу, они меня заставляют.

— Бей! — повторил Грек и ребром ладони ударил его по шее.

Толик нерешительно поднял руку, мазнул меня по щеке и повернулся к Греку, глазами умоляя его отпустить. Греку было мало и этого.

— Разве так бьют? — сказал он. — Бей как положено.

— Не могу, — сказал Толик, пятясь прочь от меня. — Слышь, Грек, я не могу. У меня мать больная, у меня отец...

— Сможешь, — сказал Грек.

Он схватил Толика за ворот так, что даже в темноте мне показалось, что лицо Толика посинело. Толик беспомощно засучил ногами.

— Ну! — Грек подтянул Толика снова ко мне и отпустил.

— Грек, — заплакал Толик, — отпусти. Отпусти, слышь, я тебя очень прошу.

Подлетел Козуб:

— Ах ты, гад! Бей, говорят тебе!

Изо всей силы он дал Толику пинка под зад. Толик, схватившись за зад, завыл и вдруг с нечеловеческим воплем бросился на меня.

Меня крепко держали, я не мог пошевелить ни рукой, ни ногой. Я мог только вертеть головой. И когда я наклонял голову, Толик бил меня снизу, а когда я пытался отвернуться, он бил сбоку.

Я очнулся от холода, а может быть, оттого, что пришло время очнуться, и, придя в себя, почувствовал холод. Сначала мне показалось, что я лежу дома на кровати и с меня сползло одеяло. Не открывая глаз, я пошарил рукой возле себя, и рука прошла по чему-то мокрому, как я потом понял — это была облитая росой трава. Тогда я открыл глаза, но ничего не увидел. Так бывает, когда тебя мучат кошмары, ты заставляешь себя проснуться и вроде уже даже проснулся, но все еще видишь кошмары и надо приложить нечеловеческие усилия, чтобы разодрать веки по-настоящему.

Приложив нечеловеческие усилия, я увидел перед собой Толика. Он сидел, сгорбившись, надо мной и, глядя куда-то мимо, громко икал. Лицо его мне показалось большим и расплывчатым, оно заслоняло все небо. Небо было бледное, с красными отблесками на перистых облаках — дело, видимо, шло к рассвету.

Увидев, что я очнулся, Толик перестал икать и уставился на меня с выражением не то страха, не то любопытства.

— Ты меня видишь? — тихо спросил он.

Я его видел сквозь какие-то щелки, все распухло, было такое ощущение, словно на лицо положили подушку и проткнули в ней маленькие дырки для глаз.

— Вижу, — сказал я.

Тогда Толик лег на меня и, затрясшись всем телом, заплакал прерывисто, гулко и хрипло, словно залаял.

— Валера, прости меня, — причитал он, и слезы падали мне на рубашку. — Валера, я сволочь, я гад. Ты слышишь? Гад я, самый последний.

До моего сознания смутно дошла ночная сцена, но воспоминание не вызвало во мне никаких чувств, никаких мыслей. Боли не было. Были только холод, ощущение тяжести.

— Слезь с меня, — сказал я Толику. — Слезь с меня, пожалуйста, мне тяжело.

Мне казалось, что, как только он слезет, оболочка моя еще больше раздуется и я полечу легко и свободно к теплому солнцу, которое скоро взойдет.

— Валера, я — гад! — выкрикнул Толик. — Ты слышишь, я — гад! Ты понял меня?

— Понял, — сказал я, — только, пожалуйста, слезь.

Всхлипывая и размазывая рукавом слезы, Толик сполз и поднялся на ноги.

Ощущение тяжести не прошло, не было сил подняться. Тогда я перевернулся спиной вверх, подтянул колени к животу, встал сначала на четвереньки и только после этого смог подняться во весь рост.

Было по-прежнему сыро и холодно. Колени дрожали, расползаясь в разные стороны, не было никаких сил справиться с ними.

Небо заметно бледнело. На его посветлевшем фоне резко чернели четкие контуры Дворца бракосочетания в стиле Корбюзье с шестигранными колоннами, стоявшими как бы отдельно.

Я повернулся и, медленно передвигая ноги, пошел в сторону города с разновысокими коробками домов, в которых не горело еще ни одно окно, потому что было пока слишком рано.

Толик плелся позади меня, шагах в двух.

Мама с бабушкой, увидев меня, пришли в неописуемый ужас. Я посмотрел в зеркало и сам себя не узнал. Я испугался, что теперь не пройду комиссию. Впрочем, до комиссии все прошло. Остался только небольшой синяк возле левого глаза.

И вот наступил последний день. Я проснулся, когда на улице было еще темно. Но мама и бабушка уже поднялись. Узкая полоска света лежала под дверью. Там, за дверью, шла тихая суматоха, шаркали ноги и слышались приглушенные голоса. Я прислушался. Разговор шел о моей старой куртке, которую бабушка недавно перешивала. Мама ругала бабушку:

— Ты стала совсем ребенком. Ничего нельзя поручить. Я тебя просила положить куртку в шкаф для белья.

— Именно туда я ее и положила, — сказала бабушка, — это я хорошо помню.

— Тогда где же она?

— Я же тебе говорю: положила в шкаф. И даже пересыпала нафталином.

— Если бы ты положила в шкаф, она бы лежала в шкафу.

Я встал и вышел в соседнюю комнату.

— Что вы ругаетесь? — сказал я.

Бабушка и мама стояли посреди комнаты, а между ними на стуле лежал чемодан с откинутой крышкой.

— Я отдал куртку Толику протирать мотороллер.

— Как отдал? — возмутилась бабушка.

— Очень просто. Все равно носить ее я бы не стал.

— Зачем же я ее тогда перешивала? — грозно спросила бабушка.

— Этого я не знаю, — сказал я. — Я не просил.

— Ну вот, пожалуйста, — сказала бабушка, обращаясь к маме, — плоды твоего воспитания. Полнейшая бесхозяйственность.

— Ну, отдал так отдал, — сказала мама примирительно. — Не будем ругаться в последний день. Только я думала, что в армии она тебе еще пригодится. Там ведь не очень тепло одевают.

— Там бы ее у меня все равно отобрали, — сказал я и пошел в ванную.

Я посмотрел на себя в зеркало. Вид у меня был вполне нормальный. Только под левым глазом остался синяк, совсем небольшой, не больше обыкновенной сливы. А в то утро все лицо было — сплошной синяк.

Мать хотела, чтобы я снял побои и подал в суд на Грека, но я не стал, не хотелось впутывать Толика, который тоже приложил к этому делу руку, если в данном случае можно так выразиться.

Матери про Толика я ничего не сказал. Зачем?

Я долго стоял под душем, и теплые струи воды обтекали меня. Мне было приятно и грустно и вдруг захотелось остаться дома и никуда не ехать. И я подумал, что, может быть, мне не раз еще захочется жить вот так, ругаясь с мамой и бабушкой, но этого уже никогда не будет, и если меня будут ругать, то не мама, не бабушка, а другие, чужие люди, которым моя судьба, может быть, безразлична.

Когда я вышел из ванной, в комнате царили мир и согласие. Мама перед зеркалом красила губы, а бабушка гладила на столе свою юбку. Чемодан был уже закрыт, а возле него на полу стояла старая хозяйственная сумка.

Она была доверху набита чем-то съедобным, сверху из нее торчала куриная нога.

— Это что такое? — спросил я.

— Это курица, — сказала мама.

— Нет, я спрашиваю вообще, что это за сумка?

— Это мы с мамой, — обернулась бабушка, — приготовили тебе еду на дорогу.

— И вы думаете, что я в нашу Советскую Армию поеду с этой хозяйственной сумкой? Чудаки. Да надо мной вот эти куры, которых вы сюда положили, смеяться будут.

— А что же делать, если в чемодан ничего не влезает? — сказала мать.

— В такой большой чемодан ничего не влезло? А что вы туда положили?

— Самое необходимое. — Бабушка вызывающе поджала губы.

— Сейчас я проверю, — сказал я и открыл чемодан.

Ну и, конечно, я там нашел много интересных вещей. Сверху лежало что-то зеленое. Я взял это двумя пальцами и поднял в вытянутой руке.

— Что это? — спросил я брезгливо.

— Разве ты не видишь? Моя кофта, — невозмутимо ответила бабушка.

— Ты думаешь, я ее буду носить? — спросил я с любопытством.

— А зачем же ты выбросил свою куртку?

— Я не выбросил, а отдал Толику, — сказал я, — но это уже другой вопрос. А я жду ответа на первый. Неужели ты думаешь, что я эту штуку буду носить?

— Ну, а если будет холодно? — вмешалась мама.

— Дорогая мамочка, — сказал я, — неужели ты думаешь, что, если будет семьдесят иди даже девяносто градусов мороза и птицы будут замерзать на лету, я надену бабушкину кофту?

Я продолжал ревизию дальше. Кофта в одиночестве лежала недолго. Скоро над ней вырос небольшой могильный холмик из разных бесценных вещей. Здесь были шарф, лишнее полотенце, две пары теплого белья, которое я и раньше никогда не носил, и еще маленькая шкатулка с домашней аптечкой — средства от головной боли, от насморка, от прочих болезней.

Бабушка и мама молча наблюдали за производимыми мною разрушениями. Я посмотрел на них и жестоко сказал:

— Вот так все и будет. Вместо всего этого можно положить часть продуктов, но тоже особенно не злоупотреблять, я проверю.

Я ушел к себе в комнату и стал одеваться. Потом мы втроем позавтракали, и мама ради такого торжественного случая выставила бутылку портвейна. Она налила мне целый стакан, а бабушке и себе по половинке. Я выпил весь стакан сразу и стал есть, а мама с бабушкой только выпили, а есть не стали и смотрели на меня такими печальными глазами, что мне стало не по себе, я тоже не доел свой завтрак, половину оставил в тарелке.

Потом я встал из-за стола и хотел пойти в уборную покурить, но мама поняла меня и сказала:

— Можешь курить здесь. Теперь уже все равно.

Я достал сигарету, закурил, но мне было как-то неловко, я сунул окурок в коробок со спичками и спрятал в карман. Мы помолчали. Потом мама спросила:

— Если тебе все-таки понадобятся деньги или какие-нибудь вещи, пиши, не стесняйся.

— Ладно, — сказал я. — Только у папы больше не бери.

— Не буду, — вздохнула мама.

Время приближалось к восьми, мы начали собираться. На улице было тепло, но на всякий случай (все-таки осень) мы с мамой надели плащи, а бабушка свое засаленное рыжее пальто, пуховый платок и взяла палку.

— Ну ладно, — сказала мама, — присядем на минуточку.

И мы присели. Мама с бабушкой на кушетку, а я на чемодан, но осторожно, чтобы не раздавить его. Потом мама посмотрела на часы и встала. И мы с бабушкой тоже встали и пошли к выходу.

В скверике перед вокзалом была уже уйма народу. Они расположились отдельными кучками на траве. Во главе каждой кучки сидел торжественно остриженный новобранец, одетый во что похуже.

Посреди скверика, возле памятника Карлу Марксу, стоял майор с большим родимым пятном через всю щеку, он держал перед собой список и во все горло выкрикивал фамилии. Возле него стояла кучка новобранцев. Я тоже подошел поближе послушать.

— Петров! — выкрикнул майор.

— Есть! — отозвался стоявший рядом со мной длинный парень в соломенной шляпе.

— Не «есть», а «я», — поправил майор.

Он отметил Петрова в списке, и тот отошел.

— Переверзев! Есть Переверзев?

Майор остановил взгляд на мне.

— Важенина посмотрите, пожалуйста, — сказал я.

— А Переверзева нет?

Переверзев не откликался.

— Как фамилия? — переспросил майор. Он меня не узнал.

Я повторил. Майор что-то отметил в списке и сказал:

— Ждите.

Лавируя между кучками провожающих и отъезжающих, я пошел к своим.

Проводы были в самом разгаре. В одной кучке пели:

Вы слышите, грохочут сапоги,
И птицы ошалелые летят,
И женщины глядят из-под руки...
Вы поняли, куда они глядят.

В другой орали:

> Ой, красивы над Волгой закаты,
> Ты меня провожала в солдаты...

Веселая девица, покраснев от натуги, выводила визгливым голосом:

> Руку жала, провожала,
> Провожала. Эх, провожа-ала...

Рядом с ними сидела самая большая куча, человек в двадцать, и они, заглушая всех остальных, пели «Я люблю тебя, жизнь».

Когда они спели «и надеюсь, что это взаимно», парень с гитарой тряхнул бритой головой, и все хором грянули:

> Эх, раз! Еще раз!
> Еще много-много раз!
> Лучше сорок раз по разу,
> Чем ни разу сорок раз!

Я посмотрел на них. Да это же те самые ребята, которых я видел на лавочке, когда ходил на свидание с Таней.

Потом я остановился еще возле одной группы. Там стриженый, перевязанный полотенцами парень наяривал на гармошке что-то частушечное, а толстая деваха плясала под эту музыку, повизгивая, словно ее щекотали.

— Работай! — кричал ей парень с гармошкой.

И она работала вовсю.

Тут меня кто-то окликнул, я обернулся и увидел Толика. Вместе с отцом и матерью он расположился под деревом. На газете у них стояла начатая бутылка водки, бумажные стаканы, лежал толсто нарезанный хлеб, помидоры и колбаса.

— Иди к нам, — сказал Толик.

Я подошел. Отец Толика отодвинулся, освобождая мне место.

— Садись, Валерьян, попразднуем вместе.

— Меня там ждут, — сказал я.

— Подождут, — сказал отец Толика. — Посиди.

Я сел. Отец Толика был одет торжественно, в серый костюм. В боковом кармане у него торчали авторучка и носовой платок, сложенный треугольником. Я сел на траву. Дядя Федя налил полстакана водки и подвинул ко мне:

— Выпей маленько для праздника.

— Какой же сейчас праздник? — сказала мать Толика. — Сына в армию провожаешь.

— Все равно, раз люди пьют, — сказал он, — значит, можно считать, что праздник.

— А вы пить будете? — спросил я.

— Мы уже, — сказал Толик.

Он мог бы этого и не говорить, по его глазам было видно, что он «уже». Честно сказать, мне пить совсем не хотелось. Но отказаться было неудобно, я взял стакан и выпил залпом, а отец Толика смотрел на меня с явным любопытством: посмотрим, дескать, что ты за мужик и как это у тебя получается. А потом схватил разрезанный помидор и протянул мне. Я хотел выпить не поморщившись, но меня всего передернуло, и я быстро заел помидором.

У матери Толика глаза были красные — видно, она только что плакала. Сейчас она смотрела то на меня, то на Толика, и было ясно, что ей нас обоих до смерти жалко.

— Бабушка твоя тоже приехала? — спросила она меня.

— Бабушка приехала и мама, — сказал я.

— Мать небось убивается?

— Нет, — сказал я. — А чего убиваться? Не на войну идем.

— Все равно, — сказала она. — Что ж это получается, растишь вас, воспитываешь, а потом вы разлетелись — и нету вас.

Я достал сигареты, протянул сначала отцу Толика.

— Не балуюсь, — сказал он, — и другим не советую. Ты мне вот что скажи, Валерьян. Я в период Отечественной войны тоже служил в ВВС. У нас там никаких самолетов не было, а только продукты. Сало, масло, консервы.

— Опять, — рассердился Толик. — Я же тебе объяснял: ты служил не в ВВС, а в ПФС — продовольственно-фуражное снабжение.

— Мне пора, — сказал я и встал.

— Я тебя провожу, — сказал Толик и встал тоже.

Несколько шагов мы прошли молча. Потом остановиись под тополем.

— Валера, — начал Толик, волнуясь и подбирая слоа, — ты на меня, наверное, обижаешься, хотя на моем месе...

Все эти дни я думал, как поступил бы на месте Толика, мог бы я или нет поступить иначе. Но в конце концов я поял, что смог бы. И не потому, что такой уж храбрый, а поому, что не смог бы сделать то, что смог сделать Толик.

— Ты понимаешь, — сказал он, — они же меня застаили.

— Да, но ты очень старался, — сказал я.

— Но они бы побили и тебя, и меня.

— Ладно, — сказал я. — Поговорим об этом в другой аз.

Что я мог ему объяснить?

Я нашел бабушку с мамой там же, на лавочке. Мне меса не осталось; его заняла большая семья, провожавшая деину двухметрового роста с красным распухшим носом на линном лице. Детина сидел в окружении матери, отца и вух маленьких девочек, должно быть сестер, и плакал, а ать его утешала.

— Игорек, — говорила она, — не ты один, многие идут, адо же кому-нибудь служить в армии. Костя, скажи ты ему го-нибудь, — обратилась она к отцу.

— Я ему уже говорил, — сказал Костя. — Если не хоэшь служить в армии, надо было учиться получше.

— Ты где так долго пропадал? — спросила меня мама.

— Толика встретил, — сказал я.

— Опять Толика? Неужели и в армии тебе не удастся стретить кого-нибудь поинтересней?

— Ладно, — сказала бабушка. — Они же все-таки друья. Столько времени провели вместе. Работали на одном аводе.

В это время на площадь перед вокзалом вышел майор с ятном на щеке и прокричал в мегафон:

— Выходи строиться!

Бабушка схватила свою палку и еще хотела взять чемоан, но я отобрал его.

Те, которые сидели рядом с нами, тоже засуетились. Заплаканный парень вскочил на ноги.

— Подожди, — сказала ему его мать. — Подожди, я тебе вытру слезы, а то неудобно в строй становиться заплаканным. — Она вынула из сумки платок, вытерла парню слезы и подставила платок к носу. — Высморкайся.

И когда парень начал сморкаться, она посмотрела на него и вдруг сама заплакала громко, навзрыд.

— Ну вот еще, — сказал отец. — Держалась, держалась — и нá тебе. Теперь ты еще будешь сморкаться.

Что там у них дальше произошло, я не знаю; мы побежали. Я бежал с чемоданом впереди и оглядывался. Мама и бабушка семенили сзади. Бабушка далеко вперед выкидывала свою палку, а потом как будто подтягивалась к ней.

Нас выстроили спиной к вокзалу в четыре шеренги. Я оказался в середине.

— Равняйсь! — скомандовал майор. — Смирно! По порядку номеров рассчитайсь!

Мы рассчитались. К майору подошел тучный подполковник в авиационной форме и спросил:

— Ну что, все в порядке?

— Двух человек не хватает, — почтительно сказал майор.

— Надо сделать перекличку.

Майор достал из кармана порядком уже измятый список.

— Слушай сюда, — сказал он и начал перекличку: — Алексеев!

— Я!

— Алтухин!

— Я!

После каждого ответа майор отрывал взгляд от списка и смотрел туда, откуда доносился голос вызываемого.

Моя фамилия шла следом за фамилией Толика, который очутился где-то в хвосте строя. В строю не оказалось все того же Переверзева и еще одного человека.

— Ну ладно, — сказал подполковник, — больше ждать некогда. Разбейте людей на команды и грузите в вагоны.

Майор отсчитал сколько-то там человек, потом протянул руку, как бы отсекая часть строя, и скомандовал:

— Эта группа напра-во! Десять шагов вперед шагом марш!

Вторая группа сделала восемь шагов, третья, в которой был я, — шесть. Потом каждой группе выделили по сержанту. Нам достался толстый, здоровый парень, у него на груди было несколько значков.

Он, выпятив грудь вперед, гоголем прошел перед нашим строем, внимательно оглядел впередистоящих. Потом отошел на два шага назад и изрек:

— Наша группа будет называться рота, так мне привычней. Ясно?

— Ясно! — заорали мы хором.

— Наша рота будет займать третий вагон. Ясно?

— Ясно!

— В вагоне не курить, курить только в тамбуре. Ясно?

— Ясно!

— Все, — сказал сержант. — Какой порядок езды будет, кто дневальный, кто дежурный — решим на месте. — Он вдруг напрягся, вытянул шею из воротника с целлулоидным подворотничком и скомандовал: — Напра-у! Шагом арш!

И мы пошли. Не в ногу, конечно, а кто как сумел. А родители наши шли сбоку и все кричали одно и то же: чтобы мы за собой следили, чтобы писали письма.

Мама тоже умоляла меня писать чаще. За ней шла бабушка и ничего не говорила, только бодро взмахивала палкой.

Сержант привел нас на перрон. Здесь стоял уже готовый состав с прицепленным к нему тепловозом. Я думал, что состав будет товарный, а он оказался нормальным пассажирским, только из старых вагонов, таких, какие ходят у нас на пригородных линиях. Сержант приказал организованно занять в вагоне места, но никакой организованности не получилось, все торопились занять там места получше. Я тоже торопился, но недостаточно, и поэтому мне досталась боковая верхняя полка. Но мне, в общем-то, было почти все равно. Я забросил свой чемодан на полку и снова выбрался на перрон.

Бабушка и мама стояли спиной к продуктовому киоску, жалкие и одинокие. Я посмотрел на них — сердце сжалось.

— Ну что вы раскисли? — сказал я. — Радоваться должны. Наконец-то избавитесь от шалопая.

— Да, конечно. — Мама хотела улыбнуться, но из этого у нее ничего не получилось. Губы у нее вдруг задергались, она отвернулась к киоску и заплакала. Бабушка посмотрела на маму и тоже отвернулась к киоску.

— Эх вы, нюни, — сказал я. — Что ж это вы от меня отвернулись? И что мне теперь из-за вас — дезертировать, что ли? И чего вы ревете? Я же вот не реву. А если хотите, я тоже.

И я стал делать вид, что реву, хотя мне хотелось зареветь на самом деле. А может быть, я и на самом деле ревел, а только думал, что делаю вид. Но все-таки я их немножко успокоил. Мама повернулась ко мне, улыбнулась и сказала:

— Не обращай внимания. Мы же с бабушкой женщины, и нам иногда можно немного поплакать.

Потом мы стояли и молчали, и я думал, что надо сказать, может быть, что-нибудь очень важное и значительное, но ничего такого придумать не мог, и мама с бабушкой тоже ничего не могли придумать. Они стояли и смотрели на меня, а я на них смотреть не мог и озирался по сторонам, лишь бы на них не смотреть.

Недалеко от нас в окружении всей своей родни стоял тот самый парень, который плакал там, в сквере, и теперь он уже не плакал, а улыбался и, размахивая руками, что-то рассказывал матери и отцу, и мать тоже улыбалась, а отец слушал его хмуро и невнимательно. Во всяком случае, мне так показалось, что невнимательно. А возле вагона стоял парень, который играл на гитаре, но теперь он был без гитары (наверное, оставил в вагоне). Возле него тоже стояли родители, маленькие пожилые люди, и еще чуть в стороне стояла красивая девушка — наверное, невеста, а может, даже жена. Она так стояла потому, что, наверное, считала, что у родителей сейчас больше прав на парня, а она отчасти вроде бы и лишняя, но если бы она была совсем лишняя, то, вероятно, ушла бы, но она не уходила — значит, лишней себя не считала. А может, считала, что если вот так будет стоять в самых ответственных случаях, то когда-нибудь обязательно станет не лишней: в общем, я не знаю, что там она себе думала, я сам об этом не успел додумать до конца, поому что в это время из вокзала вышел дежурный в красной фуражке и ударил в колокол.

И тут по радио раздался голос:

— Товарищи призывники, начальник эшелона подполковник Белов просит вас занять свои места в вагонах. Повторяю: товарищи призывники...

А из вокзала вышел майор с родимым пятном на щеке, он сказал что-то в мегафон, но, видимо, мегафон испортился, потому что ничего не было слышно. Тогда майор зажал мегафон под мышкой, сложил ладони рупором и уже без всякой механизации крикнул:

— По ваго-онам!

И сержанты, которые стояли возле каждого вагона, тоже стали кричать:

— По вагонам! По вагонам!

Но никто сразу и не пошевелился, и тогда сержанты стали тормошить отъезжающих и провожающих. И наш сержант подошел к нам и сказал маме и бабушке:

— Мамаши, команду слышали? Прощайтесь.

И мы стали прощаться. Мама меня обняла и прижалась ко мне, и я первый раз в жизни заметил, что она совсем маленькая. А она меня обхватила руками и не хотела отпускать, и в конце концов мне пришлось тихонько от нее освободиться, потому что я думал, что не успею проститься с бабушкой.

— Не забывай, пиши, — сказала мама, отпуская меня.

— Конечно, буду писать, — сказал я. — Раз в неделю обязательно напишу.

Бабушка тоже, когда я ее обнимал, показалась мне маленькой и сухонькой, и только сейчас я подумал, что она ведь совсем уже старенькая, что, может быть, я больше ее никогда не увижу. Так оно в конце концов и получилось, но тогда я еще не знал, что так получится, только подумал, что может так получиться.

Опять подошел сержант и сказал:

— Хватит прощаться, сейчас отправляемся.

Я пошел задом к вагону и все смотрел на маму и бабушку, а они шли за мной. И только я залез в тамбур, как прогудел тепловоз, наш состав тронулся. Сразу вся толпа провожающих кинулась за составом, и все заревели так, будто весь наш поезд направлялся прямо на кладбище.

А мама с бабушкой мне махали руками и махали, и я им махал тоже, а потом их заслонили другие лица, а я все равно махал в надежде на то, что они видят хотя бы мою руку. И тут я увидел отца. Он, видимо, только что прибежал на перрон и в одной руке у него был какой-то сверток. И я ему крикнул:

— Папа!

Он услыхал мой крик, вскинул голову и стал растерянно пробегать глазами по вагонам, но он смотрел все не туда, и я крикнул ему:

— Я здесь!

Он меня так и не увидел и стал на всякий случай махать свободной рукой и крутил головой, пытаясь разглядеть меня в пробегающих мимо вагонах.

Так вот и кончилась моя предармейская жизнь. Но прежде чем поставить точку, мне хочется еще рассказать об одной встрече с Толиком, которая произошла у меня через год после событий, которые я здесь описал.

Первые два месяца мы служили вместе, вместе проходили курс молодого бойца, вместе принимали присягу.

А потом нас разослали по разным частям, и хотя служили мы по-прежнему в одном гарнизоне, но уже не виделись совершенно. Как-то не получалось. Да и желания особого лично я не испытывал. Может, у нас и раньше дружбы особой не было, а мы считали — была, потому что не знали, что такое настоящая дружба.

Придя в армию, я не оставлял мысли о летном училище, писал во все инстанции рапорты и заявления, прошел год, прежде чем мне удалось добиться положительного ответа.

И вот в один прекрасный день я вышел за ворота части со своим небольшим чемоданом. В кармане у меня лежало направление в училище, воинское требование на железнодорожный билет и кормовые деньги — восемьдесят шесть копеек, которые я получил в финчасти.

Погода была паршивая. Грязные облака тянулись над самой землей, едва не задевая за верхушки деревьев. Ино да начинал накрапывать дождь и тут же переставал. Я был шинели, но в пилотке, потому что приказа о переходе на имнюю форму одежды еще не было.

Я пришел на вокзал за три часа до отправления поезда, зял билет и пошел бродить по городу. Город этот был ольшой, больше того, в котором я жил до армии, но он не не нравился, может быть, не потому, что он был хуже оего города, а потому, что был он совсем для меня чужой. бродил по нему, держа чемодан в правой руке, чтобы не озырять офицерам, которых здесь было полным-полно. потом устал, зашел на какой-то бульвар и сел отдохнуть. Напротив меня на лавочке два пенсионера, посинев от хо-ода, играли в шахматы. Я сначала наблюдал за ними, а по-ом отвлекся и стал думать о своей жизни, о том, что про-зошло со мной за все это время. И вдруг над самым моим ком оглушительно рявкнул знакомый голос:

— Почему не приветствуете?

Я моментально вскочил, инстинктивно потянул руку к илотке и увидел перед собой счастливую рожу Толика.

— Вот дурак тоже еще! — рассердился я. — Ты откуда залился?

— С луны, — сообщил Толик.

Я оглядел его с ног до головы. Вид у него был довольно транный. На нем, так же, как и на мне, были шинель, са-оги и пилотка, но в руках он держал авоську, из которой рчали хлеб, сгущенное молоко и еще какие-то продукты.

— Что это у тебя такое? — спросил я.

Толик смутился.

— Да вот жена за продуктами послала.

— Разве у тебя есть жена?

— Да не моя жена — генерала. — И видя, что я ничего могу понять, заторопился с объяснением: — Я сейчас, онимаешь, служу ординарцем у генерала. Я сначала был в лубе художником. А потом меня сократили. А тут генерал к раз. «Нет ли, говорит, у вас лишнего солдата, мне орди-арец нужен». А ему говорят: «Есть, у нас как раз художника кратили». Ну и вот, с тех пор я у него служу. Ну, служба, онечно, сам понимаешь, подай-принеси. А вообще-то не желая. Ни физзарядки, ни строевой, ни подъема, ни отбоя. Пол подмел, посуду помыл — и свободен. Пиво пью каждый день. Ну, конечно, в смысле денег маловато. Из магазина придешь, жена всю мелочь пересчитывает. Почем картошку брал, почем помидоры — все пересчитает. Если куда зачем надо съездить, дает на трамвай. Три копейки туда, три — обратно. Ну, а я другой раз на троллейбусе проеду или на автобусе. Приходится свои доплачивать. А откуда взять свои? Ну, бывает, из дому пятерочку подкинут или гонорар получишь. Вот и все.

— Какой гонорар? — удивился я.

— Вот тебе на! — удивился Толик еще больше. — Да ты разве не знаешь?

— Нет, — сказал я.

— Я же стихи сочиняю. В нашей окружной газете уже три стиха напечатал. Хочешь, расскажу?

— Валяй, — разрешил я, все еще не веря.

— Ну, слушай, — сказал Толик. Он поставил авоську на скамейку рядом со мной, а сам отошел на шаг, встал в позу и вытянул вперед правую руку. — «Старшина» называется.

Наш старшина — солдат бывалый,
Грудь вся в орденах,
Историй знает он немало
О боевых делах.

Он всю войну провоевал,
Знаком ему вой мин.
Варшаву он освобождал
И штурмом брал Берлин.

Расскажет как-нибудь в походе
Военный эпизод.
И станет сразу легче вроде,
Усталость вся пройдет.

Наш старшина — пример живой
Отваги, доблести, геройства.
Он опыт вкладывает свой,
Чтоб нам привить такие свойства.

Толик читал стихотворение, размахивая рукой и завывая, как настоящий поэт. А потом посмотрел на меня с видом явного превосходства и спросил:

— Ну как?

— Это ты сам написал? — спросил я.

— Ну а кто же? — обиделся Толик. — У меня их много. Хочешь, еще расскажу?

— Нет, не надо, — сказал я. — Только это все как-то неожиданно. — Я был в самом деле растерян.

— Нет, ты скажи: вообще понравилось или нет?

— Ты просто гений, — сказал я почти искренне. — Я даже и не думал никогда, и не подозревал. И давно ты занимаешься этим делом?

— Давно, — вздохнул Толик. — Помнишь, мы еще когда работали на заводе, шли на работу и ты мне читал стихи?

— «Анчар»?

— Ну да. Вот с тех пор я и пишу. Сперва нескладно получалось, рифму никак не мог подобрать. А теперь вроде что-то выходит. Я понимаю, что это еще только первые шаги, но я поучусь, я упорный. Уже прочел статью Маяковского «Как делать стих» и Исаковского «О поэтическом мастерстве». Начал изучать Добролюбова.

Я был просто поражен. Для меня это был гром с ясного неба. Я посмотрел на него пристально — и неожиданно в лоб спросил:

— Слушай, а что, если мы с тобой вдруг проваливаемся сквозь землю и перед нами...

— Что? — быстро спросил Толик.

— Ничего, — сказал я. — Я хотел проверить — ты это или не ты.

— Ну и как? — поинтересовался Толик.

— Никак, — сказал я. — Я хотел бы, чтоб ты провалился и нашел кучу золота.

— Это было б здорово, — сказал Толик искренне. — Я бы тогда знаешь что сделал?

— Знаю. Купил бы «Москвич» с ручным управлением.

— Зачем же с ручным? — обиделся Толик. — Что ж я — безногий? — Он помолчал. — А ты чего с чемоданом? В отпуск, что ли?

— В летное училище, — сказал я.

— Зря, — сказал Толик. — Ненадежное это дело. Хотя и деньги хорошие, и все, но ведь работа опасная.

— Ну, ладно. — Я встал. — Мне пора.

— Постой, — сказал Толик. Он стоял и раскручивал авоську сперва в одну сторону, потом в другую. — Я вот часто думал про тот случай возле Дворца... Конечно, мне неприятно, что так получилось...

— Да уж, приятного мало, — согласился я.

— Да, мало, — сказал Толик. — Но для тебя так было лучше.

— Интересно! — Я был искренне удивлен. — Это еще почему?

— Они бы тебя били сильнее, — сказал он, глядя мне прямо в глаза.

Это была уже философия. Потом я встречался с ней при иных обстоятельствах, слышал примерно те же слова от других людей, торопившихся сделать то, что все равно на их месте сделал бы кто-то.

— Ладно, — сказал я. — Чего уж тут говорить.

В правой руке у меня был чемодан, Толик в правой руке держал авоську. Я повернулся, чтобы идти, но Толик не пустил. Он забежал вперед и загородил мне дорогу.

— Слышь, — жалобно сказал он, перекладывая авоську в левую руку. — Слышь... Значит, до свидания. Может, еще увидимся как-нибудь или спишемся. Все же не зря столько лет были друзьями.

Он протянул вперед руку и ждал. Я поставил чемодан на землю. Он набросился на мою руку с жадностью и невыносимо долго тряс ее.

— Слышь, Валера, не забывай, — говорил он. — Знаешь, в жизни все может быть, а дружба остается дружбой. Может, еще и пригодимся друг другу. Ты же мне вроде брата, дороже отца-матери...

В конце концов я освободился и пошел дальше.

Пройдя немного, я обернулся. Толик стоял посреди дороги со своей дурацкой авоськой и раскручивал ее сперва в одну сторону, потом в другую. Увидев, что я обернулся, он поспешно заулыбался и стал ожесточенно махать рукой. Я не выдержал, поднял руку и сделал такой жест, как будто помахал ему ответно и в то же время как будто не помахал. Но, скорее всего, этот жест мог означать, что, мол, ладно уж. Чего уж там. Что было, то было.

1967

Путем взаимной переписки

1

В наш авиационный истребительный полк пришло письмо. На конверте, после названия города и номера части, значилось: «Первому попавшему». Таковым оказался писарь и почтальон Казик Иванов, который, однако, письмом не воспользовался, а передал его аэродромному каптерщику, младшему сержанту Ивану Алтыннику, известному любителю «заочной» переписки.

Письмо было коротким. Некая Людмила Сырова, фельдшер со станции Кирзавод, предлагала неизвестному адресату «взаимную переписку с целью дальнейшего знакомства». Вместе с письмом в конверт была вложена фотография размером 3x4 с белым уголком для печати. Фотография была старая, нечеткая, но Алтынник опытным взглядом все же разглядел на ней девушку лет двадцати — двадцати двух с косичками, аккуратно уложенными вокруг головы.

Письмо Алтынник положил в стоящий под кроватью посылочный ящик, где у него уже хранилось несметное количество писем от всех заочниц (числом около сотни), а фотографию спрятал в альбом, но прежде написал на обратной стороне мелкими буквами: «Сырова Людмила, ст. Кирзавод, медик, г. рождения — ?». Потом достал из того же альбома свою фотокарточку размером 9x12, где он был изображен в диагоналевом кителе, со значком классного специалиста (чужим) и в такой позе, как будто именно в момент фотографирования он сочинял стихи или же размышлял над загадками мироздания.

Фотографию эту положил он на тумбочку перед собой и принялся за ответ. Надо сразу сказать, что своими изображениями Алтынник особенно не разбрасывался. Бывало и так, что для смеху вкладывал в конверт фотографию, сорванную с Доски отличников учебно-боевой и политической подготовки. Но над Людмилой Сыровой подшучивать не захотелось — она произвела на него хорошее впечатление. К тому же некоторый запас карточек у него еще был.

2

Писание писем было для Алтынника второй, а может быть, даже первой профессией. Во всяком случае, этому делу он отдавал времени гораздо больше, чем основным служебным обязанностям. Где бы он ни находился — в каптерке, в казарме или в наряде, как только выдавалась свободная минута, пристроится, бывало, на тумбочке, на бочке с гидросмесью, на плоскости самолета — на чем попало — и давай лепить букву к букве, строку к строке своим замысловатым кудрявым почерком, которым весьма гордился и был уверен, что многими своими успехами (заочными) у женщин в значительной степени обязан ему.

Писал он легко и быстро. Одно слово тянуло за собой другое, Алтынник едва успевал запечатлеть его на бумаге и при этом размахивал свободной рукой, бормотал что-то под нос, вскрикивал, всхлипывал, мотал головой и только изредка останавливался, чтобы потереть занемевшую руку, перевести дух и лишний раз подивиться, откуда в одном человеке может быть столько таланта. Вот только никогда не знал он, где и какой ставить знак препинания, но это обстоятельство его мало смущало, и он эти знаки разбрасывал наобум, по возможности равномерно.

Взявшись за письмо Людмиле Сыровой, передав ей, как обычно, «чистосердечный пламенный привет и массу наилучших пожеланий в вашей молодой и цветущей жизни», Алтынник, не теряя даром времени и чернил, перешел к деловой части:

«Письмо ваше, Люда, я получил через нашего почтальона Иванова Казимира, который дал мне его и сказал: ты, Иван, давно хотел переписываться с хорошей девушкой, и вот я даю тебе письмо и адрес, а почему даю тебе, а не другому, потому что ты самый грамотный из рядового и сержантского состава, хотя и не имеешь высшего образования. Я тогда распечатал письмо ваше и фото, и личность ваша мне, Люда, очень понравилась как в смысле общего очертания, так и отдельные части наружности, например, глаза, нос, щечки, губки и т. д. К сожалению, фото вы прислали маленькое, на нем ваш облик рассмотреть внимательно трудно, так что если будет такой момент и возможность, пришлите большое, я вам свое высылаю. Если же не хотите прислать в полный рост, то пришлите хотя бы в полроста, а что касается красивой фигуры, Люда, то на это я не смотрю, потому что красота и фигура — такие качества человека, которые могут быть утеряны в дальнейшей жизни, а я смотрю на ум, характер человека...»

Дальше Алтынник подробно описал свою жизнь, и по этому описанию выходило, что автор письма — круглый сирота, воспитывался в детском доме у чужих людей, с детства привык к лишениям, унижениям и физическому труду.

Все это у него получалось складно да гладко, хотя и не имело никакого отношения к его действительной биографии, ибо жил он не хуже многих, воспитывался в нормальной рабочей семье, и во время войны отец его даже не был на фронте, потому что болел бронхиальной астмой. В прошлом году отец умер, но мать и поныне была жива и здорова, работала на заводе формовщицей, правда, в эту осень собиралась уже на пенсию в сорок пять лет из-за вредности производства.

Но сказать, что Алтынник врал, было бы не совсем справедливо, просто давал он волю своей руке, зная, что она его не подведет, и она действительно не подводила. Перед потрясенным автором во всей своей широте разворачивалась картина такого несчастного, лишенного радостей детства, что ему до слез становилось жалко себя и искренне хотелось, «чтобы после стольких, Люда, мучений и терпения всевозможных обид от злых людей, которые, Люда, еще встречаются и в нашей стране, найти самостоятельную девушку, работящую и с веселым характером, не с умыслом чтобы над ней подшутить или же посмеяться, а совсем с другой целью: или замужество, или женитьба после непродолжительного знакомства».

Что Людмила Сырова из этого письма поняла, трудно сказать, но ждать себя не заставила, и ответ от нее пришел ровно через столько времени, сколько понадобилось почте, чтобы пройти от места расположения части до станции Кирзавод и обратно.

Переписка завязалась.

Алтынник, получая письма от новой своей знакомой, всегда внимательно их прочитывал да еще подчеркивал красным карандашиком сообщения о том, что у Люды есть свой дом, огород, корова, что она (Людмила, а не корова) любит петь, танцевать, уважает веселое общество, может и сама пошутить и посмеяться, когда шутят другие. Красным карандашом Алтынник пользовался и при переписке с другими своими корреспондентками. Полученные сведения выписывал на отдельные карточки, а потом раскладывал, сопоставлял. И не для какой-то корысти, а потому, что любил в каждом деле порядок. Всерьез он не рассчитывал ни с кем из этих заочниц встретиться и вел эту переписку просто так, от нечего делать.

И, вероятно, он никогда бы не встретился с Людмилой Сыровой, если бы вдруг поздней осенью не вызвал его к себе командир эскадрильи майор Ишты-Шмишты.

Ишты-Шмишты была не двойная румынская фамилия, а прозвище майора Задачина, который все свои сильные чувства — радости, огорчения, удивления или гнева — выражал превратившимся в прозвище словосочетанием: «Ишь ты! Шмишь ты!»

С майором Ишты-Шмишты мы еще познакомимся ближе. Пока скажу только, что майор приказал Алтыннику немедленно отправляться в командировку за получением аэродромного имущества.

И, как ни странно, станция Кирзавод была по той самой дороге, по которой должен был ехать Алтынник. Впрочем, странного в этом было немного, потому что заочные подруги нашего героя жили по всем без исключения железным, шоссейным и частично проселочным дорогам, и неизвестно, что сулила ему любая другая из этих дорог.

Но ему выпала эта.

По этой же дороге, через два пролета от станции Кирзавод, была еще одна станция, и там тоже жила заочница — Наташа. Иван на всякий случай дал телеграммы обеим.

3

В Москве была у него пересадка. Никогда раньше в столице он не бывал, хотя и надеялся, и теперь наметил обязательно сходить в Мавзолей и посетить, если успеет, Третьяковскую галерею. В галерею он не попал, зато съездил на сельскохозяйственную выставку и даже сфотографировался на фоне фонтана «Золотой колос».

Погода была противная. Сыпал мелкий дождь, и дул ветер. Алтынник мотался из одного конца города в другой то на троллейбусе, то на метро и к концу дня настолько свыкся с эскалатором, что уже не прыгал с него с вытаращенными глазами, боясь, что утянет в щель, а сходил свободно и даже небрежно, как заправский москвич.

4

Устроился Алтынник на третьей полке, потому что солдату срочной службы, хоть бы он даже ехал до Владивостока, плацкартных мест по литеру не положено. Еще спасибо, проводник попался хороший, разрешил взять свободный матрац без простыней и подушки. Но подушка Алтыннику была не нужна, у него был мягкий чемодан польского производства. Этот чемодан Алтынник очень выгодно выменял у старшины Ефремовского на старые хромовые сапоги без головок. К слову сказать, у старшины тоже было свое прозвище — его звали де Голлем за высокий рост и внешнее сходство.

Хотя проводник и обещал его разбудить, Алтынник не понадеялся и все ворочался на своей верхней полке, боясь проспать, и жег спички, чтобы посмотреть на часы, и спавшая внизу толстая тетка с ребенком, думая, что Алтынник курит, демонстративно вздыхала:

— О-ох!

А Алтынник ее передразнивал и тоже делал так:

— О-ох!

Он не курил. Он думал. Он обдумывал свою предстоящую встречу. Хорошо, если Людмила придет встречать и он ее сразу узнает. А если будет много народу и он ее в толпе не найдет или вовсе она не выйдет, а он слезет с поезда? Потом пока дождешься следующего! Но, допустим, она придет, и сразу они узнают друг друга, тогда как с ней встречаться? За руку поздороваться или обниматься? Этого Алтынник не знал.

В казарме после отбоя, когда заходил разговор про женщин, Алтынник выступал как крупнейший знаток вопроса. Ни у кого из его слушателей не возникало сомнения, что уж кто-кто, а Алтынник все знает про женщин. Где что у них как устроено и что с ними нужно делать. Но если сказать правду, то до сих пор никаких иных отношений с женщинами, кроме заочных, у него не было.

Была у него перед армией одна девчонка — жила в соседнем дворе. Она занималась художественной гимнастикой и носила очки, что Алтынника особенно подкупало. Он ходил с ней два раза в кино и четыре раза стоял в подъезде. Говорили на разные посторонние темы, а он все думал, как бы к ней подступиться, и однажды набрался храбрости и сказал:

— Знаешь, Галка, я чего тебя хочу спросить?

— Чего? — спросила она.

— Только ты не обидишься?

— А чего?

— Нет, ты скажи — не обидишься?

— Я ж не знаю, что ты хочешь сказать, — уклонялась она.

— Ну, в общем, я тебя хочу спросить, ну это... ну... — Он набрал полные легкие воздуху и ляпнул: — Можно я тебя поцелую?

Она отодвинулась в угол и спросила испуганно:

— А зачем?

А он не знал зачем. Он думал, что так нужно.

Спустя некоторое время она вышла замуж за демобили-
зованного моряка, и уж наверное он ей все объяснил, потому что ровно через девять месяцев (Алтынник служил уже в
армии) мать написала ему, что Галка родила девочку.

Вспоминая Галку и думая о предстоящей встрече с Людмилой, он все же не выдержал и заснул. Но проводник не
подвел и разбудил его, как обещал, в четверть второго. Иван
слез, помотал головой, чтобы совсем проснуться, стащил
чемодан и пошел к выходу.

Проводник сидел на боковой скамеечке напротив слу-
жебного купе. Перед ним стоял незажженный электрофо-
нарь.

— Что, батя, скоро этот самый Кирзавод? — спросил
Алтынник.

— Еще минут десять, — зевнул проводник.

Алтынник сел напротив проводника, небрежно выбросил на столик пачку «Казбека», купленного в Москве.

— Кури, батя, скорей помрешь.

— Некурящий, — отказался проводник.

Алтынник вынул папиросу, помял ее, но в вагоне курить было неудобно, а в тамбур выходить не хотелось. Глянул в окно, а там мельтешит что-то белое. Удивился:

— Снег, что ли?

— Снег, — подтвердил проводник.

— Ты смотри, а? В Москве дождь, а тут километров триста проехали, а уже снег. Старшина говорил мне: «Возьми
шапку», а я, дурак, пилотку надел. Хорошо еще, что шинелку взял, а то ведь и околеть можно, скажи, батя.

— Да уж, — согласился батя. Он привык поддакивать
пассажирам.

Алтынник помолчал, повздыхал, решил поделиться
своими сомнениями с проводником.

— Вот, батя, еду я на эту самую станцию Кирзавод, так,
встретят меня или не встретят, не знаю. Если бы это я к
матери ехал, так она бы, конечно, встретила. В любое время
дня и ночи. А я, батя, к бабе еду. Познакомился с ней путем
переписки, так вроде по карточке она ничего, из себя видная, но на личность я ее не видал, ничего сказать не могу.

Она вообще-то писала «приезжай». Я, конечно, и не думал, а тут как раз вышла командировка, ответственный груз. Кого в командировку? Меня. Ну вот еду. Отбил ей телеграмму — встречай. Получила она телеграмму или нет, я, батя, не знаю, ответа ж не получал. Теперь возникает другой вопрос: если даже и встретит, она меня первый раз видит в глаза, может не согласиться. Скажет, распишемся, тогда хоть ложкой, а мне, батя, расписываться сейчас ни к чему. Я еще молодой. После службы в техникум пойду, а потом, может, и в институт. Хочу, батя, диплом получить, чтобы в рамке на стенку повесить, пускай каждый видит: у Алтынника — это у меня фамилия такая, Алтынник, — высшее образование. А у меня, батя, через две станции еще одна живет баба — Наташка. Тоже заочница. Ну та, правда, хроменькая. Сама написала: «Ваня, я должна вас сразу предупредить, что имею физнедостаток — левая нога у меня в результате травмы короче правой на два сантиметра, но, если надену чуть повыше каблук, это почти незаметно». Ну тут заметно или не заметно, а ломаться, я думаю, не должна, потому что хоть какой там каблук ни подставляй, а хроменькая есть хроменькая, никуда не денешься. Хотя я, батя, конечно, не осуждаю и не смеюсь, потому что это с каждым может случиться. Вот, скажем, ты стоишь на перроне, поезд тронулся, ты на ступеньку — рраз! Поскользнулся — и лежишь без обеих ног. Но, с другой стороны, недостаток свой она должна понимать, я-то хоть и сочувствую, но я не хромой, во́, посмотри, — Алтынник встал и прошел три шага к тамбуру и обратно. — Видишь. Не хромаю. Значит, ты уже будь поскромнее, чего дают, не отказывайся, а то и того не получишь. Ну и вот, значит, батя, не знаю, то ли мне здесь слезать, а она еще неизвестно как будет ломаться, то ли ехать дальше к Наташке, но она вот хромая. Ты как, батя, считаешь?

— Да уж это тебе видней, — сказал проводник. — Я про эти дела давно позабыл. У меня в эту осень внук в школу пошел.

— Да, батя, — посочувствовал Алтынник, — так на личность ты еще молодой. А я, батя, решил так: до сорока го дов поживу, погуляю, а потом сразу — веревку на шею, и с приветом к вам Сергей Есенин.

— Доживи сперва, — усмехнулся проводник. — Помирать никогда не хочется.

— Это я понимаю, — сказал Иван, боясь, что обидел проводника. — Это я для себя только так решил. Думаю, до сорока годов доживу, ну, до сорока пяти от силы, и хватит. А то это, знаешь, все ходи, мучайся. То поясницу ломит, то ревматизм на погоду болит. Эх...

Алтынник огорченно махнул рукой и, глядя в окно, задумался, попытавшись представить себя жалким и больным стариком, но представить ему это было почти невозможно, и мысли его тут же сбились на другое — он опять заволновался, встретит его или не встретит Людмила. Была ночь с субботы на воскресенье.

5

На станцию Кирзавод поезд прибыл точно по расписанию. Проводник открыл дверь, и на Алтынника, стоявшего в тамбуре с чемоданом, дунуло сырым холодом. Шумел ветер, густо валил и вспыхивал в свете единственного на станции фонаря лохматый снег. Под фонарем стояли дежурный в красной фуражке и маленькая, залепленная снегом фигурка. «Она», — догадался Алтынник. И действительно, фигурка побежала вдоль поезда, шаря по вагонам глазами и отыскивая того, кого ожидала. Алтынник отошел в глубь тамбура и следил за ней одним глазом. Он все еще колебался.

— Как, батя, советуешь — слезать или не слезать? — в последний раз понадеялся он на проводника.

— Слезай! — махнул рукой проводник и отступил в сторону, освобождая проход.

— Была не была, — решился Алтынник. — Будь здоров, батя, и не кашляй.

И соскочил на мокрый перрон.

Когда они встретились, Алтынник понял, что его жестоко обманули — фотография, которую хранил он в альбоме, по крайней мере, десятилетней давности.

— Здравствуйте, Ваня, — сказала Людмила, протянув ему руку.

— Здравствуйте. — Поставив чемодан, переминался он с ноги на ногу, переживая сомнения. — Людмила? — спросил он на всякий случай, еще надеясь, что это не она, а, допустим, старшая сестра.

— Ага, — беспечно согласилась она. — У нас часы стали. Ночь, время спросить не у кого. Пришла за час до поезда. Ну, пойдемте. — Она наклонилась к чемодану, как будто хотела взять.

— Сейчас, — сказал Иван и чемодан придержал. И стал быстро соображать, не сесть ли ему, пока не поздно, обратно на поезд.

Дежурный в красной фуражке ударил в колокол. Поезд шумнул тормозами и тронулся медленно, без гудка. Алтынник все еще колебался. Остаться или на ходу вскочить на подножку?

Медленно проплыл мимо последний вагон, и проводник с грохотом опустил откидную площадку. Решать было уже нечего.

— Ладно, пойдем, — вздохнул Иван и нагнулся за чемоданом.

6

Дул ветер, в глаза летел сырой снег, Алтынник шел боком. В правой руке он держал чемодан, а левой прижимал к уху воротник шинели, чтоб не продуло. Дома и заборы неясно чернели по сторонам, нигде ни огня, ни звука, хоть бы собака пролаяла.

Людмила молча шла впереди, ее залепленная снегом спина то исчезала, то вновь возникала перед Алтынником. Поворачивали направо, налево, опять направо. Иногда ему казалось, что они кружат на одном месте. В какой-то момент стало страшно: мало ли слышал он разговоров, как какого-нибудь доверчивого чудака женщина заводила в темное место, а там... Ведь никто же не знает, что в роскошном его чемодане ничего нет, кроме смены белья да портянок. В крайнем случае можно, конечно, чемодан бросить и дать волю ногам. Но куда побежишь, когда мокро, скользко и незнакомое место? И, как назло, под ногами ни камня, ни палки.

— Далеко еще? — спросил он подозрительно.

— Нет, недалеко, — ответила Людмила, не оборачиваясь.

— Ну у вас и погодка, та еще, — громко сказал Алтынник. Все-таки когда говоришь, не так страшно. — А я ваш адресок товарищу оставил, он утречком должен подскочить. Не возражаете?

Насчет товарища он сейчас только придумал: пусть знает, если что — адрес известен.

— Пожалуйста, — сказала Людмила.

Ее согласие Ивана несколько успокоило, и он не стал излагать следующую придуманную им версию, что, в случае чего, его, Ивана Алтынника, как военнослужащего и необходимого в данный момент стране человека будут разыскивать всюду и, если что, перероют всю эту вшивую станцию. Потом сообразил, что их видел вместе дежурный по станции, и это успокоило его окончательно.

Еще раз повернули направо и остановились перед забором из штакетника.

Людмила перекинула руку через забор и звякнула щеколдой.

Скрипнув, отворилась калитка.

— Проходите, — сказала Людмила.

— Собаки нет? — осторожно спросил Алтынник.

— Нет, — сказала Людмила. — В прошлом годе был Тузик, так брат его из ружья застрелил.

— За что же? — удивился Алтынник.

— Ружье новое купил. Хотел проверить.

— И не жалко было?

— Кого? — удивилась Людмила.

— Да Тузика.

— Так это ж собака.

Маленьким кулачком в шерстяной варежке долго она колотила в закрытую дверь, потом, утопая в свежем сугробе, пролезла к окну. Качнулась в сторону занавеска, показалось расплывающееся в темноте чье-то лицо.

— Мама, откройте, — негромко сказала Людмила.

За окном вспыхнул электрический свет. Послышались негромкие, но тяжелые шаги, дверь распахнулась, и на пороге появилась крупная старуха в валенках, в нижней полотняной рубахе. В руке она держала зажженный китайский фонарик.

— Проходите, — еще раз сказала Людмила Алтыннику и сама пошла вперед, показывая дорогу. Старуха, посторонившись, светила фонариком. Тускло сверкнули коромысло и ведро, развешанные на стенах. В нос ударил запах квашеной капусты.

Пройдя через сени, Алтынник очутился в комнате, жарко натопленной и освещенной лампочкой без абажура.

Он поставил чемодан у порога и нерешительно топтался, осматриваясь.

— Раздевайтесь, — предложила Людмила и сама подала пример. Размотала пуховый платок и сняла пальто с серым воротником из искусственного каракуля. Теперь на ней было темное шерстяное платье с глубоким вырезом. Алтынник посмотрел на нее и вздохнул. Там, на перроне, он, пожалуй, ошибся. Карточка была не десятилетней давности, а постарше.

Он повесил шинель на гвоздь возле двери и расправил под ремнем гимнастерку.

Вернулась старуха, положила на табуретку фонарик.

— Мама, познакомьтесь, — сказала Людмила.

Старуха вежливо улыбнулась и протянула Алтыннику черную искривленную руку.

— Иван Алтынник, — громко сказал Иван.

— Чудна́я фамилия, — не называя себя, покачала головой старуха.

— Чего же в ней чудного? — обиделся Алтынник. — Фамилия самая обыкновенная, происходит от слова «алтын». Слыхала такое слово?

— Нет, не слыхала, — отказалась старуха.

— Как не слыхала? — изумился Алтынник. — Алтын, в старое время деньги такие были.

— Эх, милый, — вздохнула старуха. — У нас денег не то что в старое время, а и теперь нету.

— Полно вам прибедняться, — возразила Людмила. — Живем не хуже людей. Ваня, наверное, маланец. Правда, Ваня? — она повернулась к Алтыннику и улыбнулась.

— Кто-кто? — не понял Алтынник.

— Маланец.

— Угу, маланец, — согласился Алтынник, чтобы не спорить, хотя все же не понял, что это значит.

— Ох-хо-хо, — вздохнула старуха и, скинув валенки, полезла на печку.

Положив руки в карманы, Алтынник прошел по комнате, осмотрелся. Комната была самая обыкновенная деревенская. Ведра с водой на лавке возле двери, тут же рукомойник, дальше на стене портрет Кагановича, под ним рамочка с налезающими одна на другую фотографиями. Красноармеец в довоенной форме с треугольничками на петлицах, старик в очках, ребенок на столе голый, масса каких-то людей группами и в одиночку, и среди них кое-где Людмила. Была здесь и та фотография, которую знал Алтынник, и другие, последнего времени. Прислала бы Людмила одну из последних, сейчас бы Алтынник уже обнимался на перроне с хроменькой Наташей.

Продолжая осмотр, наткнулся он на косо повешенное полотенце, где была вышита плоская девушка в трусах, лифчике и с одним глазом. Девушка лежала, задрав ноги, на животе и держала в руках что-то, похожее на раскрытую книгу. Подпись под картиной гласила: «На курортах». Алтынник отступил на шаг и прищурил сперва один глаз, потом другой.

— Вы вышивали? — спросил он уважительно.

— Я, — скромно сказала Людмила.

— Ничего, — оценил он. — Так это вообще... — Он подумал, но нужного определения не нашел и махнул рукой.

Без интереса скользнул взглядом по темной иконе в углу — религиозные предрассудки не уважал, сквозь полуоткрытую дверь заглянул в горницу, но там было темно. Тут ему послышалось чье-то посапывание за выцветшей ситцевой занавеской, отделявшей пространство между печью, куда залезла старуха, и дверью.

Алтынник резко шагнул к занавеске и отдернул ее. Здесь увидел он белобрысого парня лет четырнадцати, который спал лицом к стене на железной кровати с шишечками.

— Кто это? — Алтынник строго посмотрел на Людмилу.

— Сын, — сказала Людмила и стыдливо потупилась.

— Внуков нет?

— Что вы, — обиделась она, — я еще молодая.

— Юная, — поправил Алтынник, отошел к стоявшему у окна столу, сел и положил локти на скатерть с бледными, вышитыми гладью цветами. Девушка «на курортах» висела на противоположной стене и единственным своим глазом смотрела не в книгу, а на Алтынника. Он достал свой «Казбек» и, не спрашивая разрешения, закурил. Поинтересовался:

— Когда будет следующий поезд?

— У нас только один поезд, на котором вы приехали, — сказала Людмила. — Другие не останавливаются.

— Угу. Так-так. — Он побарабанил по столу пальцами. — И чего ж делать будем? — поднял голову и нахально посмотрел на Людмилу.

Она смешалась и покраснела. «Ишь ты, еще краснеет», — про себя удивился Алтынник.

— Ну, так я спрашиваю: чего делать будем? — повторил он свой вопрос, чувствуя, что сейчас может сказать все, что хочет.

— Кушать хотите? — не поднимая глаз, тихо спросила Людмила.

— Кушать? — понимающе переспросил Алтынник и посмотрел на часы (было без пяти три). — Чего ж делать? Давайте кушать.

В одну минуту Людмила стащила со стола скатерть, постелила клеенку, и не успел Алтынник оглянуться, на столе стояли пол-литра водки, теплая еще жареная картошка с салом и пироги с грибами.

— Со знакомством, — сказал Алтынник, подняв стакан.

— Со знакомством, — кивнула Людмила.

7

Надеялся Алтынник, что сразу же опьянеет, но выпили всю бутылку, а ему хоть бы хны. Несмотря на то что с утра ничего не ел, кроме двух пирожков с мясом, купленных на Курском вокзале. Но в груди потеплело, и настроение стало получше. Он снял сапоги, ремень и расстегнул гимнастерку. Чувствовал себя легко, свободно, закусывал с аппетитом и все благожелательнее поглядывал на Людмилу.

Людмила от водки тоже оживилась, на щеках выступил румянец, глаза блестели. Она уже казалась Алтыннику не такой старой, как при первом взгляде, а вполне привлекательной. Теперь он не сомневался в том, что хорошо проведет эти сутки в ожидании следующего поезда, а большего он и не хотел. И то, что Людмила была не самой первой молодости, Алтынник теперь расценивал как факт положительный: очень надо ему иметь дело с молоденькими дурочками вроде Галки, которые строят из себя черт-те что. Перед ним сидела женщина настоящая, не то что недоросток какой-то, уж она-то знает, зачем люди целуются и что делают после. Губы ее и глаза обещали Алтыннику многое, и он знал совершенно точно, что теперь своего не упустит и таким лопухом, как тогда с Галкой, не будет. И от уверенности в том, что все будет, как он себе наметил, было ему сейчас весело. Давно уже он умял всю картошку и принялся за пироги, которые показались ему особенно вкусными.

— Пироги ну просто замечательные, — сказал он, чтобы сделать хозяйке приятное и потому, что неудобно было за свой неумеренный аппетит. — А то ведь в армии у нас пища какая: шрапнель, конский рис и кирза. Хоть бы, вот я говорю, сливочного масла дали кусочек солдату, так нет, не положено. А как же. Друзей всех кормим. Но солдат — тоже ведь человек, ты на нем хоть верхом ездий, а кусочек маслица дай. От этой кирзы только живот дует, а калорий и витаминов почти никаких. А вот грибы уважаю. Хоть сушеные, хоть свежие. Потому что высокие вкусовые качества — раз! — Алтынник загнул один палец. — И по калорийности не уступают мясу — два!

— Это точно, — подтвердила Людмила. — Мы во время войны, когда голод был, одними грибами спасались. Бывало, пойдешь в лес, наберешь корзинку...

И как начала она с этих грибов, так и пошла дальше, перескакивая с темы на тему, без остановки рассказывать Алтыннику свою жизнь с того времени, как в сорок четвертом году, осенью, вышла замуж за парня, работавшего на станции электриком, и прожили они вместе до декабря, когда его взяли в армию, и он успел дойти до самого Берлина живой и невредимый, но на обратном пути в поезде застудил голову и умер, а она осталась жить для ребенка и никого близко к себе не подпускала, хотя многие добивались, потому что знали ее как женщину самостоятельную, чистую, и ее все уважали, не только соседи, но и по работе, некоторые врачи даже из института приходят и с ней советуются, ведь сколько ни учи, но теория — это одно, а практика — другое, и ни у одного врача, приходящего из института, такой практики нет и быть не может; тут на станции не то что в большом городе в поликлинике, где есть отдельно хирург и отдельно терапевт или невропатолог, здесь хоть зубы лечить, хоть роды принимать — все бегут к ней; вчера, например, ночью прибежали с другого конца станции, там старуха с печки упала, старухе будет в обед сто лет, а ты поднимайся ночью, беги, потому что народ несознательный, считает, что фельдшера можно поднимать в любое время, сам восемь часов отработал и свободен, а тут никакого внимания, уж лучше рабочим на производстве или бухгалтером, как ее брат Борис, который живет в районном городе, двадцать километров отсюда, у него там тоже свой дом, жена Нина и дочка Верушка, которой на прошлой неделе исполнилось два годика, живут, правда, плохо; несмотря на то что Нинка кончила техникум, но такая неряха — когда в дом ни придешь, всегда грязи по уши, посуда не мыта, не то что за ребенком — за собой следить не умеет; уж она, Людмила, ничего Борису, конечно, не говорит, сам женился, самому жить, но все же обидно — родной брат, младше ее на три года, вместе росли, а потом, когда она выучилась и ему помогала учиться, каждый месяц пятьдесят рублей посылала, отрывая от себя и ребенка, чего Борис теперь уже не помнит (все люди неблагодарные), приезжает каждое воскресенье домой и хоть бы матери-старухе к дню рождения или на Восьмое марта подарил ситцу на платье или сто граммов конфет, дело не в деньгах, конечно, хотя знает, что фельдшеру много не платят, несмотря на выслугу лет; так он еще, как приедет, требует каждый раз, чтобы она ему пол-литра поставила; мужчина, известно, за пол-литра мать родную продаст, как, например, сосед-учитель, который до того допился, что и жена от него ушла, и дети родные отказались, только название одно, что мужчина, а на самом деле настоящее горе, уж лучше век одной вековать, чем с таким связывать свою жизнь...

Алтынник слушал сперва терпеливо и даже поддакивал и охал в подходящих местах, но потом стал морщиться и отвлекаться. Ему давно уже было не интересно ни ее прошлое, ни будущее, он приехал вовсе не для того, чтобы изучать ее биографию, а совсем для другого дела, на что он и хотел как-нибудь намекнуть, но невозможно было прорваться, она все сыпала и сыпала на него свои рассказы, как из мешка, один за другим, и все в такой жалобной интонации, что уже ничего не хочется, а хочется только спать (время позднее), но приходится вежливо таращить глаза да еще делать вид, что тебе это все безумно интересно. Но когда речь дошла до учителя, он все же не выдержал и сказал:

— Извините, Людмила, я вас перебью, но как бы мы бабушку не разбудили.

— Да ничего, над ней хоть из пушки стреляй, — успокоила Людмила, порываясь рассказывать дальше. — Значит, про что это я говорила?

Но Алтынник потерял нить, не помнил и не хотел помнить, про что она говорила. Он хмуро смотрел перед собой и вертел за горлышко пустую бутылку.

— Может, вы еще выпить хотите? — догадалась Людмила.

— А есть?

Хотя, конечно, и хотелось спать, все же он помнил, зачем сюда приехал, а в распоряжении одни только сутки, и если не сейчас, то когда?

— А как же. — Она пошла в горницу и тут же вернулась с плоским флаконом, широкое горло которого было заткнуто газетой.

— Самогон? — спросил Алтынник.

— Спирт.

— Спирт?

— Я же медик, — улыбнулась Людмила.

— Спирт я люблю, — одобрил Алтынник, хотя чистый спирт ни разу в жизни не пробовал. — Мы у себя пьем ликер «шасси».

— Ликер чего? — не поняла Людмила.

— То есть гидросмесь, — пояснил Алтынник, — которая заливается в стойки шасси. Семьдесят процентов глицерина, двадцать спирта и десять воды.

— И ничего?

— Ничего, — сказал Алтынник. — Правда, потом понос бывает, но вообще-то пить можно.

Разбавили спирт водой, выпили, закусили.

— Да, так я вам про учителя не рассказала, — вспомнила Людмила.

Алтынник посмотрел на нее и попросил:

— Не надо про учителя.

— А про что? — удивилась Людмила.

— А ни про что, — сказал он и вместе со стулом придвинулся к ней. Положил руку ей на плечо. Она ничего. Повернул слегка ее голову к себе. И она без всякого сопротивления вдруг повернулась и впилась в его губы своими.

Это было так ошеломительно, что Алтынник в первый миг растерялся, а потом ринулся навстречу тому, что его ожидало, и дал волю рукам, жалея, что их у него только две, что они короткие и что нельзя все сразу. Людмила, не отрываясь от его губ, прижималась к Алтыннику грудью, коленями, вздрагивала и дышала, изображая такую сумасшедшую страсть, как будто сейчас помрет, и вдруг резко его оттолкнула, так что он ударился локтем об стол. Алтынник схватился за локоть и удивленно посмотрел на Людмилу.

— Ты... чего? — спросил он, с трудом выдавливая слова, потому что дыхания не хватало.

— Ничего. — Людмила загадочно усмехалась.

Видимо, спирт наконец подействовал: Алтынник смотрел на Людмилу и не мог понять, что она хочет.

— Эх ты, герой! — засмеялась она и легонько стукнула его по голове. — Думаешь, если женщина одинокая, так у нее сразу можно всего добиться?

— А разве нельзя? — удивился Алтынник.

— Вам всем только этого и нужно, — вздохнула она. — Все мужики как собаки, честное слово. Ни поговорить ничего, только про свое дело и думают.

Алтынник смутился.

— Так мы ж говорили, — неуверенно возразил он и пообещал: — Опосля еще поговорим.

— Дурак, — сказала она и положила голову на стол.

Алтынник задумался. Видно, он сделал что-то не то, потому что она сперва вроде бы поддалась, а теперь заартачилась. А скорее всего, просто дурочку валяла.

Алтынник попытался ее снова обнять, но она его опять оттолкнула и приняла прежнюю позу.

— Людмила, — помолчав, сказал Алтынник. — Ты чего из себя это строишь? Ты же не девочка и должна знать, зачем ты меня приглашала и зачем я к тебе приехал, и не за тем, чтобы над тобой посмеяться или пошутить, а чтоб по-товарищески сделать тебе и себе удовольствие. А если ты из себя будешь девочку строить, то надо было сразу или сказать, или намекнуть, потому что время у меня ограничено, сама понимаешь — солдатское положение.

Она молчала. На печи негромко всхрапывала и чмокала губами во сне старуха. Алтынник посмотрел на часы, но спьяну не мог разобрать — то ли половина четвертого, то ли двадцать минут шестого. Людмила сидела, положив голову на руки. Иван еще посидел, повздыхал, почесал в голове. Было обидно, что зря потратил столько времени и не выспался.

Нагнувшись, достал он под столом сапог, вынул из него портянку и стал наматывать на ногу. Задача эта оказалась нелегкой, потому что стоило ему задрать ногу, как он терял равновесие и хватался за край стола, чтобы не свалиться с табуретки. В конце концов с этим сапогом он кое-как справился и полез за вторым. Людмила подняла голову и удивленно посмотрела на Алтынника:

— Ты куда собираешься?

Он пожал плечом:

— На станцию.

— Зачем?

— А чего мне здесь делать? Поеду.

— Куда ж ты поедешь? До поезда еще цельные сутки.

— Ничего, подожду, — сказал он, принимаясь за второй сапог.

— Обиделся?

Он молчал, сосредоточенно пытаясь попасть ногой в голенище.

— Эх ты, дурачок, дурачок, — Людмила вырвала у него сапог и швырнула обратно под стол.

Он только хотел рассердиться, как она схватила его и стала целовать, и он снова все позабыл, и опять не хватало рук и нечем было дышать.

— Подожди, — шепнула она, — сейчас свет погашу, пойдем в горницу.

Он с трудом от нее отлепился. Он мог подождать, но недолго. Поцеловав его, она на цыпочках прошла к двери и щелкнула выключателем. Свет погас.

Алтынник ждал ее нетерпеливо, чувствуя, как беспорядочно колотится сердце, словно дергают его за веревку. Людмила не возвращалась.

— Людмила! — позвал он шепотом.

— Сейчас, Ваня, — отозвалась она из темноты тоже шепотом.

Он поднялся и, чувствуя, что ноги его не держат, хватался за край стола и таращил глаза в темноту, пытаясь хоть что-нибудь разглядеть. Но, ничего не увидев, осторожно оторвался от стола и, как был в одном сапоге, направился туда, где, по его мнению, находилась Людмила.

Он шел бесконечно долго и в конце своего пути напоролся на табуретку, повалил ее, чуть не свалился сам и сильно зашиб колено. Табуретка упала с таким грохотом, что ему показалось: сейчас он поднимет весь дом. И действительно, старуха на печи коротко вскрикнула, но, должно быть, во сне, потому что тут же опять захрапела и зачмокала губами. Он понял, что забрал слишком сильно вправо, и пошел дальше, стараясь держаться левее, и наткнулся на какую-то тряпку и догадался, что это занавеска, за которой спал сын Людмилы. Он отшатнулся, но занавеска оказалась и сзади. И слева, и справа. Чтобы освободиться от нее, он стал делать над головой такие движения руками, как будто отбивался от целого роя пчел, запутался окончательно и, не видя иного способа вырваться, дернулся что было сил в сторону. Где-то что-то затрещало, Алтынник рухнул на пол и на этот раз ударился головой. «Господи! — подумал он с тоской. — Так я сегодня и вовсе убьюсь». Он попытался подняться, но никаких сил для этого не было. Тогда он пошарил вокруг себя руками, наткнулся на какой-то веник, подложил его под голову и уснул.

8

Проснулся он оттого, что стало больно глазам. Солнце светило прямо ему в лицо сквозь полузамерзшие стекла. Слегка повернув голову, он увидел, что лежит в комнате совершенно ему незнакомой, на широкой кровати и под ним мягкая перина и огромная пуховая подушка. За круглым столом посреди комнаты между окном и зеркальным шкафом сидел парень лет четырнадцати в старой школьной форме. Должно быть, считалось, что парень сейчас делает уроки, на самом же деле он одну за другой зажигал спички, совал их, зажженные, в рот, а потом перед зеркалом шкафа выдыхал дым и делал страшные рожи. Алтынник стал за ним следить через зеркало. Парень чиркнул очередной спичкой, раскрыл рот и в этот момент встретился с отраженным в зеркале Алтынником. Он вздрогнул, закрыл рот, а спичку зажал в кулаке и, наверное, обжегся. Потом повернулся, и они оба бесконечно долго разглядывали друг друга.

Парень первый нарушил молчание.

— Мамка побегла в магазин, — сказал он.

— У-у, — промычал Иван в знак того, что все ясно, хотя ему ничего не было ясно.

— Ты в каком же классе? — спросил он парнишку.

— В восьмом.

«Ничего себе», — удивился Алтынник. Сам он кончил только семь классов.

— А зовут тебя как?

— Вадик.

— Молодец, — похвалил Алтынник и прикрыл глаза. Побаливала голова. То ли оттого, что он вчера немного перебрал, то ли оттого, что он, кажется, обо что-то вчера ударился. Было у него еще такое ощущение, будто из его памяти выпало какое-то очень важное звено, но он не мог понять, какое именно. Смутно помнилось, вроде он ночью что-то искал, не нашел, улегся на полу. Но как он попал в кровать? И в мозгу его слабо забрезжило воспоминание, что будто бы Людмила подняла его с пола и положила к себе в постель и между ними как будто что-то было, а она его потом спросила:

— Почему же ты говорил, что маланец?

А он спросил:

— Что такое маланец?

— Еврей.

— А почему ж маланец?

— Ну, сказать человеку «еврей» неудобно, — пояснила Людмила.

Теперь никак он не мог припомнить, приснилось ему это все или было на самом деле. Но думать не хотелось, и он вскоре уснул.

9

Когда он открыл снова глаза, Вадика в комнате уже не было. Решив, что уже поздно, Алтынник встал, надел штаны (они вместе с гимнастеркой висели на спинке стула перед кроватью), сунул ноги без портянок в сапоги и вышел в соседнюю комнату.

Старуха в разорванном под мышками ситцевом платье (нижняя рубаха выглядывала из-под него) стояла спиной к Алтыннику возле печи и, нагнувшись, раздувала самовар.

Алтынник подошел к старухе сзади и крикнул в самое ухо:

— Бабка, где тут у вас уборная?

— Ой, батюшки-светы! — вскрикнула старуха и подняла на Алтынника перепуганные глаза. — Ой, напужал-то... Ты чего кричишь?

— Я думал, ты глухая, — махнул рукой Алтынник. Он поморщился. — Ой, бабка, мутит меня что-то, и голова вот прямо как чугун, честное слово.

— Похмелиться надо, — сочувственно улыбнулась бабка.

— Что ты, бабка! Какое там — похмелиться. Мне это вино и на глаза не показывай, и так там, внутре, как будто крысу проглотил, честное слово. Чего-нибудь бы холодненького испить бы, а, бабка?

— Кваску, — нараспев сказала старуха.

— А холодный? — оживился Алтынник.

— А как же. Чистый лед!

Алтынник обрадовался.

— Давай, бабка, быстрей, не то помру, — заторопил он.

Старуха сбегала в сени и вернулась с трехлитровой бутылью красного свекольного кваса. Алтынник хватил целую кружку.

— У-уу! — загудел он довольно. — Вот это квас! Аж дух зашибает. Погоди, бабка, не уноси. Сейчас я сбегаю по малому делу, еще выпью, а то уже некуда, под завязку.

На улице было морозно и солнечно. Жмурясь от слепящего глаза снега, Алтынник пробежал через огород к уборной и обратно, ворвался в избу немножко оживший, выпил еще квасу, попробовал закурить, не пошло — бросил. Поинтересовался у старухи, не пришла ли Людмила.

— Да еще не верталась. — Старуха все возилась у самовара.

— А Вадик где же?

— Гуляет.

— А ну-ка, бабка, подвинься, я дуну, — сказал Иван и отодвинул бабку плечом.

У него дело пошло лучше, и скоро самовар загудел.

— Вó как надо дуть, — не удержался и похвастал Алтынник. — Три раза дунул — и порядок. У меня, бабка, легкие знаешь какие. Смотри, как грудь раздувается. — Он действительно набрал полную грудь воздуха да еще и выпятил ее до невозможности. — Поняла? Ты, бабка, не смотри, что росту среднего. Я на гражданке лабухом был. В духовом оркестре учился. На трубе играл. Она маленькая, а играть потяжельше, чем на басу. На басу просто, хотя и здоровый. Знай только щеки раздувай побольше, ума не надо. А на трубе, бабка, губы покрепче сожмешь и вот так делаешь: пу-пупу. И звук получается, бабка, чистый, тонкий. Бас, он мычит, все равно что баран: бэ-э, бэ-э, а труба... — Алтынник взял в руки воображаемую трубу и стал перебирать пальцами, словно нажимал клавиши. Но только собрался изобразить он, какой звук издает труба, как во дворе заиграла гармошка и, приблизившись к дому, смолкла. В сенях загремели тяжелые чьи-то шаги. Дверь распахнулась, и на пороге появилась фигура огромного мужика в синем зимнем пальто и валенках, подвернутых у колен. На груди у него висела маленькая для его роста гармошка. Алтынник все еще держал руки, как будто собирался играть на трубе.

Вошедший, не обращая ни на кого внимания и не здороваясь, снял и поставил гармошку на лавку рядом с ведрами, взял в углу веник и стал не спеша обмахивать валенки.

— Ох, погодка хороша, — сказал он, видимо обращаясь к старухе.

— Один приехал? — спросила старуха.

— Один. Верушка простыла, температурит, ну, Нинка с ней и осталась. — Бросив веник на прежнее место, он прошел мимо Алтынника и сел к столу.

— А в прошлое воскресенье чего не приехал?

— А этого хоронили... как его... Ваську Морозова, — сказал он все в той же своей бесстрастной манере.

— Ай помер? — удивилась старуха.

— Ну. С прорабом своим древесного спирту нажрался. Прораб ослеп на оба глаза, а Васька... в среду это они, значит, выпили, а в четверг утром, Райка евонная рассказывает, на работу собирался. Нормально все, встал, умылся, завтракать она ему подала. Он сел, все как положено. «Радио, — говорит, — надо включить, время проверить». И потянулся к приемнику, а приемник от его так примерно с метр, нет, даже меньше, ну, сантиметров девяносто... Так потянулся он и вдруг как захрипит да брык со стула. Райка ему: «Вася, Вася», а Вася уже неживой.

— О господи! — вздохнула старуха. — Райка-то, чай, убивается?

— Сука, — махнул рукой мужик. — Она ж с этим... с Гришкой милиционером путалась. Вся улица знала. Да и Васька сам знал. Уж он, бывало, бил ее и к кровати привязывал, никакого внимания. А теперь, конечно, убивается. Невдобно ж перед людя́ми.

Алтынник постоял немного и тоже сел. Исподволь стали друг друга разглядывать. Алтынник заметил, что у мужика много сходства с Людмилой, и догадался, что это, наверное, тот самый брат, который убил собаку. Оба неловко молчали. Старуха возилась у печки.

— А это кто? — неожиданно громко спросил мужик у старухи, показывая кивком головы на Алтынника, как будто Алтынник был для него какой-нибудь шкаф или дерево.

— А это к Людке приехал, — равнодушно объяснила старуха.

— Где ж это она его нашла?

— По переписке.

— А-а.

Мужик неожиданно шумно вздохнул, поднялся, шагнул к Алтыннику и протянул ему свою огромную лапу.

Алтынник вздрогнул, посмотрел на мужика снизу вверх.

— Чего? — спросил он, заискивающе улыбнувшись.

— Познакомимся, говорю.

— А-а. — Алтынник вскочил, пожал протянутую руку: — Иван.

— Очень приятно. Борис, — назвал себя ответно мужик.

Сели на свои места, постепенно стали нащупывать тему для разговора.

— В отпуск едешь? — спросил Борис.

— В командировку.

— Виатор? — уважительно не то спросил, не то просто отметил для себя Борис. — Я виацию не люблю. Шумит больно. Я служил в войсках связи поваром. Служба хорошая, только старшина вредный был.

Для любого солдата тема старшины неисчерпаема. Людмила вернулась как раз в тот момент, когда Алтынник, ползая по полу на карачках, показывал, как именно старшина де Голль учил молодых солдат мыть полы.

10

Людмила принесла с собой бутылку «Кубанской», сели завтракать. Как ни противно было Алтыннику смотреть на водку, пришлось пить. Бабка поставила на стол ту же жареную картошку, крупно нарезанные соленые огурцы и вчерашние пироги с грибами. Людмила села рядом с Иваном, вела она себя так, как будто ничего не случилось. Он искоса поглядывал на нее, пытался и не мог понять, было между ними что или просто ему приснилось.

Борис разлил водку — себе и гостю почти по полному стакану, сестре половинку, а матери самую малость для компании.

Иван этой водкой чуть не захлебнулся, выпил, правда, до дна, но потом стал долго и стыдно кашлять и морщиться.

— Не пошла, — с пониманием отнесся Борис.

— А ты закуси, Ваня, пирожком, — сказала Людмила и подала ему пирог. — Понравились ему твои пироги, — сказала она матери.

— Кому ж они не нравятся, — сказал Борис. — Фирменное блюдо. Вообще у нас, Ваня, жизнь хорошая. Грибов этих самых завал. Вот приезжай летом, возьмем два ружья, пойдем в лес. Грибов наберем, зайцев настреляем.

— Уж ты настреляешь, — засмеялась Людмила. — Ты за всю жизнь, окромя как в Тузика, ни в кого не попал, да и то потому, что он был привязанный.

— Ты ее не слушай, Ваня, — убеждал Борис. — Мы живем хорошо. Овощ свой, мясо — кабана вот скоро зарежем, свое молоко... Корову видал?

— Нет, — сказал Алтынник, — не видал.

— Пойдем покажу, — Борис вышел из-за стола.

— Да куда ж ты человека тянешь? — возмутилась Людмила. — Чего он — корову не видел?

— Твою не видел, — стоял на своем Борис. — Пойдем, Вань.

Алтыннику идти не хотелось, но и отказываться было вроде бы неудобно. Он встал.

— Борис! — повысила голос Людмила.

— Ну пущай посмотрит, — не сдавался Борис. — Может, ему интересно. Он же городской. Он, может, корову в жизни своей не видел, на порошковом молоке вырос.

— Ну что пристал к человеку, — поддержала Людмилу старуха, — сядь, тебе говорят.

— Ну ладно, — сдался Борис. — Давай, Ваня, допьем, а им больше не дадим.

Разлил остатки в два стакана, выпили.

— Мама, вы говорили, что он маланец, а он не маланец, — вдруг сказала Людмила и подмигнула Ивану.

Кровь бросилась Алтыннику в голову. Значит, все, что ему смутно припоминается, было на самом деле, не приснилось.

— Это он сам тебе сказал? — не поверила бабка.

— А он мне паспорт показывал, — сказала Людмила и бессовестно засмеялась.

Борис намека не понял и сказал:

— А у солдат паспортов не бывает. У них служебные книжки. Ваня, у тебя есть служебная книжка?

— А как же, — сказал Иван. — Вот она. — Он расстегнул правый карман и протянул документ Борису.

Борис взял служебную книжку и стал ее перелистывать. Людмила не удержалась и тоже заглянула через плечо матери.

— А чего это здесь написано? — удивилась она.

— А это размер ног, головы, — объяснил Борис и перелистнул страницу. — Особых отметок нету, — сообщил он и повернулся к Алтыннику: — Чего ж так? Хочешь, сейчас в поссовет пойдем, там Катька секретарем работает, и штампик тебе поставим?

— Еще чего — штампик, — возразил Алтынник. — Дай сюда.

Он забрал служебную книжку и положил на место, в карман.

— Мне и без штампа хорошо, — сказал он. — Молодой я еще для штампов.

— Сколько ж тебе годов будет? — поинтересовалась старуха.

— Двадцать три.

— Молодой, — недоверчиво сказала старуха. — Молодой не молодой, а семьей надо обзаводиться, детишками. Это ж какая радость — детишки.

— Людмила, — сказал Борис, — у тебя спирту нет?

— Нет, — сказала Людмила. — Немного оставалось, вчера выпили.

— Поди-ка сюда. — Борис отозвал ее в соседнюю комнату и о чем-то с ней говорил, судя по всему, просил денег, а Людмила отказывала. Потом они вместе вышли.

— Пойдем, Ваня, прогуляемся, — предложил Борис. — Посмотришь наш поселок, а то ж ночью небось ничего не видал.

— Пойдем, — согласился Иван.

11

В небольшом магазине напротив станции выпили они еще по полстакана водки и по кружке бочкового подогретого пива. Зашли на станцию проверить расписание и выпили там в буфете по стакану красного. На обратном пути завернули опять в магазин, взяли еще по кружке пива. Бутылку «Кубанской» Борис запихал в левый внутренний карман пальто.

— Вó, Настёнка, — похлопав себя по тому месту, где выпирала бутылка, — сказал Борис продавщице, — грудь побольше, чем у тебя. Еще б сюда бутылку — и можно в самодеятельности бабу играть.

— А чего ж не возьмешь еще? — спросила Настёнка.

— Время не хватает, — пошутил Борис и пошевелил пальцами, словно пересчитывая деньги.

Назад пошли напрямую, по тропинке через какие-то огороды. Тропинка была узкая, левой ногой Алтынник шел нормально, а правой попадал почему-то в сугроб. «Видно, обратно косею», — подумал он безразлично.

Вернувшись, сели опять за стол. Алтынник выпил еще полстакана и после этого помнил себя уже смутно.

Почему-то опять разговор зашел насчет возраста.

— А мне вот скоро тридцать пять годов будет, — сказала Людмила, — а никто мне моих годов не дает. Двадцать шесть, двадцать восемь от силы.

— Еще взамуж десять раз выйдешь, — сказал Борис.

— А у нас Витька Полуденов, — вмешалась в разговор бабка, — со службы пришел, взял за себя Нюрку Крынину, а она на двадцать лет его старше и с тромя ребятами. И живут меж собой лучше не надо.

Алтынник насторожился. Он понял, куда клонит бабка. Ему стало весело, и он сказал:

— Ишь, бабка-хитрюга. Думаешь, я не понимаю, к чему ты все это гнешь? А хошь вот я, — он хлопнул ладонью по столу, — на тебе женюсь? — Он повернулся к Борису: — А, Борис? А ты меня будешь звать папой и будешь нам с бабкой платить алименты по старости лет.

Эта мысль показалась ему настолько смешной, что он долго не мог успокоиться и трясся от мелкого, может быть, нервного смеха. Но его никто не поддержал, а наоборот, все трое насупились и недоуменно переглядывались. Поняв, что сказал бабке что-то обидное, он перестал смеяться. Старуха сидела, поджав тонкие губы.

— Что, бабка, обиделась? — удивился Алтынник.

— Еще б не обижаться, — сказал вдруг Борис. — Нешто можно старому человеку глупости такие говорить?

— Фу-ты ну-ты, — огорчился Алтынник. — Что за народ пошел. Мелкий, пузатый, обидчивый. В рожу плюнешь — драться лезет. Я ж пошутил просто. Характер у меня такой веселый: люблю пошутковать, посмеяться. Ты говоришь, этот ваш... как его... взял на двадцать лет старше, а я тебе говорю: давай, мол, бабка, с тобой поженимся. Ну ты, конечно, не на двадцать годов меня старше, потому что у тебя дочь мне все равно как мать. А жениться, бабка, мне еще ни к чему. Я, бабка, еще молодой. Двадцать три года. Можно сказать, вся жизнь впереди. Вот армию отслужу, пойду в техникум, после техникума в институт. Инженером, бабка, буду.

Ему вдруг стало так грустно, что захотелось плакать. И говорил он все это таким тоном, как будто к трудному и тернистому пути инженера его приговорили и приговор обжалованию не подлежит.

Людмила, сидевшая рядом с Алтынником, на эти его слова реагировала самым неожиданным образом. Она вдруг встала, покраснела и изо всей силы грохнула вилку об стол. Вилка отскочила, ударилась в оконное стекло, но, не разбив его, провалилась на пол между столом и подоконником.

— Ты чего, Людка? — вскочил Борис.

— Ничего, — сказала она и кинулась в соседнюю комнату.

Борис пошел за ней. Бабка молча вздохнула и стала собирать посуду. Алтынник сидел растерянный. В его мозгу все перемешалось, и он никак не мог понять, что здесь произошло, кого и чем он обидел. Бабка собрала посуду и стала мыть ее возле печки в тазу с теплой водой. За дверью соседней комнаты слышен был глухой голос Бориса, он звучал монотонно-размеренно, но ни одного слова разобрать было нельзя, хотя, правда, Алтынник особенно и не пытался. Потом послышался какой-то странный, тонкий, прерывистый звук, как будто по радио передавали сигнал настройки музыкальных инструментов.

— Ну вас! — махнул рукой Алтынник и уронил голову на стол. Но стоило ему только закрыть глаза, как в ту же секунду он вместе со стулом и со столом начинал переворачиваться, он хватался за край стола, рывком поднимал голову — и все становилось на место.

Дверь из соседней комнаты отворилась, вошел Борис. Он сел за стол на свое место, взял рукой из тарелки кусок огурца и начал жевать.

— Чего там такое? — спросил Алтынник не потому, что это ему было действительно интересно, а просто как будто бы полагалось.

— Чего ж чего? — Борис развел руками. — Обиделась на тебя Людка.

— С чего это вдруг? — удивился Алтынник.

— Не знаю, — Борис пожал плечами. — Тебе лучше знать. Вчерась обещал на ней жениться, а теперь и нос в сторону.

— Кто? Я обещал? — еще больше удивился Иван.

— Я, что ли?

— Вот тебе на! — Алтынник подпер голову рукой и задумался. Неужто вчера по пьянке что-то такое он ляпнул? Да вроде не может этого быть, и на уме такого у него никогда не было. — Ишь ты, жениться, — бормотал он. — Еще чего! Делать нечего. Да если б я захотел... любая девчонка... У меня на гражданке была восемнадцать лет... Художественной гимнастикой занималась. Очки носила минус три...

Борис молча жевал огурец, не обращая никакого внимания на слова Алтынника, и выбивал пальцами на столе барабанную дробь.

Алтынник посмотрел на него, встал и пошел в соседнюю комнату. Людмила лежала поперек кровати животом вниз и тихонько скулила. Именно этот скулеж и показался Алтыннику похожим на сигнал настройки.

— Э! — Алтынник отодвинул ее ноги в сторону, сел и потряс ее за плечо. Она продолжала скулить на той же ноте.

— Слышь, Людмила, перестань, — дергал ее за плечо Алтынник. — Я это самое... не... не... — язык у него заплетался, — не люблю, когда плачут.

— И-и-и-и-ииии, — выла Людмила.

— Вот тоже еще завела свою музыку! — Алтынник в досаде хлопнул себя по колену. — Слышишь, что ли, Людмила? Ну чего плакать? Ведь можно и по-человечески поговорить. Ты говоришь — жениться я на тебе обещался?

Людмила перестала выть и прислушалась.

— А я вот не помню. И не помню, было у нас чего или не было, честное слово. Потому что пьяный был. Ну а по пьяному делу, сама знаешь, мало ли чего можно сказать или сделать. Ведь ты, Людмила, взрослая женщина. Ты старше меня, и намного старше, Людмила. Ты, если правду говорить, по существу мне являешься мать.

Услышав последние слова, Людмила выдала такую высокую ноту, что Алтынник схватился за голову.

— Ой, что же это такое! — закричал он. — Людмила, перестань, я тебя прошу, Людмила. Ну, если я тебе обещал, я готов, Людмила, пожалуйста, хоть сейчас, но и ты войди в мое положение, пожалей меня. Я ведь, Людмила, еще молодой, я хочу учиться, повышать свой кругозор. Зачем тебе губить молодую жизнь? Найди себе какого ни то мужичка, подходящего по твоему возрасту, а я еще к семейной жизни не подготовлен, у меня об этом деле никакого понятия...

Не меняя в своей песне ни одной ноты, Людмила поднялась, села на кровати, спустив ноги на пол, и продолжала выть, широко раскрыв рот и бессмысленно пуча глаза в пространство.

Алтынник отбежал в сторону, прижался к стене. Не смолкая ни на секунду, Людмила стала не спеша отрывать от своей кофточки по кусочку кружева, словно лепестки ромашки: любит, не любит... «С ума сошла!» — похолодел Алтынник. Он выскочил в соседнюю комнату. Борис попрежнему сидел за столом, но теперь он жевал пирог.

— Борис! — закричал Алтынник.

— Чего? — равнодушно спросил Борис.

— Людмиле плохо. Воды!

— Вон налей, — Борис невозмутимо показал глазами на графин.

У Ивана тряслись руки, и половину воды он пролил мимо стакана. Со стаканом вернулся в горницу. Кружевная кофточка Людмилы за это время уже сильно уменьшилась в размере.

— Людмила, — ласково сказал Иван, — на-ко вот, выпей водички, и все пройдет.

Он схватил одной рукой ее голову, а другой пытался влить в рот воду, но оттого, что дрожали руки, только бил ее стаканом по зубам, а вода лилась ей на грудь.

Резким движением она вышибла стакан из его руки, стакан ударился о спинку кровати и вдребезги разбился.

— И-и-и-и-и-иии!

Терпение Алтынника кончилось. Он выбежал за дверь.

— Всё! — закричал он Борису. — Уезжаю. К чертовой матери! Где мой чемодан?

— Где его чемодан? — спросил Борис у матери, подметавшей пол тем самым веником, который ночью Алтынник использовал вместо подушки.

— Там, — сказала старуха, махнув веником в сторону двери.

— Там, — повторил Борис.

Алтынник подошел к двери, но у порога остановился. Звук, доносившийся из горницы, вызвал у него дрожь в коленях.

— Борис! — взмолился Иван. — Скажи ей, что я согласный. Что я на ей женюся прямо сейчас. Как говорится, предлагаю ей руку и сердце. Руку и сердце, — повторил он и засмеялся: эта фраза показалась ему смешной.

И у него вдруг все поплыло перед глазами, закружилось в бешеном темпе, он еле дошел до стула, уронил на стол голову и тут же уснул.

12

— Эй, вставай, что ли!

Кто-то тряс Алтынника за плечо.

С трудом разлепив веки, он увидел перед собой Бориса.

— Вставай, Ваня, пойдем, — ласково сказал Борис.

— Куда? — не понял Алтынник.

— Да в поссовет же.

— Зачем?

— Забыл, что ли? — Борис сочувственно улыбнулся.

Алтынник потер виски и увидел Людмилу. Людмила красила губы перед зеркалом, которое держала старуха. Лицо Людмилы было густо напудрено, особенно под глазами, но следы недавней истерики оставались. Пока Алтынник спал, она еще раз переоделась. Теперь на ней был синий костюм и новая белая блузка под жакеткой, встретишь на улице, подумаешь — из райкома.

Алтынник мучительно пытался и не мог никак вспомнить, куда он собирался идти с этими людьми и какое отношение к нему, военному человеку, имеет их поссовет.

— Пойдем, что ли, — нетерпеливо сказал Борис.

— Пойдем.

Ничего не вспомнив (но раз говорят, значит, нужно), Алтынник встал и, сильно шатаясь из стороны в сторону, пошел к выходу.

— Погоди, — остановил его Борис. — Шинелку надень. Ишь, разбежался. На улице-то, чай, не лето.

Борис подал шинель, и Алтынник долго тыкал руками куда-то, где должны были быть рукава, и все никак не мог попасть. Наконец все обошлось.

— Вот так, — говорил Борис, застегивая на Иване шинель. — Вот застегнем все крючки, теперь ремёшек наденем, пилоточку поправим — на два пальца от левого уха. Людмила, поддержи-ка его пока, чтоб не упал. — И, пока Людмила поддерживала, отошел на два шага, оглядел Алтынника критическим взглядом и был удовлетворен полностью. — Ну, теперь полный порядок, хоть на парад на Красную площадь. На параде на Красной площади не был?

— Нет, — сказал Алтынник.

— Будешь, — пообещал Борис.

Вышли на улицу. Борис шел впереди и играл на гармошке, Алтынник в двух шагах держал взглядом спину Бориса и все время водил головой, потому что ему казалось — спина у Бориса куда-то уплывает, и он боялся сбиться с дороги. За Алтынником шла Людмила, покрасневшая от вина и от слез и возбужденная предстоящим событием.

То и дело к дороге выходили какие-то люди. Выползали старухи, черные, как жуки. Никогда Алтынник не видел одновременно столько старух. Они смотрели на процессию с таким удивлением, как будто по улице вели не Алтынника, а медведя.

— Милок, — спросила Бориса одна старуха, — куды ж это вы его, болезного, ведете?

— Куды надо, — растягивая гармошку, ответил Борис.

Дошли до какой-то избы. Здесь Борис дал Людмиле подержать гармошку, а сам прошел внутрь. Вскоре он вернулся с какой-то девушкой. На ней была новая телогрейка и клетчатая шаль, похожая на одеяло.

— А он согласный? — кинула девушка беглый взгляд на Алтынника.

— А как же, Катя, — заверил Борис. — Чай, не жулики мы какие, сама знаешь. Всю жизнь по суседству живем. Сам приехал, говорит, руку и сердце... Скажи, Ваня.

— Сердце? — переспросил Алтынник. — А чего сердце? — И вдруг запел: — «Сердце, тебе не хочется покоя...»

— Ну пойдемте, — сказала Катя.

Дошли еще до какой-то избы. На ней была вывеска. Пока Катя притопывала от холода и гремела ключами, открывая замок, Алтынник пытался и не мог прочесть вывеску. Буквы прыгали перед глазами, никак не желая соединиться в слова. Тогда он попытался с конца и прочел: «...путатов трудящихся».

— Что такое «путатов»? — громко спросил он у Людмилы.

— Заходи, — сказал Борис, пропуская его вперед.

Пропустив затем и Людмилу, Борис вошел сам и закрыл за собой дверь.

Небольшое холодное помещение было загромождено двумя письменными столами, железным сейфом, закрывавшим половину окна, и рядом сколоченных между собой стульев вдоль боковой стены.

— Это что здесь, милиция? — спросил Алтынник.

— Милиция, — сказал Борис и, слегка надавив ему на плечи, усадил на крайний стул возле двери.

Людмила стояла возле стола и — то ли от холода, то ли от возбуждения — мелко постукивала зубами.

Девушка открыла сейф, вынула и положила на стол толстую книгу типа бухгалтерской и какие-то бланки. Потыкала ручкой чернильницу, но чернила замерзли.

— На, Катя, — Борис протянул ей свою авторучку.

— Где у него служебная книжка? — спросила Катя.

— Ваня, где у тебя служебная книжка? — ласково спросила Людмила.

Алтынник открыл один глаз:

— Какая книжка?

— Служебная. Ты ж ее вынимал. Борис, не помнишь, куда он ее положил?

— Должна быть в правом кармане, — подумав, рассудил Борис. — В левом — партийный или комсомольский билет, в правом — служебный документ.

Он подошел к Ивану, расстегнул правый карман, и книжка очутилась на столе перед Катей.

Катя долго дула на замерзший прямоугольный штамп, потом приложила его к книжке и с силой придавила двумя руками.

В этот момент Алтынник на миг протрезвел и понял, что происходит что-то непоправимое, какое-то ужасное шарлатанство.

— Э-э! Э! — закричал он и захотел подняться, но только оторвался от стула, как почувствовал, что пол под его ногами стал подниматься к потолку и одновременно переворачиваться. Алтынник быстро ухватился за спинку стула, сел и махнул рукой. И он не помнил, как подносили ему бумагу, вложили в пальцы авторучку и водили его рукой...

13

Потом справляли свадьбу — не свадьбу, но что-то похожее было. Был стол, выдвинутый на середину комнаты, были какие-то гости. Пили «Кубанскую», красное и разбавленный самогон. Алтынник сидел во главе стола рядом с Людмилой, и гости кричали «горько». Он послушно поднимался и подставлял губы невесте, хотя и было противно.

Борис играл на гармошке. Толстая, лет сорока пяти баба плясала и дергала за веревку спрятанную под юбкой палку и выкрикивала частушки похабного содержания. Потом какой-то парень, дружок Бориса, в косынке и переднике изображал невесту. Гости смеялись.

Мать Людмилы хлопотала у стола, следя, чтобы всем всего хватило и чтобы никто не взял ничего лишнего.

Потом Людмила плясала с Борисом, и на гармошке играл парень в косынке.

Рядом с Алтынником на месте Людмилы сидел пожилой человек в старом военном кителе без погон. Это был местный учитель, и его имя-отчество было Орфей Степанович.

— Я, Ваня, тоже служил в армии. — Он придвинулся к уху Алтынника. — До войны еще служил. Да. Людей расстреливали. Мне, правда, — он вздохнул, — не пришлось.

— А чего ж так? — удивился Алтынник.

— По здоровью не прошел, — Орфей Степанович развел руками. — А у меня, Ваня, дочь тоже замужем за майором. В Германии служит. Вот китель мне подарил. А с женой я развелся. Ушла она от меня, потому что я пьяница. Суд был, — сказал он уважительно.

— А трудно разводиться? — поинтересовался Алтынник.

— Ерунда, — сказал Орфей Степанович и уронил голову в тарелку с салатом.

Потом Алтынник каким-то образом очутился на огороде за баней, и его рвало на белом, как сахар, снегу. Черная облезлая собака тут же все подбирала, и Алтынник никак не мог понять, откуда взялась эта собака.

Потом появилась откуда-то Людмила. Протянув руку Алтынника через свое плечо, она пыталась его сдвинуть с места и ласково говорила, как маленькому:

— Тебе нехорошо, Ваня. Пойдем домой, постелим постельку, ляжешь спатки. Тебе завтра рано вставать.

— Уйди! — Он мотал головой и хватался за живот. Его еще мучили спазмы, но рвать уже было нечем, а собака, не зная этого, отбежав на два шага, виляла хвостом и голодными глазами с надеждой смотрела Алтыннику в рот.

— Пошла вон! — топнула ногой Людмила.

Собака отбежала еще на шаг и теперь виляла хвостом с безопасного расстояния.

Потом Людмила тащила его на себе через весь огород, а он вяло перебирал ногами. На крыльце он все-таки задержался. На улице вдоль забора стояли и смотрели на него, Алтынника, черные, похожие на ту собаку за баней старухи. Они заискивающе улыбались, надеясь, что если и не пригласят, то по крайности, может быть, вынесут угощение. Не потому, что были голодные, а ради праздника.

На крыльце Алтынник оттолкнул от себя Людмилу.

— Эй, бабки! — закричал он, делая руками какие-то непонятные круговые движения. — Валите все сюда! Гулять бутем! Алтынник женится!

Он попытался изобразить что-то вроде ритуального индейского танца, но потерял равновесие и чуть не свалился с крыльца, спасибо, Людмила вовремя подхватила.

Старухи дружно загомонили и тут же повалили в калитку, словно прорвали запруду.

— Да куды ж вы, окаянные, лезете! — закричала Людмила, подпирая Алтынника плечом и подталкивая к двери. — Стыда на вас нету!

— Хозяин приглашает, — округляя «о» в слове «хозяин» и ставя ногу на крыльцо, упорствовала возглавлявшая шествие маленькая старуха с выдвинутым вперед подбородком.

— Хозяин, хозяин, — передразнила Людмила. — Хозяин-то вон на ногах не стоит, а вам лишь бы попить да пожрать на чужой счет, бессовестные!

Она втолкнула Алтынника в сени и захлопнула дверь перед самым носом маленькой старухи, и за дверью слышен был еще глухой недовольный гомон.

В комнату Алтынник вполз чуть ли не на карачках. Из круговорота множества лиц, сливающихся в одно, выплыл со стаканом в руке Орфей Степанович.

— Выпей, Ваня, винца, полегчает, — говорил он, тыча стаканом Алтынника в нос.

От одного только вида водки Алтынника перекосило всего, он зарычал по-звериному и отчаянно замотал головой.

— Уйди, ненормальный! Уйди! — закричала Людмила учителю и ткнула в лицо ему маленьким своим кулачком. Из носа Орфея Степановича хлынула кровь и потекла на китель. Орфей Степанович неестественно задрал голову вверх и пошел, как слепой, к столу, в вытянутой руке держа перед собой стакан.

Появились Борис и Вадик. Вдвоем подхватили они Алтынника под руки, втащили в соседнюю комнату. Людмила забежала вперед, сдернула с кровати одеяло, и Алтынник повалился в пуховую перину, как в преисподнюю. Последнее, что он помнил, это как кто-то стаскивал с него сапоги.

Не успел он заснуть, как его разбудили.

— Ваня, вставай. — Над ним стояла Людмила.

Под потолком горела лампочка без абажура. За окном было черно.

— Сейчас утро или вечер? — спросил Алтынник.

— Полвторого ночи, — сказала Людмила. — Скоро поезд.

Он послушно спустил ноги с кровати. Одеваться было трудно. Болела голова, жгло в груди и дрожали руки. А когда наклонился, чтобы намотать портянку, так замутило, что чуть не упал. Кое-как все же оделся и вышел в другую комнату. Старуха, босая и в нижней рубахе, хлопотала возле стола.

— Позавтракай, Ваня, — сказала она.

На столе стояла сковородка с яичницей, пироги, полбутылки водки.

Алтынника передернуло.

— Что ты, бабка, какой там завтрак.

Он встал под рукомойник и нажал затылком штырек. Вода медленно текла по ушам и за шиворот. Потом он отряхнулся, как собака, и вытер лицо поданным ему бабкой полотенцем. Выпил ковшик воды из ведра. Вода была теплая и пахла железом. И от нее как будто он снова слегка захмелел. Повесил ковшик на ведро и долго стоял, бессмысленно глядя на стену перед собой.

— Пойдем, Ваня, — тронула его за рукав Людмила.

Он надел шинель, нахлобучил пилотку, тронул рукой — звездочка оказалась сзади, но поправлять не хотелось, каждое движение давалось с трудом. Взял чемодан. Бабка сунула ему узелок из старой, но чистой косынки.

— Чего это? — спросил он.

— Пироги с грибами. — Бабка заискивающе улыбнулась.

— Ой, бабка, — скривился Алтынник, — на кой мне эти ваши пироги?

— Ничего, ничего, в дороге покушаешь, — сказала Людмила. Она взяла у бабки узел и отворила дверь.

Алтынник помотал головой, протянул бабке руку.

— До свидания, бабка. — И первым вышел на улицу.

На улице потеплело и стоял густой липкий туман. Иван шел впереди, ноги расползались в отмерзшей под снегом глине, он осторожно переставлял их, думая только о том, чтобы не упасть — потом не встанешь.

Людмила сзади старалась ступать след в след.

На станции Людмила едва успела сбегать к кассирше прокомпостировать билет — подошел поезд. Алтынник поднялся в тамбур, встал рядом с проводницей у открытой двери.

— Возьми пироги, — Людмила подала ему узел.

Он вздохнул, но взял.

Людмила стояла внизу, маленькая, жалкая и, держась за поручень, смотрела на Ивана преданными глазами. Он молчал, переминался с ноги на ногу, ожидая, когда дадут отправление.

Дежурный ударил в колокол. Зашипели тормоза, поезд тронулся. Людмила, держась за поручень, осторожно, боясь поскользнуться, пошла рядом.

— Уж ты, Ваня, не забывай, пиши почаще, — сказала она, — а то мы с мамой будем волноваться. А если что будет нужно из еды либо одежи, тоже пиши.

Алтынник поколебался — сказать, не сказать. Потом решил: была не была, наклонился и прокричал:

— Ты меня, Людмила, не жди! На том, что вы со мной сделали, я ставлю крест и больше к тебе не вернусь.

— Ах! — только успела раскрыть рот Людмила, но тут же ей пришлось отцепиться — поезд убыстрял ход.

14

Прошло, может быть, месяца три с тех пор, как Алтынник с тяжелой головой покинул станцию Кирзавод, выполнил свое командировочное задание и вернулся в родную часть. О том, что с ним за это время произошло, Алтынник никому не рассказывал, и никто не заметил в нем никаких перемен, кроме, пожалуй, Казика Иванова, который обратил внимание на то, что Алтынник совершенно перестал писать письма, но сам Казик никакого значения своему открытию не придал.

Письма от заочниц Алтыннику еще поступали. Некоторые он просматривал, другие выбрасывал не читая. Не писал он, конечно, и Людмиле, и она тоже молчала.

На октябрьские праздники демобилизовались последние однополчане, кому вышел срок в этом году. Теперь Алтынник стал самым старослужащим, вышел, как говорят, на последнюю прямую. Последний год стал он тяготиться службой, надоело, считал дни, а дней оставалось неизвестно сколько, могут отпустить пораньше, а могут и задержать. Работы на аэродроме последнее время он избегал, все время старался попасть в наряд дежурным по летной столовой, по штабу или, в худшем случае, по эскадрилье. Так и кантовался он — лишь бы день до вечера, сутки в наряде, сутки свободен и снова в наряд.

О женитьбе своей среди хлопот армейской жизни он иногда забывал, иногда она казалась ему просто кошмарным сном. Но убедиться в том, что это ему не приснилось, было совсем нетрудно, стóило только достать из кармана служебную книжку и открыть на странице «особые отметки».

Конечно, можно было протестовать против незаконного заключения брака, но Алтынник не верил, что жалобами можно чего-либо достичь. Как бы не было еще хуже, потому что он трижды и грубейшим образом нарушил армейские законы. Во-первых, сутки фактически пробыл в самоволке, а самовольная отлучка свыше двух часов считается дезертирством. Во-вторых, напился пьяный, что тоже запрещено. И в-третьих, женился без разрешения командира части.

Пытался он свести штамп вареным яйцом — не получилось, думал залить чернилами — побоялся, что посадят за подделку документов.

Оставалось ему ждать, что рано или поздно обман раскроется или что доживет он как-нибудь до демобилизации, а там сменит служебную книжку на чистый паспорт — и прощайте, Людмила Ивановна.

15

Однажды, вскоре после Нового года, был он в наряде дежурным по эскадрилье. Был понедельник, вегетарианский день (солдаты называют его итальянский) и день политзанятий. После завтрака эскадрилью построили и увели в клуб смотреть тематический кинофильм «Защита от ядерного нападения». Двух дневальных после уборки старшина де Голль увел на склад ОВС получать белье для бани. Алтынник еще раз обошел все комнаты казармы, проверил заправку постелей, поправил сложенные треугольником полотенца и вышел в коридор. Дневальный Пидоненко возле входа в казарму сидел верхом на тумбочке и ковырял ее вынутым из ножен кинжалом.

— Пидоненко, — сказал ему Алтынник, — смотри, Ишты-Шмишты должен зайти, увидит, что сидишь, двое суток влепит без разговоров.

— Не бойсь, не влепит, — сказал Пидоненко. — Приказ командира дивизии — техсостав не сажать.

— Это летом, — возразил Алтынник, — когда много полетов. А сейчас полетов нет, кому ты нужен.

Однако настаивать он не стал, да и Пидоненко его не очень-то бы послушал. В авиации и офицеров не больно боятся, а о младшем сержанте и говорить нечего.

Алтынник ушел к себе в комнату и, расстегнув верхний крючок шинели, прилег на свою койку на нижнем ярусе, шапку сдвинул на лоб, а ноги в сапогах пристроил на табуретку. В казарме было жарко натоплено, клонило в сон. Но только он закрыл глаза, как в коридоре раздался зычный голос Пидоненко:

— Эскадрилья, встать! Смирно! Дежурный, на выход!

Трахнувшись головой о верхнюю койку, Алтынник вскочил, быстро поправил постель, шапку, застегнул крючок шинели и, опрокинув табуретку, выскочил в коридор.

Пидоненко по-прежнему сидел верхом на тумбочке, болтал ногами, и лицо его выражало полное удовлетворение, оттого что так ловко удалось провести дежурного.

— Дурак, и не лечишься, — сказал Алтынник и покрутил у виска пальцем. Он хотел вернуться в казарму, но Пидоненко его окликнул:

— Алтынник!

— Чего? — Алтынник смотрел на него подозрительно, ожидая подвоха.

— Тебе Казик письмо принес.

— Ну, давай заливай дальше.

— Не веришь, не надо. — Пидоненко вытащил из-под себя мятый конверт, стал вслух разбирать обратный адрес: — Станция... не пойму. Пивзавод, что ли?

— Дай сюда! — кинулся к нему Алтынник.

Если б он просто сказал, равнодушно, Пидоненко бы отдал. А тут ему захотелось подразнить дежурного, он соскочил с тумбочки, отбежал в сторону.

— Нет, нет, ты сперва спляши. Кто это? «Алтынник, — прочел он. — Л. И.». Жена, что ли?

— Дай, тебе говорят! — Расставив руки, Алтынник пошел на него. Началась беготня. Опрокинули тумбочку. В конце концов договорились, что Пидоненко отдаст письмо за четыре (по числу углов на конверте) удара по носу. С красным носом, выступившей слезой и конвертом в руках Алтынник вернулся в свою комнату и у окна дрожащими от волнения руками вскрыл письмо.

«Привет со станции Кирзавод!!! Здравствуй, дорогой и любимый супруг Ваня, с приветом к вам ваша супруга Людмила, добрый день или вечер!

Настоящим сообщаю, что мы живы и здоровы, чего и вам желаем в вашей молодой и цветущей жизни, а также в трудностях и лишениях воинской службы.

У нас, Ваня, все хорошо. Учитель Орфей Степанович, которого видели вы на нашей свадьбе, в нетрезвом виде попал под поезд, ввиду чего на похороны приезжала его дочь Валентина из Германской Демократической Республики. Она плакала и убивалась. На октябрьские зарезали кабана, так что теперь живем с салом и мясом, одно только горе, что вы живете не поблизости и ничего нам не пишете вот уже целых три месяца. Мама все спрашивает, когда конец вашей армейской службе, а Вадик мне говорит: мама, можно я дядю Ваню буду называть папа? А вы как думаете, а???! О себе кончаю.

Погоды у нас стоят холодные, много снега. Старики говорят, что урожай будет обильный. Борис вступил в партию КПСС, потому что перевели его на должность главным бухгалтером и работа очень ответственная.

К сему остаюсь с приветом
ваша любимая супруга Людмила.

P. S. Ваня, приезжайте скорее, мама на пекла пирогов с грибами, они вас дожидаются».

Не желая откладывать этого дела, Алтынник тут же примостился на тумбочке и составил ответ:

«Людмила, во первых строках моего маленького послания разрешите сообщить вам, что наш законный брак считаю я недействительным, потому что вы с вашим братом Борисом (а еще коммунист!) обманули меня по пьяному делу, ввиду чего я считаю брак недействительным и прошу больше меня не беспокоить.

С приветом не ваш Иван.

P. S. А насчет пирогов, кушайте их сами».

Фамилию адресата написал он не Алтынник, а Сырова.

Письмо это он отдал Казику Иванову, но попросил при этом отправить его через гражданскую почту доплатным.

После этого затаился и стал ждать возможных неприятностей. И через две недели получил новое письмо. Людмила писала так, как будто ничего не случилось:

«Ваня, ваше письмо по лучили, большое спасибо. У нас все по-старому. Мама немного болели верхним катаром дыхательных путей, теперь по правились. Соседа нашего Юрку Крынина ударило током, когда он починял телевизор. Наши мужики за копали его в землю, а надо было делать искусственное дыхание рот в рот, в результате чего летальный исход не избежен.

Ваня, я хочу сообщить вам огромную радость, которая переполняет всю мою душу и сердце. У нас будет... ребенок!!! Как вы на это смотрите, а???»

Алтынник на это посмотрел так, что в глазах у него потемнело. В своем ответе он написал:

«Людмила, вы эти свои шутки бросьте, потому что мы были с вами только один раз и то еще неизвестно. От чего вы должны были предохраняться, если на себя не надеялись. Тем более что с незнакомым мужчиной, с которым до этого не были лично знакомы, а знакомство было на основании взаимной переписки, куда вы подложили фото, где вы снимались до Революции. А если у вас будет ребенок, то он будет не мой, что может показать судебная экспертиза, вы являетесь медиком по здоровью населения и должны это хорошо себе знать и зарубить на своем носу. А от пирогов ваших меня давно тошнит, к чему и остаюсь не ваш Иван».

Это письмо он также отправил доплатным. Несмотря на это, она продолжала регулярно писать, аккуратно отделяя приставки от остальных частей слова и сообщая Алтыннику станционные новости, с кем что случилось. И даже когда Алтынник перестал отвечать на ее письма и перестал их читать и, не читая, вкладывал в конверт и отправлял доплатным, Людмила не отчаялась, не опустила руки, а продолжала писать с завидной настойчивостью. 23 февраля получил Алтынник от нее поздравительную телеграмму, а на 1 Мая пришла посылка, которую он получать отказался и не поинтересовался, что в ней находится, но думал, что там пироги с грибами, и, наверно, не ошибся.

16

Летом полк переехал в лагеря в деревню Граково.

Сезон начался с летных происшествий. Один летчик заблудился в воздухе, израсходовал керосин и сел в чистом поле за сорок километров от аэродрома с убранными шасси.

Самолет списали.

Другой летчик сломал на посадке переднюю ногу шасси, выворотил пушки, одна из которых пробила керосиновый бак. Когда взломали заклинивший фонарь кабины, летчик сидел по горло в керосине, хорошо, что еще не загорелся.

Для расследования происшествий приезжала высокая комиссия во главе с генералом. Целыми днями генерал в длинных синих трусах лазил с бреднем по местной речке Граковке, а по ночам играл в преферанс со старшими офицерами. Проиграл, говорят, четыре рубля.

Что касается происшествий, то по ним комиссия составила заключение, что виной всему слабая воинская дисциплина. За то, что летчики не умеют летать, досталось больше всего, конечно, срочной службе. Рядовой и сержантский состав лишили на месяц увольнений. Правда, ходить все равно было некуда: в деревне одни старухи, а несколько молодых девчонок, которые там еще оставались, все работали в части поварами и официантками в летной столовой. Официантки солдатами и сержантами пренебрегали, летом им хватало и офицеров.

Но километрах в трех от деревни была станция — тоже Граково, и совхоз «Граково». Там у Алтынника была знакомая девушка по имени Нина. Ей было семнадцать лет, и она училась в десятом классе. У Алтынника были на Нину серьезные виды, и он нетерпеливо ждал, когда кончится этот проклятый месяц и можно будет вырваться в увольнение.

И вот наконец этот день настал. В субботу после полетов семь человек выстроились на линейке перед палатками. Старшина де Голль, заложив руки за спину, прошел перед строем, проверяя чистоту подворотничков, блеск пуговиц и сапог. Остановился напротив Алтынника и долго его разглядывал. Алтынник весь напрягся: сейчас старшина к чему-нибудь придерется.

— Алтынник, — сказал старшина, — комэска тебя вызывает.

— Зачем? — удивился Алтынник.

— Раз вызывает, значит, нужно.

Майора Ишты-Шмишты нашел он в беседке напротив штаба, где у летчиков бывал разбор полетов, а у механиков политзанятия. На восьмигранном столике перед майором лежали шлемофон с очками, планшет и толстый журнал, куда майор, высунув от напряжения язык, записывал сведения о последнем летном дне.

Если бы Алтынник встретил майора на улице в гражданском костюме, он никогда не поверил бы, что этот тучный, обрюзгший, с бабьим лицом человек летает на реактивном истребителе и считается одним из лучших летчиков во всей дивизии. Впрочем, многие считали майора дураком, потому что он ездил на велосипеде, в отличие от других летчиков, имевших автомобили.

Отпечатав, как положено, три последних шага строевым, Алтынник вытянулся перед майором и кинул ладонь к пилотке:

— Товарищ майор, младший сержант Алтынник по вашему приказанию прибыл.

На секунду оторвавшись от журнала, майор поднял глаза на Алтынника и покачал головой.

— Ишь ты, шмиш ты, надраился, как самовар. В увольнение собираешься?

— Так точно, товарищ майор! — рявкнул Алтынник.

— Пьянствовать думаешь? — Майор склонился над журналом.

— Никак нет!

— А может быть, у тебя свидание с девушкой?

— Так точно! — Алтынник интимно улыбнулся в том смысле, что, дескать, мы, мужчины, можем понять друг друга. Но майор этой улыбки не видел, потому что писал.

— Так-так. — Майор перевернул страницу и стал строчить дальше. — А служебная книжка у тебя с собой?

— Так точно! — механически прокричал Алтынник и тут почувствовал, как сердце в груди заныло. Он понял, что то, чего он долго боялся, пришло.

— Положи сюда, — свободной левой рукой майор хлопнул по столу, показывая, куда именно Алтынник должен положить служебную книжку. При этом, не поднимая головы, он продолжал писать.

Алтынник расстегнул правый карман, нащупал твердую обложку документа, но вынимать медлил, как будто мог думать, что майор забудет.

— Давай, давай, — сказал майор и, не глядя на Алтынника, протянул руку.

Замирая от страха и от предчувствия беды, Алтынник положил книжку на край стола. Майор сгреб и пододвинул ее к себе. Продолжая что-то писать в журнале, он одновременно перелистывал страницы книжки и перебрасывал взгляд с одного на другое, так что Алтынник как ни был напуган предстоящим, а удивился: здорово это у него получается, и тут и там успевает. Так, перелистывая служебную книжку, майор дошел до того места, где стоял злополучный штамп. Майор глянул на штамп, дописал еще какую-то фразу, поставил точку, отодвинул в сторону журнал вместе с планшетом и шлемофоном и придвинул к себе служебную книжку.

— Ишь ты, шмиш ты, — удивленно сказал он, разглядывая книжку как-то сбоку. — «Зарегистрирован брак с Сыровой Людмилой Ивановной». Что это такое? — он отодвинулся от книжки и тыкал пальцем в штамп с такой брезгливостью, словно это был какой-нибудь клоп или таракан.

Не зная, что сказать, Алтынник молчал.

— Я вас спрашиваю, что это такое? — майор грохнул кулаком по столу так, что планшет с шлемофоном подпрыгнули.

Алтынник не реагировал.

— Алтынник! — распалялся майор. — Я вас русским языком спрашиваю, где вы нашли эту Людмилу Сырову? Кто вам давал право жениться без разрешения командира полка?

И тут Алтынник почувствовал, как все, что у него накопилось за это время, подступило к горлу комком и вдруг вырвалось каким-то странным и диким звуком, похожим на овечье блеянье.

— Вы что — смеетесь? — удивился майор.

Но тут же он понял, что Алтынник совсем не смеется, а схватился за столб и колотится в истерике.

— Алтынник, ты что? Что с тобой?

Перепуганный майор подбежал к Алтыннику, схватил за плечи, заглянул в лицо. Алтыннику было стыдно за то, что он так воет, он хотел, но не мог сдержаться.

— Алтынник, — тихо, чуть ли не шепотом сказал майор, — ну перестань, пожалуйста. Я тебя очень прошу. Я не хотел тебя обижать. Ну встретил ты там какую-то женщину, полюбил, решили жениться, пожалуйста, никто тебе не мешает. Но ты хоть предупреди, хоть скажи, чтоб я знал. А то вдруг ни с того ни с сего получаю вот эту писульку. — Он достал из планшета лист из тетради в клеточку, и Алтынник, все еще всхлипывая, но уже гораздо спокойнее увидел знакомый почерк: «В виду не устойчивого морального облика моего мужа Алтынника Ивана, прошу не отпускать его в увольнение, что бы из бежать случайного знакомства с женщинами легкого по ведения и сохранить развал семьи, более, не желательные по следствия. К сему...» И какая-то закорючка, и в скобках печатными буквами: «Алтынник».

Дочитал Алтынник этот документ до конца, задержал взгляд на подписи и почувствовал, как губы его опять поползли в разные стороны, и он снова заплакал, да так безутешно, как не плакал, может быть, с самого детства.

17

В сентябре отпускали первую очередь демобилизованных. Оказалось их в эскадрилье всего восемь человек, в том числе и Алтынник. Накануне вечером Ишты-Шмишты произнес перед строем торжественную речь и каждому из восьми выдал по грамоте.

Пришел он и утром после завтрака, когда демобилизованные вышли на линейку с чемоданами. Явился в парадной форме, которую за два десятка лет службы носить так и не научился. Ремень на боку, фуражка на ушах. Алтынник, как старший по званию, скомандовал «смирно».

— Вольно, — сказал майор. Прошел перед строем. — Ишь ты, шмиш ты, собрались. Рады небось. Надоело. — Воровато оглянувшись, он сказал шепотом: — Да мне, если честно сказать, самому надоело. Во! — ребром ладони провел он себе по горлу.

Демобилизованные засмеялись, и вместе со всеми Алтынник, и, может быть, первый раз за все время он понял, что Ишты-Шмишты, в сущности, неплохой мужик и что, как видно, ему, несмотря на то что он майор, летчик первого класса, получает кучу денег, здесь тоже несладко.

Майор пожал каждому руку, пожелал всего, чего желают в таких случаях. Алтынник скомандовал «налево» и «шагом марш», и демобилизованные пошли к проходной не строем, а так — кучей.

Машину им, конечно, не дали. Вчера, говорят, Ишты-Шмишты поругался из-за этого с командиром полка. А идти до станции предстояло километра три с вещами.

Уже подходя к КПП, встретили Казика Иванова с сумкой. Кинулись в последний раз к нему — нет ли писем.

— Тебе есть, — сказал Казик Алтыннику.

— От кого?

— Из Житомира.

— Возьми его себе, — махнул рукой Алтынник.

— Договорились, — засмеялся Казик и поманил Алтынника в сторону: — Слушай, там тебя на КПП баба какая-то дожидается.

— Какая баба? — насторожился Алтынник.

— Не знаю какая. С ребенком. Говорит: жена.

— Вот... твою мать. — У Алтынника руки опустились. — Ребята, вы идите! — крикнул он остальным. — Я сейчас догоню.

Подумав, он решил двинуться через дальнюю проходную, бывшую в другом конце городка. Но когда вышел за ворота, первый человек, которого он увидел, был Борис. В новом синем костюме, в белой рубашке с галстуком Борис разговаривал с часовым. Увидев Алтынника, Борис заулыбался приветливо и пошел навстречу. Алтынник опустил чемодан на землю.

— Ты чего здесь делаешь? — спросил он хмуро.

— Да это все Людка панику навела, — Борис засмеялся. — Пойди, говорит, там покарауль, а то он, может, не знает, что мы здесь стоим. — Он повернулся в сторону главной проходной и, приложив ко рту ладонь, закричал: — Людка! Давай сюда!

Алтынник растерялся. Что делать? Бежать? Да куда побежишь с чемоданом! Догонят.

А Людмила с белым свертком, перевязанным синей лентой, уже приближалась.

— Не плачь, не плачь, — бормотала она на бегу, встряхивая сверток, — вот он, наш папочка дорогой. Вот он нас ждет. Не плачь. — Она перехватила сверток в левую руку, а правую, не успел Алтынник опомниться, обвила вокруг его шеи и впилась в его губы своими. Не резко, но настойчиво отжал он Людмилу от себя, отошел в сторону и рукавом вытер губы.

— Чего это? — спросил он, кивая на сверток.

— «Чего», — хмуро передразнил Борис. — Не «чего», а «кто». Это человек.

— Это твой сынок, Ваня, — подтвердила Людмила. — Петр Иванович Алтынник.

Из свертка послышался какой-то писк, который, по всей вероятности, издал Петр Иванович. Людмила снова стала подбрасывать его и бормотать:

— Ну-ну, не плачь, Петенька, птенчик мой золотой. Твой папка тут, он тебя не бросит.

Алтынник прошелся вокруг чемодана.

— Вот что, Людмила, — сказал он негромко, — ты меня ребенком своим не шаржируй, потому что я не знаю, откуда он у тебя есть, и никакого к нему отношения не имею. Что касается всего остального, то я нашу женитьбу ни за что не считаю, потому что вы завлекли меня обманом в виде нетрезвого состояния.

Он взял свой чемодан и решительно направился в сторону дороги, ведущей на станцию.

— Ой, господи! Ой, несчастье! — запричитала и засеменила рядом Людмила. — Обманули! — закричала она неожиданно тонким и противным голосом. — Обманули!

Алтынник прибавил шагу.

— Петенька! — закричала Людмила свертку. — Сыночек! Обманул тебя папка! Бросил! Родной папка! Сиротинушка ты моя горемычная!

Алтынник не выдержал, остановился. Оглянулся на проходную, там уже высыпали и с любопытством смотрели свободные солдаты из караульного помещения.

— Людмила, — сказал он проникновенно. — Я тебя прошу, оставь меня в покое. Ты же знаешь, что я тут ни при чем.

— Да как же — ни при чем? — подошел Борис. — Ведь ребенок весь в тебя, как вылитый. У нас вся деревня, кому ни показывали, говорит: капля воды — Иван. Да ты сам погляди. Людка, не ори, дай-ка сюда ребенка.

Он взял у сестры сверток и развернул сверху. Алтынник невольно скосил глаза. Там лежало что-то красное, сморщенное, похожее скорее на недозрелый помидор, чем на него, Ивана Алтынника. Но что-то такое, что было выше его, шепнуло ему на ухо: «Твой». И сжалось в тоске и заныло сердце. Но сдаться для него сейчас — значило смириться и поставить крест на всем, к чему он стремился.

— Не мой, — сказал Алтынник и облизнул губы.

— Ах, не твой? — вскрикнула Людмила. — Вот тебе! — И Алтынник не успел глазом моргнуть, как сверток очутился в пыли у его ног. — Забери его, гад ненормальный! — закричала Людмила и побежала в сторону станции. — Борис! — позвала она уже издалека. — Пойдем отсюдова, чего там стоишь?

— Я сейчас, — сказал Борис виновато и сперва нерешительно, а потом бегом кинулся за Людмилой. Догнал ее, остановил, о чем-то они коротко между собой поспорили и пошли, не оглядываясь, дальше.

С чемоданом в руках и с раскрытым ртом Алтынник долго стоял и смотрел им вслед.

— Уа! — послышался у его ног слабый писк. — Уа!

Он поставил чемодан и опустился на колени над свертком. Отвернул угол одеяла. Маленькое красное существо, у которого не было ничего, кроме широко раскрытого рта, закатывалось от невыносимого горя. И казалось непонятным, откуда у него столько силы, чтоб так кричать.

— Эх ты, Петр Иваныч! — покачал головой Алтынник. — Ну чего орешь? Никто тебя не бросает. Вот возьму отвезу к матери, к бабке твоей. Ей делать нечего, пущай возится.

18

Солнце приближалось к зениту. Поезд, к которому торопился Алтынник, давно ушел, а он все еще был на полдороге. Жара стояла такая, как будто бы не сентябрь, а серединa июля. Сняв ремень и расстегнув все пуговицы гимнастерки, спотыкаясь в пыли, Алтынник шел вперед и ничего не видел от слепящего солнца и пота, заливающего глаза. Все чаще он останавливался, чтобы передохнуть. Во рту было сухо, в груди горело. Чемодан оттягивал правую руку, а сверток левую. Ребенок давно уже выпростал из узла свои маленькие кривые ножки, сучил ими в воздухе и нещадно орал, норовя выскользнуть целиком. Алтынник подбрасывал его, поправляя, и шел дальше.

В какой-то момент он обратил внимание, что ребенок перестал кричать, посмотрел и увидел, что держит его за голову. «Задохнулся», — в ужасе подумал Алтынник, бросил чемодан, стал трясти ребенка двумя руками и приговаривать:

— А-а-а-а-а.

Ребенок очнулся, закричал, и тут же из него потекло, да так много, как будто лопнул большой пузырь. Алтынник и вовсе растерялся, брезгливо положил сверток на траву возле дороги, а сам отошел и сел на стоявший в стороне чемодан. Ребенок продолжал надрываться.

— Кричи, кричи, — сердито сказал Алтынник. — Кричи, хоть разорвись, не подойду.

Он отвернулся. Вокруг была голая степь, и уже далеко чернели искаженные маревом аэродромные постройки. Было пусто. Хоть бы одна машина показалась на пустынной дороге. Алтынник закурил, но в горле и без того першило, а теперь стало совсем противно. Он со злостью отшвырнул от себя папиросу. Вспомнил про ребенка, неохотно повернул к нему голову и обомлел. Большая грязная ворона мелкими шагами ходила вокруг свертка и заглядывала в него, скосив голову набок.

— Кыш ты, проклятая! — кинулся к ней Алтынник.

— Карр! — недовольным скрипучим голосом прокричала ворона и, тяжело взмахнув крыльями, поднялась и полетела к стоявшему вдалеке одинокому дереву.

Ребенок, перед этим притихший, снова заплакал. Алтынник неохотно приблизился, осторожно двумя пальцами развернул одеяло, потом пеленки: увидел, что несчастье больше, чем он ожидал.

Преодолевая брезгливость, стал вытирать ребенка сухим краем пеленки, потом отошел в сторону и бросил ее на траву. Достал из чемодана новые, не разрезанные еще байковые портянки, стал заворачивать в них Петра Ивановича.

— Алтынник! — услышал он сзади, вздрогнул и обернулся.

На дороге с велосипедом в руках стоял майор Ишты-Шмишты. Не отдавая себе отчета в том, что делает, Алтынник вытянулся и встал так, чтобы загородить собой ребенка.

— Твой, что ли? — с сочувствием спросил майор. Положив велосипед на землю, он подошел, заглянул в сверток. — Ну до чего ж похож! — умилился он. — Просто вылитый.

Этим словам Алтынник одновременно и обрадовался, и огорчился. А майор уже, как заправская нянька, хлопотал над ребенком.

— Кто же так заворачивает? — сокрушался он. — Это хоть и портянка, но ведь не ногу завертываешь, а ребенка. Вот смотри, как надо. Сперва эту ручку отдельно, потом эту. Теперь ножки.

И действительно, майор, не умевший толком одеть сам себя, упаковал ребенка так плотно и так аккуратно, как будто всю жизнь только этим и занимался.

— Держи! — он протянул сверток Алтыннику, и тот принял его на растопыренные руки.

Так, с растопыренными руками, он стоял перед майором в нелепой позе.

— А где жена? — спросил майор, помолчав.

«Жена»! От этого слова Алтынника покоробило. Ему захотелось объяснить майору, что никакая она не жена, и рассказать, как его, пьяного, привели в поселковый совет и совершили над ним неслыханное мошенничество, но, не найдя в себе таких сил, он только повел головой в сторону станции и сказал:

— Там.

— Ну давай я тебе помогу.

Майор взял чемодан, повесил ручкой на руль, и они пошли рядом дальше.

И тут Алтыннику первый раз за этот несчастный день повезло. Сзади послышался шум мотора. Алтынник и майор оглянулись. По дороге, приближаясь к ним, пылил шестнадцатитонный заправщик. Майор встал посреди дороги и поднял руку. Заправщик остановился. Из кабины с любопытством высунулся солдат, к счастью, незнакомый Алтыннику.

— Браток! — кинулся к нему майор. — Будь друг, подвези товарища.

— Пожалуйста, товарищ майор. — Шофер распахнул дверцу.

— Ну вот, Алтынник, видишь, как хорошо, — обрадовался Ишты-Шмишты. — Давай-ка ребенка, я подержу, а ты полезай в кабину.

Когда Алтынник устроился, майор подал ему чемодан. Шофер выжал сцепление и включил скорость.

— Подожди! — махнул ему рукой майор и влез на подножку. — Алтынник, ты вот что... — Он вдруг замялся, подыскивая слова. — Если тебе первое время будет трудно, напиши, может, я смогу как-то помочь, деньжат немножко подкину, взаимообразно, конечно. Ты не стесняйся, я зарабатываю хорошо, мне тебе немножко помочь ничего не стоит. Так что пиши. Адрес и фамилию знаешь, а зовут меня Федор Ильич.

Алтынник хотел сказать «спасибо», но язык не повиновался, и опять, как тот раз в беседке, стали дергаться губы.

Майор соскочил с подножки и махнул рукой. Шофер тронул машину.

— Федор Ильич, — сказал он и засмеялся. — Твой командир, что ли? — он скосил глаза на Алтынника.

— Ага, — сказал Алтынник.

— Чудно́й какой. — Шофер покрутил головой и засмеялся: — Сразу видно, что чокнутый.

Алтынник ничего не ответил и высунулся в окно. Грузный майор сидел на таком хрупком для него велосипеде и старательно нажимал на педали. На Алтынника он не смотрел.

19

Шофер довез Алтынника до самой станции.

— Спасибо, друг, — проникновенно сказал Алтынник, выбираясь с ребенком из кабины.

— Ничего, не стоит. — Шофер подал ему чемодан, посмотрел и опять засмеялся: — Бывай здоров, папаша.

Хлопнул дверцей, поехал дальше.

Людмилу и Бориса Алтынник нашел без труда. Они сидели в привокзальном скверике на траве, закусывали разложенными на газете пирогами и по очереди отхлебывали из открытой бутылки крюшон. Алтынник молча сел рядом, а ребенка положил на колени. Брат и сестра встретили его так, как будто ничего не случилось.

— Скушай пирожка, Ваня, — предложил Борис.

— Не хочу, — отказался Иван.

— Кушай, ты же любишь с грибами, — ласково сказала Людмила.

От одного только напоминания про эти грибы он почувствовал легкую тошноту. Он сглотнул слюну и очень спокойно сказал:

— Вот что, Людмила, я решил так. Не хочешь брать ребенка, я оставляю его у себя. Отдам матери, она сейчас на пенсию вышла, пущай побалуется.

Людмила жевала пирог и ничего не ответила, только посмотрела на Бориса.

— Тоже выдумал — матери. — Борис отхлебнул крюшону, тыльной стороной ладони вытер губы и стряхнул с пиджака крошки. — Сколько твоей матери годов?

— А на что тебе ее года? — враждебно спросил Алтынник.

— Интересно, — сказал Борис. — Грудью она кормить его сможет?

Алтынник задумался. Насчет груди как-то он не подумал. Людмила, не сдержавшись, прыснула в кулак, и, видимо, крошка попала ей в дыхательное горло. Выпучив глаза, она покраснела, стала задыхаться и кашлять, а Борис колотил ее по спине ладонью. «Может, подавится», — с надеждой подумал Алтынник, но, к сожалению, все обошлось.

Разбуженный шумом, проснулся и заплакал ребенок.

— Дай сюда, — Людмила взяла сына к себе, положила на колени и вынула грудь. Грудь была белая, густо пронизана синими жилками. Вид ее подействовал на Алтынника точно так же, как пироги с грибами, — он отвернулся.

Посидел, помолчал. Потом встал, взял чемодан.

— Ну, ладно, — сказал он, не глядя на своих собеседников. — Не хотите, не надо, я пошел. — И не спеша направился к зданию вокзала.

Но, пройдя шагов десять, услышал он за спиной страшный нечеловеческий крик и оглянулся. С болтающейся снаружи грудью и зверским выражением на лице Людмила бежала к нему и выкрикивала какие-то слова, из которых он разобрал только три: «сволочь» и «гад несчастный». Алтынник побежал. Из боковой двери вокзала выскочил милиционер. Алтынник не успел увернуться, милиционер подставил ему ногу, оба растянулись в пыли. Чемодан от удара раскрылся, и из него вывалились на дорогу зимняя шапка, зубная щетка и мыло. Милиционер опомнился первым. Он насел на Алтынника и скрутил за спиной ему правую руку.

— Пусти! — рванулся Алтынник и тут же почувствовал невыносимую боль в локте.

— Не трепыхайся, — сказал милиционер, тяжело дыша. — Хуже будет. Вставай.

Алтынник поднялся и стал стряхивать свободной рукой пыль со щеки.

— Ага, попался! — злорадно закричала Людмила. — Заберите его, товарищ милиционер!

— Что он сделал? — строго спросил милиционер.

— Бросил! — Людмила спрятала грудь и завыла: — С маленьким ребеночком... с грудным...

— А-а, — разочарованно протянул милиционер, явно сожалея о том, что он зря участвовал в этой свалке. — Я-то думал... Это вы сами разбирайтесь.

Отпустив Алтынника, он отряхнул колени и пошел к себе.

Алтынник нагнулся над выпавшими из чемодана вещами.

С ребенком на руках подошел Борис. Нагнувшись, поднял зубную щетку.

— Помыть ее надо, — сказал он.

— Дай сюда! — Алтынник вырвал щетку и бросил в чемодан. Потом долго боролся с замком.

Людмила стояла рядом и тихонько подвывала точно так же, как она это делала у себя на станции в день женитьбы.

— Не вой, — с отвращением сказал Алтынник, — я с тобой все равно жить не буду, и не надейся.

— И правильно сделаешь, — неожиданно поддержал Борис.

Алтынник опешил и посмотрел на него. Людмила завыла сильнее.

— Сказано тебе — не вой, значит, не вой! — закричал на нее Борис. — Возьми ребенка и иди на свое место!

Людмила растерялась, сразу притихла и, взяв ребенка, пошла туда, где перед этим сидела.

— Ссука! — сказал, глядя ей вслед, Борис и смачно сплюнул. — Ваня, — повернулся он к Алтыннику, — давай с тобой поговорим как мужчина с мужчиной.

— Давай валяй, — хмуро сказал Алтынник.

— Ваня, я тебя очень прошу, — Борис приложил руку к груди, — поедем с нами.

— Еще чего! — возмутился Алтынник и взялся за чемодан. — Я думал, ты чего-нибудь новенькое скажешь.

— Нет, ты погоди, — сказал Борис, — ты сперва послушай.

— И слушать не хочу, — сказал Иван и пошел к вокзалу.

— Ну, я тебя прошу, послушай, — Борис забежал вперед. — От того, что я тебе скажу, ты ж ничего не теряешь. Ну, не согласишься — дело твое. Но я тебе как другу советую: ехай с нами. Людка, она ж, видишь, не при своих. Она тебя все равно не отпустит. Она тебе глаза выцарапает.

— Ну да, выцарапает, — усмехнулся Иван. — А вот видал, — он поднес кулак к носу Бориса. — Врежу раз — через голову перевернется.

— Что ты! — замахал руками Борис. — И не вздумай! Хай подымет такой, всю милицию соберет, всю жизнь будешь по тюрьмам скитаться. Я тебе советую, Ваня, от всей души: ехай с нами. Поживешь пару дней для вида, а потом ночью сядешь на поезд — сам тебе чемодан донесу, — только тебя и видели.

— Да брось ты дурочку пороть, — сказал Алтынник. — Куда это я поеду и зачем? У меня литер в другую сторону, меня мать ждет. У меня денег столько нет, чтобы тратиться на билеты туда-сюда.

— Насчет билета не беспокойся, — заверил Борис. — Туда тебе билет уже куплен, и оттуда — за мой счет, вот даю тебе честное партийное слово. А насчет матери, так что ж. Отобьешь ей телеграмму, два дня еще подождет. Больше ждала. Ведь Людка, я тебе скажу, баба очень хорошая. И грамотная, и чистая. И в обществе себя может держать. А сумасшедшая. Влюбилась в тебя прямо до смерти, и хоть ты ей что хошь, а она долбит свое: «Хочу жить с Иваном, и все». Уж, бывало, и я, и мать говорим ей: «Куда ж ты к нему навиваешься? Ведь не хочет он с тобой жить. Разве ж можно так жизнь начинать, если с самого начала никакой любви». — «Нет, — говорит, — я его все одно заставлю — полюбит». Поехали, Ваня. Погуляешь у нас пару деньков, отдохнешь и, как только она чуть-чуть успокоится, садись на поезд и рви обратно.

Алтынник задумался. Скандалить тут, когда могут появиться знакомые солдаты из части, ему не хотелось. Ехать к Людмиле, конечно, опасно, но ведь, в самом деле, удрать он всегда успеет. В крайнем случае бросит чемодан, там ничего особенно ценного нет.

— Ну ладно. — Он перебирал еще в уме варианты, и по всему выходило, что потом ему удрать будет легче, чем сейчас. — Значит, деньги на обратную дорогу точно даешь?

— Ну сколько ж я буду божиться! — даже несколько оскорбился Борис. — Как сказал, так и будет.

— Ну гляди, — на всякий случай пригрозил Алтын
ник, — если что, всех вас перережу, под расстрел пойду,
жить с Людкой не буду.

20

Года четыре назад, будучи в командировке, попал я слу
чайно на станцию Кирзавод. Ожидая обещанной мне ма
шины, чтобы ехать в район, сидел я на деревянном крылеч
ке избушки на курьих ножках, которая именовалась вок
залом, курил сигареты «Новость» и думал: где я слышал эт
название — Кирзавод?

Маленькая площадь перед вокзалом была покрыта ас
фальтом, а все дороги, которые к ней подходили, — сплош
ная пыль. Посреди площади — железобетонный постамен
памятника кому-то, кого не то недавно снесли, не то, наобо
рот, собирались поставить. В тени постамента копошилас
рыжая клуша с цыплятами, пушистыми, как одуванчик
а вокруг катались на велосипедах двое мальчишек лет п
двенадцати и молодой милиционер в брюках, заправлен
ных в коричневые носки.

Улица, пересекавшая площадь, была пустынна. Оди
раз проехал по ней маленький экскаватор «Беларусь» с под
нятым ковшом, потом пробежал теленок с привязанными
хвосту граблями, а за ним в туче пыли ватага ребят от стар
шего дошкольного до старшего школьного возраста. Мал
чишки, которые катались по площади, устремились на ве
лосипедах туда же, за ними поехал милиционер, но пото
раздумал, вернулся на площадь и продолжал трудолюбив
выписывать на велосипеде круги и «восьмерки». Тут на сту
пеньку рядом со мной опустился какой-то человек, на ко
торого я поначалу даже не посмотрел. Видимо, желая зав
зать разговор, он вздохнул, покашлял и сказал:

— Да-а, жара.

— Угу, — согласился я, подумав, что сейчас он попро
сит закурить. И действительно.

— Закурить не найдется? — спросил он, считая, чт
знакомство наше для этого достаточно упрочилось.

— Пожалуйста. — Наблюдая за милиционером, я про-янул ему пачку.

— Ух ты, с фильтром! — удивился он. — А две можно?

— Можно.

— Спички я тоже дома забыл, — сказал он, сознавая, то дошел почти до предела. И потянулся ко мне прику-ить. Тут я в первый раз взглянул на него и узнал:

— Алтынник!

И, конечно, сразу вспомнил, где я слышал это назва-ие — Кирзавод.

— Не узнаешь? — спросил я.

— Что-то не признаю, — пробормотал он, вглядываясь мое лицо.

Я назвал себя.

— А-а. — Он успокоился, но никакого восторга не про-вил. — Я у тебя еще сигаретку возьму. На вечер.

— Бери, — сказал я. — Бери все. У меня еще есть.

— А цельной пачки нет?

В чемодане нашлась и «цельная».

Потом мы стояли в чапке, маленьком магазине напро-ив вокзала. Толстая продавщица в грязном халате налила ам по сто пятьдесят и по кружке пива. Я свою водку выпил тдельно, а Алтынник смешал. Мы стояли возле окна, при-окзальная площадь была перед моими глазами, и пропус-ить машину я не боялся.

Толковали о том о сем. Вспоминали свою службу, май-ра Ишты-Шмишты, старшину де Голля и прочих.

О теперешней его жизни я Алтынника особенно не рас-рашивал, но кое-что все же узнал.

Приехав на станцию вместе с Людмилой и Борисом, он держиваться и не думал, а собирался усыпить бдитель-ость Людмилы и удрать, как наметил, но Людмила была ачеку. Днем устраивала такие скандалы, что нечего было же и пытаться, а ночью просыпалась от каждого шороха. н все выбирал момент, выбирал, пока она снова не забе-еменела. Пробовал заставить ее сделать аборт — куда там. податься теперь вроде бы некуда. Кто возьмет мужика, которого треть зарплаты на алименты высчитывают? Да к первому ребенку за это время привык.

— А сколько у тебя всего? — не удержался я и спросил.

— Трое, — застеснялся Алтынник. — Не считая, конечно, Вадика.

— А Вадик вместе с вами живет?

— Нет, в Ленинграде. Институт кончает железнодорожный, — сказал он не без гордости.

— А кем ты работаешь?

— Кем работаю? — Он помедлил, не хотелось ему говорить. А потом бухнул, даже как будто с вызовом: — Сторожем работаю. На переезде. Поезд идет — шлагбаум открываю, ушел — закрываю. Возьми еще по кружке пива, если не жалко.

Только мы сменили на подоконнике кружки, двер в магазин распахнулась и на пороге появилась женщина красном сарафане. Живот под сарафаном у нее выпирал как футбольный мяч, на лице были характерные пятна глаза блестели.

— А, вот ты где! — закричала она на Алтынника. — Я та и знала, что ты здесь, гад несчастный, детишкам обуться н во что, а он тут последние копейки пропивает!

Алтынник весь как-то съежился, как будто стал меньш ростом.

— Да ты что, Людмила, — попробовал он возразить. — Я ж вот товарища встретил. В армии вместе служили. По знакомься.

— Ну да, еще чего не хватало, знакомиться с кажды пьяницей.

— Ну брось ты позориться, Людмила, — упрашивал Алтынник. — Это ж он меня угощает.

— Так я тебе и поверила, — не отступала Людмила. — Да во всем Советском Союзе, окромя тебя, таких дурачко нет, чтоб чужих людей угощали.

— Людмила, правда он платил, — бесстрастно подтвердила толстая продавщица.

— Ты еще тут будешь, сука противная, — повернулас Людмила к ней. — Сама только и знаешь, что на чужи мужьев глаза свои грязные таращишь.

И не успела продавщица ответить, а я опомниться, как Людмила выволокла мужа на улицу, и уже оттуда слышался ее противный и дикий визг на всю станцию.

Когда я вышел наружу, они были уже далеко. Алтынник, пригнув голову, шел впереди, Людмила левой рукой держала его за шиворот, а маленьким кулачком правой изо всей силы била по голове. По другой стороне улицы на велосипеде медленно ехал милиционер в брюках, заправленных в коричневые носки, и с любопытством наблюдал происходящее.

1969

СОДЕРЖАНИЕ

Литературно-художественное издание

КЛАССИЧЕСКАЯ ПРОЗА ВЛАДИМИРА ВОЙНОВИЧА

Войнович Владимир Николаевич

ПУТЕМ ВЗАИМНОЙ ПЕРЕПИСКИ

Ответственный редактор *О. Аминова*
Младший редактор *А. Семенова*
Художественный редактор *А. Сауков*
Технический редактор *Н. Носова*
Компьютерная верстка *В. Фирстов*
Корректор *М. Мазалова*

ООО «Издательство «Э»
123308, Москва, ул. Зорге, д. 1. Тел. 8 (495) 411-68-86.

Өндіруші: «Э» АҚБ Баспасы, 123308, Мәскеу, Ресей, Зорге көшесі, 1 үй.
Тел. 8 (495) 411-68-86.
Тауар белгісі: «Э»
Қазақстан Республикасында дистрибьютор және өнім бойынша арыз-талаптарды қабылдаушының өкілі «РДЦ-Алматы» ЖШС, Алматы қ., Домбровский көш., 3«а», литер Б, офис 1.
Тел.: 8 (727) 251-59-89/90/91/92, факс: 8 (727) 251 58 12 вн. 107.
Өнімнің жарамдылық мерзімі шектелмеген.
Сертификация туралы ақпарат сайтта Өндіруші «Э»

Сведения о подтверждении соответствия издания согласно законодательству РФ о техническом регулировании можно получить на сайте Издательства «Э»

Өндірген мемлекет: Ресей
Сертификация қарастырылмаған

Подписано в печать 12.11.2015.
Формат 84х108 $^{1}/_{32}$. Гарнитура «Таймс».
Печать офсетная. Усл. печ. л. 23,52.
Тираж 2000 экз. Заказ № 8695.

Отпечатано с готовых файлов заказчика
в АО «Первая Образцовая типография»,
филиал «УЛЬЯНОВСКИЙ ДОМ ПЕЧАТИ»
432980, г. Ульяновск, ул. Гончарова, 14

ISBN 978-5-699-84535-4

В электронном виде книги издательства вы можете
купить на www.litres.ru

ЛитРес:
один клик до книг

ИНТЕРНЕТ-МАГАЗИН
ИНТЕРНЕТ-МАГАЗИН
ИНТЕРНЕТ-МАГАЗИН
ИНТЕРНЕТ-МАГАЗИН